Géricault

Dessins & estampes des collections de l'École des Beaux-Arts

École nationale supérieure des Beaux-Arts

Pages précédentes :
Théodore Géricault,
Course de chevaux (détail),
cat. D.97,
dessin, Ensba.

Couverture :
Théodore Géricault,
Les Boxeurs (détail),
cat. E.7,
lithographie, Ensba.

14, rue Bonaparte 75006 Paris
Tél : 01 47 03 50 00
Fax : 01 47 03 50 80
http://www.ensba.fr

Directeur :
Alfred Pacquement

ISBN : 2-84056-052-6

Géricault

Dessins & estampes des collections de l'École des Beaux-Arts

École nationale supérieure des Beaux-Arts

Commissaire Emmanuelle Brugerolles conservateur à l'École nationale supérieure des Beaux-Arts

École nationale supérieure des Beaux-Arts : 25 novembre 1997 - 25 janvier 1998
Fitzwilliam Museum, Cambridge : 26 mars 1998 - 24 mai 1998

Géricault,
Dessins & estampes des collections
de l'École des Beaux-Arts

Commissaire de l'exposition
Emmanuelle Brugerolles,
conservateur à l'Ensba
assistée de Joëlla de Couëssin,
documentaliste à l'Ensba

Scénographe, Antoine Stinco, architecte
et professeur à l'Ensba
assisté de Antoine Régnault et David Séréro

Exposition

Laurence Maynier, chef du service
de la communication et des expositions
Carole Croënne, chargée des expositions
Huguette Meyran, chargée du partenariat,
l'ensemble de l'équipe

Annie Jacques, conservateur en chef,
Véronique Rabin le Gall,
responsable des relations internationales
Michel Davidov, responsable du service
des études techniques et des travaux neufs

Restauration, montage et encadrement des
œuvres conduits par Laurence Caylux,
Sophie Chavanne, Isabelle Drieu la Rochelle,
Marie Jaccottet et Antonio Mirabile
avec, à l'Ensba, Françoise Lorre

Exposition coproduite
avec la Morris and Helen Belkin Art Gallery
(University of British Columbia), Vancouver
et le Fitzwilliam Museum, Cambridge

Affiche et carton d'invitation
Frédéric Lemercier

Chargée des relations avec la presse
Claudine Colin Communication

Catalogue

Ouvrage collectif sous la direction
d'Emmanuelle Brugerolles

Les auteurs
Dr. Nina Athanassoglou-Kallmyer
professor of Art History,
Department History of Art,
University of Delaware
Emmanuelle Brugerolles
conservateur à l'Ensba
Pierre Buraglio
artiste et professeur à l'Ensba
Bruno Chenique
historien de l'art
Joëlla de Couëssin
documentaliste à l'Ensba
Jean-François Debord
professeur à l'Ensba, responsable
du département de morphologie
Dr. Marc Fehlmann
professeur d'histoire de l'art,
département d'histoire de l'art,
Université de Zurich
Dr. John Paul Lambertson
assistant professor of Art History,
Department History of Art, University
of New Hampshire, Manchester
Dr. Michael Marrinan
professor of Art History, Department of
Art, Stanford University
Dr. Alexander Mishory
professeur d'histoire de l'art,
The Open University of Israël
Jane Munro
conservateur au Fitzwilliam Museum,
Cambridge
Robert Simon
historien de l'art et critique

Traductions
Jeanne Bouniort
François Grunbacher
Stéphanie Wapler

Édition
Anne Raynaud,
responsable du service des éditions
Francine de Jacobet, pour l'édition
Elyane Le Men Miquel,
pour la réalisation
Jean-Michel Lapelerie,
pour les photographies, service
des collections

Sur une maquette
de Sophie & Philippe Millot

Le catalogue est imprimé sur des papiers
distribués par Arjomari Diffusion :
intérieur, Centaure blanc naturel 120 g ;
cahier central, Idéal Premier mat 2 faces 170 g ;
gardes, Pop'set Tournesol 170 g ;
couverture, Idéal Premier brillant 2 faces 135 g

Les partenaires

Cette exposition a bénéficié

• du soutien actif de
La Maison Yves Saint-Laurent, Pierre Bergé,
Christophe Girard et Muriel Dubois-Vizioz

• du concours de
Arjomari Diffusion
Erco Éclairages, Jean-Michel Trouïs,
Sylvie Guerrier et Dominique Liners

• et du partenariat média de
La Réunion des musées nationaux,
Irène Bizot, Alain Madeleine-Perdrillat
et Cécile Vignot
Connaissance des Arts
La Ratp, Jean-Paul Bailly, Vincent Relave
et Dominique Dreyfous-Ducas
Montmartre FM et Nostalgie, Roger Coste,
Valérie Dazzan et Marion Semblat
Figaroscope

Le volet contemporain de l'exposition
Géricault a bénéficié du soutien
de Gras Savoye et de Lefranc & Bourgeois

Sommaire

Préface

Le projet de cette double exposition est né d'une conjonction de plusieurs facteurs favorables.

Ce fut tout d'abord l'initiative prise par Serge Guilbaut, professeur d'histoire de l'art à l'Université British Columbia de Vancouver et de Scott Watson, directeur de la Morris and Helen Belkin Art Gallery de cette même université, avec laquelle l'École des Beaux-Arts poursuit un fructueux accord d'échange pour ses étudiants, de réaliser une exposition consacrée à Géricault, très largement construite à partir du fonds patrimonial de l'École. Entamée par des premiers contacts il y a plus de quatre années, l'exposition s'est ouverte au mois d'août dernier à Vancouver, dotée d'un sous-titre révélateur des enjeux théoriques poursuivis par ses concepteurs : « Théodore Géricault, the alien body : tradition in chaos ». Dans la préface du catalogue, Serge Guilbaut explique que le projet de l'exposition repose sur « l'effort concerté (de Géricault) de revitaliser la représentation visuelle à travers son intérêt pour la vie quotidienne : le "réel", devenu inévitable après avoir été toujours renié par le Classicisme ». Vu sous cet angle, un point de vue déjà largement initié par Régis Michel, auteur de la rétrospective exemplaire présentée au Grand Palais en 1991, et principal coordinateur du colloque dont les actes furent récemment publiés, l'œuvre de Géricault rencontre par bien des aspects les débats de l'art contemporain. Géricault apparaît au cœur d'un croisement historique et stylistique, s'écartant largement des pesants clichés dont on l'a affublé (peintre de chevaux, ou encore auteur d'un tableau unique et spectaculaire : le célèbre *Radeau*). Diverse et multiple, son œuvre touche à des sujets sociaux, politiques ou psychologiques : la misère urbaine, la lutte contre l'esclavage, les exécutions capitales, les cadavres, la folie... « Il montre le moment où le discours de l'ordre établi bégaie, bredouille et explose, où et quand ce discours ne parvient plus à couvrir le bruit de la rue » (Guilbaut) ; « Chez Géricault, la tension du *réel* et du *sujet* finit par produire cet art corrupteur : le réalisme subjectif » (Michel).

De tels questionnements ne peuvent laisser indifférents ceux et celles qui se confrontent aujourd'hui à une posture contemporaine dans les arts visuels. L'on dira qu'il pourrait en être de même avec tant et tant d'artistes inscrits dans l'histoire de l'art. Encore faudrait-il les observer sous un angle contemporain, et ne pas se contenter de ressasser une lecture souvent figée de leurs œuvres. Pour autant, ces moments de rupture, où les concepts esthétiques basculent, comme chez Géricault, ne sont pas si fréquents : Caravage, Goya, Picasso... Il se trouve que l'École nationale supérieure des Beaux-Arts détient un riche patrimoine historique et qu'il est entré d'emblée dans notre projet de direction de l'École de mettre en valeur cette collection exceptionnelle et pourtant méconnue. C'est là qu'entrait en jeu un autre facteur. Entamer un tel programme avec Géricault – à la suite, nul ne l'oublie, d'expositions antérieures qui furent nombreuses et de qualité – était une chance extraordinaire : exposer au public, pour la première fois rassemblées, cent trente neuf œuvres sur papier par l'auteur du *Radeau de la Méduse*, certaines comptant parmi les plus importantes de l'artiste (*La Traite des nègres*), d'autres encore inédites, les publier pour la première fois dans un catalogue scientifique : tel était une sorte de devoir patrimonial aujourd'hui accompli.

Cet ensemble retrace largement le parcours de Géricault. Il s'ouvre avec des œuvres de jeunesse, en majorité des études anatomiques de l'homme et du cheval, retrace le voyage en Italie, où Géricault copie Michel-Ange mais se saisit aussi, sans complaisance, du spectacle de la rue (exécutions capitales, bouchers romains...). Des six années qui lui restent à vivre à son retour d'Italie, Géricault tire un nombre considérable d'œuvres dont les collections de l'École mettent particulièrement en avant les sujets militaires, le réalisme quotidien du voyage en Angleterre, les thèmes orientalistes, les chevaux, ou encore des études pour de grandes compositions, dont *La Traite des nègres* déjà citée. Ne manquent que les études pour *Le Radeau de la Méduse*, hélas absentes de nos collections, ainsi que certains sujets n'ayant pas donné lieu à œuvres sur papier, tels les portraits de fous. Et si nulle peinture ne fait partie de cet ensemble, dessins et lithographies ne doivent pas pour autant apparaître comme une dimension secondaire de l'œuvre. C'est à nouveau Régis Michel qui l'affirme : « On oublie trop que le dessinateur fut, par l'infinie variété de ses registres, qui alternent toutes les techniques, de l'ellipse du contour à la chimie picturale, où se fondent chromatiquement le lavis, l'aquarelle et les accents de la gouache, sans rival dans le siècle pour la puissance expressive. » Quant aux lithographies, Géricault en fut sans conteste l'un des premiers maîtres, fort peu de temps après l'invention de cette technique nouvelle. Et la *suite anglaise* compte parmi les tout premiers chefs-d'œuvre du genre.

Mais, il y a plus. Il n'est pas indifférent que cette exposition se déroule dans une école d'art, et ce pour plusieurs raisons. Données à l'École par des mécènes soucieux de parfaire la formation des futurs artistes, ces feuilles retrouvent aujourd'hui leur vocation première puisque le premier public de l'exposition sera, on ose l'espérer, celui des étudiants des écoles d'art à commencer par la nôtre, et, par extension, celui des artistes. Emmanuelle Brugerolles, conservateur des dessins et commissaire de cette exposition, rend hommage dans son introduction à ces généreux collectionneurs dont il faut ici saluer la mémoire. C'est évidemment grâce à eux que cette exposition peut avoir lieu aujourd'hui dans ces murs.

L'École des Beaux-Arts est le lieu de la confrontation entre les œuvres, toutes époques et toutes expressions confondues dont chaque artiste saura, le moment venu, tirer la synthèse. Ni interdit esthétique, ni style dominant et obligé : tel pourrait être son mot d'ordre. On entend aujourd'hui beaucoup de contrevérités à propos de la création contemporaine, à commencer par cette curieuse assertion selon laquelle elle se passerait de recourir à l'histoire de l'art, elle plongerait d'emblée dans un présent mal maîtrisé faute, précisément, de cette capacité analytique et d'une connaissance historique. S'il fallait apporter une nouvelle pièce au dossier de ces controverses, cette exposition nous semble être une réponse digne d'intérêt : deux artistes, enseignants à l'École des Beaux-Arts, Pierre Buraglio et Jean-François Debord, contribuent à ce catalogue, y apportant leur regard propre sur une œuvre de passé et une érudition qui n'a rien à envier à celle des historiens d'art, dont il faut également saluer la qualité des essais et que nous remercions ici pour leur participation.

Par ailleurs, une quinzaine d'artistes-enseignants à l'École et plus de trente élèves ont proposé une intervention visuelle, en relation avec l'œuvre de Géricault, permettant ainsi d'enrichir cette présentation de points de vue contemporains. Certains chefs d'atelier ou autres professeurs, parmi lesquels Jean-Michel Alberola, Vincent Bioulès, Pierre Buraglio, François Fontaine, Lesly Hamilton, Vladimir Vélickovic se sont particulièrement investis dans ce projet en mobilisant leurs élèves. Que tous sachent ici combien nous leur sommes reconnaissants de leur participation active. Ces contributions sont extrêmement diverses et on les jugera peut-être inégales, parfois inabouties. Peu importe : elles ont pour principal mérite d'avoir été portées par un projet commun dépassant largement le cadre d'un atelier unique pour impliquer une bonne partie de l'École. Recoupant les enjeux contemporains les plus souvent débattus dans l'art d'aujourd'hui – et tout particulièrement l'engagement social de l'artiste à nouveau à l'ordre du jour en ces temps post-formalistes – et une lecture « contemporaine » de Géricault, l'on constatera que reviennent le plus souvent les thèmes empruntés à son « réalisme social » : faits divers et scènes de rue ; exécutions capitales et fragments de corps ; engagement de l'artiste contre l'esclavage ; thèmes de la folie. Chers au grand public, qui ne fait pas là forcément preuve d'absence de goût, les chevaux sont plutôt rares, comme on le verra. Quant aux scènes de naufrage, elles auront le mérite de leur manque de conformisme, voire de leur insolence. L'ensemble de ces « Points de vue contemporains » fait l'objet d'une publication, complémentaire au présent catalogue, qui permettra ainsi d'en juger.

Ainsi notre exposition Géricault s'enrichit d'une double approche : celle des historiens d'art et des scientifiques – qui révèlent à cette occasion quelques découvertes à ajouter au corpus analytique sur l'artiste – et celle de peintres ou de sculpteurs d'aujourd'hui qui, par leur regard et leur façon de braquer le projecteur sur certains aspects de l'œuvre, en proposent une lecture contemporaine qui peut aujourd'hui plus particulièrement nous toucher. Comme l'indique Pierre Buraglio dans son essai, on retrouvera chez Géricault, à y regarder d'un peu près, les exclus et les sans-papiers, la corruption politique ou le débat sur la peine de mort : des sujets étrangement actuels. « Théâtre de la cruauté » écrit avec raison Régis Michel citant Artaud.

Au fond, il y a derrière ce projet, et ceux qui, on l'espère, lui feront suite, une volonté délibérée de raccrocher l'histoire au présent ; d'affirmer que le regard d'aujourd'hui, celui des historiens comme celui des artistes, et peut-être d'abord chez ces derniers, nourrit la lecture des chefs-d'œuvre du passé. Rien de bien neuf diront certains : il n'y a pas si longtemps, on quittait l'École des Beaux-Arts pour copier les maîtres à Rome. Aujourd'hui, on traverse le monde à grande vitesse pour voir les œuvres éparpillées dans les musées, souvent loin de leur lieu de production, et connaître parfois la chance d'un rassemblement le temps d'une exposition. Mais on en viendrait presque à oublier que si ce fameux « grand public » court les grandes expositions, artistes et créateurs sont les premiers concernés par ces œuvres rassemblées, extraites de l'histoire. Ce sont eux qui nous les donnent à relire, qui y réinjectent une énergie, eux qui nous permettent de les comprendre, au même titre que les historiens grâce à leurs recherches.

Cette exposition a réuni de nombreux concours et tous ceux qui y ont contribué doivent en être remerciés.

Plusieurs entreprises ont généreusement répondu à notre appel au mécénat, évidemment nécessaire au bon déroulement de cette exposition. Notre reconnaissance va ainsi à la maison Yves Saint-Laurent et à son président Pierre Bergé qui ont spontanément choisi de participer à ce projet. De même les sociétés Arjomari Diffusion, Erco Éclairages, Lefranc & Bourgeois et Gras Savoye, cette dernière à travers la relance du prix « GS Art », ont bien voulu également apporter leur concours.

Plusieurs services de l'École se sont mobilisés, notamment les collections, les éditions, la communication et les expositions, la médiathèque, les relations internationales, les études et travaux neufs.

Que tous et toutes en soient très sincèrement remerciés pour leur dévouement et le professionnalisme dont ils ont fait preuve.

Antoine Stinco, architecte et professeur à l'École, a bien voulu concevoir la scénographie de la partie patrimoniale, particulièrement délicate dans l'immense salle Foch, et nous aider à mettre au point un nouveau système d'éclairage attendu depuis longtemps.

Enfin, après Vancouver, l'exposition sera présentée au Fitzwilliam Museum de Cambridge, permettant ainsi au public britannique, cher à Géricault, de découvrir cet ensemble d'œuvres. Que son directeur Duncan Robinson ainsi que Jane Munro, conservateur en charge de ce projet, sachent combien nous nous félicitons de cette collaboration qui a reçu le concours précieux des services culturels de l'Ambassade de France en Grande-Bretagne.

Alfred Pacquement
directeur de l'École nationale supérieure
des Beaux-Arts

Today's Géricault

« Il était fougueux et doux... »
Adélaïde de Montgolfier

Supposons un artiste passionné par l'œuvre fulgurante, énigmatique et si moderne de Géricault. Une passion conjuguée à des soucis et à des interrogations de citoyen qui conduirait non seulement à approcher les grands sujets qu'il traita ou esquissa à la fin de sa vie, mais encore à en établir des correspondances avec notre temps. À les appréhender, non dans leur permanence, leur essence mais plutôt dans des termes symétriques à ceux qui se manifestent aujourd'hui.

Supposons que cet artiste essaie de faire quelque chose... Écueil à contourner : les idées par trop générales, les truismes, et le galimatias. Des obstacles sur lesquels, toutes disciplines confondues, un grand nombre de postulants à « l'art d'idées » butent et chutent. L'exposition *Face à l'Histoire* au Centre Georges Pompidou aura fait largement la démonstration de l'emphase, de la naïveté, pire de la bêtise. Comment s'engager dans de grands sujets en évitant de faire son numéro d'artiste, généralement non périlleux, et parfois bien rémunéré. Les exemples abondent de carrière avec/sur la misère et l'injustice et autres causes.

Dans *La Guerre sainte*, René Daumal écrivait en 1940 « ... des autres guerres que celles que l'on subit je n'en parlerai pas, si j'en parlais ce serait de la littérature ordinaire, un substitut, un à-défaut, une excuse [...]. Comme j'ai employé l'expression "crever de faim" alors que je n'en étais pas à voler aux étalages [...]. » Comme toutes positions maximalistes (*cf. Le Déshonneur des poètes* de Benjamin Peret), elle peut arranger les choses, excuser de ne rien entreprendre, mais elle a aussi le mérite insigne du rappel à soi-même de ne pas tricher.

Peu d'artistes ont vécu, vivent des situations extraordinaires, et en tirent parti. Par exemple : quelques musiciens afro-américains qui ont fait entendre : « Freedom Now. We Insist... ». Boris Taslitzky, dessinant, avec les bouts de crayon de deux centimètres des S.S., à Buchenwald, ou Léon Delarbre, à Dachau, ce qu'ils voyaient. Et quelques autres.

Ces grands sujets quels sont-ils ? Quels dessins, peintures ou lithographies les mettent en résonance avec notre présent ? Le parti pris est de les isoler pour mieux les considérer, en réaction au discours dominant qui les évacue chez Géricault (comme chez les autres) avec tous les détails inscrits dans leur temps pour maintenir la Peinture dans un univers gazeux. Ce parti pris ressortit des positions soutenues depuis trente ans par Gilles Aillaud. Dans un article intitulé « Bataille rangé » (*dans* : *Rebelote*[1], n° 3, 1973), il écrivait à propos du *Manet* de Georges Bataille que l'auteur s'était hélas rangé du côté de Malraux (et d'autres) en épousant les idées officielles sur l'art, idées d'autonomie, de développement généalogique, etc. Pour Georges Bataille, « ... l'*Olympia* procède de la *Vénus d'Urbino* du Titien que Manet avait copiée aux Offices à Florence en 1856... ». C'est en partie vrai. Mais Aillaud a raison d'opposer à cette réduction tout ce qui ancre dans le réel ce tableau qui fit scandale... « Tout est daté, tout est conditionné. On connaît le prix des mules qu'elle porte aux pieds comme celui de ses bijoux... » et il concluait son article (qui s'appuyait également sur le *Déjeuner sur l'herbe* et l'*Exécution de l'empereur Maximilien*) en faisant directement allusion au rejet de l'*Olympia* par les bourgeois de 1855 : « Ils ont très clairement vu ce que Manet entendait faire voir... » – c'est-à-dire eux-mêmes en miroir. Ce qu'ils n'acceptaient pas.

Le Radeau de la Méduse, une peinture de plus de quatre mètres sur sept, exposée en 1819. Le colossal travail d'un peintre de vingt-huit ans, dans la foulée de Michel-Ange, (de sa *terribilita*), qu'il avait copié lors de son voyage en Italie. La génération de Géricault a vécu l'effondrement de l'Empire, lequel, bien que confiscateur des idées neuves de la Convention, continuait néanmoins de les porter symboliquement. Ce fut le désenchantement, puis le dégoût avec le retour des émigrés, et du monde du fric. De même la génération de 68 a vécu sa période de deuil. Les utopies sont tombées. Tant mieux. L'enthousiasme aveugle et dangereux s'est mué en lucidité, en doute productif.

Le Radeau de la Méduse est une œuvre d'espoir, dans sa structure même. Dans le dynamisme de la grande diagonale opposée aux trois points d'appui sur les bords mêmes de la toile, du trapèze-radeau. Tout bascule et se redresse dialectiquement. L'espoir est dans l'image : la verticale de l'Africain debout, de dos (voir l'*Étude de dos* conservée à Montauban) qui agite un linge. Au large de l'océan démonté un point d'espérance apparaît : le brick *L'Argos* (pouvoir des mots : la méduse, la mollesse est secourue par l'Argos qui signifie rapide).

« Géricault peignit le naufrage de la France », aurait pu dire, dans sa cinquième leçon au Collège de France, Jules Michelet, si le gouvernement de Charles X ne l'en eût empêché. Au départ, c'est un simple fait divers, comme l'« Affaire Fualdes » qui sera l'occasion pour le peintre d'une série de dessins à la plume, très narratifs. En récompense de sa fidélité aux Bourbons, le commandement de *La Méduse* avait été accordé à un incapable. Résultat : le navire sombra ; cent cinquante personnes périrent ; et les officiers s'étant comportés comme des lâches : il n'y eut que quinze survivants après treize jours de dérive.

Comment ne pas revoir le film des prévarications, concussions, cas de népotisme qui défile depuis plusieurs années ? Que faire ? Attention ! La caricature est difficile. Pas aisé de faire juste sans forcer le trait ; de ne pas sombrer dans le populisme (de droite comme de gauche), l'antiparlementarisme, etc. « Je ne sais pas la politique sans la morale » – tel est le message de Jean-Jacques Rousseau à l'ordre du jour.

À noter : Géricault prendra en mains ses affaires de peintre. Il promènera son grand tableau en Angleterre, y rencontrera le succès et gagnera de l'argent.

Leçon à tirer pour les jeunes artistes : il ne faut compter que sur ses propres forces ; et se méfier des intermédiaires.

Les études pour/autour/dans le temps... du *Radeau de la Méduse*... Géricault avait obtenu des internes de l'hôpital Beaujon la permission d'étudier sur place des morceaux de cadavres disséqués – ce qu'il fit pendant plus d'une année. Il aurait même gardé quinze jours sous son toit une tête pour en observer la décomposition et l'évolution des couleurs qu'elle engendre – cette couleur verdâtre de la pourriture. (Dans des situations différentes, Monet observera le visage se colorant/décolorant de Camille morte, et Hodler celui de Valentine. Soutine, son rumsteck.)

Les études : *Têtes coupées* (National Museum, Stockholm), *Bras et jambes* (Musée Fabre, Montpellier) lui sont nécessaires, fondamentalement. Dans une communication intitulée « La problématique de la narration chez Géricault », Henri Zerner[2] écrit : « Ce n'est pas une étude pour le tableau, mais plutôt une recherche sur ce qui n'y entre pas, mais qui devrait y être. » L'auteur précise qu'il aurait été inconcevable d'exposer ces tableaux ; de plus qu'ils n'étaient pas commercialisables. Que Théodore Géricault ressentait le besoin impérieux de les peindre – et les peignant, qu'il y aurait épuisé son émotion directe. C'est ce qui se passe, en effet. L'historien insiste sur la complexité de ces tableaux, et en particulier la toile de Stockholm où il voit un double portrait : celui d'une tête de femme, un modèle d'atelier vivant et d'une tête d'homme décapité : Salomé et Jean-Baptiste. Géricault travaille la figure, et par la disposition de ces deux figures, la nature morte (cela dit sans jeu de mots macabre).

Géricault dans cette série de tableaux synthétise des contraires. « *Ugly Beauty* » est le titre d'une ballade que Thelonius Monk a écrite pour lui sur un thème baudelairien : le Beau absolu réside dans son contraire.

Ni pathos, ni morbidité – à retenir ! Leçon à faire entendre.

Même attitude de distance prise devant les hommes et les femmes dont le docteur Georget de la Salpêtrière lui avait demandé de faire des portraits types pour illustrer son livre *De la folie*. En fait, le médecin se servira des dix toiles peintes par Géricault pour étayer son cours. Resterait à prouver... Quoi qu'il en soit, et quelles que puissent être les recherches des historiens de l'art, ces portraits de fous – commandés ou pas, constituent un projet artistique en soi. Cinq de ces tableaux nous sont parvenus. Ce sont *La Monomane de l'envie* (Musée de Lyon), *L'Homme atteint de la folie des grandeurs militaires* (collection privée), *La Monomane du jeu* (Louvre) et *Le Monomane du rapt* (Springfield, États-Unis).

Pour le docteur Georget, le cas clinique devait fatalement se lire dans les traits physiognomoniques et la pigmentation du visage. Bien sûr, cette théorie organique est dépassée et s'en réclamer aujourd'hui serait aberrant.

Comment emboîter le pas de Géricault qui participe, avec les aliénistes tels Esquirol ou Pinel (qui détachera de leurs chaînes les malades de la Salpêtrière), du mouvement général de progrès repris de la Révolution française ? « Il y a en Géricault, écrivait Henri Focillon, un mélange singulier, un peintre de style et, par avance, l'homme de quarante-huit[3]... » Le grand happening de Mai-68 allait du même élan que Géricault. De quelle façon être exactement moderne – aujourd'hui, car c'est de cela dont il s'agit ? Comment rompre avec la rhétorique de notre temps, comme lui-même le fit en refusant les conventions de l'école académique post-davidienne tout en ne perdant pas les préceptes du dessin de David – ce qui fait appel à l'intelligence. Ses portraits de fous, avec *Le Vendéen* (Louvre) sont sans arrière-plan, ne comportent que les accessoires (habits, objets) nécessaires à leur caractérisation. Les couleurs sont éteintes, tandis que les yeux – point focal de l'interrogation – sont allumés et nous interpellent sur la santé mentale et l'angoisse. Ces tableaux transmettent « une émotion la plus intense possible d'individu à individu, ou pour ainsi dire de conscience à conscience » (Henri Zerner). Avec les portraits d'Antonin Artaud, son ami, le fil est renoué.

Malgré l'attrait du très jeune Géricault pour l'armée (il a été mousquetaire de Louis XVIII), pour l'épopée napoléonienne, pour les costumes chamarrés, les dolmans, les pelisses, les selles en peau de tigre – autant de prétextes sensuels[4] (post-baron Gros) à peindre – il est, dès le *Cuirassier blessé quittant le feu*, du côté des « gueules cassées ». Du portrait de cet officier subalterne, anonyme, à la *Charrette des blessés* (collection particulière, Londres) il affirmera le discours qu'il radicalisera par la suite avec les lithographies de la *Retraite de Russie*.

Ce qui est dit : les envahisseurs finissent à Stalingrad, à Diên Biên Phû – ce qui n'exclut pas la compassion pour ceux qui sont tombés.

Le Supplice (Musée de Rouen)... Trois hommes alignés en situation frontale. Un civil en gibus enfile une cagoule à l'un d'eux. Un pasteur à contre-jour console ; tandis que le bourreau est déjà au travail. Et l'image de la potence qui fortement structure le dessin. Ce crayon et lavis de sépia sur papier gris (technique nouvelle pour le peintre), dit tout avec économie et efficacité. On n'insistera jamais assez sur la retenue des signes et des effets chez Géricault.

Un ouvrage de 1870 rapporte : « Le jour de l'exécution de Castaing place de grève, Jamar, arrivant en retard à l'atelier, s'excusa sur la curiosité qui l'avait entraîné à assister à cet affreux spectacle. Géricault le réprimanda en lui disant qu'il était malsain de voir des choses aussi affreuses... » Peu de temps auparavant, Th. G. était allé au Sénat écouter Robert Badinter qui y démontrait que la peine de mort est illégitime ; que « l'État n'a pas le droit de tuer ses concitoyens parce que ceux-ci ne lui en ont pas délégué le droit ». Celui qui allait faire abolir la peine de mort en 1981 démontrait qu'elle était inutile parce qu'elle n'empêchait pas des crimes de sang. Et bien, quelque dix ans plus tard, plus de cent députés de l'ancienne majorité de la frange la plus réactionnaire demandaient à ce qu'elle soit rétablie pour « certains crimes ». «Vigilance », à écrire en capitales (par antiphrase).

La fréquentation de l'œuvre de Géricault conduit à constater avec évidence qu'il a peint, dessiné, esquissé nombre de sujets macabres. Mais pour insister et aller à l'encontre – intuitivement – de certains historiens de l'art, le peintre ne se complaît pas dans la morbidité. Non. Il pratique une sorte de documentaire tout à la fois ému et distancié qui déclenche la réflexion et la parole – et en même temps instille une certaine dose de mélancolie un peu paralysante. Son œuvre ainsi nous épargne tout optimisme béat.

Quant à la « Mine de plomb et sanguine sur papier beige », intitulée *La Traite des nègres* (collection de l'École des Beaux-Arts) ou à la « Plume », très nerveuse (conservée à Bayonne), que font dire ces dessins pour une œuvre ambitieuse à réaliser, alors que le commerce du bois d'ébène vit ses dernières années ? L'esclavage, que la Convention avait aboli et que Bonaparte, Premier Consul, avait rétabli, ne sera définitivement aboli (dans les nations européennes, tout au moins) qu'en 1848 – et plus tard encore aux États-Unis. Le peintre s'inscrit dans le courant rousseauiste qui y contribua.

Depuis... 1945 : fin du travail forcé dans les Colonies françaises..., 1947 : les Malgaches avaient cru que la France leur accorderait l'indépendance qu'elle venait de recouvrer ; en fait leur révolte se solda par quatre-vingt mille morts.

Des embellies : Patrice Lumumba, Charles Mingus..., l'élection de Nelson Mandela..., les accords de Nouvelle-Calédonie signés par Jean-Marie Djibaou... Un nom en entraîne un autre... Th. G. s'est rendu à nouveau au Palais du Luxembourg pour cette fois-ci entendre Michel Rocard : « Nous nous sommes laissés anesthésier par l'insidieux poison de la peur de l'autre... » Et d'en appeler à Emmanuel Kant tout à fait de circonstances. (Depuis le ciel s'est un peu dégagé...). Après Rubens, Watteau, tous les Melchior des adorations des bergers, le Noir, en jouant sur la polysémie du mot – avec Géricault, occupe la surface colorée.

Devant les lithographies éditées par l'anglais Hullmandel – nouveau moyen de reproduction et de circulation, et dont l'École des Beaux-Arts conserve un jeu complet ; devant celles en particulier réunies sous la rubrique *Scènes de la rue londonienne :* plus d'intérêt que d'émotion. Elles restituent avec force détails le Londres de Dickens « … où pullulent les rats ». Elles renseignent. Et, leur précision comme leur vision globale appellent à prononcer ces mots-tocsins : Exclus (ils sont cinq millions aujour-d'hui dans notre pays) et Précarité (ils sont douze millions en état de…).

Que faire ? Éviter, toujours est-il, les manifestations artistiques du type de la « maison ambulante pour *homeless…* », ou du « matelas roulé » (*cf.* la IIe Biennale de Lyon). Retour aux réserves faites d'entrée, à R. Daumal. En symétrie : sur deux des lithographies de cette suite, deux hommes de la rue de Londres, deux S.D.F., jouent l'un de la cornemuse, l'autre d'une sorte de flûte ; ils sont mis le mieux qu'ils le peuvent ; ils sont debout comme cet homme qui jouait « Little Lou » au changement République.

Conclusion provisoire : le parti pris qui étaye ces quelques réflexions est intenable – et pourtant à soutenir. Il faut persister – bien qu'artificiellement – à isoler les grands sujets, et se pénétrer de leur ampleur et de leur générosité. L'œuvre de Géricault multiplie les chausse-trappes à toute grille de lecture, fait résistance à toute indexation. Comme toutes les grandes œuvres elle brouille les pistes… « Ces tableaux d'une incomparable résistance refusent de se soumettre à toute intelligibilité », écrit Henri Zerner. Il exagère, mais il a en partie raison.
Et pourtant ces tableaux, ces coups de pinceaux et de brosse qui font : là un homme, un groupe d'hommes, un cheval…, déclenchent la parole, la réflexion tout en stimulant les sens.

Supposons un artiste… à qui ce dandy marqué du sceau de la mort donne tout à la fois une leçon de pudeur et de non-désespoir ; et communique l'irrésistible besoin de peinture.

Pierre Buraglio
Juin 1997

1
Revue qui ne compta que trois numéros et oubliée aujourd'hui parce qu'à contre-courant.

2
Merci à Pierre Wat qui m'a suggéré la lecture de trois textes de l'historien de l'art Henri Zerner réunis sous le titre de *Géricault - Arts et Esthétique.*

3
Il a aussi embrassé la cause pro-hellène, et avait le projet d'un tableau « de dimensions monstrueuses » sur le thème de l'ouverture des portes de l'Inquisition.
Nous avons besoin de lui.

4
Effectivement. Quelle sensualité ressentie chez Géricault-sculpteur, à Rouen, à Bâle, Cologne ; ou devant le *Noir qui brutalise une femme* reproduit dans *Géricault* de Klaus Berger.

Géricault dans les collections de l'École nationale supérieure des Beaux-Arts

L'École des Beaux-Arts conserve un des fonds les plus importants de dessins et de lithographies de Théodore Géricault, comparable par son ampleur à ceux du Musée du Louvre, de la Bibliothèque nationale de France et du Musée des Beaux-Arts de Rouen. Cet ensemble est constitué de dons de trois collectionneurs, Aimé-Charles-Horace His de la Salle, Edmond de Varennes et Prosper Valton, reçus entre 1867 et 1908. Cohérent malgré ces provenances diverses, il offre un panorama assez complet de l'œuvre de l'artiste et l'on n'y déplore qu'une lacune majeure : l'absence de projets ou d'études pour *Le Radeau de la Méduse*.

Les principales périodes de l'activité de Géricault sont toutes représentées avec une grande diversité. Sa formation auprès de Pierre-Narcisse Guérin entre 1810 et 1816 est évoquée par les calques réalisés d'après les gravures au trait des fragments de bas-reliefs du temple d'Apollon Epicourios à Bassæ (**cat. D.34** à **D.49**), les copies d'anatomies humaines d'après les recueils de Charles Monnet et de Giuseppe del Medico (**cat. D.1** à **D.16**) et enfin la série d'études d'anatomie du cheval, réalisée peut-être lors de séances de dissection ou plus vraisemblablement d'après des moulages de préparations anatomiques (**cat. D.17** à **D.33**).

Les œuvres conservées à l'Ensba datant du séjour italien de l'artiste, c'est-à-dire de 1816 à 1817, sont sans doute les plus variées et les plus originales : copies d'après les sculptures de Michel-Ange du tombeau des Médicis à la chapelle San Lorenzo à Florence (**cat. D.58** à **D.61**) ; études à sujets mythologiques – *Léda et le cygne* et *La Marche de Silène* (**cat. D.64** à **D.68**) – où l'artiste associe des motifs repris d'après l'antique dans des compositions érotiques de son invention ; scènes contemporaines enfin, comme le *Paysan romain debout tenant un enfant dans ses bras* (**cat. D.72**) ou la *Prière à la Madone* (**cat. D.77**), en partie déterminées par le goût de l'époque pour les motifs populaires italiens, mais aussi scènes chargées d'une signification sociale voire politique, comme les *Préparatifs d'une exécution capitale en Italie* (**cat. D.73**) ou *Une exécution à mort à Rome* (**cat. D.74**).

Son retour en France en 1818 est marqué par l'élaboration de son chef-d'œuvre *Le Radeau de la Méduse*, mais également par la réalisation de nombreuses compositions, dessinées ou lithographiées, à sujets militaires. Là encore le fonds de l'Ensba révèle une grande variété de motifs : scènes de bataille qui évoquent pour la plupart l'épopée napoléonienne, comme le *Combat de cavalerie* (**cat. D.84**) ou encore l'exceptionnelle lithographie aquarellée mettant en scène l'*Artillerie à cheval de la Garde impériale changeant de position* (**cat. E.13**), mais surtout les misères de la guerre et plus particulièrement la retraite de Russie, racontée par les soldats à leur retour en France. C'est le cas du *Cuirassier blessé à cheval* (**cat. D.85**), préparatoire pour la lithographie *Le Retour de Russie* (**cat. E.10**), du *Chariot chargé de soldats blessés* (**cat. E.8**) qui rassemble un groupe de militaires épuisés et éclopés, entassé dans une charrette brinquebalante ou encore du *Caisson d'artillerie* (**cat. E.11**) qui illustre l'héroïsme inutile d'un simple soldat juché sur un caisson désarticulé, dont le cheval gît à terre.

L'Orient alimente également à cette époque l'imaginaire de l'artiste : le *Mameluk au bord de la mer* (**cat. D.86**), *Je rêve d'elle au bruit des flots* (**cat. E.5**) ou encore *Mameluk de la Garde impériale défendant un trompette blessé contre un cosaque* (**cat. E.6**) relèvent tout à la fois de la propagande politique et d'un exotisme romantique teinté de nostalgie. De même, les quatre lithographies de 1819-1820 consacrées aux guerres d'indépendance en Amérique latine – la *Bataille de Maïpu*, la *Bataille de Chacabuco* et les portraits équestres de Manuel Belgrano et de José de San Martin (**cat. E.14** à **E.17**) – sont un hommage aux luttes pour la libération des possessions espagnoles et au soulèvement des républicains contre l'absolutisme de Ferdinand VII, deux causes défendues par les libéraux français.

De la période anglaise, qui s'échelonne de juin 1820 à décembre 1821, l'Ensba conserve l'œuvre principale de l'artiste, c'est-à-dire la suite anglaise, série de douze lithographies intitulée *Various Subjects Drawn from Life and on Stone* (sujets variés tirés de la vie et dessinés sur papier ; **cat. E.23** à **E.35**) et publiée par Charles Hullmandel, l'un des imprimeurs d'estampes les plus importants à l'époque. Précédée d'un frontispice, *Le Fourgon attelé* (**cat. E.23**), elle comporte deux groupes de planches : neuf consacrées au thème du cheval et trois à des scènes de rue de Londres. Contrairement à la gravure de sport anglaise où l'animal apparaît isolé et représenté en quelque sorte pour lui-même, les chevaux figurent dans chacune de ces compositions dans l'exercice de leurs multiples fonctions – travail ou divertissement – qui renvoient respectivement aux classes laborieuses et à l'aristocratie (**cat. E.26, E.27, E.29, E.30** à **E.35**).

Quant aux trois scènes de rue, elles décrivent avec un réalisme poignant les misères sociales que l'artiste a pu observer dans les rues de la capitale : un joueur de cornemuse ou *Piper*, (**cat. E.24**) solitaire et misérable errant dans une rue délabrée, un vieillard affalé sur le sol faisant la mendicité à la fenêtre d'une boulangerie dans « *Pity the Sorrows of a poor old Man/Whose trembling limbs have borne him to your door* » (**cat. E.25**) ou encore une paralytique affaissée dans sa chaise, que l'on promène par un après-midi clément (**cat. E.28**). Les dessins de cette période relèvent d'ailleurs de la même veine : le *Portrait équestre d'un jeune homme* (**cat. D.89**) ou l'*Officier de Life-Guard* (**cat. D.89** et **D.94**) appartiennent au groupe des scènes élégantes d'équitation de l'aristocratie anglaise, tandis que *Les Charbonniers*, les *Types londoniens* ou *Le Joueur de cornemuse* (**cat. D.91, D.95** et **D.96**) témoignent d'une observation scrupuleuse de la vie misérable des classes laborieuses.

Pendant son séjour londonien, Géricault n'exécuta qu'une seule toile, *Le Derby d'Epsom* (Paris, Musée du Louvre) pour laquelle l'Ensba conserve une étude préparatoire (**cat. D.97**) saisissante par la vivacité du trait, le rendu immédiat du mouvement des chevaux au galop, mais aussi le cadrage audacieux de la scène ; autant de caractéristiques qui ont pu être rapprochées des compositions d'Edgar Degas.

De retour en France en 1821, Géricault ne peint plus de toiles monumentales et se consacre plus volontiers à la réalisation d'œuvres de genres mineurs, peintures de petit format, aquarelles et surtout lithographies.
Ses biographes mentionnent néanmoins deux grands « projets » restés inachevés, sur le thème de l'ouverture des portes de l'Inquisition et de la traite des noirs, qui témoignent une fois de plus de son engagement social et politique. L'Ensba conserve l'étude préparatoire pour cette dernière composition représentant un marché d'esclaves sur la côte du Sénégal (**cat. D.88**) : un noir, les mains liées derrière le dos, fait face à un blanc qui s'apprête à le rouer de coups, tandis qu'une femme tente de suspendre son geste.

C'est dans le domaine de la lithographie que le fonds de l'Ensba est le mieux représenté pour cette dernière période de la vie de l'artiste. La série des douze estampes gravées par Léon Cogniet et Joseph Volmar reprend et adapte au goût des amateurs français la suite anglaise dont six planches sont reproduites avec des modifications (**cat. E.72, E.74, E.76, E.78, E.82** et **E.83**), tandis que les six autres compositions, entièrement originales, sont des transpositions de peintures à l'huile ou d'aquarelles (**cat. E.73, E.75, E.77, E.79, E.80** et **E.81**). L'ensemble est consacré au cheval, les scènes de rue londoniennes ayant totalement disparu, et l'on n'y retrouve ni la monumentalité ni la force de conviction d'un *Piper* ou d'une *Paraleytic* (sic) *Woman* (**cat. E.24** et **E.28**).

Géricault réalise également un grand nombre de lithographies de petit format destinées à une large diffusion, où il multiplie les représentations de chevaux (**cat. E.44** à **E.70, E.84, E.93, E.94** et **E.96**), soucieux de détailler les caractéristiques des différentes races ou d'illustrer les utilisations de l'animal par des scènes réalistes. Enfin, il participe à l'illustration de l'ouvrage d'Antoine-Vincent Arnault (1766-1834) *Vie politique et militaire de Napoléon*, paru de 1822 à 1826 (**cat. E.19** et **E.20**) : l'Ensba conserve deux études préparatoires pour cet ensemble, la *Marche dans le désert* et *Le Passage du Mont Saint-Bernard* (**cat. D.101** et **D.102**).

Comme on le voit, le fonds de l'Ensba donne un aperçu de la multiplicité des sujets et des genres abordés par l'artiste : l'antique, étudié ou transposé ; l'anatomie, relevée d'après des recueils ou sur le vif ; la vie militaire, glorieuse ou misérable ; le cheval représenté pour lui-même ou dans l'exercice d'une activité « sociale » ; la mythologie ; l'Orient ; les scènes de la vie contemporaine ; les portraits, comme celui d'Auguste Brunet (**cat. D.81** et **E.2**) ; le paysage enfin, la *Vue de Montmartre* (**cat. D.82**) constituant avec la *Vue de Tivoli* de la collection Krugier à Genève et la *Vue de Montmartre* d'une collection particulière (exp. Paris, 1991-1992, p. 67, ill. 117, n° 97 et p. 123, ill. 199, n° 155) les seuls paysages purs à l'aquarelle aujourd'hui conservés.

Parmi ces dessins, seule *La Traite des nègres* (**cat. D.88**) est une composition achevée dans sa mise en page et sa facture. Les autres feuilles sont des études, témoignages ou traces d'un processus de création : copies d'après des recueils gravés ou d'après les grands maîtres, destinées à parfaire sa formation ; croquis tirés vraisemblablement de carnets de voyage – en ce qui concerne l'Italie ou l'Angleterre – révélateurs d'une observation précise du motif d'après nature ; études préparatoires pour des peintures ou des lithographies. S'agissant des études préparatoires, l'Ensba conserve aussi bien des dessins d'ensemble de la composition, comme pour le tableau du *Derby d'Epsom* (**cat. D. 97**) et pour les lithographies la *Marche dans le désert* ou *Le Passage du mont Saint-Bernard* (**cat. D.101** et **D.102**), que des croquis de détail, tels que l'*Étude de chevaux* ou l'*Officier de Life-Guards* (**cat. D.54** et **D.94**). Par ailleurs, un grand nombre de ces feuilles forment également des séries assez complètes relevant soit d'un exercice systématique et méthodique auquel se livre l'artiste – comme les seize dessins d'anatomie humaine (**cat. D.1** à **D.16**), les dix-sept dessins d'anatomie du cheval (**cat. D.17** à **D.33**), les seize études d'après les fragments du temple de Bassæ (**cat. D.34** à **D.49**), les cinq copies d'après les sculptures de Michel-Ange (**cat. D.58** à **D.62**) – soit d'une démarche par variations successives sur un même sujet traité à plusieurs reprises, comme les quatre *Léda et le cygne* (**cat. D.65** à **D.68**) ou les deux *Bouchers de Rome* (**cat. D.75** et **D.76**).

Quant aux lithographies, l'Ensba conserve la totalité de l'œuvre lithographié de l'artiste, à l'exception du *Trompette de lanciers* (L. Delteil, n° 5) pour lequel elle possède en revanche l'étude préparatoire recto et verso ainsi qu'un calque (**cat. D.52** et **D.53**), du *Portrait de René Castel* (L. Delteil, n° 6) et des *Scieurs de Bois* (L. Delteil, n° 28). Toutes les séries conçues par Géricault figurent de manière complète, qu'il s'agisse de la suite anglaise (**cat. E.23** à **E.35**), de celle de L. Cogniet et J. Volmar (**cat. E.71** à **E.83**), de la série des douze planches consacrées aux différentes races de chevaux (**cat. E.44** à **E.55**), des quatre lithographies sur les guerres d'indépendance en Amérique latine (**cat. E.14** à **E.17**) ou encore des quatre estampes illustrant les poèmes de Lord Byron (**cat. E.89** à **E.92**). Parfois même plusieurs exemplaires d'une même lithographie permettent de l'apprécier dans ses différents états : c'est le cas notamment du *Retour de Russie* qui figure, dans son premier état, avec et sans teinte (**cat. E.10**) ou du *Passage du Mont Saint-Bernard* (**cat. E.20**) des premier et deuxième états.

Mais ce qui fait l'originalité du fonds, c'est la présence d'épreuves d'une grande rareté, pour ne pas dire uniques : on pense bien sûr à l'*Artillerie à cheval de la Garde impériale changeant de position* (**cat. E.13**) – lithographie aquarellée par Géricault lui-même (comme l'indique Clément, 1879, p. 212), qui apporta à cette occasion de nombreux changements par rapport à la planche dont un exemplaire est conservé à l'Ensba – aux *Deux chevaux gris-pommelé se battant dans une écurie* (**cat. E.9**), seul exemplaire en deux teintes aujourd'hui connu, et au *Cheval attaqué par un lion* (**cat. E.97**), dont la marge porte l'annotation *plus noir*, de la main de l'artiste. Quant à la *Bataille de Maïpu* et à la *Bataille de Chacabuco* (**cat. E.14** et **E.15**), l'Ensba conserve de ces deux compositions des versions rehaussées d'aquarelle dont les légendes ont été coupées et collées au dos du montage, ce qui laisse supposer qu'elles étaient destinées à être encadrées. Or ces légendes, qui explicitent clairement les événements représentés et leurs enjeux politiques, font en ce sens partie intégrante de la lithographie initialement conçue pour une large diffusion à des fins de propagande, ce que confirment les insignes maçoniques et la personnalité du commanditaire.

Enfin, le *Portrait équestre de Dr Manuel Belgrano* (**cat. E.17**) offre un aperçu saisissant du travail de Géricault qui a découpé sa planche pour isoler la figure du cheval et y accoler successivement une tête de cosaque gravée puis une étude dessinée de Don José de San Martin, par ailleurs modèle d'une autre lithographie. Faut-il voir dans cet étrange montage une première étape de l'élaboration d'une composition en même temps que le témoignage d'une méthode qui procèderait par amputation et réemploi ? La question reste ouverte.

C'est à Aimé-Charles-Horace His de la Salle que l'Ensba doit la première des donations de dessins qui constituent aujourd'hui l'essentiel de sa collection. A. Gruyer, dans son discours lu lors de la séance publique annuelle des cinq Académies du 25 octobre 1881[1], souligna le souci pédagogique qui motivait ce don, reçu en 1867[2] : « L'éducation des artistes le préoccupait d'une façon particulière. C'est ainsi que son attention se porta sur l'École des Beaux-Arts. La bibliothèque de cet établissement avait pris un large développement… mais elle était dépourvue de ce qui doit surtout fixer l'attention des artistes : les maîtres, directement représentés par leurs dessins, en étaient absents[3].» Sur la centaine de dessins classés dans les diverses écoles – italienne, allemande, flamande, hollandaise et française – dix-neuf sont de la main de Géricault (**cat. D.34** à **D.39, D.41** à **D.43, D.45, D.49, D.57, D.71, D.77, D.84, D.88, D.89, D.101** et **D.102**). En 1876, le collectionneur compléta encore cet ensemble d'un lot de dix feuilles, toutes dues à notre artiste (**cat. D.40, D.44, D.46** à **D.48** et **D.58** à **D.62**).

«Grand vieillard de haute et noble stature, homme du monde accompli, éduqué par une mère de race[4]», His de la Salle naquit le 11 février 1795 et se consacra dès 1814 à la carrière militaire, s'engageant dans les gardes du corps de Louis XVIII. En 1815, il devint sous-lieutenant au deuxième régiment de cuirassiers de la Garde royale puis en 1822 lieutenant, mais dès 1826 il se retira du service pour se consacrer à sa mère malade. C'est de cette période de jeunesse que date son goût pour les lithographies militaires de Charlet, d'Horace Vernet et de Géricault: «Les naïvetés du conscrit et les roueries du soldat, si gaillardement racontées par Horace Vernet, lui plurent infiniment. Envoyé à Caen pour le service de la remonte, il avait pris du cheval une connaissance approfondie, et les lithographies de Géricault vinrent à point pour le captiver. Où donc un cavalier pouvait-il trouver de plus beaux types, une plus abondante et plus savante observation? Quel artiste avait su apporter autant de science dans le dessin des chevaux, montrer avec cette justesse d'expression le noble animal dans ses allures différentes, dans ses élégances et dans sa beauté robuste, dans ses révoltes et dans sa docilité? Les célèbres *Suites de chevaux*, modèles de sobriété et de puissance, furent accueillies avec enthousiasme par M. de la Salle[5].» Sa collection d'estampes «ne fut pas formée d'un seul jet et à coup d'argent, mais lentement, laborieusement, péniblement, petit à petit. Durant trente années consécutives», de 1825 à 1856, «M. de la Salle y travailla[6]».

C'est surtout en revanche à partir de son voyage en Italie – en Vénétie et en Toscane – en 1834 et à son retour en France en 1836 qu'il commença à constituer une collection de dessins: «Ce fut à Florence, enfin, en feuilletant les inépuisables cartons de la galerie des Offices, que M. de la Salle contracta le goût, il faudrait dire la passion des dessins, qui finirent par être la grande richesse de son cabinet[7].» En compagnie de Frédéric Reiset, futur conservateur au cabinet des dessins du Louvre, il parcourait les salles de vente et rendait visite aux marchands: «Ils sont désormais inséparables. Ils se retrouvent chaque jour aux mêmes ventes de l'Hôtel Bullion, et chez les mêmes marchands, les Defer, les Guichardot et les Blaisot de ce temps-là; ils pourchassent fraternellement le même gibier, qui est désormais les dessins de maîtres. Tous deux les veulent de premier ordre; et comme leur goût est sûr et ferme, et leur esprit large et voyant le beau où qu'il soit, ils ne se renferment point étroitement dans une école, mais choisissent l'excellent dans toutes. Et parce qu'ils ne marchandent pas, les plus précieux morceaux et les plus rares des anciens amateurs viennent tout d'abord les trouver chez eux[8].»

«Dans ses dernières années, M. de la Salle était possédé du démon de la libéralité. Il semblait qu'il ne se fût donné, toute sa vie, le plaisir d'acquérir, que pour se préparer plus tard le plaisir de donner. Pour peu que l'on fréquente les collections publiques de Paris, il est difficile d'ignorer ce qu'il a distribué, au Louvre, de dessins, de peintures, de sculptures; au Cabinet des Estampes, de pièces superbes ou rares; à l'École des Beaux-Arts, autres dessins exquis des plus grands maîtres; mais dès qu'il entrevoyait qu'un musée de province saurait apprécier les études ou croquis des artistes illustres, aussitôt, bravement, galamment, il ouvrait ses cartons et lui faisait son lot[9].» Dès 1851, His de la Salle donna en effet au Musée du Louvre neuf dessins de maîtres français modernes dont cinq feuilles de Géricault[10]. Les musées d'Alençon, de Dijon, de Lyon, de Rouen et d'Orléans[11] bénéficièrent également de sa générosité, puis le Musée du Louvre reçut encore en 1866 un ensemble de dix études préparatoires de Nicolas Poussin pour les sept *Sacrements* et surtout en 1878 plus de trois cents dessins.

Le don fait à l'Ensba successivement en 1867 et en 1876 comprend à la fois des études de jeunesse, avec les copies d'après les bas-reliefs du temple d'Apollon Epicourios à Bassæ (onze feuilles, **cat. D. 34** à **D.49**) et d'après les sculptures de Michel-Ange (cinq feuilles, **cat. D.58** à **D.61**), mais aussi des pièces de tout premier ordre, généralement plus tardives, comme la *Prière à la Madone*, la *Traite des nègres*, la *Marche dans le désert*

ill. 1

ill. 2

ill. 3

ill. 1
Théodore Géricault,
***Combat de cavalerie*, dessin, Département des Arts Graphiques, Musée du Louvre, Paris.**

ill. 2
Théodore Géricault,
***Léda et le cygne*, dessin, Département des Arts Graphiques, Musée du Louvre, Paris.**

ill. 3
Théodore Géricault,
***Cortège de Silène*, dessin, Musée des Beaux-Arts, Orléans.**

ou encore *Le Passage du Mont Saint-Bernard* (**cat. D.77, D.88, D.101** et **D.102**). Il est intéressant de noter que le collectionneur, qui s'était efforcé de rassembler des groupes d'œuvres de mêmes sujets, choisit parfois de les scinder en en faisant don à diverses institutions, voire à des amis. Il réserva ainsi au Musée du Louvre une version plus achevée et aboutie du *Combat de cavalerie* (**cat. D.84**) et de *Léda et le cygne*[12] (**cat. D.65** à **D.68** ; **ill. 1** et **2**).

Comme nous l'apprend Ph. de Chennevières, c'est par des achats dans les grandes ventes de l'époque qu'His de la Salle constitua sa collection, aussi n'est-on pas surpris de constater que les feuilles de l'Ensba qui passèrent entre ses mains furent acquises lors des ventes d'Alexandre Colin en 1845 et 1859 et de François Martial Marcille en 1857.

Alexandre Colin (1798 – 1873), tout comme Louis-Alexis Jamar (1800-1875), Antoine-Alphonse Montfort (1801-1884) et Pierre-François Lehoux (1803-1892), était un élève de Géricault. Il reçut des œuvres du maître de son vivant, mais acheta également lors de sa vente posthume ; c'est sans doute lui qui réunit le plus grand nombre de ses dessins d'après lesquels il réalisa des fac-similés[13]. Il organisa deux ventes, l'une les 14 et 15 janvier 1845, l'autre le 22 décembre 1859 ; une dernière eut lieu après sa mort les 8 et 9 janvier 1876. Il semble qu'His de la Salle ait surtout acheté le 22 décembre 1859, notamment les copies d'après les bas-reliefs du temple d'Apollon Epicourios de Bassæ (**cat. D.34** à **D.49**) et l'*Étude de deux femmes* (**cat. D. 78**) qui fit partie quelques années plus tard de la collection d'Alfred Armand.

L'autre provenance prestigieuse des dessins offerts par His de la Salle est la collection d'un amateur, François Martial Marcille, originaire d'Orléans et spécialisé dans le commerce des laines. Installé à partir de 1822 à Paris, il commença une collection de dessins, où Prud'hon et les peintres français du XVIIIe siècle, mais aussi Géricault – avec le célèbre *Cortège de Silène* aujourd'hui au Musée des Beaux-Arts d'Orléans[14] (**ill. 3**) – étaient les artistes les mieux représentés[15]. À sa mort, une partie de ses richesses fut répartie entre ses deux fils, Camille et Eudoxe, cependant qu'une vente était organisée les 4 et 7 mars 1857. His de la Salle acquit à cette occasion la *Prière à la Madone*, la *Traite des nègres* (**cat. D.77** et **D.88**) et les *Léda et le cygne* (**cat. D.65** à **68**) qu'il donna ultérieurement à Alfred Armand.

Les lots des seize dessins d'anatomie humaine et des dix-sept études anatomiques du cheval (**cat. D.17** à **D.33** et **D.34** à **D.49**), qui occupent une place particulière dans le fonds de l'Ensba, furent donnés en bloc par Auguste-Adrien Edmond de Goddes, marquis de Varennes en 1883. On connaît mal cet amateur, né le 24 mars 1801 à Coulommiers en Seine-et-Marne, qui devint à vingt ans attaché au cabinet particulier du vicomte de Sénonnes, secrétaire général de la Maison du roi, avant de prendre dès 1828 sa retraite pour exercer de modestes fonctions municipales dans sa ville d'origine. Nommé chevalier de la Légion d'honneur en 1837, membre correspondant de l'Académie d'Anvers et membre du comité de la Société des gens de lettres[16], il se livrait également à la poésie et même à la peinture, puisque quelques toiles de sa main furent exposées aux salons de 1834 et 1837. Son activité en tant que collectionneur semble limitée à cette unique acquisition ; on ignore malheureusement à quelle occasion il la réalisa, mais Clément la date d'avant 1867[17]. Varennes devait d'ailleurs y attacher beaucoup de prix, car il veilla à publier les études anatomiques de l'homme en fac-similé à deux reprises, une première fois chez l'imprimeur J. Claye, 7 rue Saint-Benoît[18] puis en 1870 chez Leconte, 5 boulevard des Italiens[19].

Pourtant, c'est au don de Mme Prosper Valton, reçu en 1908, que l'Ensba doit l'essentiel de son fonds d'œuvres de Géricault : cinquante dessins sur cent-quatorze et la totalité des estampes – à l'exception d'une des deux épreuves du *Radeau de la Méduse* qui fut donnée par A. Wasset en 1896 (**cat. E.22**) - soit cent quarante-cinq planches parmi lesquelles il se trouve souvent plusieurs exemplaires d'une même lithographie. Cet ensemble faisait partie intégrante d'une collection constituée par deux amateurs : Alfred Armand qui en acquit l'essentiel, puis son neveu Prosper Valton qui la compléta par quelques achats[20].

Né le 8 octobre 1805, Alfred Armand choisit la carrière d'architecte ; élève de Jean Louis Provost et Achille Leclère, il fut admis en 1827 en seconde classe à l'École des Beaux-Arts où il reçut trois médailles. Ami de Clapeyron, il participa en collaboration avec Péreire et Rothschild à la création des chemins-de-fer et plus particulièrement à la construction de toutes les gares des lignes de Saint-Germain et de Versailles, puis quelques années plus tard de celles de Saint-Germain-en-Laye, Amiens, Arras, Lille, Calais,Saint-Quentin et Douai. En 1851, il abandonna cette tâche pour se consacrer à la réalisation de deux grands hôtels parisiens, l'Hôtel du Louvre, rue de Rivoli et le Grand Hôtel, boulevard des Capucines. En 1863, il renonça définitivement à ses fonctions d'architecte pour se livrer à l'étude de l'histoire de l'art et constituer une collection. Il se mit à fréquenter les artistes contemporains comme Louis-Pierre Henriquel-Dupont et les amateurs, essentiellement His de la Salle dont il devint rapidement l'ami intime et un des hôtes les plus assidus, comme tant d'autres « avides d'admirer et curieux de s'instruire ». « Ses collections [lui] étaient ouvertes avec une courtoisie qui redoublait le prix d'une telle faveur[21] » et c'est His de la Salle qui lui donna le goût des dessins et des médailles, puis l'aida à choisir ses premières acquisitions, lui faisant même don de plusieurs feuilles importantes, dont six études de Géricault (**cat. D.65** à **D.68, D.78** et **D.85**). Armand entreprit de nombreux voyages en Europe, visitant palais, églises et musées et rapportant de ses périples des photographies et reproductions d'œuvres d'art. Également collectionneur de médailles, il publia en 1879 un ouvrage sur les médailleurs italiens des XVe et XVIe siècles[22].

Contrairement aux autres amateurs de l'époque, il constitua sa collection très rapidement, entre 1865 et 1876, notamment en se rendant aux grandes ventes, comme celles d'Émile Desperet (1865), d'Hippolyte Destailleur (1866) et de Jules Boilly (1869), où il acquit plusieurs dessins de Géricault (E. Desperet, **cat. D.63, D.87** et **D.110** ; H. Destailleur, **cat. D.79** et J. Boilly, **cat. D.51**). Pourtant, la provenance de la plupart des feuilles de l'artiste qui furent en sa possession nous reste aujourd'hui encore inconnue.

À sa mort, le 28 juin 1888, Armand céda sa collection de dessins à son neveu Prosper Valton qui l'avait entouré de sa sollicitude au cours des dernières années de sa vie. Amateur éclairé, ce dernier se passionnait également pour les médailles, notamment grecques et romaines, et avait aidé son oncle à achever la rédaction de la dernière édition de son ouvrage[23]. Le 12 juin 1889, il fut élu membre correspondant de la société des antiquaires de France où il brillait par ses connaissances. D'après H. de la Tour, Valton « poussait si loin le scrupule, qu'il ne se considérait pour ainsi dire que comme simple usufruitier de la collection ; par la suite, il se faisait une sorte d'obligation morale de tenir ses richesses à l'entière disposition des hommes de goût et des travailleurs[24] ». Il compléta cet ensemble par l'acquisition de quelques dessins, notamment huit feuilles de Géricault acquises à la vente de P.J. Mène les 20 et 21 février 1899 (**cat. D.50, D.52, D.54, D.73, D.74, D.98** et **D.99**) et une à la vente A. Moignon du 6 mars 1891 (**cat. D.103**). Toutefois, c'est pour les lithographies que sa contribution est de loin décisive. Alfred Armand avait en effet acquis quelques estampes lors de la vente His de la Salle le 10 janvier 1881 (**cat. E.1, E.5, E.14, E.15, E.16, E.20** et **E.71**), particulièrement les versions aquarellées de la *Bataille de Chacabuco* et de la *Bataille de Maïpu* (**cat. E.14** et **E.15**) en possession d'Alexandre Corréard jusqu'en 1857[25]. Prosper Valton poursuivit cet effort après la mort de son oncle par d'importants achats réalisés eux aussi lors des ventes d'A. Moignon (**cat. E.3, E.6** à **E.11, E.13, E.14, E.19** à **E.21, E.40, E.97** et **E.98**) et de P.J. Mène particulièrement riches en lithographies de Géricault (**cat. E.2** à **E.4, E.6** à **E.8, E.14, E.15** et **E.17**). Les numéros de catalogue apposés sur les montages des estampes lors des ventes et encore lisibles aujourd'hui ont permis de confirmer ces provenances.

On ne connaît guère la vie d'A. Moignon, procureur général, dont la collection était d'une qualité exceptionnelle : Prosper Valton y acheta des exemplaires uniques, comme l'*Artillerie à cheval de la Garde impériale changeant de position* aquarellée par l'artiste lui-même (**cat. E.13**), les *Deux chevaux gris-pommelé se battant dans une écurie* en deux teintes (**cat. E.9**) provenant de la collection M. Parguez[26] ou encore l'épreuve très rare du *Cheval attaqué par un lion* (**cat. E.97**). En revanche, la personnalité de Pierre-Jules Mène nous est plus familière : sculpteur animalier, il réalisa de nombreuses statuettes ou petits groupes de figures qui eurent un énorme succès. Sans avoir la réputation de son contemporain Barye, il était très apprécié des amateurs et même d'un public plus large ; on lui doit de nombreux modèles pour les fabricants de porcelaine ainsi que de petites sculptures destinées au commerce[27]. Sa collection d'œuvres de Géricault était de tout premier ordre et Prosper Valton put acquérir lors de sa vente l'exemplaire aquarellé du portrait de D^n^ *Manuel Belgrano* (**cat. E.17**).

Ce rappel succinct des provenances des lithographies de Géricault aujourd'hui conservées à l'Ensba prend tout son sens à la lumière des propos de Clément, soulignant en 1866 qu'il n'existait alors « qu'un très-petit nombre de collections un peu complètes de lithographies de Géricault. Elles étaient peu appréciées, peu recherchées pendant la vie de leur auteur, et même pendant une vingtaine d'années après sa mort, de sorte que certaines planches sont de la plus grande rareté. MM. His de Lasalle, Bruzard, Constantin, Parguez et Jamar sont, à ce que je crois, les seuls amateurs qui les aient recueillies au fur et à mesure de leur publication... Les principaux amateurs de Paris, MM. His de Lasalle, de Triqueti, Marcille, Moignon, Valton, les élèves et les amis de Géricault : MM. Dreux-Dorcy, Léon Cogniet, Montfort, Lehoux, ont mis à ma disposition, avec la plus parfaite obligeance, leurs collections, leur savoir, leurs souvenirs, des renseignements de toute sorte[28] ». La collection Bruzard ainsi qu'une partie de celle de Parguez sont aujourd'hui conservées au Département des estampes et de la photographie de la Bibliothèque nationale de France ; celle de Constantin, acquise par le duc d'Aumale, au château de Chantilly ; celle de Jamar, achetée par le baron de Triqueti, au Musée des Beaux-Arts de Rouen[29]. Le fonds réuni à l'Ensba et provenant pour l'essentiel – directement ou indirectement – des autres collections mentionnées par Clément, lui était donc dans son ensemble parfaitement familier. À ce titre les pièces souvent rares, parfois uniques, qui le constituent, occupent une place essentielle dans le catalogue de l'artiste ; leur connaissance est au principe des études géricaldiennes, leur étude s'est imposée depuis lors à tous les chercheurs, elle apparaît *a fortiori* aujourd'hui comme un passage obligé pour toute démarche critique et pour toute relecture de l'œuvre.

Rien d'étonnant donc à ce que les œuvres de Géricault conservés à l'Ensba aient été très régulièrement – sinon systématiquement – mentionnées et présentées dans les travaux et expositions monographiques consacrés à l'artiste. Ainsi dès 1924 la célèbre *Exposition d'œuvres de Géricault* à l'Hôtel Jean Charpentier à Paris, organisée par Edouard de Trévise, Jean Guiffrey et Pierre Dubaut, plusieurs dessins de l'Ensba étaient même reproduits dans le catalogue (**cat. D.74** à **D.76, D.81, D.85**). Dans un passé plus récent, on peut citer les recherches et publications de la quasi-totalité des historiens de l'art qui se sont intéressés à Géricault et tout particulièrement bien sûr les auteurs des différents catalogues raisonnés : Germain Bazin, François Bergot, Bruno Chenique, Lorenz Eitner, Philippe Grunchec, Sylvain Laveissière et Régis Michel.

Quant aux expositions organisées pendant la même période, les dessins et lithographies de l'Ensba y sont toujours présents, qu'il s'agisse de celle conçue par L. Eitner et présentée successivement au County Museum of Art, au Detroit Institute of Arts et au Philadelphia Museum of Art en 1971-1972, de *Master Drawings by Gericault* à la Pierpont Morgan Library à New York due à Ph. Grunchec, sans oublier la rétrospective du Grand Palais en 1991-1992. Dernière en date de ces manifestations, l'exposition élaborée par Scott Watson et Serge Guilbaut à la Morris and Helen Belkin Art Gallery de Vancouver du 15 août au 18 octobre 1997, réunissant trente-cinq dessins et quatre lithographies issus du fonds de l'Ensba, qui incluent des prêts du Musée du Louvre, de la Bibliothèque nationale de France et du Musée des Beaux-Arts de Rouen.

Parallèlement, l'Ensba elle-même, consciente de cette richesse, a toujours veillé à la faire connaître, notamment, dans un cadre plus large, dès 1934, lors de l'exposition *David, Ingres, Géricault et leur temps* consacrée aux œuvres des artistes du début du XIXe siècle conservées dans ses collections. Mais c'est assurément à Philippe Grunchec que l'on doit l'exploitation la plus systématique et la plus ambitieuse du fonds, successivement présenté à la Villa Médicis à Rome en 1979-1980 – *Géricault* – au Musée Girodet à Montargis en 1981 en collaboration avec Jacqueline Boutet-Loyer – *Géricault et le cheval à travers la lithograpie* – au Centre culturel de Boulogne-Billancourt en 1984 – *Les Chevaux de Géricault. Estampes de l'École nationale supérieure des Beaux-Arts* – et à la Maison du département de Saint-Lô en 1990 – *Autour de Géricault.*

La présente exposition et son catalogue s'inscrivent dans cette tradition avec un double souci bien compréhensible : celui d'abord de renouer avec la volonté des donateurs, lesquels entendaient tous, on l'a vu, contribuer à la formation des élèves de l'École, en lui confiant des œuvres exemplaires, propres à participer à l'enseignement qu'elle dispense. S'y ajoute l'effort de dresser, pour la première fois, un inventaire exhaustif de l'ensemble des travaux de Géricault conservés à l'Ensba, déjà publiés dans leur quasi-totalité, mais de façon éparse ou fragmentaire et sans qu'un volume unique en donne l'indispensable image d'ensemble, autorisant par là tous les rapprochements.

Le formidable développement qu'ont connu les études géricaldiennes au cours des deux dernières décennies et par voie de conséquence les débats souvent passionnés qui ont opposé les spécialistes, trouvent leur écho dans le catalogue qui prend en compte les résultats des recherches les plus récentes. Quant aux essais, ils ouvrent eux-mêmes des perspectives nouvelles en ce qui concerne notamment les sources littéraires de l'artiste, son intérêt pour l'anatomie et l'histoire de la connaissance de son œuvre. Il n'est pas indifférent que les restaurations entreprises lors de la préparation de l'exposition aient permis au moins deux découvertes : celle des versos des quatre *Léda et le cygne* dont on peut désormais affirmer qu'ils étaient à l'origine dessinés sur une seule et même feuille ; celle enfin des croquis figurant au verso des études anatomiques dont l'attribution se trouve ainsi confirmée. L'une et l'autre viennent compléter d'une façon inespérée le catalogue de l'œuvre de Géricault, mais aussi étayer les hypothèses et les interprétations proposées dans ces pages.

Remerciements

L'exposition et le catalogue n'auraient pu voir le jour sans le soutien et les conseils de Bruno Chenique qui a encouragé nos travaux mais aussi et surtout orienté nos recherches, par sa connaissance et son avis, avec la plus grande générosité.

L'aide permanente des chercheurs, universitaires, conservateurs, historiens de l'art, collectionneurs nous a permis de réunir l'indispensable documentation, de confirmer ou d'infirmer des hypothèses. Nous tenons à remercier ici, pour les échanges fructueux que nous avons eus avec eux, Dr Allen, Dominique Bastian, Bruno de Bayser, Susan Benett, Ricardo Cavallo, Frédéric Chappey, Ghislaine Courtet, Christophe Degueurce, Gilles Grandjean, Philippe Grunchec, David Guillet, Sylvain Laveissière, Patrick Le Nouëne, Laurence Martin, Régis Michel, Bernadette Molitor, Marie Pessiot, Claude Petry, Myril Pouncey, M. et Mme Prouté, Elisabeth Raffy, Jean-Pierre Reverseau, Valérie Roger, Anne-Elisabeth Rouault, Paul Salmona, Christian Sauzède, Michael Twyman, Pierre Wat, Daniel Wildenstein et Henri Zerner.

De nombreuses institutions nous ont accueillis, mettant à notre disposition leurs collections, leurs archives, leurs fonds documentaires : la Bibliothèque d'Art et d'Archéologie (Fondation Jacques Doucet), la Bibliothèque de l'Académie de médecine, le Département des estampes et de la photographie de la Bibliothèque nationale de France, le Département des arts graphiques du musée du Louvre, l'Ecole vétérinaire de Maisons Alfort, l'Ecole de médecine.

La restauration des oeuvres a été conduite par Laurence Caylux, Sophie Chavanne, Isabelle Drieu la Rochelle, Marie Jaccottet et Antonio Mirabile.

Exposition et catalogue sont, enfin, le résultat d'un travail d'équipe au sein de l'Ensba et une collaboration entre les différents services :

Le service des collections, particulièrement Annie Jacques, conservateur en chef, Emmanuel Schwartz qui nous a notamment aidé pour la relecture des traductions des textes en anglais, Michèle Foissey et Catherine Daladouire, Françoise Lorre pour les montages et les encadrements, mais aussi Monique Antilogus, Françoise Portelance et Jean-Michel Lapelerie pour la couverture photographique du fonds.

Le service de la communication et des expositions, Laurence Maynier, Carole Croënne et Hugette Meyran. La scénographie a été conçue par Antoine Stinco avec l'aide d'Antoine Régnault et de David Serero ainsi que François Mutterer pour le graphisme des cartels et en collaboration avec Sylvie Guerrier de l'entreprise Erco pour les éclairages et Alain Schmit pour le montage de l'exposition. Frédéric Lemercier pour les visuels de l'exposition.

Michel Davidov a assuré le suivi de l'ensemble des aménagements de la salle Foch.

Le service des enseignements et tout particulièrement Hughes Dumas et Jean Francou.

Le service informatique, Tortsen Westphal, Michèle Dussol et Béatrice Murat.

Le service des relations internationales, particulièrement Véronique Rabin le Gall qui a noué les contacts avec la Morris and Helen Belkin Art Gallery de Vancouver, puis avec le Fitzwilliam Museum de Cambridge.

La médiathèque, Mathilde Ferrer et plus particulièrement Jeanne Lambert et Marie-Hélène Colas-Adler pour l'achat des ouvrages, ainsi que Myriam Tolédano.

Les professeurs de l'Ecole, Jean Michel Alberola, Vincent Bioulès, Pierre Buraglio, Vladimir Velickovic, Lesly Hamilton dont les remarques nous ont ouvert des perspectives nouvelles et leurs élèves.

Enfin, toute notre reconnaissance va à Alfred Pacquement, directeur de l'Ensba, qui a encouragé ce projet tout au long de l'année et dont la confiance et le soutien nous ont permis de le mener à son terme.

Emmanuelle Brugerolles

1
A. Gruyer, *M. His de la Salle, lu dans la séance publique annuelle des cinq Académies du 25 octobre 1881*, Paris, 1881.

2
Les dessins ne furent inventoriés sur le registre de prise en charge que le 10 novembre 1869.

3
A. Gruyer, 1881, pp. 27-28.

4
Ph. de Chennevières, 1888, p. 11.

5
A. Gruyer, 1881, p. 18.

6
A. Gruyer, 1881, p. 21.

7
A. Gruyer, 1881, p. 26.

8
Ph. de Chennevières, 1888, p. 12.

9
Ph. de Chennevières, 1883, p. 20.

10
Guiffrey et Marcel, n° 4158, 4159, 4167, 4179 et 4184.

11
A. Gruyer, 1881, p. 27.

12
Guiffrey et Marcel, n° 4166 et n° 4156.

13
1824 et 1866 ; Ch. Clément, 1879, pp. 416-417et pp. 421-422.

14
H. de Chennevières, 1890, IV, pp. 217 à 235 et pp. 296 à 310.

15
Inv. n° D. 738 ; exp. Paris, 1991-1992, n° 93, ill. 139.

16
G. Vapereau, 1861, p. 1740.

17
1879, p. 324.

18
G. Bazin, I, p. 463, n° 396 à 411.

19
Ch. Clément, 1879, p. 436.

20
G. Duplessis, 1888 et E. Brugerolles, 1984.

21
A. Gruyer, 1881, p. 35.

22
Les Médailleurs italiens des quinzième et seizième siècles, Paris, 1879 et réédité en 1883.

23
A. Armand, 1883, p.6.

24
H. de la Tour, « Prosper Valton », *Revue numismatique*, 1906, pp. 3-9.

25
Ch. Clément, 1879, p. 380, n° 46.

26
Ch. Clément, 1879, p.376 ; Gazette des Beaux-Arts, 1861, p. 248.

27
St. Lami, éd. 1970, p. 427-428.

28
Ch. Clément, 1879, p. 522.

29
Exp. Rouen, 1981-1982.

La vie (résumée et simplifiée) de Géricault

Cette chronologie des faits et gestes du peintre de la *Méduse* reprend les grands traits de celle que nous avons publiée en 1991 dans le catalogue de l'exposition *Géricault*. Nous y avons privilégié les lettres du peintre et ajouté le fruit de nos dernières découvertes qui, seules, font l'objet d'annotations.

Bruno Chenique

1791

- 26 septembre : Naissance à Rouen de Théodore Géricault, au 7 rue de l'Avalasse. Ses parents, Georges-Nicolas Géricault (1743-1826) et Louise-Jeanne-Marie Caruel (1753-1808) s'étaient mariés aux âges respectifs de 47 et de 38 ans.
- 27 septembre : Baptême à l'église rouennaise de Saint-Romain.

1795-1796

La famille Géricault et la grand-mère maternelle du jeune Théodore quittent Rouen. Ils s'installent à Paris, au 96 rue de l'Université. Son père, avocat, quitte sa profession pour s'associer aux Robillard et à son beau-frère Jean-Baptiste Caruel, propriétaires d'une manufacture de tabac.

1797 (?)-1805

Le jeune Théodore est mis en pension chez Dubois et Loiseau, les directeurs d'une institution récente, située dans le faubourg Saint-Germain.

1805

- Octobre : Géricault, âgé de 14 ans, entre au Collège Stanislas en classe de cinquième[1].

1806

- 20 octobre : Géricault est inscrit au Lycée impérial (l'actuel Lycée Louis-le-Grand). Il entre dans la classe supplémentaire de quatrième. Pendant sa scolarité, il est le pensionnaire de René Castel, professeur de rhétorique au Lycée impérial.

1807

- Juin : À la fin de sa première année scolaire, il obtient un troisième accessit de version latine et un deuxième accessit d'orthographe.
- Octobre : Rentrée scolaire.

1808

- 15 mars : La mère de Géricault meurt à l'âge de 55 ans. Il hérite de sa fortune.
- 1er juillet : Géricault quitte le Lycée impérial. Il passe sans doute ses vacances à Mortain (village de Normandie), chez son oncle Siméon-Bonnesœur-Bourginière, avocat et ancien député de la Manche à la Convention.
- Septembre-novembre (?) : Géricault fréquente secrètement l'atelier de Carle Vernet, peintre d'histoire et de batailles. Officiellement, son oncle Jean-Baptiste Caruel l'emploie comme apprenti comptable à la manufacture de tabac familiale.
- Juillet-décembre (?) : Les Géricault père et fils déménagent au 8 rue de la Michodière. La grand-mère Caruel reste dans son appartement de la rue de l'Université.

1809

- 12 décembre : Géricault devient le parrain de Paul Caruel, fils de son oncle Jean-Baptiste Caruel et de sa tante Alexandrine-Modeste de Saint-Martin.

1810

- 20 février : Géricault obtient une carte de lecteur au Cabinet des Estampes de la Bibliothèque impériale. Il se déclare l'élève de Carle Vernet.
- Mars (?) : Fin de sa formation chez Vernet.
- Juillet-août : Géricault passe sans doute une partie de ses vacances dans la propriété de son oncle Caruel, au château du Grand-Chesnay, près de Versailles.
- Novembre-décembre 1810 - février 1811 : Géricault s'inscrit chez Guérin, Grand Prix de Rome et peintre officiel qui vient d'ouvrir un atelier. Il y fait la connaissance de Champmartin, Cogniet, Dedreux-Dorcy, Musigny, Ary et Henri Scheffer. Plus tard, en 1815-1816, il y rencontrera le jeune Eugène Delacroix.

1811

- 5 février : Inscription à l'École des Beaux-Arts. Agé de 19 ans, il se déclare l'élève de Guérin.
- 30 avril : Géricault échappe à la conscription militaire grâce à l'achat d'un remplaçant. Ce dernier mourra peu après, le 14 février 1812.
- Avril-mai (?) : Il cesse la fréquentation régulière de l'atelier Guérin.

1811-1812

- Octobre 1811 - février 1812 : Pendant la mission italienne de Vivant Denon[2] (le directeur du Musée du Louvre) Géricault est momentanément exclu du Musée « pour s'y être conduit d'une manière scandaleuse et avoir résisté par des voies de fait aux gardiens du Musée qui lui redemandaient sa carte et aux militaires de service qui voulurent les appuyer ». Au retour de Vivant Denon, Guérin plaidera la cause de son élève et obtiendra la levée de la sanction.

1812

- 16 mars : Géricault a peut-être passé la première des trois épreuves du Grand Prix de Rome.
- 10 avril : Mort de la grand-mère Caruel. Géricault hérite de ses biens.
- 23 mai : Denon prévient Guérin qu'il vient « d'interdire pour toujours l'entrée du Musée » à son élève, « M^r. Jerico », pour avoir invectiver un jeune étudiant dans la grande galerie du Louvre et l'avoir frappé.
- Septembre-octobre : Géricault loue un atelier provisoire sur le boulevard Montmartre pour y peindre la toile qu'il a l'intention de présenter au futur Salon.
- 1er novembre : Ouverture du Salon. Il y expose un *Portrait équestre de M. D**** (l'actuel *Officier de chasseurs* du Louvre).
Sur proposition de Vivant Denon, Géricault reçoit une médaille d'or pour son portrait équestre à l'exécution « pleine d'enthousiasme ».

1813

- 12 mai : Majeur depuis le 26 septembre 1812, Géricault reçoit ses comptes de tutelles.
Les héritages de sa mère et grand-mère lui assurent son indépendance financière pour plusieurs années.
- Septembre-décembre : Les Géricault aménagent au 23 de la rue des Martyrs, dans un quartier qui, dix ans plus tard, prendra le nom de la Nouvelle Athènes. En 1815, son ami Horace Vernet viendra s'installer au n° 11 de la même rue. En 1817, ce sera le tour de la famille Bro avec laquelle l'artiste établira des liens d'amitié.

1814

- 31 mars-début juin : Engagement dans la Garde nationale à cheval de Paris. Confiée par le gouvernement provisoire au comte de Damas, elle regroupe des volontaires dévoués à la cause royale.
- Mai-juin : À l'annonce de la création de la Compagnie des mousquetaires, Géricault se porte volontaire. Son nom paraît dans une liste de 592 postulants remise à Louis XVIII.
- 6 juillet : Géricault et son ami Auguste Brunet (ancien militaire des armées impériales) deviennent mousquetaires du Roi.
- 19 septembre : Géricault assiste probablement à la revue militaire de Louis XVIII au Champ-de-Mars. Plusieurs de ses dessins évoquent cet événement.
- Octobre (?) : En vue du prochain Salon, Géricault prévient Vivant Denon qu'il y enverra son « vieux cheval » (son tableau de 1812) et « un simple harnois » (son *Cuirassier blessé*)[3].
- 5 novembre : Ouverture du Salon. Géricault y expose deux ou trois tableaux : *Un hussard chargeant* (tableau rebaptisé du Salon de 1812), un *Cuirassier blessé, quittant le feu* (Musée du Louvre) et, peut-être, un *Excercice à feu à la plaine de Grenelle* (parfois identifié avec le *Train d'Artillerie*, conservé à Munich).

1815

- 19-20 mars : À l'approche de Napoléon, vers minuit, Louis XVIII quitte le château des Tuileries. Géricault décide de suivre le Roi dans son exil.
- 24 mars : Passant par Beauvais, Abbeville et Saint-Pol, les troupes de la Maison du Roi, entièrement désorganisées, atteignent Béthune dans la journée.
- 26 et 28 mars : Les deux compagnies de mousquetaires sont licenciées. Le comte d'Artois autorise ses hommes à rentrer dans leurs foyers.
Un décret de Napoléon interdisant l'accès de Paris aux militaires de la Maison du Roi, on ne sait si Géricault retrouva la rue des Martyrs ou se réfugia à Mortain, chez son oncle, jusqu'à la seconde abdication de Napoléon (le 22 juin).
- 31 septembre : Géricault et Brunet obtiennent leur licenciement de la Compagnie des mousquetaires.
- 31 décembre : Un banquet d'adieux réunit les mousquetaires dans l'hôtel de leur commandant.

1816

- 18-23 mars : Géricault participe à deux des trois épreuves du Concours de Rome. Thomas remporte le Premier Prix.
- 15 août : Il obtient son passeport pour l'Italie et la Suisse.
- Fin septembre-début octobre : Départ pour l'Italie.

• Mi-octobre : Arrivée à Florence. À l'opéra Géricault est reçu dans la loge de l'ambassadeur de France. Il obtient la place d'honneur auprès de la duchesse de Narbonne-Pelet qui l'invite à lui rendre visite à Naples : « Elle m'a beaucoup parlé de ma modestie et m'a assuré que c'était le cachet du talent. Jugez si c'est flatteur, mais je m'attendais à tout cela. Une bonne femme avec laquelle j'ai fait route m'avait promis et même assuré par le secours des cartes, c'est ce qu'on appelle dire la bonne aventure, que je trouverais dans mon voyage honneurs et protections ». Géricault termine sa lettre en demandant à son ami Dedreux-Dorcy, resté en France, de bien vouloir le rejoindre.

• Avant la mi-novembre : Départ de Florence.

• 15 novembre : Arrivée à Rome. Il est domicilié rue Saint Isidore, non loin de la Villa Médicis. À son arrivée, Géricault se précipite à la chapelle Sixtine afin d'y admirer les fresques de Michel-Ange.

• 23 novembre : Géricault adresse une virulente critique de l'Académie de France à Rome à la femme de l'architecte Pierre-Anne Dedreux (alors pensionnaire à la Villa Médicis) : « L'Italie est admirable à connaître, mais il ne faut pas y passer tant de temps qu'on veut le dire ; une année bien employée me paraît suffisante, et les cinq années que l'on accorde aux pensionnaires leur sont plus nuisibles qu'utiles, [...]. Ils sortent de là ayant perdu leur énergie et ne sachant plus faire d'efforts.
Ils terminent, comme des hommes ordinaires, une existence dont le commencement avait fait espérer beaucoup. [...] Les vrais encouragements qui conviendraient à tous ces jeunes gens habiles seraient des tableaux à faire pour leur pays, des fresques, des monuments à orner, des couronnes et des récompenses pécuniaires, mais non pas une cuisine bourgeoise pendant cinq années, qui engraisse leur corps et anéantit leur âme.
Je ne confie ces réflexions qu'à vous M..., en vous assurant de leur justesse et en vous priant de ne les point communiquer ».
Lors de son séjour à Rome, il se liera d'amitié avec Schnetz qui l'accompagnera chez Ingres. Il fait enfin la connaissance de plusieurs pensionnaires de la Villa Médicis (Pradier, Petitot, Vinchon[4]) et se lie avec Alexandre Lethière (le fils de l'ancien directeur de la Villa Médicis).

1817

• 9-16 février : Géricault assiste au Carnaval avec ses traditionnelles courses de chevaux libres.

• Après le 19 mars-début avril : Départ pour Naples.

• Avril-mai : Séjour à Naples. Il y fréquente le salon de Céleste Meuricoffre, célèbre cantatrice très appréciée à Naples et à Vienne. Il revoit peut-être la duchesse de Narbonne-Pelet qui, six mois plus tôt, à Florence, l'avait invité à lui rendre visite. Après négociation, Géricault obtient un moulage en plâtre de la tête du cheval de la statue équestre de Balbus.

• 7 juin : Retour à Rome.

• 17 septembre : Géricault obtient son passeport pour rentrer à Paris[5]. Rappelé par son père, ou par la femme qu'il aime, il s'apprête à quitter Rome sans attendre Dedreux-Dorcy, venu pourtant l'y rejoindre.

• 21 septembre : À quelques jours de son départ, il adresse une lettre à Dedreux-Dorcy : « Je suis désolé de partir sans avoir eu le plaisir de vous embrasser [...]. Après une année de tristesse et d'ennui, au moment où je pouvais être plus heureux et lorsque vous arrivez, je suis obligé de partir ; vous imaginez facilement ma peine, si vous avez conservé un peu d'amitié pour moi. »

• 27 septembre : Le sculpteur Petitot rédige une lettre à son père qu'il confie aux bons soins de ses amis : « Messieurs Géricault et Auguste Lethiere partant pour Paris j'ai profité du départ de ces deux amis pour vous faire savoir de mes nouvelles.
Le premier. Monsieur Géricault, est un peintre d'un mérite très distingué, qui exposa il y a six ans un fort beau tableau au Salon et son talent s'étant accru beaucoup depuis ce temps je vous laisse à penser ce qu'il est en état de faire. Du reste, je vous le recommande comme un brave garçon rempli de bonnes qualités, je vous laisse à penser si j'ai bien fait d'en faire mon ami, ainsi que d'Auguste, qui est le meilleur vivant que la terre ait jamais porté.
Faites moi le plaisir de les inviter tous deux à diner chez vous et de leur faire boire un coup à ma santé, ce qu'ils feront je pense, du meilleur de leur cœur.
Je ne vous écris rien de ce qui me concerne car ces messieurs étant au courant de mes affaires

pourront répondre à toutes les questions que vous leur ferez sur mon compte[6]. »

◆ Fin septembre - début octobre : Départ de Rome. Géricault rencontre Dedreux-Dorcy à Sienne, accompagné de sa belle-sœur et de ses deux enfants. Ils y passent quelques jours ensemble.

◆ 4 octobre : Deuxième séjour à Florence. Géricault demande et obtient l'autorisation de faire quelques dessins dans la Galerie des Offices. Il rencontre Gabriel de Fontenay, ancien mousquetaire du Roi, chargé d'affaires de France en Toscane. Géricault quitte Florence pour Paris en passant par la Suisse.

◆ 1er-13 novembre : Arrivée à Paris. Il retrouve Horace Vernet et ses amis.

◆ Novembre : Publication du *Naufrage de la «Méduse»*, récit de Corréard et Savigny, deux rescapés de la célèbre frégate et de son radeau. Géricault lit sans doute la première édition de ce récit dont l'opposition s'est alors emparée pour fustiger l'incompétence des émigrés. Un peu plus tard, il rencontrera les deux auteurs.

1818

◆ Janvier : La future naissance, au mois d'août 1818, du fils illégitime de Géricault et de sa tante Alexandrine-Modeste Caruel de Saint-Martin atteste avec certitude que leur liaison remonte au moins à cette époque. Une lettre à Dedreux-Dorcy (alors à Rome) se fait l'écho de cette situation : « Je suis un monstre, vous le savez bien ; mais vous le dire, m'en accuser, vous disposera peut-être à me le pardonner. J'ai d'ailleurs un tel regret des procédés que j'ai eus à votre égard, qu'il serait difficile à vous-même d'avoir autant de haine que j'en ai pour moi. [...] Livré presque seul à moi-même, je ne suis capable de rien. [...] Je cherche vainement un appui ; rien n'est solide ; tout m'échappe, tout me trompe. Nos espérances et nos désirs ne sont vraiment ici-bas que vaines chimères, et nos succès des fantômes après lesquels nous courons inutilement. S'il est pour nous, sur cette terre, quelque chose de certain, ce sont nos peines. La souffrance seule est réelle, nos plaisirs ne sont qu'imaginaires[7]. »

◆ 24 février : Géricault achète à son marchand de couleurs « une toile de 22 pieds sur 15 » qui lui servira à peindre *Le Radeau de la Méduse*.

◆ Mars-octobre : Travaux préparatoires au *Radeau de la Méduse*. Géricault emploie le printemps et l'été à compléter ses informations sur le drame de ce naufrage. À une date inconnue, il loue un atelier de très vastes dimensions dans la rue du faubourg du Roule, à proximité de la place des Ternes et de l'hôpital Beaujon. Le phrénologue Dumoutier et les internes de cet hôpital lui fourniront des fragments anatomiques.

◆ 9 juillet : À huit heures du matin, le général Henry Letellier, profondément marqué par le décès accidentel de sa jeune épouse (survenu le 16 juin à l'âge de 19 ans), se tire un coup de pistolet en plein cœur. Prévenu des intentions suicidaires de Letellier, Géricault et le colonel Bro arrivent quelques minutes après sa mort. Géricault dessine et peint le visage du général. Son enterrement a lieu le 11 juillet.

◆ 21 août : Naissance à cinq heures du matin, au domicile du docteur Danyau, du fils illégitime de Géricault et de sa tante. Le lendemain, accompagné d'un cocher et d'un commissionnaire, Danyau présente le nouveau-né à la Mairie du 11e arrondissement. Il lui donne les prénoms de Georges-Hippolyte. Il est déclaré « né de père et de mère non désignés ».

◆ Novembre : Ses études achevées, la grande toile mise au carreau, Géricault s'installe dans le grand atelier du faubourg du Roule pour y peindre *Le Radeau de la Méduse*.

◆ Décembre 1818 : En réponse à la lettre de Léon Cogniet (alors pensionnaire à la Villa Médicis), Géricault lui exprime sa nostalgie de Rome : « Je ne tarderais pas à vous y aller trouver sans tous les obstacles que présentent et les parens, le travail et les amis et puis cette triste habitude que l'on prend ou l'on s'est assis. Cependant je ne jure pas encore de ne point secouer toutes ces chaines qui me paraissent trop pesantes lorsque je considère quelles me privent des belles salles de Raphaël, d'un ciel brillant, en un mot de tout ce qui peut contribuer à former le goût dans les arts[8]. »

1819

◆ Mars : Géricault se rend au Havre pour y faire des études de ciel nécessaires à son travail. Il est probablement accompagné d'Horace Vernet

et de Jamville (le beau-frère de Vernet) car tous trois obtiendront un passeport pour Londres le 23 mars[9].
• 30 mars : Fin de l'excursion londonienne. Géricault et ses deux amis débarquent à Calais et se dirigent vers Paris.
• Juillet (?) : Pour achever son *Radeau de la Méduse*, Géricault fait transporter son tableau dans le foyer du Théâtre-Italien.
• Fin juillet (?) : Dans une lettre écrite à 3 heures du matin, Géricault prévient le comte de Forbin, directeur du Louvre, qu'il fera transporter son tableau le lendemain matin[10].
• 24 août : À la veille de l'ouverture du Salon, un critique de *La Renommée* (un journal d'opposition) affirme à ses lecteurs : « Une autre grande page, dont on parle encore avantageusement, représente un épisode du *Naufrage de la Méduse*. C'est l'ouvrage d'un jeune homme, de M. Jericault, connu aux expositions précédentes par quelques belles esquisses de chevaux[11]. »
• 25 août-30 novembre : Ouverture du Salon. Le titre du tableau, *Le Radeau de la Méduse* a été censuré : il est inscrit au livret officiel sous le simple titre de *Scène de naufrage*. Le tableau monopolise l'attention de la foule et de la presse : « L'une des *grandes machines* qui frappent d'abord tous les regards représente les horreurs d'un naufrage, dont les désastres de *la Méduse* ont sans doute fourni l'effroyable idée », écrit le *Journal de Paris*[12].
• 28 août : Louis XVIII visite le Salon. Passant devant *Le Radeau de la Méduse*, il lui aurait adressé le compliment suivant : « Monsieur Géricault vous venez de faire un naufrage qui n'en est pas un pour vous ! »
• Août-septembre (?) : Dans une lettre à Musigny, Géricault critique sévèrement les journalistes chargés des comptes rendus du Salon de 1819 : « Je suis plus flatté de vos quatre lignes et du gracieux présage que vous aviez formé de mon succès, que de tous ces articles où l'on voit dispenser avec tant de *sagacité* les injures comme les éloges. L'artiste fit ici le métier d'histrion, et doit s'exercer à une indifférence complète pour tout ce qui émane des journaux et des journalistes. [...] Cette année, nos gazetiers sont arrivés au comble du ridicule. Chaque tableau est jugé d'abord selon l'*esprit* dans lequel il a été composé. [...] Enfin, j'ai été accusé par un certain *Drapeau Blanc* d'avoir calomnié, par une tête d'expression, tout le ministère de la marine. Les malheureux qui écrivent de semblables sottises n'ont sans doute pas jeûné quatorze jours, car il sauraient alors que ni la poésie, ni la peinture, ne sont susceptibles de rendre avec assez d'horreur toutes les angoisses où étaient plongés les gens du radeau. »
• 11 septembre : Géricault se rend chez ses amis Auguste Brunet et René Castel qui séjournent alors à Féricy et Machault (villages situés entre Melun et Fontainebleau).
• 29 septembre-1er octobre : Malade, Géricault doit s'aliter.
• 14-16 octobre : Au premier scrutin de l'Académie, Géricault obtient 14 voix (la 5e place) pour son *Radeau de la Méduse*.
• 18-21 octobre : En compagnie d'Auguste Brunet, il quitte Féricy. Sur la galiote qui le ramène à Paris en empruntant la Seine, Géricault semble avoir été la victime d'une dépression nerveuse ou d'une crise de paranoïa. Le 22 octobre Castel écrit à Chevigné : « Auguste est revenu, fâché de manquer ta rencontre, assez inquiet de la raison de son malade. Celui-ci n'a vu dans les bateliers et les gens de la galiote que des ennemis qui l'épiaient et conjuraient sa perte. Pauvre raison humaine, et combien cet accident est triste ! ».
• Fin octobre : Suite au remaniement de l'accrochage, *Le Radeau de la Méduse* obtient une nouvelle place au Salon. Il est exposé dans la grande galerie du Musée du Louvre. Auguste Jal lui consacre un nouvel article : « Aujourd'hui, transporté dans la grande galerie, où il est à hauteur d'appui, son succès est devenu populaire ; chacun peut contempler avec douleur, cette scène épouvantable qui a le déplorable mérite d'être historique [...] ; les connaisseurs admirent la liberté du pinceau, l'impression des têtes, la vérité des poses et la majesté de la composition ; les ignorants condamnent sans la comprendre la couleur de cette belle production, leur critique est un éloge que l'artiste est heureux de mériter, son tableau passe dans

l'opinion publique pour un des plus remarquables que notre École française ait produits depuis longtemps, on oublie les taches qui le déparent et l'on proclame M. Géricault peintre de mérite et homme de génie »[13].

• 1er 4 décembre : Nouveau scrutin de l'Académie. Géricault obtient 22 voix (la 4e place).
Après les tergiversations de l'Académie, qui refuse de se prononcer, le prix d'Histoire n'est pas attribué. En contrepartie, 32 artistes, dont Géricault, obtiennent une médaille d'or.

• 31 décembre : Le comte de Forbin lui confie une commande de 6.000 F. Géricault y renoncera le 4 juin 1821 au profit d'Horace Vernet.

1820

• 12 janvier : Géricault obtient du Ministère de l'Intérieur une commande de 2.400 francs pour la Cathédrale de Nantes (une *Vierge du Sacré-cœur*). Au retour de son second séjour à Londres, il en confiera l'exécution à Eugène Delacroix : « J'envoie au diable tous les *sacrés-cœurs de Jésus* » écrira-t-il à Dedreux-Dorcy le 12 février 1821 « c'est un vrai métier de gueux à mourir de faim. J'abdique le cothurne et la sainte Écriture pour me renfermer dans l'écurie dont je ne sortirai que cousu d'or».

• 13 février : Louvel assassine le duc de Berry à la sortie de l'Opéra. Dans les jours qui suivront « un spéculateur » demandera à Géricault de bien vouloir réaliser une lithographie représentant « toute la famille royale en pleurs devant le corps du malheureux prince »[14]. Le Musée des Beaux-Arts de Rouen en conserve le projet (un dessin double-face), mais la lithographie ne vit jamais le jour.

• Mi-mars : Géricault adresse à Horace Vernet, alors à Rome, une longue lettre lui apprenant la chute d'Elie Decazes (20 février), le favori de Louis XVIII, accusé par les ultra-royalistes d'être responsable de l'assassinat du duc de Berry. À l'instar de certains ultra-libéraux, Géricault laisse éclater sa joie : « et chez nous monsieur de caze a cedé son portefeuille et s'est retiré dans ses terres on n'en parle déjà plus *ainsi passe la gloire du monde j'ai vu l'impie exalté plus haut que les cèdres du Liban, je suis passé et déjà il n'était plus là* vous me repondrez sans doute *le Seigneur soit avec vous* ce qui veut dire, je le sais parfaitement le diable vous emporte mais si je vous disais que ce diable car il n'y a que lui qui puisse nous a[cc]abler de douleurs a eu l'aimable comp[assion (?)] [d]e remporter une grande partie de cel[le] qu'il avait repandue dans la partie droite *de mon Testicule* qu'il m'a permis même *de baiser une fois par semaine et ensuite de pouvoir marcher sans fatigue* alors, je connais assez la bonté de votre cœur, vous vous écrirez avec le saint prophète hozanna *au plus haut des cieux* & gloire au père au fils et au st. esprit amen ». [Les passages en italiques sont écrits en latin et en italien][15].

• 10 avril : Géricault et Charlet s'embarquent à Calais à destination de Londres. À son arrivée, il visite l'exposition de la British Institution.

• 1er mai : À Londres, Géricault assiste peut-être à la pendaison des cinq auteurs d'un complot politique, connu sous le nom de « Cato Sreet » (dessin au Musée des Beaux-Arts de Rouen).

• 6 mai : Géricault est enthousiasmé par sa visite de l'exposition de la Royal Academy et le signifie à Horace Vernet : « Je disais, il y a quelque jours, à mon père qu'il ne manquait qu'une chose à votre talent, c'était d'être trempé à l'école anglaise [...]. L'Exposition qui vient de s'ouvrir, m'a plus confirmé encore qu'ici seulement on connaît ou l'on sent la couleur de l'effet. Vous ne pouvez pas vous faire une idée des beaux portraits de cette année et d'un grand nombre de paysages et de tableaux de genre, des animaux peints par Ward et par Landseer, âgé de dix-huit ans : les maîtres n'ont rien produit de mieux en ce genre ; il ne faut point rougir de retourner à l'école ; [...] Je ne crains pas que vous me taxiez d'anglomanie ; vous savez comme moi ce que nous avons de bon et ce qui nous manque. »

• 10 juin : Vernissage à l'Egyptian Hall de l'exposition du *Radeau de la Méduse*. Ouverte au public le 12 juin, elle fermera le 30 novembre suivant après avoir connu un vif succès et accueilli entre 40.000 et 50.000 visiteurs.

• 19 juin : Fin du premier séjour à Londres. Géricault débarque à Dieppe et se dirige vers Paris.

• 3 novembre : Une lettre de Schnetz adressée au peintre belge Navez, alors à Rome, lui apprend qu'il n'a pu se joindre au projet d'Horace Vernet et de

Géricault d'aller voir Louis David, en exil à Bruxelles. Les deux artistes sont partis de Paris « depuis quelques jours »[16].
• 16 novembre : Géricault et Horace Vernet font leurs adieux à David qui s'avoue « ravi de joie par leur présence ». Ils boivent à la santé de ses élèves. Vernet rentre à Paris, sans doute seul.
• 29 novembre : Une lettre de l'architecte Louis Destouches adressée à Navez lui donne des nouvelles de leurs amis communs et lui précise que « gericot est en Écosse »[17].

1821

• Janvier (?) : Début du second séjour à Londres.
• 1er février : L'imprimeur Charles Hullmandel commence la publication des lithographies de Géricault connues sous le nom de *Various Subjects Drawn from Life and on Stone by J. Gericault.*
• 12 février : Géricault avoue à Dedreux-Dorcy : « Vous supposez peut-être, mon cher ami, d'après la disposition naturelle de votre esprit, que je prends ici beaucoup de plaisir ; rien cependant n'est moins vrai ; je ne m'amuse pas du tout, et ma vie est absolument celle que je mène à Paris, travaillant beaucoup dans ma chambre et rôdant ensuite, pour me délasser, dans les rues où il y a toujours un mouvement, et une variété si grande que je suis sûr que vous n'en sortiriez pas. Mais le motif qui vous y retiendrait m'en chasse. La sagesse, je le sens, devient de jour en jour mon lot ; sans que je cesse pour cela d'être le plus fou de tous les sages, car mes dessins sont toujours insensés, et, quoi que je fasse, toujours autre chose que ce que je voudrais faire. [...] Une conquête aussi, mon cher D.....! car je dois tout vous dire. Une femme qui n'est pas de la première jeunesse, mais belle encore et entourée de tout le prestige de la fortune, s'est fourrée en tête d'être folle de moi, folle à la lettre en vérité. Il me faut autant d'art pour lui échapper qu'il en faut souvent pour obtenir de certaines femmes les plus légères faveurs. Elle n'est ni précieuse ni bégueule, je vous assure ; elle m'appelle le dieu de la peinture, et elle m'adore à ce titre. Je voudrais pour tout au monde vous tenir ici pour vous conter à loisir toutes ses folies. L'autre jour, elle me disait qu'elle voudrait m'élever un autel pour y déposer tous les jours son offrande. Mais c'est qu'elle me respecte, vous n'avez pas d'idée, et me regarde quelquefois avec un air qui me ferait crever de rire, si je ne craignais de la mortifier. Ce qui me désole, c'est que son mari a mille bontés pour moi ; mais tous ces maris ont le diable au corps. Ne veut-il pas que j'aille loger chez lui, que j'y travaille ?... »
• 5 février-21 mars : Exposition du *Radeau de la Méduse* en Irlande, à la Rotunda de Dublin.
• 23 février : Une lettre à Charlet (alors en France), atteste une brouille momentanée entre les deux artistes : « Je croyais la susceptibilité attachée seulement à mon malheureux caractère ; lorsque la passion vient avant le jugement, on est à plaindre alors, et en quelque sorte excusable de se montrer susceptible ; mais chez vous, mon cher, la susceptibilité devient un défaut plus que ridicule [...]. Chassez donc jusqu'au souvenir de cette fâcheuse impression ; et si dorénavant je vous paraissais ou fantasque ou brutal, n'en accusez encore que ma misérable constitution, et accordez-moi amitié et pardon. »
• 8 avril : Première mention du nom de Géricault dans le journal de l'architecte anglais Charles-Robert Cockerell.
• 5 mai : À l'invitation du peintre Thomas Lawrence, Géricault se rend au dîner de la Royal Academy.
• 6 mai : Exposition de la Royal Academy. Géricault y remarque un paysage de Constable.
• 13 décembre : Géricault devient l'un des sociétaires d'une fabrique de pierres artificielles située à Montmartre.
• 14 décembre : Fin du second séjour anglais. Géricault embarque à Douvres pour Calais. Deux jours plus tard, Cockerell dresse ce profil psychologique de Géricault : « 16 décembre 1821 (pour toute la semaine précédente) ai fait mes adieux à Gericault Mardi. grande admiration pour son talent. sa modestie tellement inhabituelle et remarquable pour un Français son profond sentiment de pitié, son pathétique [*sic*]. à la fois la vigeur, le feu et la vitalité de son œuvre – le tetro [*sic*] solennel à la fois profond et mélancolique. sensible. vie singulière – comme celle des sauvages américains dont on parle dans les livres. baignant dans la torpeur pendant

des jours & des semaines puis se livrant à des actions violentes. chevauchant se précipitant se lançant s'exposant à la chaleur au froid toutes sortes de violences. – est venu en Angleterre surtout pour se soustraire à l'oisiveté & se retirer du monde. la compagnie – crains qu'il aille mal. – a souvent dit que l'Angleterre était le meilleur endroit qu'il connaisse pour étudier l'air y fait beaucoup ainsi que la façon de vivre des gens. – Gericault n'a même pas présenté 10 œuvres au public. pourtant sa réputation est grande. »

1822

• 3 février : Le comte de Forbin, directeur du Musée du Louvre, essaie de faire acheter *Le Radeau de la Méduse* par l'État.

• Mars (?) - avril (?) : Trois chutes de cheval compromettent gravement sa santé.

• Avril (?) - décembre (?) : Convalescence chez son ami Dedreux-Dorcy. Il y dessine plusieurs lithographies.

• 24 avril-16 juillet : Au Salon, Géricault remarque la *Barque de Dante* d'Eugène Delacroix et le tableau de Paul Delaroche, *Joas dérobé du milieu des morts par Josabeth.*

• 17 mai : Le comte de Forbin renouvelle, en vain, sa proposition d'acquisition du *Radeau de la Méduse.*

1823

• Février (?) : Rétabli de ses chutes de cheval, Géricault se remet au travail.

• 4 avril : *Le Miroir des Spectacles* (un journal d'opposition) consacre un article à ses nouvelles lithographies : « M. Géricault, publie sous le titre qui fait celui de cet article une suite de dessins lithographiés représentant des chevaux de toutes les races dans toutes les habitudes de leurs corps et dans toutes leurs allures. [...] Le talent connu de l'artiste distingué à qui les amateurs devront ce recueil d'études nous dispense de faire l'éloge du travail que nous avons sous les yeux[18]. »

• 14 mai : Delacroix mentionne la visite de Géricault dans son *Journal* : « Géricault est venu me voir [...] J'ai été ému à son abord : sottise ! »

• 27 mai : Le comte de Forbin fait une troisième tentative, sans suite, pour faire acquérir *Le Radeau de la Méduse.*

• 6 juillet-fin août : Salon de Douai. Géricault expose un tableau de *Postillon faisant rafraîchir ses chevaux* (Musée du Louvre).

• 11 août : La faillite de son ami l'agent de change Félix Mussard entraîne la ruine de Géricault. Auguste Brunet et René Castel auront également de graves problèmes financiers.

• 25 août : Géricault obtient une médaille d'argent pour sa toile exposée au Salon de Douai.

• 4 octobre : L'état de santé de Géricault s'aggrave. Il s'alite et doit subir plusieurs opérations chirurgicales.

• Novembre (?) : Pour l'acquitter de quelques dettes, le colonel Bro et Dedreux-Dorcy vendent en quelques jours plusieurs de ses œuvres pour la somme de 13.300 F.

• 30 novembre : Géricault rédige son testament. Il institue son père légataire universel.

• 2 décembre : Le père de Géricault rédige à son tour son testament. Le petit Georges-Hippolyte, alors âgé de 5 ans, devient son légataire universel. Auguste Brunet et Dedreux-Dorcy sont désignés exécuteurs testamentaires.

• Mi-décembre : Gros, de retour de Bruxelles où il était allé rendre visite à son maître David, se rend chez Géricault.

• 30 décembre : Delacroix note dans son *Journal :* « Il a quelques jours, j'ai été le soir chez Géricault. Quelle triste soirée ! Il est mourant ; sa maigreur est affreuse ; ses cuisses sont grosses comme mes bras. Sa tête est celle d'un vieillard mourant. Je fais des vœux bien sincères pour qu'il vive, mais je n'espère plus. Quel affreux changement ! Je me souviens que je suis revenu tout enthousiasmé de sa peinture : *surtout une étude de tête du carabinier.* S'en souvenir. C'est un jalon. les belles études ! Quelle fermeté ! Quelle supériorité ! Et mourir à côté de tout cela, qu'on a fait dans toute la vigueur et les fougues de la jeunesse, quand on ne peut se retourner sur son lit d'un pouce sans le secours d'autrui ! »

1824

• 17-18 janvier : Géricault est opéré une dernière fois.

• 18 janvier : Ary Scheffer dessine le visage de son ami (collection particulière).

• 26 janvier : Géricault meurt à six heures du matin, à l'âge de 32 ans et 4 mois.
• 28 janvier : La messe d'enterrement a lieu à Notre-Dame-de-Lorette. L'inhumation se fait au cimetière du Père-Lachaise où son corps est provisoirement déposé dans le caveau de la famille du peintre Jean-Baptiste Isabey.
• 23 juin-19 juillet : À la demande de Georges-Nicolas Géricault, on procède à l'inventaire après décès des biens de son fils.
• 15 août : Deux tableaux de Géricault, *Une forge de village* et *Un enfant donnant à manger à un cheval*, sont exposés au Salon de 1824 par l'intermédiaire de ses amis.
• 2-3 novembre : Vente après décès à l'Hôtel de Bullion. Grâce à l'intermédiaire de Dedreux-Dorcy et du comte de Forbin l'État achète *Le Radeau de la Méduse* pour 6.005 F. La vente est un grand succès et rapporte la somme importante de 51.792,90 F.[19].

1
L. de Lagarde, 1880, p. 23.

2
La fourchette chronologique de ce renvoi est donnée par Denon lui-même dans sa lettre à Guérin du 23 mai 1812. Il y écrit : « Ce jeune homme pendant mon dernier voyage en fut exclu [...] ». Le voyage en question est celui de sa mission en Italie (octobre 1811 à février 1812) dont l'objectif principal était de relever les positions militaires de la première campagne de Bonaparte (F. B. de Mercey, 1857, p. 418 ; P. Marmottan, 1918-1919, pp. 23-24).

3
Brouilllon d'une lettre de Géricault à [Vivant Denon], s.l et s.d, [Paris (?), octobre (?) 1814], publiée par Br. Chenique, [1993], 1996, pp. 35-37.

4
M. Fehlmann a identifié le portrait de Vinchon par Géricault dans le Carnet de croquis de Zurich, 1995, pp. 88-89.

5
Archives nationales, F7. 6849, dossier n° 4067 (« Seine. Etats des personnes qui partent de *Rome* pour se rendre en France » ; « Mois de Septembre 1817 N° 1. Liste des personnes à qui l'Ambassade de France à Rome a délivré, pendant le mois de septembre 1817, des passeports pour entrer dans le Royaume »). Géricault y est qualifié de « propriétaire ».

6
Lettre de Louis Petitot à son père, Rome, 27 septembre 1817. Nous la trancrivons d'après une photocopie aimablement communiquée par Mme Dubertret le 29 décembre 1990. À sa demande, nous n'en avions cité qu'un court passage en 1991 (exp. Paris, 1991-1992, p. 279, col. 1).

7
Ch. Clément, 1868 et 1879, pp. 89-90. À partir de « Je cherche vainement un appui [...] », nous citons la version de L. Batissier ([1841], p. 8) car Clément, semble-t-il, a modifié la ponctuation ainsi que certaines expressions.

8
Lettre de Géricault à Léon Cogniet, Paris, s.d [décembre (?) 1818], publiée par Br. Chenique, [1993], 1996, p. 38.

9
Archives nationales, F7. 11939 (« État des passeports d'individus entrés en France par Calais en 1819 »). Géricault et Vernet sont tous deux qualifiés de propriétaires et Jamville d'officier en retraite.

10
Lettre de Géricault au comte de Forbin, [Paris (?), fin juillet 1819 (?)], publiée par Br. Chenique, [1993], 1996, p. 42.

11
I.[G.], « Beaux-Arts », *La Renommée*, n° 70, 24 août 1819, p. 280.

12
Anonyme, « Musée Royal. Exposition des Tableaux », *Journal de Paris, politique, commercial et littéraire*, n° 237, mercredi 25 août 1819, p. 3. « Un grand nombre d'entre eux se disputent les regards et l'attention du public ; plusieurs m'ont frappé ; mais j'avoue que mon cœur a tressailli en voyant les naufragés de la Méduse (de M. Géricault) luttant contre les fatigues de toute espèce, contre la faim, contre la mort ». (Anonyme, « Intérieur. Paris, 25 août 1819 », *Le Constitutionnel, Journal du Commerce, Politique et Littéraire*, n° 239, 26 août 1819, p. 2) ; « L'entrée du public, au moment de l'ouverture, présentait l'aspect d'une place emportée d'assaut. [...]. La foule s'arrête d'abord devant l'épouvantable scène de naufrage représentée par M. Géricault, et devant l'*Embarquement de S. A. R. Madame*, duchesse d'Angoulême, par M. Gros. C'est aussi à l'examen de ces deux grandes compositions que nous consacrerons notre premier article ». (Anonyme, « Musée Royal. Salon des Tableaux », *Journal de Paris, politique, commercial et littéraire*, n° 238, 26 août 1819, p. 1).

13
G. J[al], 23 octobre 1819, p. 3.

14
Lettre de Géricault à Horace Vernet, s.l et s.d, [Paris, entre le 10 et le 28 mars 1820], publiée par Br. Chenique, [1993], 1996, pp. 43-44.

15
Lettre de Géricault à Horace Vernet, publiée par Br. Chenique, [1993], 1996, pp. 43-44..

16
Lettre de Schnetz à Navez, Paris, 3 novembre 1820. Bruxelles, Bibliothèque royale, département des manuscrits, correspondance de F. J. Navez, lettres d'artistes français, 70 (3), n° 509, folio 341, verso : « Je r'ouvre cette lettre pour te dire qu'horace est revenu aujourd'hui et qu'il m'a rapporté une lettre très aimable de Mr. david qui se porte bien ».

17
Lettre de Destouches à Navez, Paris, 29 novembre 1820. Bruxelles, Bibliothèque royale, département des manuscrits, correspondance de F. J. Navez, lettres d'artistes français, 70 (2), n° 189, folio 372, verso.

18
Anonyme, « Études de chevaux par M. Géricault », *dans Le Miroir des spectacles, des lettres, des mœurs et des arts*, n° 799, 4 avril 1823, p. 2.

19
Archives de la Ville de Paris, D.1E3. 308 (bordereau de versement de l'Etude Parmentier). Entre 1817-1833, cette somme est la plus élevée du registre. La somme moyenne d'une vente est d'à peu près 5.000 F.

La formation romantique et les œuvres de jeunesse

Soixante-seize ans après la mort de Géricault, la biographie du modèle Charles Dubosc nous emmène dans l'atelier de Pierre-Narcisse Guérin, parmi ses élèves : « Ils étaient toujours à vanter Géricault ; et leur maître de s'écrier : "Laissez-le faire, mais ne l'imitez pas ; vous n'avez pas, comme lui, l'étoffe de plusieurs peintres..." Quoi que l'on en ait dit, ajoutait Dubosc, M. Géricault a toujours aimé et respecté M. Guérin, qui était pour lui un bon maître ; s'il suivait rarement ses conseils, c'est qu'il était possédé, et il ne pouvait pas se plier, comme il l'aurait désiré lui-même. Grâce à Dieu, Géricault ne *se plia pas* [1] ! »

Le joli mythe romantique qui fait de Géricault un artiste autodidacte précoce, réfractaire à toute formation académique, a la vie dure malgré les efforts accomplis depuis quelque temps pour détruire certaines des légendes les plus extravagantes qui entourent sa vie et son art [2]. On s'aperçoit en fait qu'il a suivi un cursus mouvementé, certes, mais traditionnel, dans l'atelier de Pierre-Narcisse Guérin, entre 1810 et 1816 [3]. Parmi les dessins conservés à l'Ensba, l'important ensemble constitué par les calques d'après le temple d'Apollon Epicourios à Bassæ et par les feuilles d'anatomie humaine et du cheval jette un éclairage capital sur sa formation artistique, mais aussi sur les rapports entre l'art romantique et la tradition.

L'atelier de Guérin

Géricault est sans doute entré dans l'atelier de Guérin à l'automne 1810, après un court passage chez Carle Vernet. Il fréquente ce maître régulièrement jusqu'en 1812, puis sporadiquement jusqu'en 1816. Guérin, dont la popularité d'enseignant ne le cède en rien à celle de Jacques-Louis David à la fin de l'Empire, est « un petit homme maigre, affable, d'une quarantaine d'années », qui dispose dans son atelier de tout un matériel pédagogique, composé de « livres, estampes, mannequins, draperies et plâtres [4] », si l'on en croit le témoignage d'A. Robertson. Pour entrer à l'École des Beaux-Arts, Géricault suit le cours supérieur de dessin de Guérin, où les exercices d'après le plâtre et le modèle vivant sont complétés par des copies au Louvre et des croquis de scènes de la vie quotidienne. Son admission à l'École des Beaux-Arts, où il s'inscrit le 5 février 1811 [5], lui permet d'assister à des conférences sur l'anatomie et la perspective et de se présenter à différents concours. Guérin privilégie le travail d'après le modèle vivant et surveille de près les progrès de ses élèves, allant même jusqu'à écrire à la mère de l'un d'eux pour la tenir au courant [6]. Géricault, comme ses camarades, peint de nombreux nus dans la classe de Guérin, notamment la célèbre *Académie d'homme debout, de trois quarts à gauche* (Rouen, Musée des Beaux-Arts).

À côté de l'étude d'après le modèle vivant, la copie d'après les tableaux de maîtres occupe une place prépondérante dans l'enseignement de Guérin. Le professeur intervient personnellement lorsque son élève Géricault se voit retirer une première fois son autorisation de travailler au Louvre, après une altercation avec les gardiens du musée en 1811 ou 1812 [7]. La copie traditionnelle, reproduction scrupuleuse d'un chef-d'œuvre, entend stimuler l'inventivité de l'apprenti peintre grâce à une analyse attentive de la composition et de la facture. Géricault se livre à cet exercice fondamental aux yeux de Guérin, et réalise ainsi une *Mise au tombeau* d'après Raphaël (Lyon, Musée des Beaux-Arts), dont les parties achevées, d'une facture très soignée, restituent fidèlement la composition du maître. Si Guérin prône la copie de reproduction, il sent bien qu'elle risque de mener à l'imitation pure et simple. Aussi semble-t-il encourager ses élèves à peindre également des esquisses d'après les tableaux de maîtres [8]. Dans un rapport de 1816 sur les travaux des pensionnaires de l'Académie de France à Rome, Guérin et le baron Gros avertissent que, si l'élève copie en s'attachant exclusivement à acquérir un savoir-faire technique sans s'intéresser aux innovations intellectuelles de son modèle, il trouvera « des leçons plus écrites et des manières toutes formées, tombera dans un esprit d'imitation [...] et prolongera ainsi la manie de faire des tableaux avec des tableaux [9] ». La copie esquissée vise à retrouver la genèse de la création artistique, en laissant de côté les procédés d'exécution mécaniques mis en jeu par la copie de reproduction, à percer à jour l'idée première du maître telle qu'elle s'exprime dans la phase de conception de l'œuvre. *La Mise au tombeau* de Géricault d'après Titien (Lausanne, Musée cantonal des Beaux-Arts) possède les caractéristiques d'une copie esquissée, qui néglige les effets de surface et les détails de l'original.

Tandis que les élèves de Guérin s'imprègnent de la pensée créatrice des maîtres par le biais de la copie

ill. 4

cat. D. 46

ill. 5

cat. D. 43

ill. 6

cat. D. 37

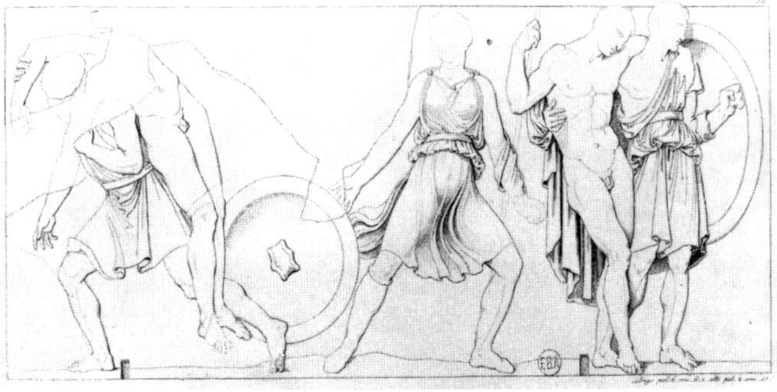

ill. 7

cat. D. 42

ill. 4
Wagner et Ruschweyh,
Bassorilievi Antichi della Grecia…, pl. 6,
Ensba, Paris.

ill. 5
Wagner et Ruschweyh,
Bassorilievi Antichi della Grecia…, pl. 16,
Ensba, Paris.

ill. 6
Wagner et Ruschweyh,
Bassorilievi Antichi della Grecia…, pl. 20,
Ensba, Paris.

ill. 7
Wagner et Ruschweyh,
Bassorilievi Antichi della Grecia…, pl. 14,
Ensba, Paris.

ill. 8

cat. D. 34

ill. 9

ill. 8
Wagner et Ruschweyh,
Bassorilievi Antichi della Grecia…, pl.23,
Ensba, Paris.

ill. 9
Théodore Géricault,
La Course de chevaux libres,
esquisse peinte,
J. Paul Getty Museum,
Malibu.

esquissée, ils se préparent aux épreuves du Prix de Rome et développent leur créativité grâce à des exercices de composition et, peut-être, à des concours d'esquisses[10]. Géricault a laissé une série d'esquisses à l'huile datant de cette période de formation auprès de Guérin[11]. Il a dû découvrir alors que l'esquisse, à quoi se mesure le génie, exige de la réflexion et du travail, qu'« une idée n'est pas une composition[12] ». Dans un de ses discours à l'Académie, Guérin explique en outre que « l'action du génie est la faculté de trouver l'expression la plus simple des situations les plus fortes, des combinaisons les plus étendues[13] ». Géricault a appliqué les leçons du maître pour son *Chasseur de la Garde* (Paris, Musée du Louvre) daté de 1812, qu'il expose d'ailleurs en qualité d'élève de Guérin selon l'usage. Il a d'abord résolu les problèmes de composition dans une suite de croquis, comme il avait appris à le faire, puis trouvé la formule la plus expressive en retournant le cheval de l'autre côté dans l'esquisse à l'huile définitive[14].

Peu avant de réaliser ce *Chasseur de la Garde*, Géricault a probablement posé sa candidature au concours du Prix de Rome, donnant droit à un séjour de cinq ans à la villa Médicis, dont la première épreuve est une esquisse peinte et la deuxième une académie d'homme[15]. De fait, il a rédigé un programme d'étude où il soulignait la nécessité de « peindre d'après nature » dans l'atelier de Guérin avant la date du concours, fixée le 16 mars 1812[16]. Quelques jours après son échec au prix de Rome, il postule avec succès pour une place dans la salle des modèles vivants à l'École des Beaux-Arts. De plus, il fait peut-être une tentative infructueuse au « concours du torse » en août 1812, puis à nouveau en 1813[17]. Géricault se présente encore une fois au concours du Prix de Rome en mars 1816. Là, il réussit la première épreuve, mais échoue à la deuxième. Il décide tout de même de faire le voyage d'Italie à ses frais, suivant les conseils de Guérin : « L'Italie veut être vue. Elle est en général nécessaire à l'étude, elle assure le goût, elle agrandit le talent[18]. » Il part en septembre 1816, muni de quelques lettres de recommandation chaleureuses confiées par Guérin, dont il dira plus tard qu'elles lui « procurent tous les jours les plus grands témoignages de bienveillance. Chacun se souvient de lui avec un plaisir que vous devez concevoir, et son élève en est mieux accueilli partout[19]. »

Les calques des bas-reliefs du temple d'Apollon Epicourios à Bassæ

Vers l'époque de son voyage en Italie, Géricault a copié des fragments de bas-reliefs du temple d'Apollon Epicourios à Bassæ, qui confirment son attirance pour le monde classique. Les sculptures, mises au jour au début du XIXe siècle, sont connues par des gravures au trait publiées dès 1814, que Géricault a pu examiner chez Guérin ou dans une collection italienne. En général, il a soigneusement calqué les grandes lignes des estampes. Parfois, il a reporté les bordures des planches sur sa feuille à titre de repères (**cat. D.39**, **D.41**, **D.46**, **D. 47** et **ill. 4**), mais la plupart du temps, il a complété ses modèles fragmentaires et ombré librement certaines portions en ajoutant des hachures et des contre-hachures énergiques, fort éloignées du modèle. Les sujets des gravures, le combat des Lapithes et des Centaures (**cat. D.40**, **D.43**, **D.45**, **D.46**, **D. 48** et **ill. 5**) et le combat des Amazones (cat. **D.34** à **D.39**, **D.41**, **D.42**, **D.44**, **D.47**, **D.49**, **ill. 6** et **7**), ont manifestement captivé le jeune artiste, qui a peint si fougueusement des chevaux et des scènes de bataille contemporaines sous l'Empire. Ses calques lui ont fourni une documentation précieuse, en lui permettant de nourrir ses préoccupations modernes à des sources antiques.

Les calques semblent avoir inspiré au moins un sujet moderne pendant son séjour en Italie : *La Course de chevaux libres*. Géricault a peint plusieurs versions du départ de la course sur la place du Peuple à Rome. Chaque fois, il a insisté sur la formidable lutte entre les hommes et les chevaux, qui rappelle l'affrontement entre les Amazones et leurs ennemis sur de puissantes montures. Pour l'attitude du cheval placé au centre de l'esquisse à l'huile du J. Paul Getty Museum (**ill. 9**), il a utilisé son calque de la planche 23 (**cat. D.34**, **ill. 8**). Le cheval de l'esquisse se cabre de la même manière que celui de la sculpture antique. Géricault a peint la croupe de profil, comme dans le calque, mais représenté la jambe arrière gauche en raccourci, amorçant ainsi la transformation qui trouve son achèvement dans le tableau du Musée du Louvre. Le recours à l'antique pour traduire le contemporain correspond aux enseignements de Guérin, qui écrit en 1818 à Léon Cogniet, l'ami de Géricault alors à Rome : « Vous vous accusez comme un tort de ne pas être touché par les beautés de l'art autant que des merveilles de la nature. Ce tort-là, mon ami, gardez-le toujours, car, aussitôt que vous en seriez corrigé, la nature elle-même vous abandonnerait. [...] Vous savez que l'une [l'âme] et l'autre [le cœur] ne s'expriment qu'à l'aide d'un langage, et il faut l'apprendre de ceux qui le parlent le mieux. [...] Étudiez donc assidûment l'antique, non pour vous mettre en état d'en contrefaire les formes, mais pour arriver à votre tour à savoir vous servir de la nature, à la rendre sans l'avilir, en quelque sorte sans la dénaturer[20]. »

Loin de signaler une dichotomie dans son œuvre, une sorte de conflit entre un Géricault classique et un Géricault romantique, comme le prétendent certains historiens, cette façon d'évoquer l'univers contemporain dans le langage plastique des anciens met en lumière son ancrage dans la tradition humaniste de l'art.

En conclusion, les calques des bas-reliefs du temple d'Apollon Epicourios ainsi que les feuilles d'anatomie humaine et du cheval[21] mettent en évidence la formation traditionnelle de Géricault dans l'atelier de Guérin et à l'École des Beaux-Arts. Il ne fut pas l'étudiant rebelle que nous présente une image forgée peu après sa mort et relancée par la lecture de certains historiens de l'art contemporains. Géricault s'est attaché farouchement à la tradition humaniste de l'art, apprenant à maîtriser le langage de l'antique et la structure du corps humain. Il s'est dégagé de son éducation académique pour affirmer maintes fois ses convictions politiques libérales par le biais des canons classiques dans des œuvres comme *Le Radeau de la Méduse*. De fait, *Le Radeau de la Méduse* révèle tout à la fois ses liens avec la tradition, dans l'exaltation d'un épisode héroïque sur une toile monumentale, et les transformations qu'il lui impose, en refusant la présence du héros au milieu du carnage et de la souffrance. Avec des œuvres ultérieures comme *La Traite des nègres*, où l'on voit un esclave roué de coups par un personnage herculéen, Géricault va continuer à renouveler la tradition, en faisant appel à un antihéros pour transmettre son message abolitionniste. Après la mort de l'artiste, ses amis Delacroix et Champmartin poursuivront son entreprise aux Salons de 1824 et de 1827, en invoquant la figure romantique de l'antihéros issue du mélodrame pour faire passer des idées politiques et sociales libérales auprès du public moderne.

John Paul Lambertson
(Traduit de l'anglais par Jeanne Bouniort)

1
G.-A. Crauk, 1900, p. 27.

2
R. Michel, exp. Paris, 1991-1992, p. 2 ;
Th. Crow, 1995, pp. 279-299.

3
Sur Géricault et l'atelier de Guérin, voir J.P. Lambertson, 1994, pp. 20-43.

4
E. Robertson, 1895, p. 238.

5
Archives de l'Académie Royale, Registre des élèves, Manuscrit 95, p. 354.

6
Paris, Institut néerlandais, dossier Guérin, lettre de Guérin à Mme Champmartin, oblitérée le 2 octobre 1815.

7
Lettre de Vivant Denon à Guérin, datée du 23 mai 1812, reproduite par Br. Chenique, exp. Paris, 1991-1992, p. 317.

8
Sur Guérin, Géricault et les copies peintes, voir A. Boime, 1986, pp. 42-43 et 127-132 ;
J.P. Lambertson, 1994, pp. 36-40.

9
Paris, Archives de l'Institut de France, cote 5E8, «Rapport fait à l'Académie des beaux-arts de l'Institut, dans les séances des 28 septembre et 12 octobre 1816, par la commission chargée de l'examen des ouvrages de peinture envoyés dans ladite année par les pensionnaires de l'École de Rome», signé conjointement par Guérin et par le baron Gros.

10
J.P. Lambertson, 1994, pp. 40-41.

11
G. Bazin, 1987, II, pp. 315- 322 et 506-519.

12
Lettre de Guérin à Gros, envoyée de Rome, le 23 octobre 1825, reproduite par J.-B. Delestre, 1867, p. 254.

13
Réflexions sur une des opérations distinctives du génie, morceau lu à la séance des quatre Académies, le 24 avril 1821, par M. Guérin, Paris, n.p.

14
G. Bazin, 1989, III, pp. 215-226.

15
Br. Chenique, exp. Paris, 1991-1992, pp. 267- 268.

16
P. Courthion, 1947, pp. 31-32.

17
G. Bazin, 1987, II, pp. 271-274 et 366.

18
Lettre de Guérin au baron Gérard, 20 thermidor an XII, reproduite par Henry Gérard, 1852-1853, p. 179.

19
Lettre de Géricault à Dedreux-Dorcy, envoyée de Rome le 27 novembre 1816, citée par Ch. Clément, 1879, pp. 84-88.

20
Cité par J. Claretie, 1882, pp. 363-364.

21
Voir J.-Fr. Debord (**cat. pp. 43-66**).

À propos de quelques dessins anatomiques de Géricault

« Je ne réponds pas d'avoir du goût,
mais j'ai le dégoût très sûr. »
Jules Renard

« Lire et composer. - Anatomie. - Antiquités. - Musique. - Italien »... Cette suite de prescriptions a été souvent reprise et commentée. Elle appartient à un programme plein de rigueur classique rédigé par Géricault sur un feuillet aujourd'hui disparu. On a pu longtemps croire qu'il voulait ainsi ne rien négliger pour être grand, et, lisant cela, un jeune artiste, autodidacte, aurait pu par dévotion pour Géricault suivre alors un sentier tout tracé.

En fait, J. Szczepinska-Tramer en 1981 a démythifié cette lecture de façon convaincante[1]. Rapprochant cet emploi du temps et suite de résolutions d'un autre programme, moins rigoriste, que l'on retrouve griffonné à la page 102 du carnet Zoubaloff[2], elle propose de ne voir là que l'expression du désir de Géricault de se présenter au Grand Prix de Rome de 1812, cette liste d'exercices, activités et bonnes intentions[3] devant lui permettre d'affronter plus sereinement les diverses épreuves du concours. On ne sait pas très clairement si Géricault se présenta ou non cette année-là, mais en septembre, lors d'une fête à Saint-Cloud, un cheval « plein de feu et d'une magnifique couleur[4] » lui donna l'idée du *Chasseur de la Garde*.

« Anatomie ». On peut se demander ce que Géricault entend par là. *Anatemnein*, selon Bailly, c'est « couper de bas en haut, ou en long », de là « ouvrir un corps, disséquer, ouvrir une voie, une route, déchirer ». Une « anatomie », c'est de plus pour Littré, un « corps disséqué », ou l'« imitation d'un corps disséqué », mais aussi de façon figurée « l'analyse, l'examen ». La culture contemporaine utilise le terme à tout bout de champ opératoire, à propos de tout ce qui peut ressortir du morbide et du fragmentaire, et voilà Géricault, drapé dans un tissu d'anecdotes, devenu référence en la matière.

À quelle pratique songeait-il en écrivant cela ? Étudier le crayon ou la plume à la main les gravures de certains traités, assister à des séances de dissection et dessiner ou peindre des préparations anatomiques[5], ou enfin disséquer lui-même ?

Bazin semble démontrer que peu de dessins anatomiques se soient perdus depuis la vente après décès. Sur les cinquante-deux répertoriés en regard de la rubrique « Anatomies » dans le volume II de son catalogue[6], trente-trois appartiennent à l'Ensba, provenant de la collection E. de Varennes offerte en 1883 : seize concernent l'anatomie humaine, dix-sept, celle du cheval[7].

On peut retrouver en dehors de cette rubrique d'autres études anatomiques en cherchant dans les différents volumes du catalogue :
- Un dessin de félin dépouillé appartient à l'Ensba (**cat. D.82**).
- Quelques études, souvent minuscules, de mécanique osseuse ou de musculature superficielle nichent au hasard des albums ou de feuilles esseulées.
- D'autres dessins enfin ont été rapprochés par Bazin de certaines œuvres. On trouve là, parfois attribués avec conviction à Géricault[8], des écorchés structurés de pied en cap et quelques études d'après des moulages de préparations anatomiques ou, peut-être, d'après des dissections. Le sujet même du *Radeau de la Méduse* se prête bien évidemment à la plus grande part de ces rapprochements.

Les seize dessins d'anatomie humaine appartenant à l'Ensba

Ces dessins relèvent de la première catégorie évoquée plus haut et ont été réalisés d'après certaines planches de deux traités.

Les douze premiers viennent du manuel conçu par le peintre Charles Monnet (Paris, 1732, travaille encore en 1793), qui fut élève de Jean Restout. Mathias-Duval avait cru d'abord, comme tant d'autres après Clément, que Géricault, ayant éprouvé « le besoin d'étudier [...] le cadavre », avait réalisé ces dessins lors de séances de dissection. Alerté par l'un de ses collègues, Tréal, qui avait découvert la source de certains dessins de Géricault dans quelques gravures dépareillées portant le nom du graveur Demarteau, il retrouva peu à peu trois éditions différentes, non datées, du livre que Géricault utilisa[9].

Un exemplaire de la première édition se trouve au Département des Estampes de la Bibliothèque nationale de France[10]. Le frontispice nous présente un ange adolescent brandissant une torche au-dessus d'un squelette enveloppé de draps. Vers le bord supérieur, on peut lire « Études d'anatomie à l'usage des peintres » et dans la partie basse, « par Charles Monnet, peintre du Roi, gravé par Demarteau, graveur du Roi, rue de la Pelterie, à la Cloche », sans date. Mais Mathias-Duval nous fait remarquer que Gilles Demarteau devint membre de l'Académie royale en 1769 et mourut en 1776, dates limites donc de cette édition.

La bibliothèque de l'École des Beaux-Arts de Rouen possédait jusqu'aux incendies de la guerre 1939-1945 un exemplaire dans lequel se trouvaient vraisemblablement reliés la plupart des dessins originaux de Monnet. Mathias-Duval les a vus : « Ces dessins [...] ne sont pas signés ; mais tout indique que ce sont bien les dessins originaux, ils sont d'une facture un peu plus ferme que les reproductions exécutées dans le genre du crayon, à la roulette selon le procédé employé et perfectionné par Demarteau ; de plus, ils sont retournés[11] ».

En effet, les planches gravées par Gilles Demarteau dans cette première édition « en couleur sanguine » ne sont pas d'un dessin très « ferme », et les choses iront en empirant. Dans l'édition suivante, Monnet et Demarteau ne sont plus que « peintre » et « graveur », la mention « du roi » a disparu, et l'ouvrage est édité « Cloître Saint-Benoît, numéro 350 », où exerça Gilles-Antoine Demarteau, neveu du précédent. Les planches imprimées en noir ont été regravées. Enfin ce livre dut avoir un certain succès puisque Mathias-Duval en décrit cette « sorte de contrefaçon de beaucoup inférieure à l'édition originale », dont on trouve un exemplaire au Département des Estampes[12].

« L'anatomie [...], il n'y a qu'un peintre qui puisse la rendre intelligible à un peintre », déclare Monnet dans son « Avertissement ». Cette volonté affichée de réaliser une « anatomie à l'usage des peintres » explique peut-être, malgré la faiblesse des planches, le choix de Géricault et le nombre des rééditions. Monnet ajoute : « c'est [...] le seul moyen de rendre raison des contours et de les faire justes, de savoir articuler les muscles dans leurs actions et de les rendre doux et coulans dans leur repos. Ceux qui n'en ont qu'une légère idée veulent en faire parade, ils caractérisent les muscles en toute rencontre, ce qui fait appercevoir plutôt leur ignorance ». Sous le charme de ces lignes, Monnet vise très juste selon nous quant au goût de certains artistes pour la « parade ». L'usage des connaissances anatomiques peut en effet mener à l'intelligence des formes mais aussi, par satiété, faire naître une conscience du goût... ou du dégoût.

Géricault semble n'avoir pu aller au-delà de douze des quarante-deux planches de l'ouvrage de Monnet. Le résultat n'est pas très convaincant, et s'il ne se trouvait de ravissantes vignettes de cavaliers ou de détails morphologiques (jarrets, pieds...) éparpillées dans les interstices ou les marges, on pourrait douter que ces « anatomies » fussent de lui. Nous ne savons pas quelle édition de l'ouvrage de Monnet il eut entre les mains. De l'une à l'autre les os sont de plus en plus mous, les muscles, de moins en moins efficaces. Mais, le jeune artiste, habitué du Cabinet des Estampes[13], a peut-être utilisé l'« édition originale de couleur sanguine », interprétant, condensant parfois plusieurs vues en une, comme dans l'étude de torse (**ill. 11 et 12** ; **cat. D.1** recto), allant ailleurs jusqu'à recopier fidèlement le rendu de l'ombre portée d'un gros orteil sur le sol (**cat. D.12** recto).

Quant aux petits croquis de cavaliers (**cat. D.11** et **D.11** détail), ils n'ont rien à voir. On pourrait penser devant leur désinvolture, leur habileté, leur élégance, qu'ils sont tombés là plus tard selon la fantaisie, au hasard des espaces laissés libres dans les marges et parfois au verso[14]. Ce serait oublier l'extraordinaire aisance de Géricault en ce domaine, sa passion charnelle maintes fois attestée pour le cheval, d'où son infatigable plaisir, sa manie de dessiner en toute occasion ce couple cavalier-monture. Passer des études, modestes pour le moins, du « carnet de 1808 » à celles qui précèdent en 1812 le *Chasseur de la Garde*, permet de comprendre ce qu'il a pu trouver chez Carle Vernet, tout en allant, du fait de son goût et de la tendresse pleine de son trait, bien au-delà du charme froid et du chic de celui-ci. Un autre jalon dans le temps nous est offert par l'un des versants du Carnet Zoubaloff. On trouve là des pages couvertes de cavaliers, dont certaines préparent au *Cuirassier blessé* de 1814.

Rien d'équestre autour de l'étude anatomique du pied vu de face, d'après Monnet (**ill. 14**, **cat. D.12** recto), mais des croquis évoquant l'autre versant du Carnet Zoubaloff : les études d'après l'Antique. Sous l'ossature des orteils on remarque un archer vu de profil (**cat. D.12** recto détail), et une morphologie de jarret, dont un lanceur de javelot offre une réplique à la page 13 du Carnet Zoubaloff (**ill. 15**). Avant qu'il ne recopiât les références anatomiques dans l'angle inférieur gauche, Géricault avait dessiné là une réplique agrandie de la jambe gauche de l'archer qui se retrouve maintenant sous la nomenclature. Ce qui prouve bien que ces petits croquis sont des récréations, ou pour cette feuille-ci, des sortes d'exercices d'application contemporains du labeur anatomique. Une vingtaine de croquis s'éparpillent au verso de cette feuille : des jambes et sabots de chevaux, deux guerriers antiques, une ébauche de main, deux études de jarrets et jambes humaines, trois études de pied en vue latérale, mais surtout parmi tous ces exercices morphologiques, quatre études de pied antique vu de face (**cat. D.12** verso), présentant les caractéristiques habituelles : gros orteil très écarté du fait de la sandale et une saillie de l'articulation proximale de cet orteil, dont l'angle et le chic n'ont pas échappé à Géricault. Deux de ces études se retrouvent trait pour trait à la page 105 du même Carnet Zoubaloff (**ill. 16**), à un feuillet de distance du programme évoqué au début de cet article. Dans ces croquis de pied vu en raccourci, tous les repères essentiels sont là. Ce que l'anatomie vient d'inventorier, avec une complaisance analytique paresseuse, Géricault le traduit aussitôt, d'une écriture allusive et sensible, en s'empressant d'oublier le superflu.

On trouve donc de façon anodine, dans les croquis « en marge » de certains dessins de la collection E. de Varennes, les deux versants de la personnalité picturale de Géricault : la passion du cheval et le goût de l'Antique. On retrouve la même double préoccupation, dans des proportions cette fois remarquables, dans le Carnet Zoubaloff. Même si les études réalisées autour du *Cuirassier blessé* ne s'avéraient pas contemporaines des exercices académiques dérivés de Flaxman, nous sommes dans ces années-là devant un jeune homme qui se cherche, sorte de Janus bifrons de la peinture de son temps, allant de Carle Vernet à Narcisse Guérin. Pour passer d'un monde à l'autre, il se contente de retourner son carnet ; de même dans les études anatomiques, il lui suffit de passer de la vue latérale à la vue frontale d'un pied pour rêver autrement, dans les marges.

Les quatre dernières feuilles d'anatomie humaine appartenant à l'Ensba reprennent certaines figures du livre de Giuseppe del Medico, *Anatomia per uso dei pittori e scultori,* Roma, 1811, qui présente treize planches d'ostéologie et vingt de myologie, chacune comprenant souvent plusieurs figures. Géricault ne s'est intéressé qu'à six de ces trente-trois planches, ne choisissant que quelques rares figures, onze au total, qu'il a réparties sur ces quatre feuilles. Son but est de compléter le travail déjà réalisé d'après Monnet, sa curiosité n'allant pas au-delà du strict nécessaire.

- Il n'y avait pas d'étude du crâne proprement dit. En voilà deux, face et profil, très vigoureuses. L'articulation de la mâchoire devient enfin explicite, mais les vues de dessus et de dessous présentes chez del Medico, moins essentielles, ne sont pas reprises (**ill. 17, cat. D.13**).

- L'écorché du torse d'après Monnet (**cat. D.1** recto) n'est qu'une mosaïque incertaine de formes molles.

ill. 11
Charles Monnet,
Muscles du torse,
planche 12 de la seconde édition des *Études d'anatomie à l'usage des peintres*, estampe, bibliothèque de la Faculté de médecine, Paris.

ill. 12
Charles Monnet,
Muscles de la tête,
planche 7 des *Études d'anatomie à l'usage des peintres*, estampe, bibliothèque de la Faculté de médecine, Paris.

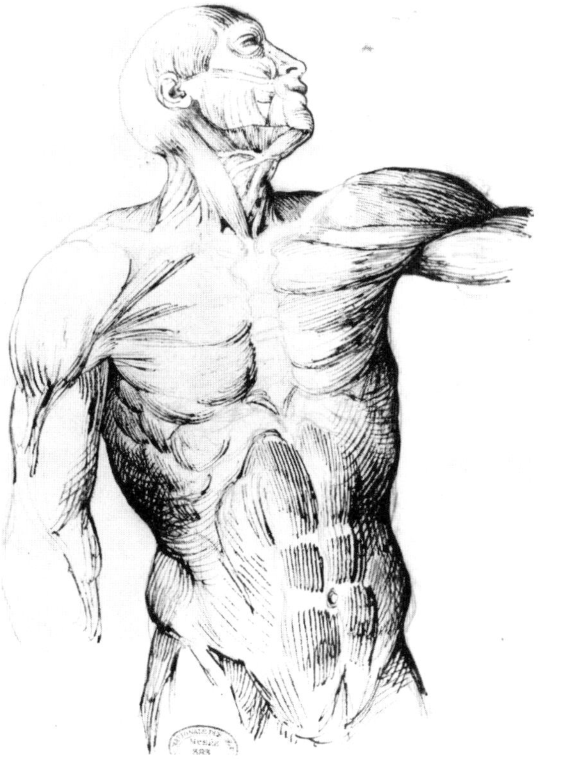

cat. D.1 recto

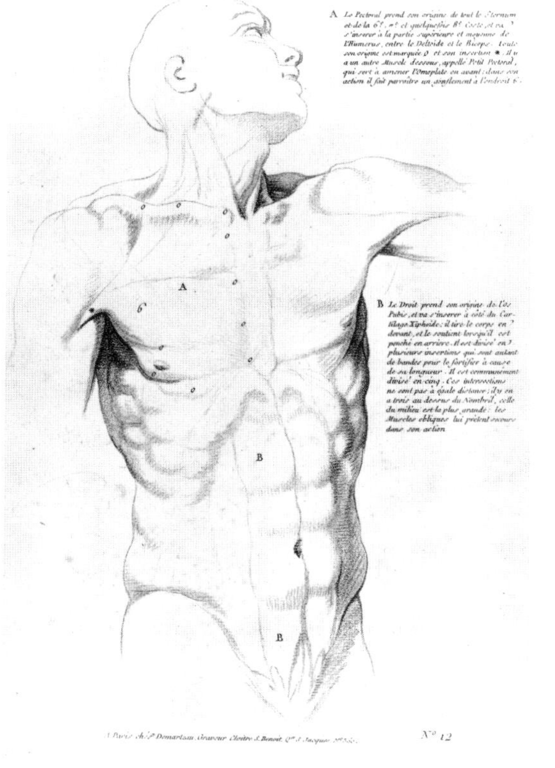

ill. 11

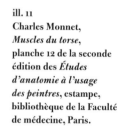

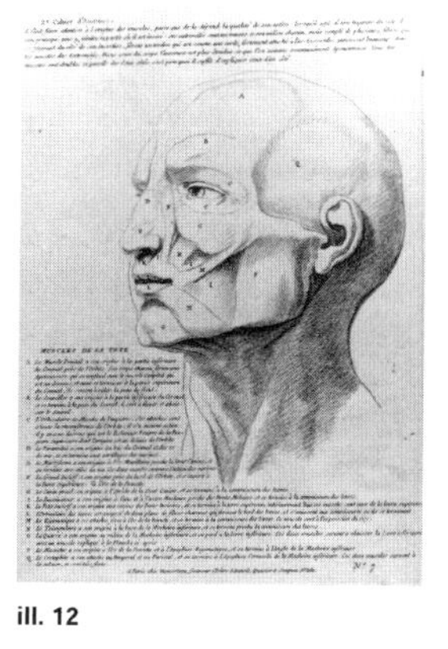

ill. 12

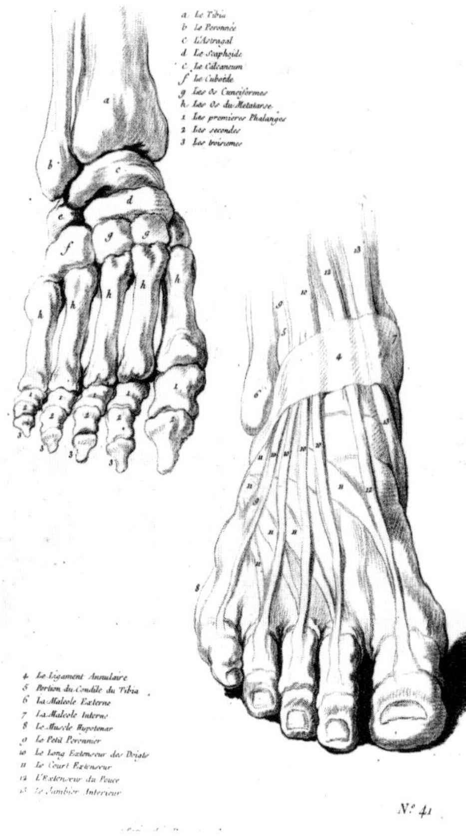

ill. 14

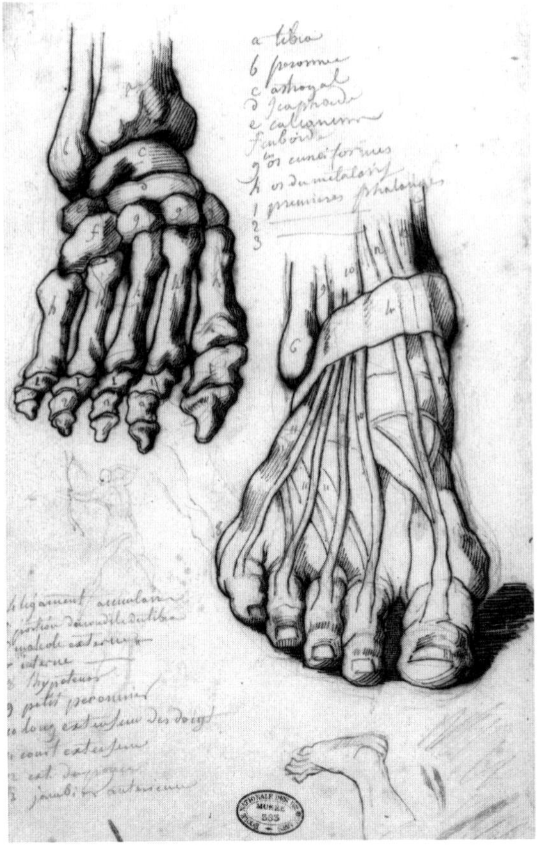

cat. D.12 recto

ill. 13
Charles Monnet,
***Squelette et musculature du pied*,**
estampe, bibliothèque de la Faculté de médecine, Paris.

ill. 14
Charles Monnet,
***Squelette et musculature du pied, vue antérieure*, estampe,**
bibliothèque de la Faculté de médecine, Paris.

ill. 15
Théodore Géricault,
***Lanceur de javelot*,**
page 13 de l'Album Zoubaloff, dessin, Département des Arts Graphiques, Musée du Louvre, Paris.

ill. 16
Théodore Géricault,
***Deux études de pied antique vu de face*,**
page 105 de l'Album Zoubaloff, dessin, Département des Arts Graphiques, Musée du Louvre, Paris.

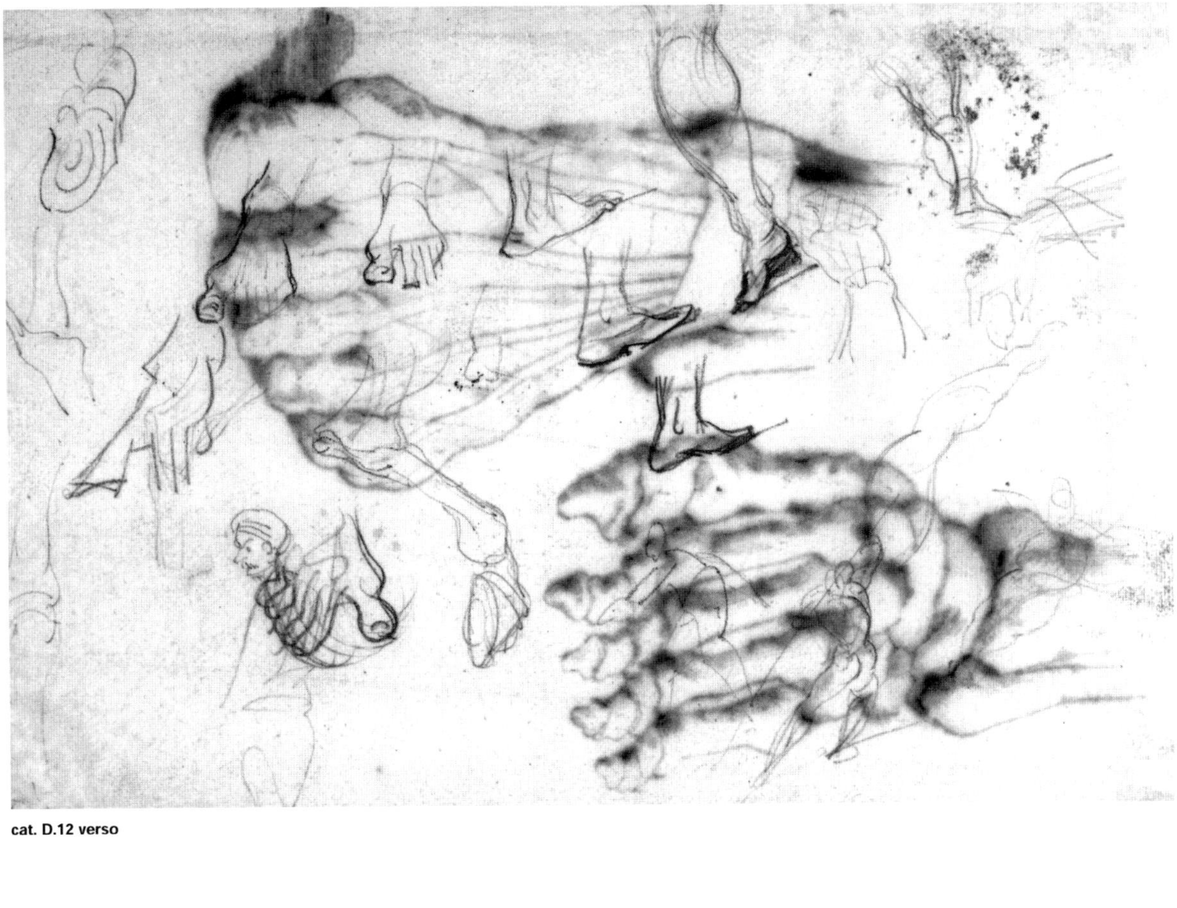

cat. D.12 verso

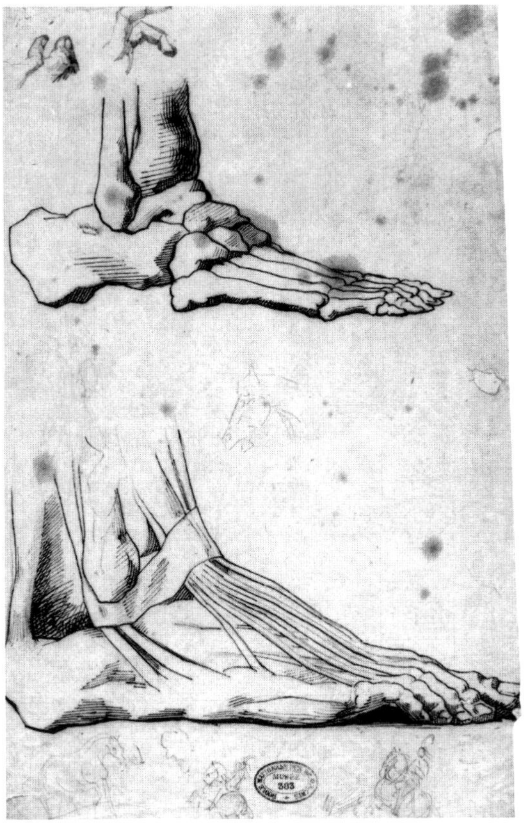

cat. D.11

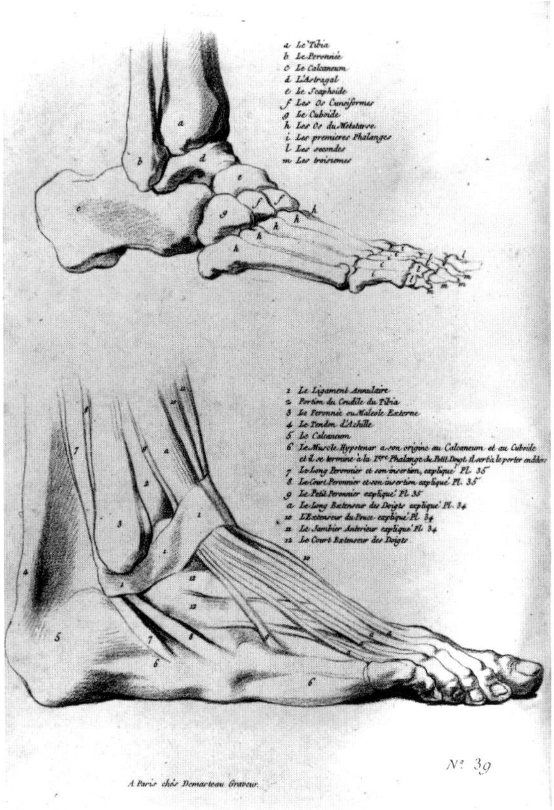

ill. 13

cat. D.11 (détail)

ill. 16

ill. 15

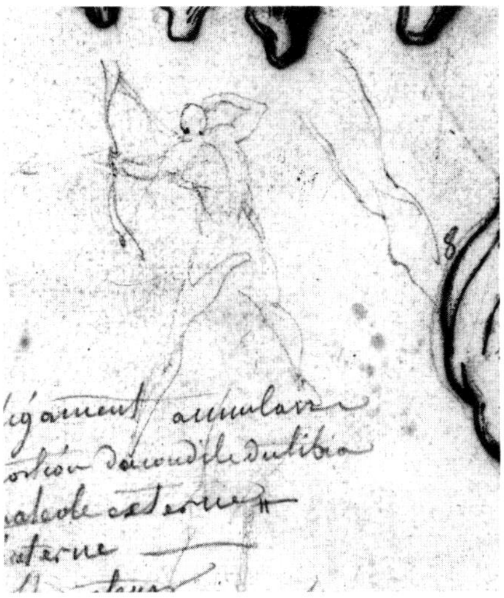

cat. D.12 recto (détail)

Géricault se contente de cette vue d'ensemble, mais reprend en détail les grands muscles qui drapent la cage thoracique, mettant en évidence leurs dentelures, imbrications et retournements. Il ajoute les deux études classiques des couches musculaires du dos, demi-profonde et superficielle, qui lui manquaient jusque-là (**cat. D.15** et **D.16**).

Dans l'analyse du bras réalisée d'après Monnet, la myologie reste élémentaire, Géricault s'en contente. Mais, l'ostéologie frisant l'informe, il préfère en reprendre l'étude. La structure osseuse acquiert enfin une charpente et se tend, les articulations deviennent explicites des mouvements qu'elles engendrent. L'étude de la pronation de l'avant-bras, en vue radiale, d'après del Medico (**ill. 18**, **cat. D.15** détail), est intéressante en ce sens, parce que particulièrement efficace, mais on peut être surpris que Géricault conserve en l'état l'accablante vue cubitale du même geste (**cat. D.7**), copiée dans le manuel de Monnet.

La vigueur de ces quatre dernières feuilles d'anatomie humaine est incontestable. Elle vient pour une grande part de la qualité des gravures du livre de del Medico, réalisées à l'eau forte pure, ce qui donne un trait plus acéré que la « manière de crayon » dont Demarteau était si fier, mais qui convient beaucoup mieux à une fesse de Boucher qu'à l'aile iliaque qui la sous-tend.
On remarque, dans l'impression des gravures du del Medico, deux passages de couleur différente : le squelette tout d'abord a été imprimé en bistre foncé, puis une seconde plaque, parfaitement repérée, est venue placer, une à une, les fibres musculaires rendues grâce à un rose sanguin sur les traits sous-jacents correspondants à l'os. De cette prouesse technique vient un charme qui s'est vraisemblablement exercé sur Géricault, puisqu'avec une ardeur évidente, il a forcé le trait de bistre et joué sur le contraste coloré. Peut-être faut-il noter, d'autre part, que la qualité du livre de del Medico ne vient pas du dessinateur inconnu qui réalisa les planches (ce ne sont en fait, elles aussi, pour la plupart, que des copies) (**ill. 19**, **ill. 20**, **cat. D.14** détail). Giuseppe del Medico « *chirurgo* », comme l'indique le frontispice, ne fit que procurer à son dessinateur, à moins qu'il ne dessinât lui-même, les planches superbes de Wandelaar, maintes fois plagiées à cette époque, et qui appartiennent au traité d'Albinus, *Tabulae sceleti et musculorum corporis humani. Lugduni Batavorum*, 1747, magnifique in-folio d'une élégance insurpassable. On ne peut oublier les écorchés en station unipodale, dont le plus célèbre déploie son diaphragme devant un rhinocéros en promenade (**ill. 10**).
Le dessinateur de Giuseppe del Medico a vidé les fonds, mais il reste quelque chose de la *morbidezza* toute d'acuité des planches de Wandelaar dans l'ouvrage italien, et cela transparaît dans les dessins de Géricault.

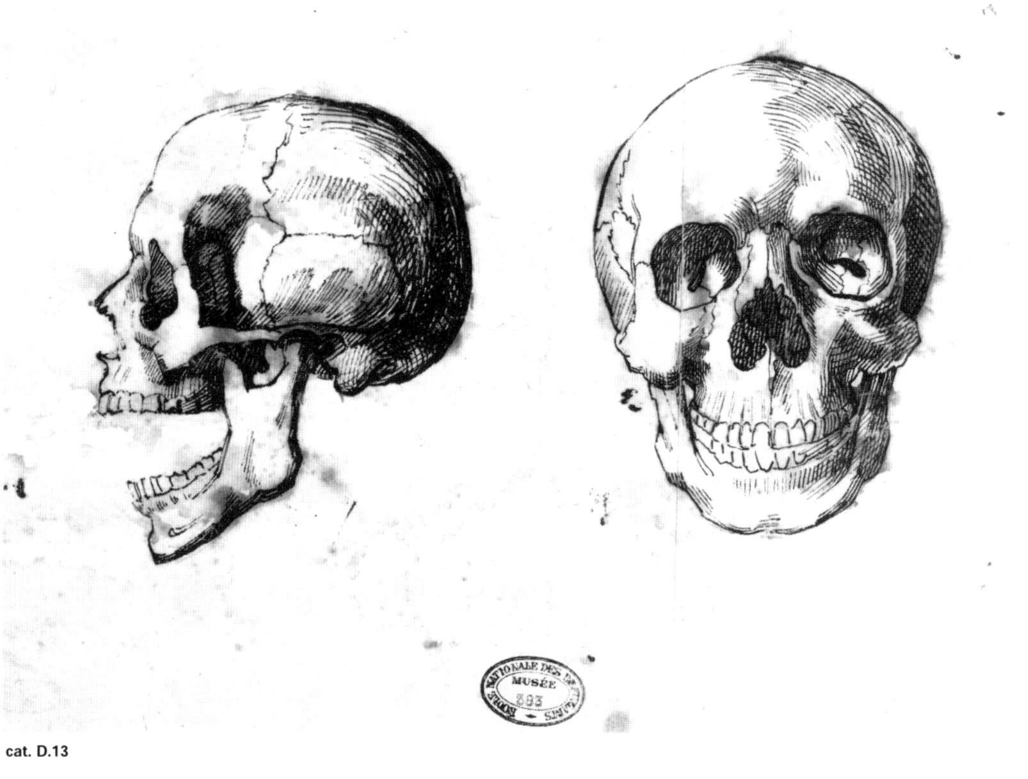

cat. D.13

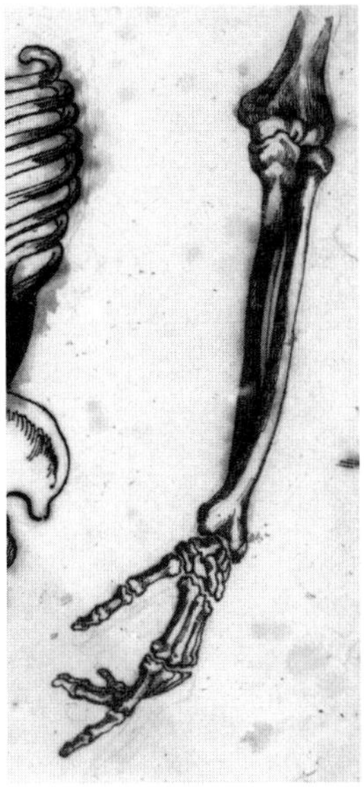

cat. D.15 (détail)

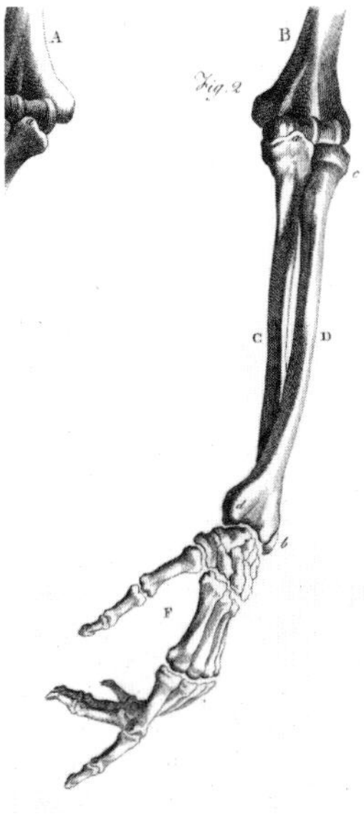

ill. 18

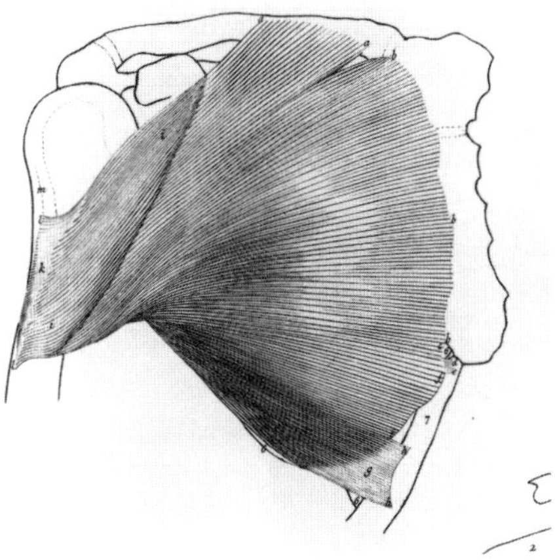

ill. 19

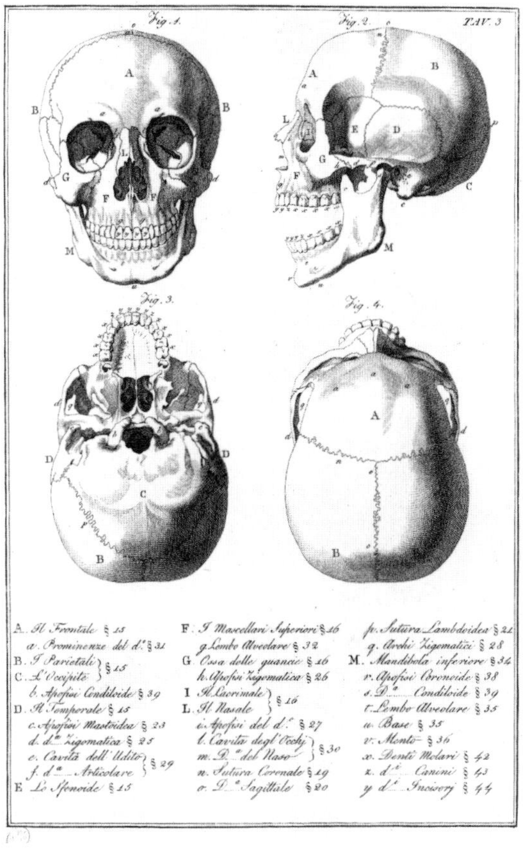

ill. 17

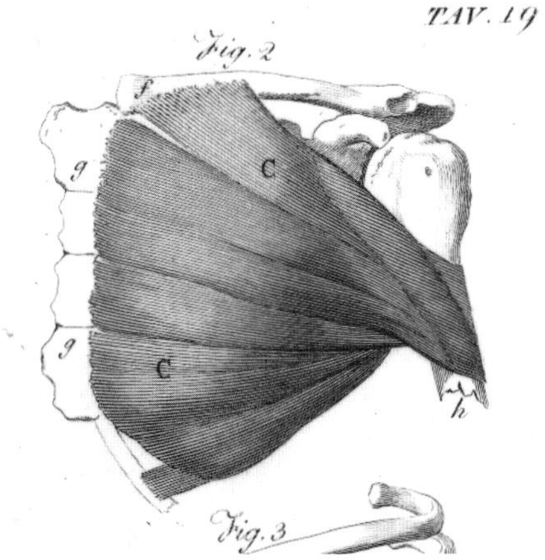

ill. 20

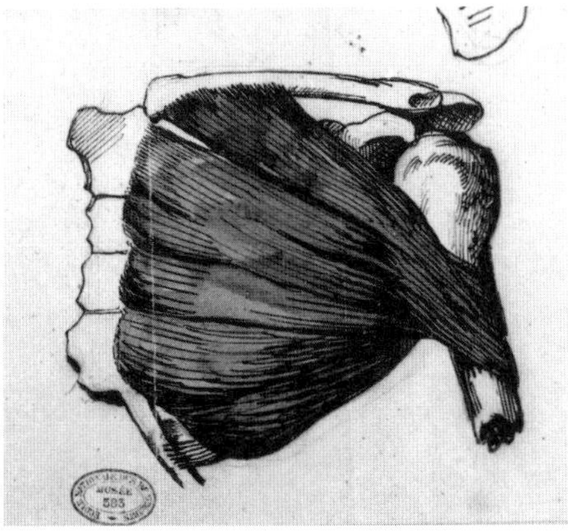

cat. D.14 (détail)

ill. 17
Giuseppe del Medico, *Quatre vues du crâne*, planche 3 de *l'Anatomia per uso dei Pittori e scultori*, Roma, 1811, estampe, bibliothèque de la Faculté de médecine, Paris.

ill. 18
Giuseppe del Medico, *Squelette de l'avant-bras et de la main en pronation*, détail de la planche 8 de *l'Anatomia per uso dei Pittori e scultori*, Roma, 1811, estampe, bibliothèque de la Faculté de médecine, Paris.

ill. 19
Jan Wandelaar, *Étude d'un grand pectoral droit*, détail de la planche du *Musculorum Tabula XVIII* du traité de Bernard Siegfried Albinus, *Tabulae Sceleti et Musculorum corporis humani lugduni Batavorum*, La Haye, 1747, estampe, bibliothèque de la Faculté de médecine, Paris.

ill. 20
Giuseppe del Medico, *Étude d'un grand pectoral gauche*, copie inversée de l'illustration précédente, détail de la planche 7 de *l'Anatomia per uso dei Pittori e scultori*, Roma, 1811, estampe, bibliothèque de la Faculté de médecine, Paris.

Dans le catalogue de la vente après décès publié par Bazin[15], on note dans la rubrique « Livres à figures, recueils, etc... » :

* au n° 60 : « Abrégé d'anatomie accommodé aux arts par Tortebat »

* au n° 65 : « Figures anatomiques de Bouchardon ».

Ces deux livres sont également destinés aux artistes. Le titre de l'édition originale du Tortebat est très précis à ce sujet : *Abrégé d'anatomie accommodé aux arts de peinture et de sculpture [...] méthode [...] très-facile, et débarassée de toutes les difficultez et choses inutiles [...] Ouvrage très-utile, et très-nécessaire à tous ceux qui font profession du Dessein. Mis en lumière par François Tortebat, Peintre du Roy [...],* Paris, 1668. En fait, l'auteur reprend douze planches – trois pour le squelette, sept pour la myologie et deux pour les formes extérieures – des deux ouvrages de Vésale, l'*Épitomé* et l'énorme *De Humani Corporis Fabrica,* Bâle, 1543. Comme le dit Tortebat : « parmy cette grande forest de difficultez, on a peine à reconnoistre ce qui est nécessaire, d'avec ce qui ne l'est pas : et c'est à quoy j'ay creu avoir apporté quelque remède, en vous donnant ce petit Abrégé[16]. »

Quant à Bouchardon, les « figures anatomiques » dont parle le catalogue de la vente après décès, ne peuvent venir que de *L'Anatomie nécessaire pour l'usage du dessein, par Edme Bouchardon, Sculpteur du Roi*, gravé et publié par Jacques Huquier en 1741[17]. Ouvrage rare qui ne comprend que six planches d'ostéologie et huit de myologie représentant pour la plupart un écorché au bras levé dont on retrouve un équivalent grandeur nature en plâtre, dans l'escalier du Département de Morphologie de l'Ensba. Cet écorché évoque, par son attitude, et précède dans le temps les deux écorchés de Houdon.

Les planches de ces deux manuels qui se trouvaient dans la bibliothèque de Géricault, sont d'un dessin solide et convaincant. Ce qui n'est pas le cas pour l'ouvrage de Monnet. On ne retrouve, semble-t-il, qu'une seule trace du Tortebat dans les dessins de Géricault. Ce sont trois études incomplètes, situées dans la partie haute d'une même feuille, à peine perceptibles, car recouvertes ensuite par le dessin de deux figures nues[18] (au lavis brun sur mine de plomb) (**ill. 21** et **22**).

Quant à la façon particulière, assez atypique, dont les planches du Bouchardon présentent, pour certaines, des corps déhanchés et transparents[19] (**ill. 23**), et pour

ill. 21

ill. 21
Théodore Géricault, *Deux études de nus* au lavis brun exécutées au dessus de divers études anatomiques à la mine de plomb d'après les gravures de François Tortebat pour le torse et l'*Écorché* de Houdon pour les jambes, dessin, J. Paul Getty Museum, Malibu.

ill. 22

ill. 22
Théodore Géricault, *Cinq études d'après l'Écorché de Houdon, Femme jouant de la guitare*, dessin, Musée Bonnat, Bayonne.

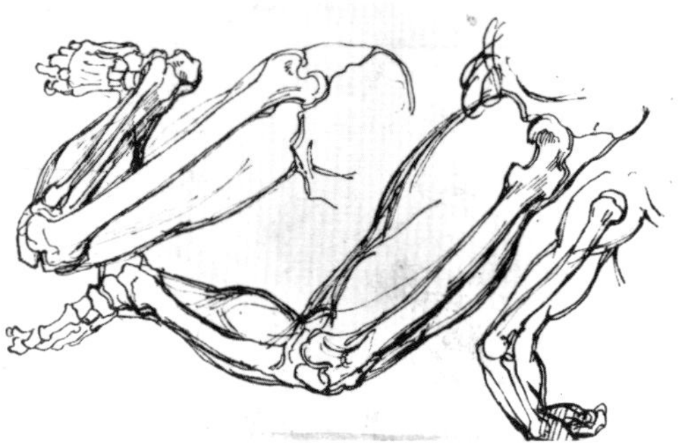

ill. 23

ill. 23
Théodore Géricault, *Trois études de mise en place du squelette dans un corps transparent*, dessin, collection particulière, États-Unis. Photographie reproduite avec l'aimable autorisation du Wildenstein Institute.

d'autres, des écorchés dont les formes sont rendues par des traces parfois discontinues, nous croyons la retrouver chez Géricault, traduite de façon plus « artiste », lorsqu'il cherche une attitude. On le suit griffonnant, le plus souvent de façon allusive, un écorché sous la graisse et la peau[20], mais parfois il succombe et s'enfonce dans l'entremêlement noueux des formes sous-cutanées[21]...

Géricault en usa peut-être comme Cézanne qui dessina souvent d'après ses écorchés et dont la légende veut qu'il eut toujours son Tortebat à portée de la main. Devant la Sainte-Victoire, il aurait dit : « Lentement, les bases géologiques m'apparaissent [...] j'en dessine mentalement le squelette pierreux[22]. »

Les dix-sept dessins d'anatomie du cheval appartenant à l'Ensba

Souvent délaissées, n'ayant jamais suscité un grand intérêt de la part des spécialistes, ces études restent relativement peu connues et posent problème.

On trouve là pourtant le plus impressionnant des dessins anatomiques de Géricault : une grande aquarelle très ample, peut-être plus tardive dans l'œuvre, réalisée bien au-delà du temps de la dissection devant des préparations anatomiques de jambes postérieure gauche et antérieure droite, desséchées – il suffit de comparer cette aquarelle avec la planche correspondante d'une Anatomie du Cheval pour saisir la différence – (**ill. 24** et **cat. D.33**). Bazin qui présente dans son catalogue[23] cet ensemble au complet, n'attribue à Géricault que l'étonnante aquarelle. S'en tenant aux conseils d'experts en graphologie, pour lesquels les annotations portées à la plume, en marge, ne peuvent être, pour la plupart de façon certaine, de la main de Géricault, constatant d'autre part la présence d'une réplique de l'étude en vue latérale de la tête, il néglige la qualité de l'ensemble, et refuse en bloc les dessins restants, qui ne semblent pas provenir de traités d'hippologie[24], mais peuvent avoir été réalisés lors de séances de dissection ou, plus vraisemblablement,

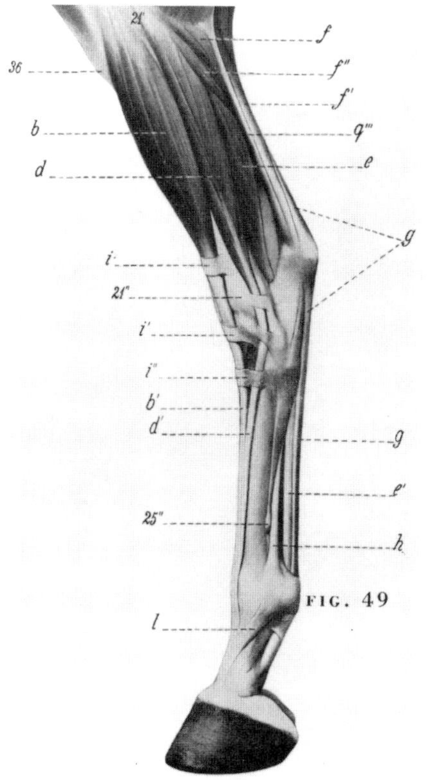

ill. 24

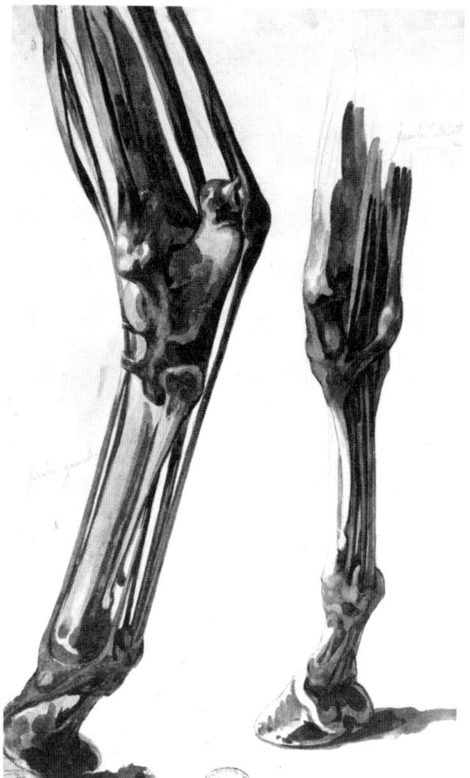

cat. D.33

ill. 24
W. Ellenberger,
***Jambe postérieure droite de cheval écorchée, vue interne*, planche 14 de *An atlas of Animal anatomy for artists*, estampe, collection particulière, Paris.**

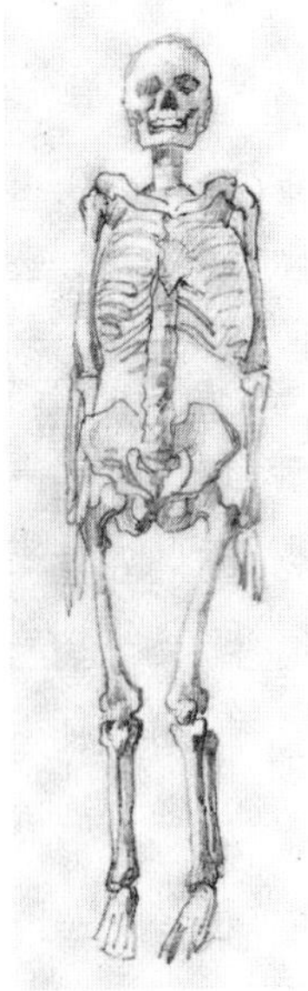

ill. 25

d'après des moulages de préparations anatomiques, selon une pratique courante dans les ateliers aux XVIIIe et XIXe siècles[25].

La gêne ressentie, et qui semble aveugler certains, vient sans doute du dégoût incontrôlable qu'entraîne toute évocation, même lointaine, de « boucherie chevaline ». Cette répulsion dépassée, on ne peut ignorer plus longtemps la vigueur de la plupart de ces études, et l'étonnante étrangeté de certains raccourcis. On se trouve devant une sorte d'« Anatomie du Cheval pour Artistes[26] » relativement complète, comprenant un dessin à la plume et au lavis du squelette de profil, et quinze études colorées de fragments d'écorché. Les vues essentielles sont là.

L'étude du squelette de profil tourné vers la gauche est aussi classique et banale qu'une vue frontale de squelette humain, comme celui que l'on trouve pendu au folio 29 recto du Carnet de croquis de Zurich[27] (**ill. 25**). La situation du spectateur, en face de l'encolure, permet, grâce au recul de l'antérieure gauche, côté montoir, de dégager l'apophyse caréniforme[28] du sternum et de voir les ailes iliaques fuir en légère perspective, ce qui les rend morphologiquement plus explicites. Le pas choisi permet aux quatre sabots de reposer sur le sol (**cat. D.17**), donnant à ce squelette l'aplomb traditionnel de ceux que l'on rencontrait dans les écoles vétérinaires ou les musées d'histoire naturelle[29] jusqu'au XIXe siècle[30].

Un squelette plus charpenté avance de façon semblable, à quelques détails près, sur l'une des pages datées « 2 mai 55 » de l'album factice dans lequel Moreau Nélaton a réuni quarante des feuilles d'anatomie de Delacroix[31]. On trouve en annexe sur cette même page[32] une étude du bassin et du fémur gauche vus sous un angle différent (**ill. 26**). Delacroix poursuit sa recherche sur la feuille suivante[33], en reprenant sous d'autres points de vue cette ostéologie de l'arrière-main (**ill. 27**). Sa curiosité à 56 ans est bien plus grande que celle de Géricault, qui se contente de la vue du squelette de profil. On pourrait trouver chez Delacroix d'autres témoignages de ce goût pour les structures intérieures[34]. Rien de tel chez Géricault qui, malgré la légende anatomique dont on le drape, ne nous laisse dans tout son œuvre que ce banal dessin de squelette de profil et trois petites études d'articulations, de quatre centimètres de haut, perdues parmi les centaines de chevaux qu'il a dessinés comme en se jouant dans ses albums, sans se soucier outre mesure d'ostéologie !

À la page 84 du Carnet Zoubaloff, il cherche à retrouver très sommairement l'ossature du jarret d'une jambe postérieure droite fléchie (**ill. 29**), celle que l'on retouve à droite du *Cuirassier blessé*. Sur la page 83, Géricault a dessiné sous trois angles différents un moulage en plâtre de jambe postérieure, fléchie au niveau du jarret, le moulage étant sectionné au travers du gastrocnémien. On retrouve souvent de ces moulages dans les études de Géricault. La page 84 nous montre cette jambe postérieure fléchie, retournée. On peut noter que les pages 84 et 85 sont maculées de poudre de graphite. Cette dernière vient d'une feuille enduite sur les deux faces, sorte de papier carbone, que Géricault a glissée

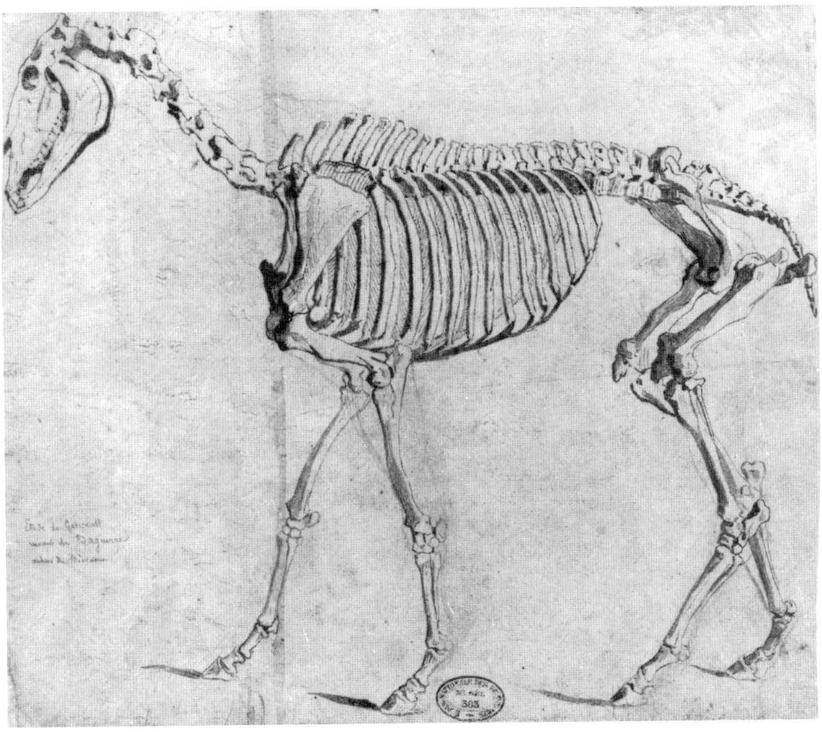

cat. D.17

entre ces pages avant de repasser les traits de la page 83, afin d'obtenir ce report inversé. Les études ostéologique et morphologique de ce jarret ont été ajoutées à gauche du report. On retrouve les mêmes formes dans la jambe postérieure droite du cheval du *Cuirassier blessé*. Le procédé fut similaire pour l'antérieure étendue vers la droite, page 86, retournée vers la gauche, page 85, grâce au graphite, devenue ainsi l'antérieure droite du cheval du *Cuirassier* (**ill. 28, 29, 30** et **31**).

Au recto du folio 49 de l'Album de Chicago, on trouve à nouveau deux études ostéologiques de postérieures : la première va du grasset au sabot alors que l'autre s'attache à nouveau au jarret (**ill. 32**).

Une étude attentive des quinze dessins restants (**cat. D.18** à **D.32**) réserve quelques surprises.

Cette série s'ouvre sur deux études semblables, quasiment trait pour trait, d'après une tête de cheval écorchée, vue de profil, tournée à droite (**cat. D.18** et **D.19**). Les lèvres, les paupières, le naseau et l'oreille ont été conservés. On peut se demander laquelle de ces deux très intéressantes feuilles est une copie. La plus grande fermeté de l'une (**cat. D.19**) vient de la pierre noire et de l'hématite utilisées, plus grasses[35], donnant une écriture plus nette que le couple fusain-sanguine utilisé dans l'autre étude (**cat. D.18**), d'un modelé plus tendre, plus suave.

Prolongeant la première de ces études de l'hémiface gauche (**cat. D.19**), nous trouvons, elles aussi traitées à la pierre noire et à l'hématite, une vue de face (**cat. D.20**) et une vue latérale droite (**cat. D.21**), révélant les caractéristiques très particulières de la préparation anatomique de cette tête de cheval. Hors montoir, elle est méticuleusement délimitée comme nous l'avons vu, l'oreille est conservée. Du côté montoir, la tête est disséquée jusqu'à l'os, oreille absente. La bouche entr'ouverte laisse pendre la lèvre inférieure de façon caractéristique. Cet étrange processus de dissection, surprenant à première vue, inquiétant même, se révèle à la réflexion très efficace morphologiquement pour l'artiste, puisqu'il peut retrouver, dans cette préparation anatomique, tous les volumes et repères essentiels dont il a besoin pour comprendre et structurer la tête d'un cheval.

On retrouve d'ailleurs dans la documentation anatomique venant de l'atelier de David d'Angers, conservée au Musée des Beaux-Arts de cette ville[36], deux études à la pierre noire des vues latérales d'une tête de cheval disséquée de façon semblable (**ill. 33** et **34**). Aucune différence n'est perceptible quant aux caractéristiques de la dissection. Les proportions de cette tête semblent être les mêmes : ganache, chanfrein, joue et bout du nez présentent les mêmes volumes, angles et méplats. La lèvre tombe en avant de la même façon[37]. L'absence totale de souplesse de cette lèvre inférieure et de l'oreille droite, que l'on retrouve absolument identiques autant dans les quatre dessins de l'Ensba que dans les deux dessins du Musée d'Angers, nous amène à penser que ces artistes n'ont pas pris, le même jour,

ill. 25
Théodore Géricault,
***Squelette humain, pendant, pieds ballants*, dessin, Kunsthaus, Zurich.**

ill. 26
Eugène Delacroix,
***Squelette de cheval vu de profil. Étude de détail du bassin*, dessin, Département des Arts Graphiques, Musée du Louvre, Paris.**

ill. 27
Eugène Delacroix,
***Trois études de détail du même squelette de cheval*, dessin, Département des Arts Graphiques, Musée du Louvre, Paris.**

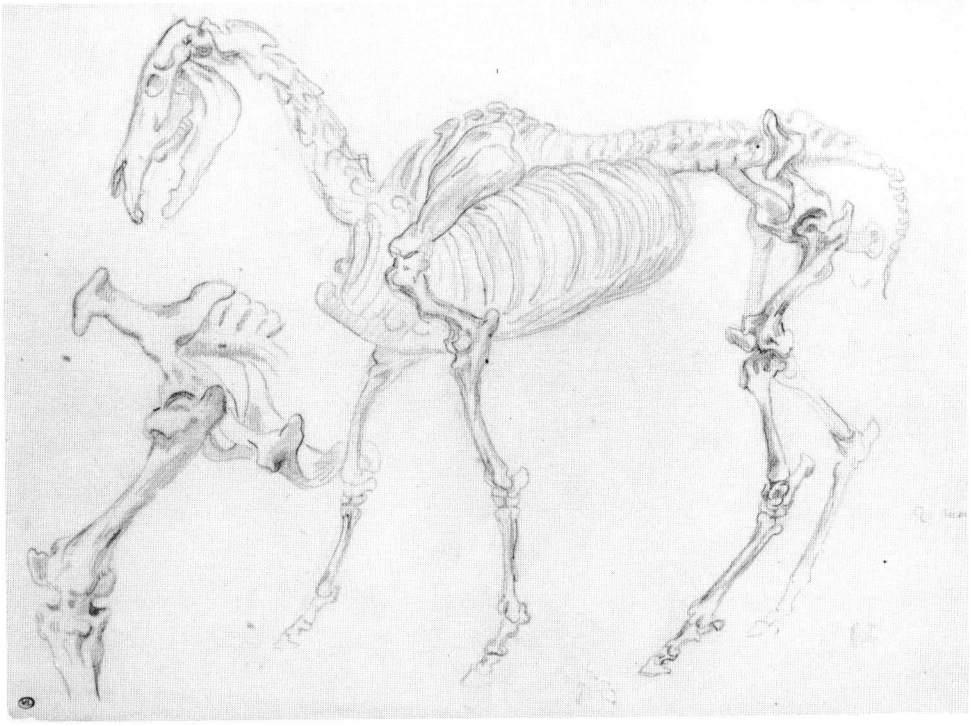

ill. 26

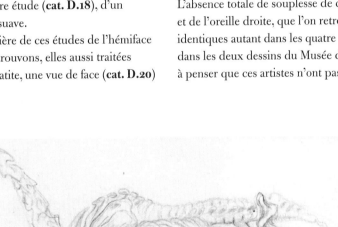

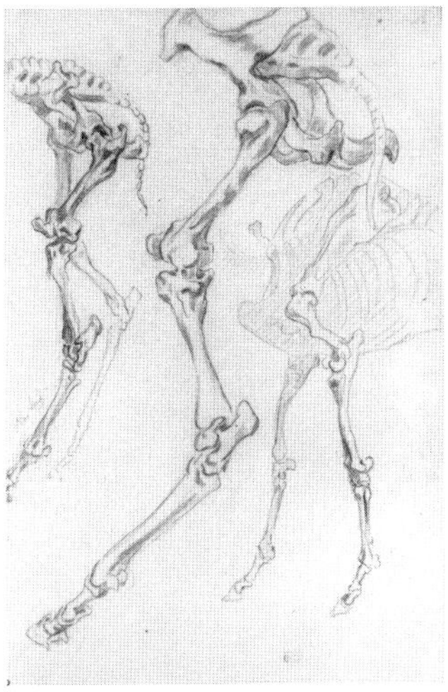

ill. 27

devant la même dissection, le même angle de vue, mais qu'ils ont, plus simplement, dessiné le même moulage anatomique en plâtre polychrome[38], moulage qu'il nous faudrait retrouver[39].

Suivent dans l'inventaire du fonds E. de Varennes deux études classiques de l'encolure et du torse, de l'épaule à la croupe, traitées au fusain et à la sanguine (**cat. D.22** et **D.23**), abondamment annotées. Il y a dans l'aspect des muscles et dans l'écriture qui en rend compte un relâchement qui rappelle ici encore certains moulages de dissection aux formes un peu trop cernées et avachies.

Les trois études du membre antérieur gauche (côté montoir) en flexion que l'on trouve ensuite (**cat. D.24**, **D.25** et **D.26**), sont parmi les plus étonnantes de la série. Les deux premières, traitées à la pierre noire et à l'hématite, présentent cette jambe, tout d'abord de face, en raccourci, le sabot vigoureusement placé en avant, puis en vue latérale interne. Dans la vue de face, l'épaule est très sommairement indiquée en fuite, par contre, la vue interne est brutalement sectionnée au niveau de l'ars. La troisième étude, traitée au fusain et à la sanguine, couvre un ensemble beaucoup plus important, puisque, représentant la vue externe de cette antérieure, elle ne peut s'arrêter avant l'épaule qu'elle présente en son entier jusqu'au cartilage scapulaire dont l'angle postérieur est discrètement indiqué. L'ensemble, concrétisé par ces trois vues, correspond logiquement, une fois encore, à ce que donnerait un moulage de jambe antérieure fléchie. En effet, l'immobilité semblerait très étonnante si l'on pensait à une jambe disséquée[40], mais devient logique si l'objet est un plâtre. Aucune des six articulations n'a modifié son angle d'ouverture. La section de la vue interne, soudain blanche, comme le serait une coupe de plâtre, nous entraîne vers la même conclusion, il est d'ailleurs intéressant de comparer les dessins du membre antérieur gauche écorché de Géricault et de David d'Angers (**cat. D.24** et **D.25**, **ill. 37**) au moulage antérieur droit écorché de Brunot (**ill. 35, 36** et **38**).

Les six dessins suivants (**cat. D.27** à **D.32**) sont consacrés à l'étude du membre postérieur droit : hors montoir, dans les vues latérale externe (**cat. D.27**), puis interne (**cat. D.29**), avec, pour chacune, une étude de détail du jarret (**cat. D.28** et **D.30**), puis en vues antérieure (**cat. D.31**) et postérieure (**cat. D.32**). L'attitude de la jambe, en légère flexion, ne varie pas d'une vue à l'autre, les angles des articulations restent les mêmes. Le fait que le modèle soit un moulage de jambe écorchée est confirmé par le dessin de la vue interne qui montre très clairement la coupe du plâtre, oblique de bas en haut et en dehors, tenant compte du ventre et du bas-ventre. Le dessin

ill. 32

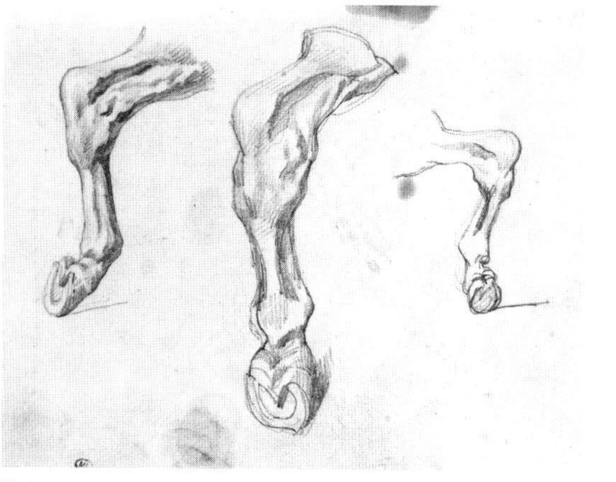

ill. 28

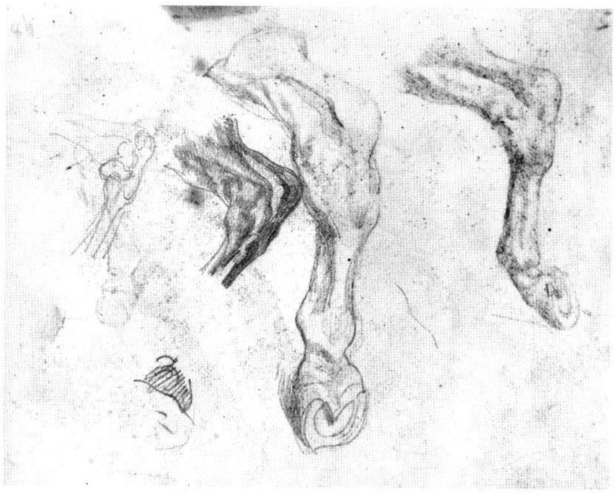

ill. 29

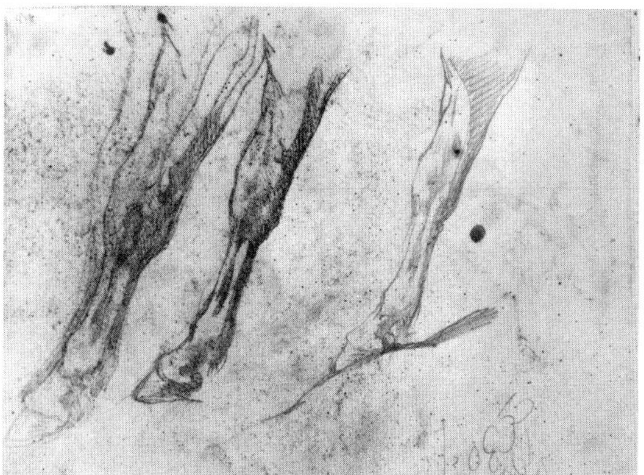

ill. 30

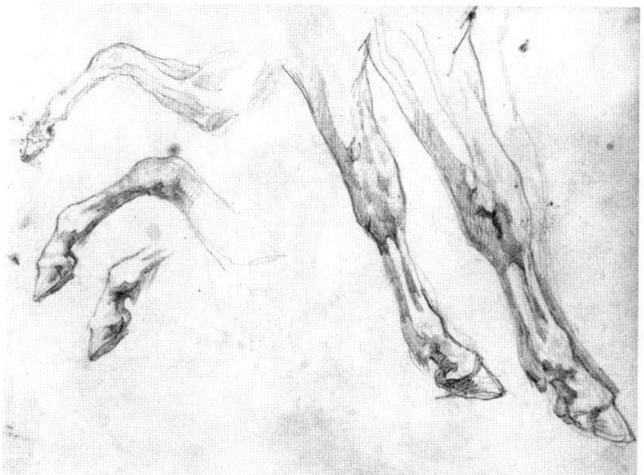

ill. 31

ill. 28
Théodore Géricault, *Études d'après un moulage de jambe postérieure gauche fléchie*, page 83 du Carnet Zoubaloff, dessin, Département des Arts Graphiques, Musée du Louvre, Paris.

ill. 29
Théodore Géricault, *Jambe postérieure droite fléchie*, page 84 du Carnet Zoubaloff, report de la page précédente, études annexes, dessin, Département des Arts Graphiques, Musée du Louvre, Paris.

ill. 30
Théodore Géricault, *Jambe antérieure gauche étendue*, page 85 du Carnet Zoubaloff, report partiel de la page suivante, études annexes, dessin, Département des Arts Graphiques, Musée du Louvre, Paris.

ill. 31
Théodore Géricault, *Études d'après deux moulages de jambe antérieure de cheval*, page 86 du Carnet Zoubaloff, dessin, Département des Arts Graphiques, Musée du Louvre, Paris.

ill. 32
Théodore Géricault, *Études de squelette d'une jambe postérieure de cheval et de sabots*, détail du folio 49 de l'Album de Chicago.

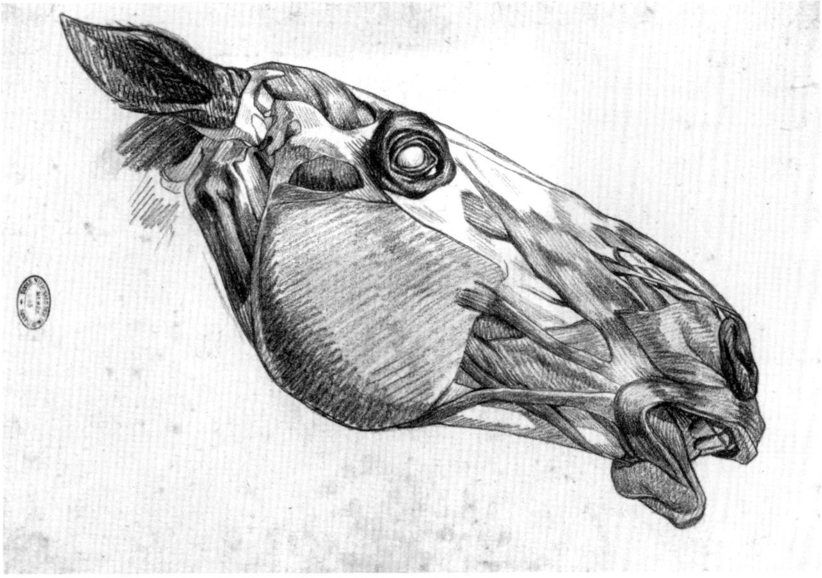

cat. D.19

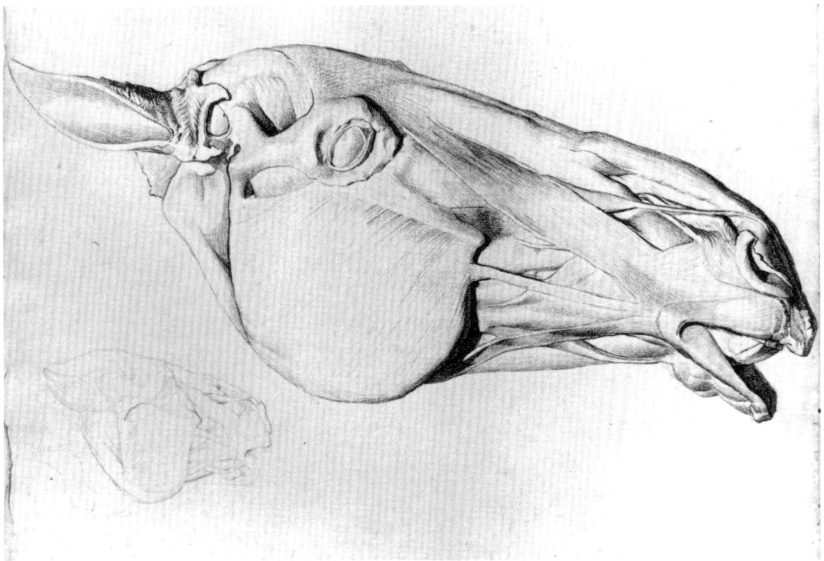

ill. 33

ill. 33
Pierre Jean David d'Angers,
***Tête de cheval écorchée, vue de profil tournée à droite*, dessin,**
Musée des Beaux-Arts, Angers.

ill. 34
Pierre Jean David d'Angers,
***Tête de cheval disséquée jusqu'à l'os, vue de profil tournée à gauche*, dessin,**
Musée des Beaux-Arts, Angers.

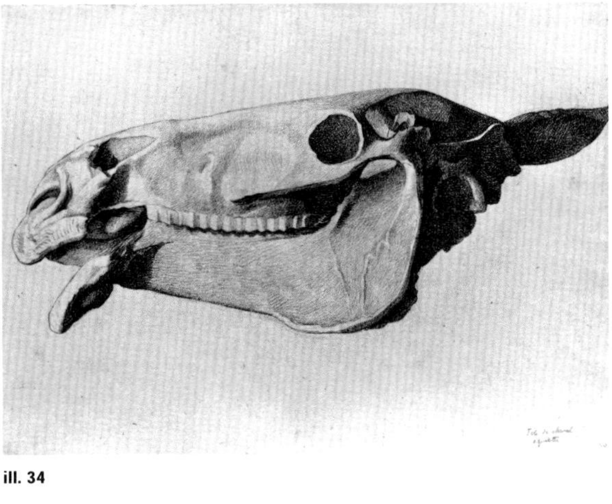

ill. 34

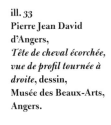

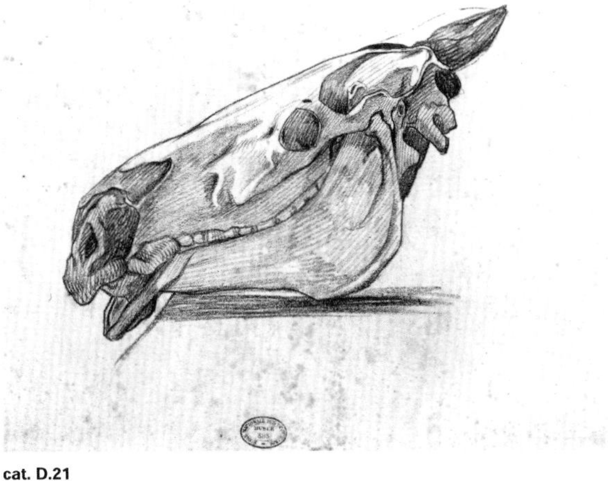

cat. D.21

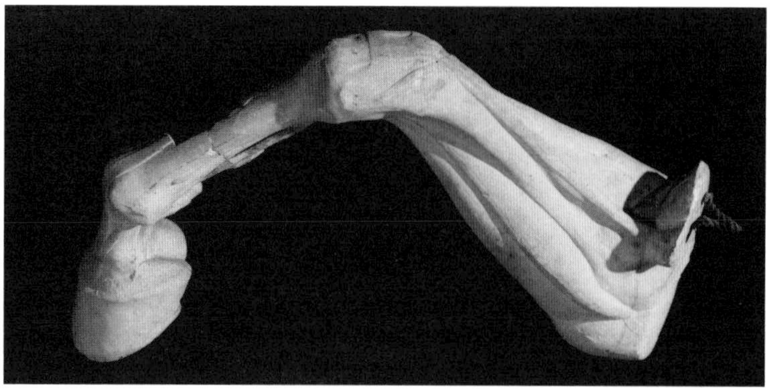

ill. 38

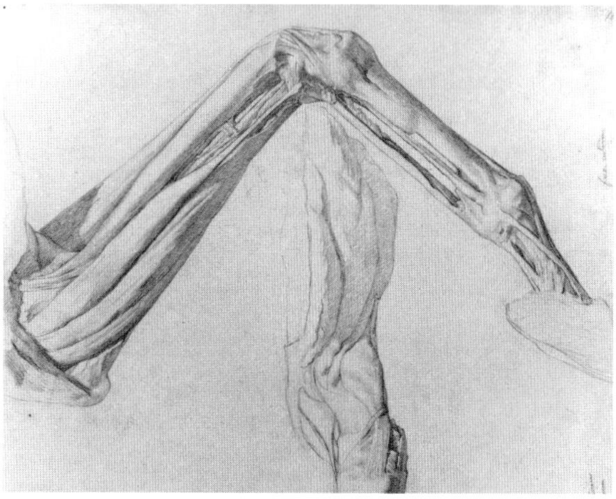

ill. 37

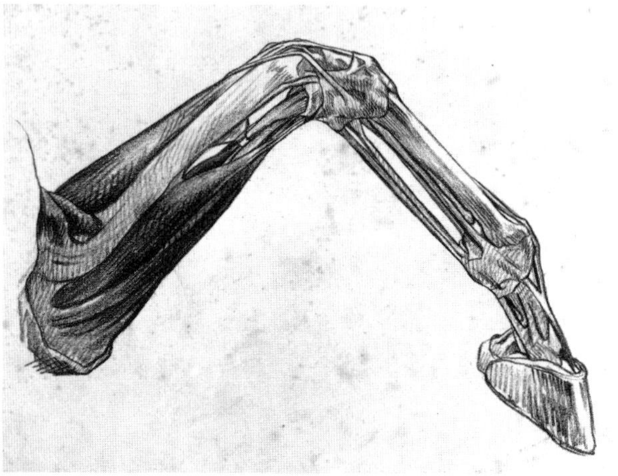

cat. D.25

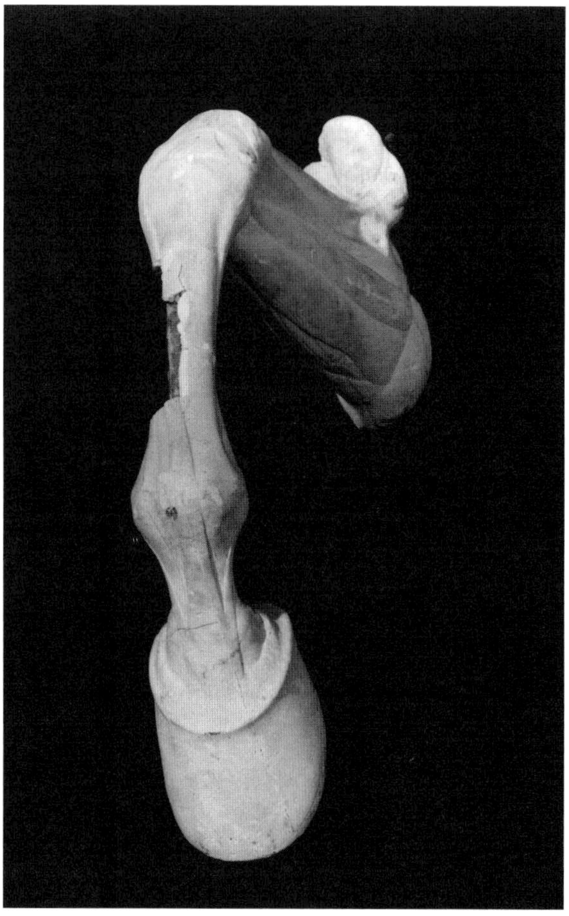

ill. 35

cat. D.24

ill. 35
Jacques Nicolas Brunot, ***Moulage d'un membre antérieur droit de cheval, écorché, en flexion, vue antérieure,*** **plâtre, Département de Morphologie, Ensba, Paris.**

ill. 36
Jacques Nicolas Brunot, Détail du sabot du moulage de l'illustration 35, plâtre, Département de Morphologie, Ensba, Paris.

ill. 37
Pierre Jean David d'Angers, ***Membre antérieur droit de cheval, écorché, vue interne,*** **dessin, Musée des Beaux-Arts, Angers.**

ill. 38
Jacques Nicolas Brunot, ***Moulage d'un membre antérieur droit de cheval, écorché, en flexion, vue interne,*** **plâtre, Département de Morphologie, Ensba, Paris.**

de cette coupe s'étale vers l'arrière dans une boucle large qui entame le modelé, escamotant toute représentation incongrue de ce côté, de l'angle de l'ischion ou de la queue, visibles sur l'autre versant du moulage.

Nous n'avons retrouvé, dans le catalogue de Bazin, qu'une seule page, venant sans doute d'un album, qui puisse évoquer de façon explicite, les imbrications de muscles étudiées ici. Ce sont quelques dessins d'un cheval dont la croupe est vue sous divers angles, plus ou moins dépouillée. On perçoit bien là le plaisir de Géricault à jouer avec les muscles superficiels, se souciant seulement de morphologie[41] (**ill. 39**).

L'étude de détail du jarret, en vue interne (**cat. D.30**), est la seule de ces six vues à n'être pas réalisée au fusain et à la sanguine, technique caractérisée par des hachures plus larges et plus enveloppantes. C'est la seule aussi, parmi les études traitées à la pierre noire et à l'hématite (**cat. D.19**, **D.20**, **D.21**, **D.24**, **D.25** et **D.30**), à présenter des annotations manuscrites. L'écriture est beaucoup moins ourlée que celle rencontrée dans les commentaires des autres dessins; la plume semble griffer le papier[42].

Ne pourrait-on penser que cette « anatomie du cheval », qui provient de la vente après décès, et qui donc constitue une partie de la documentation que l'on trouva chez Géricault après sa mort, ait été exécutée par deux amis, qui, devant des moulages de cheval écorché, auraient tenté de réaliser un compendium relativement complet, se répartissant la tâche, et pensant peut-être par la suite répliquer l'ensemble, comme l'un d'eux le fit pour l'étude myologique de la tête.

Les dessins anatomiques ne sont pas des dessins comme les autres. Ils font partie de cette boîte à outils[43] qui aide à l'intelligence des formes et que chacun élabore de façon souvent discontinue pour éviter l'ennui.

La grande aquarelle des jambes de cheval desséchées (**cat. D.33**) est une exception, une sorte de paysage, un « dessin » à part entière, qui va bien au-delà de l'inventaire et rend compte d'une émotion née des assises géologiques que sont l'ossature et les cordages ligamentaires. On peut rapprocher cette « préparation anatomique desséchée » de jambes de cheval, d'une jambe humaine « préparée » de façon semblable, conservée au Musée de Besançon[44] (**ill. 40**). La plupart des dessins anatomiques ou morphologiques ne se veulent que ce qu'ils sont, des outils d'investigation pour les premiers, de compréhension pour les seconds, de la forme vivante. Le goût des historiens d'art pour l'attribution définitive peut sembler un peu vain en la matière. Il serait peut-être plus utile de se demander la raison d'être de ces objets – dessins, livres, écorchés...–, l'étendue et les limites de ce domaine. Utiliser le doute comme technique d'approche permettrait d'envisager le terme « anatomie » avec plus de retenue[45]. Celui de « morphologie » fut créé en 1807 par Goethe[46]. *Dans Les années de voyage ou les Renonçants,* Wilhelm Meister se décrit, jeune chirurgien : immobilisé devant « le plus beau bras de femme [...] », il « tenait sa trousse à la main et ne pouvait se décider à l'ouvrir ». Cette répugnance n'échappe pas à un témoin de la scène, « sculpteur, mais on prétendait aussi qu'il était alchimiste », qui s'approche et l'entraîne dans son atelier, lui déclarant : « Vous apprendrez bientôt que l'on s'instruit plus à construire qu'à détruire, à unir qu'à séparer, à animer la mort qu'à tuer encore ce qui est déjà mort ». Cet « artiste » qui de « prosecteur » est devenu « prosculpteur », crée des « chefs-d'œuvre » délicatement démontables et doués d'une perfection étrange, permettant d'animer l'anatomie[47].

En dehors des risques septiques, souvent mortels au XIXe siècle, l'anatomie, du point de vue moral, n'est pas une pratique anodine. Certains se protègent de la mélancolie qu'elle engendre par l'humour, d'autres par la camaraderie. Les échanges de documents vont de soi.

C'est ainsi qu'on peut lire, de la main de Delacroix, en marge de l'une de ses feuilles, présentant huit études d'après un bras droit et un bras gauche disséqués, mobilisés dans les diverses phases de la prono-supination : « demander à triqueti (*sic*) ses études d'anatomie[48] » (**ill. 49**).

Géricault écrivit, vers 1818-1819, à Champmartin : « Je vous envoie enfin vos dessins d'anatomie [...]. Je regrette seulement de vous les avoir fait attendre si longtemps[49]. »

Bazin se demande si le livre de Giuseppe del Medico, que l'on retrouve dans le catalogue de la vente après décès de Monfort, ne venait pas de Géricault[50].

Passer des livres à la dissection est pour un artiste une expérience grave, redoutable. « En de tels moments, on voit se manifester une sorte d'appétit scientifique contre nature, qui incite à rechercher la satisfaction la plus répugnante comme on recherche la chose la plus aimable et la plus nécessaire[51] ». Berlioz, dans l'évocation de ses études de médecine avortées, décrit un amphithéâtre de

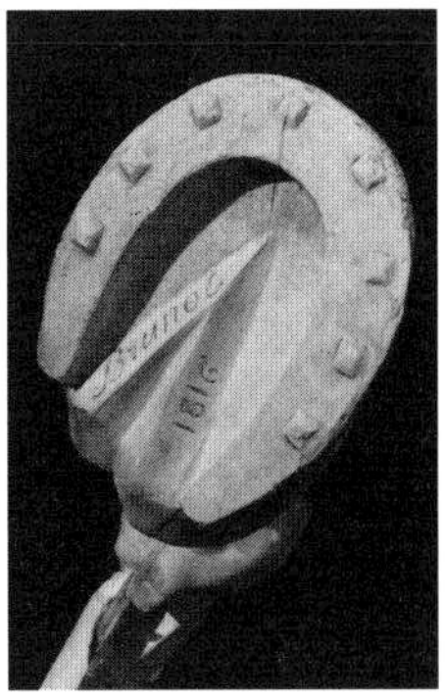
ill. 36

dissection : « Cet horrible charnier humain, ces membres épars, ces têtes grimaçantes, ces crânes entrouverts, le sanglant cloaque dans lequel nous marchions, l'odeur révoltante qui s'en exhalait[52]... » On sait les ravages que causait à cette époque la septicémie[53]. Certes, la notion d'hygiène était inconnue, mais le lien entre la mort et la « piqûre anatomique » était présent[54]. Rien ne protégeait les mains du praticien du scalpel et de la septicité du cadavre, chaque jour plus considérable, que l'habileté manuelle et une prudence méthodique[55] – une dissection intelligemment menée peut faire reculer l'appréhension et impressionner l'amateur le plus récalcitrant – la répartition des tâches entre professeur et prosecteur permettait d'éviter, le cas échéant, certains accidents.

En ce domaine, régnait depuis 1792, à l'École des Beaux-Arts, Jean-Joseph Suë, le fils (1760-1830), descendant d'une longue lignée d'anatomistes. L'École avait quitté le Louvre en 1807, et s'était installée à l'étroit dans une « portion » du Collège des Quatre Nations, actuel Institut, à tel point que les réunions de professeurs se tenaient encore en 1818, « dans l'une des classes, ou dans la pièce qui sert d'amphithéâtre de dissection[56]... ».

Suë le fils n'avait rien publié qui concernât directement notre sujet depuis 1788, où, dans un traité intitulé *Éléments d'Anatomie à l'usage des peintres* [...], il avait repris les quatorze planches d'ostéologie d'un traité déjà publié par son père, d'après Monro, mais sous un format différent. En revanche, il donna en 1795 *L'opinion du citoyen Suë sur le supplice de la guillotine*[57], et, en 1797, un *Essai sur la physiognomonie des corps vivants considérés depuis l'homme jusqu'à la plante*, dont nous ne reprendrons qu'une phrase : « Les vers intestinaux ont une physionomie décidée[58]. » Peut-on rappeler qu'en 1829 ce père d'Eugène Suë enrichira l'École d'un « Museum [...] destiné au cours d'Anatomie Pittoresque », dont la légende voudrait qu'il contînt le cerveau de Mirabeau[59] parmi d'autres « sujets aux organes injectés[60]... ». On peut se demander quel fut l'enseignement de ce personnage et ce que Géricault, inscrit à l'École en 1811[61], put trouver là !

Mais « c'était les beaux temps de l'enseignement particulier. De jeunes maîtres [...] répandaient dans les rangs de la jeunesse dont ils partageaient la vie, de fécondes semences et de salutaires exemples[62] ». En effet, David d'Angers, qui fréquenta l'École à partir de 1808 et obtint le prix de Rome en 1811, préféra, quant à lui, l'enseignement de son ami, l'anatomiste Pierre Augustin Béclard, « illustre professeur » selon Pierre Nicolas

ill. 39
Théodore Géricault, *Études morphologiques d'une croupe*, dessin, collection particulière, reproduit avec l'aimable autorisation du Wildenstein Institute.

ill. 39

Gerdy[63], dont les leçons étaient suivies avec tant de respect et de passion qu'à sa mort, « deux mille étudiants se disputèrent le droit de porter son corps au cimetière[64] ».

Aussi proche, pour le moins, des artistes que ce dernier le fût, P.N. Gerdy, né en 1797 à Loches[65] et mort à Paris en 1856, avait « vingt ans à peine lorsqu'il ouvrit un cours public d'anatomie à la Charité [...] il faisait jusqu'à quatre leçons par jour et trouvait encore moyen [...] d'enseigner aux peintres et aux sculpteurs[66]... ». J. Béclard ajoute plus loin : « M. Gerdy se livre à l'examen des principaux monuments de l'art ancien et moderne. Il parcourt les musées, visite les ateliers... » On peut lire ailleurs que Gerdy « sut conquérir les sympathies de la jeunesse[67] », au point qu'à l'École des Beaux-Arts, en 1830, lorsqu'à la mort de Suë il ne fut pas élu, les étudiants se révoltèrent. Le « désordre fut tellement général » qu'on suspendit les cours pendant deux ans[68].

Le livre étonnant que P.N. Gerdy publia en 1829 s'intitule *Anatomie des Formes Extérieures du Corps Humain appliquée à la Peinture, la Sculpture et à la Chirurgie*, – l'ordre des destinataires est déjà, à lui seul, tout un programme.

« L'anatomie est la science de la structure, c'est-à-dire de la disposition matérielle des êtres qui jouissent ou qui ont joui de la vie [...]. L'anatomie des formes que nous nommerons anatomie des beaux-arts [...] est la science des formes extérieures et des diverses parties qui concourent à les produire[69]... ».

La parole de Gerdy était selon J. Béclard « inégale, mais énergique, vivante, passionnée[70]... » . Son ouvrage, publié au moment même où Goethe achève *Les années de voyage*, s'en ressent. Tous deux refusent la seule connaissance anatomique, ils convoquent une autre intelligence : celle du vivant. Il en va de même pour Géricault : il y a bien loin des copies d'après Monnet à sa peinture, et le ragoût anatomique dont on l'affuble depuis Clément paraît bien démesuré quand on compare le nombre de ses croquis authentiquement anatomiques avec celui, affolant en si peu d'années, des études où on le suit, jouant en tous sens, de page en page, sans aucun modèle, avec... le vivant !

Gerdy décrit méticuleusement le corps humain allant « d'échancrures en sillons, renflements et (...) méplats », comme d'autres ont décrit le cheval. La tradition dans le domaine équestre est ancienne et le vocabulaire, impressionnant, alors que la pudicité a, sous diverses bannières, religieuses et morales, jugulé la passion descriptive que suscite le corps humain, et le vocabulaire qui pourrait en naître[71].

L'Anatomie des Formes Extérieures de Gerdy n'est pas loin cependant *De la conformation extérieure du Cheval* que Claude Bourgelat présenta en 1768, véritable somme de tous les regards attentifs, mués en expressions diverses et imagées, perpétuées par des générations de cavaliers et de maquignons. De même, Gerdy guette la diversité des formes, d'un individu à l'autre, leur évolution lors des gestes, et suit dans les notes la traduction qu'en donnent certaines œuvres d'art. L'« Indication des statues et tableaux [...] » que l'on trouve à la fin de l'ouvrage s'ouvre sur une centaine de « statues antiques » et « modernes », référencées. Après les grandes peintures flamandes et italiennes du Louvre, vient l'« École Française ». Gerdy ne s'arrête, en ce début de XIXe siècle, que devant David, Prudhon, Girodet[72] et... Géricault, dont *Le Radeau* venait d'entrer au Louvre cinq ans plus tôt. Gerdy s'y réfère en sept occasions de façon très explicite : pour le poignet, chez le vieillard qui tient son fils mort ; pour la « dépression du triceps [...], elle est très exacte sur un jeune homme assis à l'angle droit du radeau ». Lors de l'étude du torse, il compare le goût de Rubens et celui de Géricault : « la nature est plus belle et non moins exacte dans un cadavre du naufrage de la *Méduse*, couché sur le dos à l'avant du radeau[73]... ». Cette curiosité attentive, mêlée d'admiration, ne nous dit pas si Gerdy « visita l'atelier » de Géricault, et nous ne saurons sans doute jamais si Géricault suivit l'une des dissections de Béclard ou de Gerdy.

Germain Bazin va jusqu'à écrire : « Il paraît certain qu'il n'a pas lui-même opéré des dissections, ni même assisté à de telles opérations dans un amphithéâtre anatomique, soit à l'École de Médecine, soit à l'École Vétérinaire[74] ». Cette assertion semble contredite plus loin par la description qu'il donne des deux dessins, attribués par lui à Géricault, du Musée de Besançon. L'un est intitulé : « Jambe d'homme écorchée[75] » (**ill. 42**), l'autre, « Étude myologique de pied et de jambe de l'homme[76] » (**ill. 40**) , même chose pour le dessin appartenant à l'Ensba représentant une préparation anatomique de jambes gauche et droite de cheval (**cat. D.33**), dénommé « Étude myologique des membres antérieur et postérieur

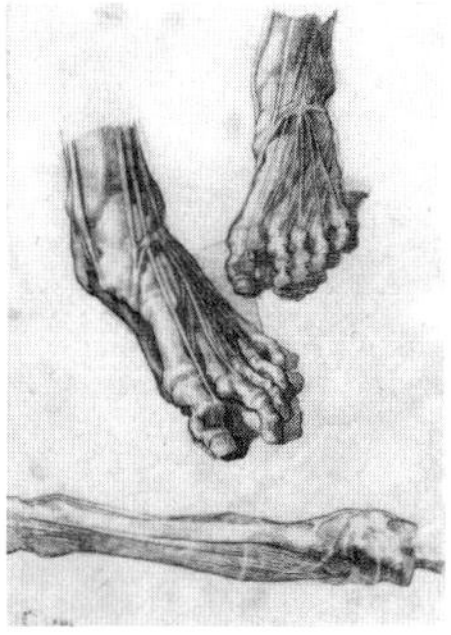

ill. 40

ill. 41

ill. 42

ill. 40
Théodore Géricault, *Trois études d'après une préparation anatomique de jambe humaine gauche*, dessin, Musée des Beaux-Arts, Besançon.

ill. 41
Anonyme, *Moulage de membre inférieur droit humain, écorché*, plâtre, Département de Morphologie, Ensba, Paris.

ill. 42
Attribué à Théodore Géricault, *Étude d'après un moulage de membre inférieur droit humain écorché*, dessin, Musée des Beaux-Arts, Besançon.

gauches (*sic*) du cheval ». Comment réaliser ces études de jambes et pied « écorchés » ou « myologiques des membres [...] du cheval », en dehors d'une salle de dissection, à moins que l'on ne soit devant des préparations anatomiques ou des moulages de semblables préparations ? Cette contradiction de Bazin recouvre une vérité, car, en effet, l'« étude d'une jambe d'homme écorchée », – pierre de touche parmi les dessins anatomiques de Géricault, on la retrouve souvent comme témoignage de cette activité[77] – est visiblement une étude d'après un moulage, coupé à mi-cuisse, dont notre Département possède d'ailleurs un exemplaire[78] (**ill. 41** et **42**).

Quant aux études de jambes de cheval et d'homme, mieux vaut sourire de la description que donne Clément de cette dernière[79] : « Jambes et pieds d'un guillotiné dans leur état de crispation, dessinés à l'amphithéâtre, après l'écorchement[80] » (**ill. 40**), parfait échantillon de « roman charogne[81] », et preuve que Clément ignorait la rigidité des tendons après dissection[82]. Nous avons déjà remarqué que ces dessins furent réalisés devant des préparations anatomiques. Ils ne peuvent, en aucun cas, attester de la présence de Géricault dans un « amphithéâtre anatomique », puisque ce genre de préparations pouvait être conservé un certain temps[83], dans une vitrine de « Museum », tel celui des Suë. Ces remarques pourraient donner raison à Bazin, mais il reste la nature morte peinte. Nous aimerions la voir intitulée simplement : « Trois fragments de corps humain[84] ». Ce sont trois membres, dont l'un est en grande partie disséqué, que nous présentent les trois toiles du Musée des Beaux-Arts de Montpellier[85] (**ill. 43**), de l'ancienne collection Lebel[86] (**ill. 44**) et du Musée des Beaux-Arts de Rouen (dépôt du Louvre)[87] (**ill. 45**), sous trois points de vue différents.

Il était une fois, nous semble-t-il, trois amis[88] qui se réunirent autour d'une table pour peindre cet amas de fragments d'un corps dépecé. Ils placèrent leurs trois chevalets sur l'un des versants de cette « nature morte », dont une projection horizontale reconstituée (**ill. 46**) permet de voir que Géricault, auteur incontesté de la toile du Musée de Montpellier, était presqu'en face du peintre dont la toile est déposée au Musée de Rouen. Leurs regards formaient un angle de près de 160 degrés. Quant à celui qui réalisa celle de la « collection Lebel », il se glissa entre ses deux confrères, à équidistance de chacun d'eux. La différence de facture est évidente, comme l'a fait remarquer R. Michel à I.D. Knoch, lors d'une « communication orale faite pendant le colloque Géricault, en novembre 1991[89] ». Nous ne pouvons imaginer Géricault, peignant coup sur coup ces trois toiles[90], tout en changeant notablement de facture picturale et faisant pivoter son chevalet deux fois de suite selon un angle rigoureusement égal !

La toile peinte par Géricault et celle de la « collection Lebel » sont étrangement très discrètes quant au segment de membre disséqué. La peinture du Musée de Rouen est de beaucoup la plus explicite, montrant clairement, – flottant dans le premier plan – la coupe de la cuisse non disséquée et une bonne part de la dissection, visible jusqu'au mollet, menée sur l'autre membre inférieur[91].

Quant au linge qui s'enroule, légèrement ensanglanté, autour du deltoïde, dans les peintures du Musée de Montpellier et de la « collection Lebel », il s'étale, sur la toile du Musée de Rouen, largement en arrière de l'épaule. Ce morceau de tissu blanc, ensanglanté, a donné lieu à de multiples interprétations[92]. Retournons-nous vers l'époque qui précéda les injonctions de Semmelweis : ce linge était en fait le seul moyen de protéger les mains, lors du transport des pièces de dissection[93].

Il ne semble pas ressortir de notre sujet d'évoquer plus longtemps d'autres peintures rangées par certains parmi les « préparations anatomiques » de Géricault. Ces fragments de corps humain ont certes été coupés, détachés du reste, mais nous ne voyons pas la moindre trace de travail anatomique, de dissection. Le cou a été tranché, comme dans la peinture du Nationalmuseum de Stockholm[94], le bras sectionné, comme dans celle du Musée du Louvre[95], mais la guillotine, la hache ou la scie ne sont pas un scalpel. Dans les souvenirs de Montfort, on peut lire : « [...] il peignit aussi à l'huile [...]. Grand comme nature des mains et des pieds morts qu'on lui apportait à son atelier puis deux têtes d'hommes [...] aussi une tête de toute jeune fille également morte conjointement avec Robert Fleury [...]. Comme Lehoux et moi il se faisait un plaisir à bien vouloir [l']admettre à travailler avec lui[96] ».

Selon Clément, l'atelier du Roule, dans lequel Delacroix a posé torse nu, parmi tant d'autres[97], était : « une manière de morgue. Il y garda [...] des cadavres jusqu'à ce qu'ils fussent à moitié décomposés[98] ».

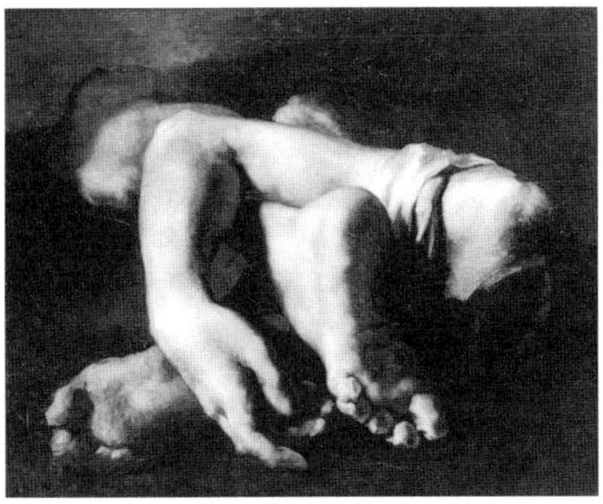

ill. 43

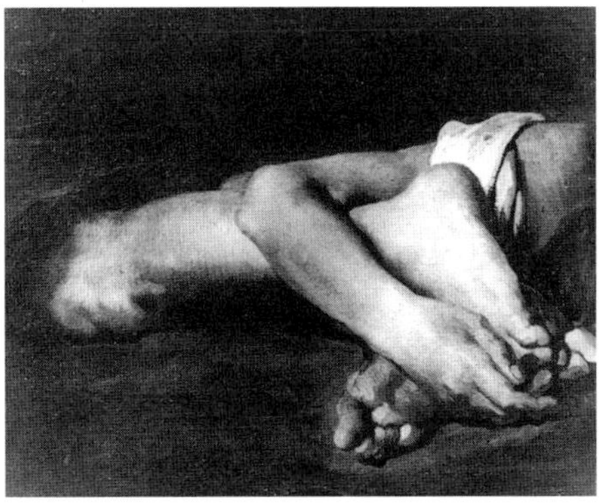

ill. 44

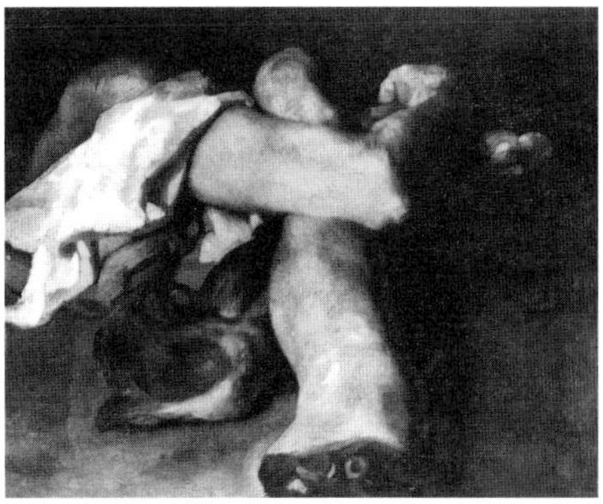

ill. 45

ill. 46

Nous voilà hissés d'un échelon dans le pittoresque. L'« objet-cadavre » fascine certains peintres[99] ; le meilleur moyen qu'ait un peintre de vivre une fascination, c'est de la peindre. Dans ces années-là, on guillotinait à tour de bras[100]. Les têtes coupées ont un sens que l'on noie en les qualifiant d'anatomiques, ou en les enrobant, comme l'a fait Clément, de ce folklore pseudo-artiste qui a toujours plu et plaira encore. Selon Théophile Gautier, « mais quoiqu'ils dissent ou qu'ils fissent, le siècle était à la charogne et le charnier lui plaisait mieux que le boudoir ; le lecteur ne se prenait qu'à un hameçon amorcé d'un petit cadavre déjà bleuissant[101]... ».

Géricault, selon Montfort, peignait ces objets entouré d'amis, dont les œuvres, avec le temps, se sont égarées. Tout ce que l'on a pu retrouver de peu ou prou morbide ou d'« anatomique », fut versé à son compte[102]. Ce qui donna au milieu du XXe siècle un lot de têtes coupées et autres fragments, tout à fait impressionnant. Les assertions de Clément s'en trouvèrent justifiées jusque dans les détails pittoresques, du genre « pieds d'un guillotiné dans leur état de crispation [...] mort à Bicêtre... », détails qui donnent un parfum de « chose vue ». Celui-ci ignorait que les dessins de la collection E. de Varennes, socle de cette légende d'amphithéâtre, ne sont que des extraits de manuels, pour l'anatomie humaine, ou des copies d'après des moulages[103], pour celle du cheval[104]. Ce qui permet à Clément de proférer : « on comprend d'après ces admirables ouvrages, si larges, si simples, si vrais, d'une exécution si ferme et si magistrale, la force constante, l'imperturbable savoir que l'on retrouve dans les moindres croquis de Géricault [...]. On ose à peine le dire, mais Michel-Ange lui même n'aurait peut-être pas mis dans de pareilles études plus de souplesse unie à de si rigoureuses précisions[105] ». Décidément, la légende est en marche, et d'autres textes vont pouvoir adhérer à ce roman. Ainsi, dans *L'Artiste* de 1897, on trouve l'évocation par C. Leymarie du « bâtiment de l'ancienne morgue, dans l'intérieur duquel les vieux habitués de l'Académie[106] se souvenaient d'avoir vu une dalle portant les empreintes du tabouret de Géricault : pendant plus d'une année, le jeune maître était venu là travailler de longues heures face à face avec le cadavre, en cet endroit macabre[107] ».

Certains voient Géricault faisant pivoter son chevalet selon deux angles égaux, autour d'une « nature morte » de membres sectionnés, d'autres consentent à le suivre assis pendant un an à la même place, enfonçant sans doute le même pied de tabouret dans la même empreinte..., la niaiserie dont on l'affuble est-elle à son comble ?

En fait, il semble qu'il ne reste aucun dessin que Géricault aurait pu réaliser lors d'une dissection. Seul le félin, considéré par Bazin comme un lapin (**cat. D.82**), est un écorché au sens strict, dessiné de façon allusive. Les recherches qu'il a menées dans ses albums sont rares et révélatrices d'une démarche authentiquement morphologique. Celle d'un artiste qui veut dessiner « de l'intérieur », en sachant mesure garder. Certains dessins de divers sujets, lorsqu'on les regarde au verso, révèlent d'anciennes études de squelettes dans des corps transparents, ou des recherches d'écorchés. D'autres études anatomiques n'ayant pas été ainsi préservées par la présence d'un autre dessin, ont sans doute disparu. Mais, tout compte fait, Géricault ne laisse en ce domaine

ill. 43
Théodore Géricault,
***Trois fragments de corps humains*, peinture,**
Musée des Beaux-Arts, Montpellier.

ill. 44
Artiste proche de Géricault,
***Trois fragments de corps humains*, peinture,**
Ancienne collection Robert Lebel, Paris.

ill. 45
Artiste proche de Géricault,
***Trois fragments de corps humains*, peinture,**
Musée du Louvre, dépot au Musée des Beaux-Arts, Rouen.

ill. 46
Projection horizontale reconstituée de la nature morte aux trois fragments de corps humains peinte par Géricault et ses deux amis.

rien de comparable à ce que l'on retrouve chez David d'Angers, son aîné, ou chez Delacroix et Barye, ses cadets, qui eux, ont incontestablement suivi de près des dissections et dessiné les diverses étapes de leur déroulement (**ill. 47, 48, 49** et **50**).

Trop d'artistes ont donné ses lettres de noblesse à la connaissance de certains arbres de la « grande forest de difficultez », la procréation de la morphologie, en tant que telle, par Bourgelat, Goethe et Gerdy, parmi tant d'autres, est à ce point respectable qu'il serait malséant d'insister quant à l'intérêt que peut présenter cette éducation du regard. Mais, plus que pour d'autres activités académiques, le dégoût doit être, en cette matière, cultivé avec vigilance. Lorsqu'Émile Bernard, au début de notre siècle, se passionna à son tour pour l'anatomie, son œuvre prit un tournant catastrophique. Le 12 mai 1904, Cézanne lui écrivait : « Il faut [...] s'exprimer avec distinction et force. Le goût est le meilleur juge. Il est rare[108] ».

Jean François Debord

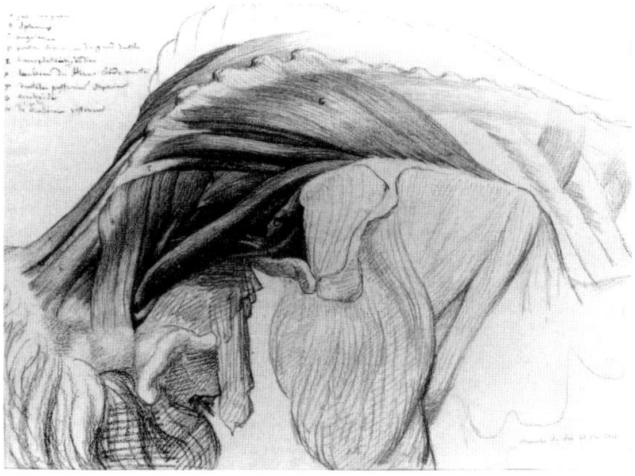

ill. 47

ill. 47 Pierre Jean David d'Angers, ***Dissection d'une nuque***, dessin, Musée des Beaux-Arts, Angers.

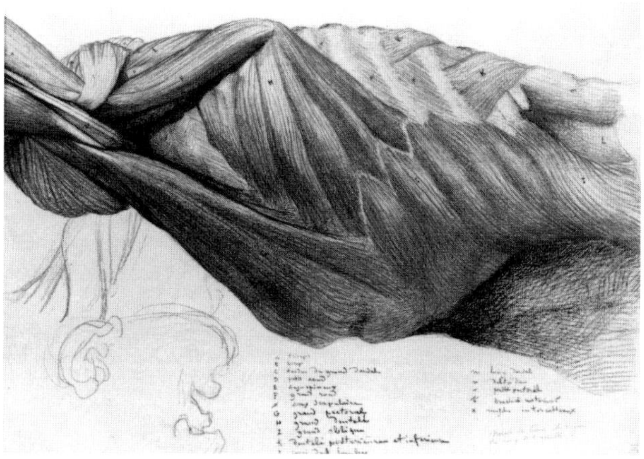

ill. 48

ill. 48 Pierre Jean David d'Angers, ***Dissection d'un torse***, dessin, Musée des Beaux-Arts, Angers.

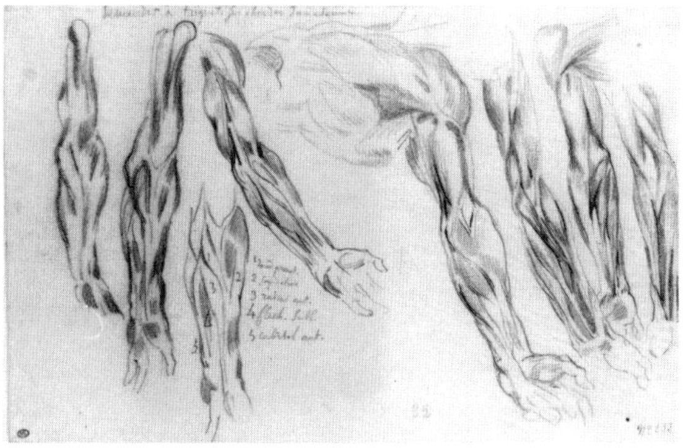

ill. 49

ill. 49 Eugène Delacroix, ***Dissection de deux membres supérieurs droit et gauche***, dessin, Département des Arts Graphiques, Musée du Louvre, Paris.

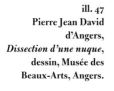

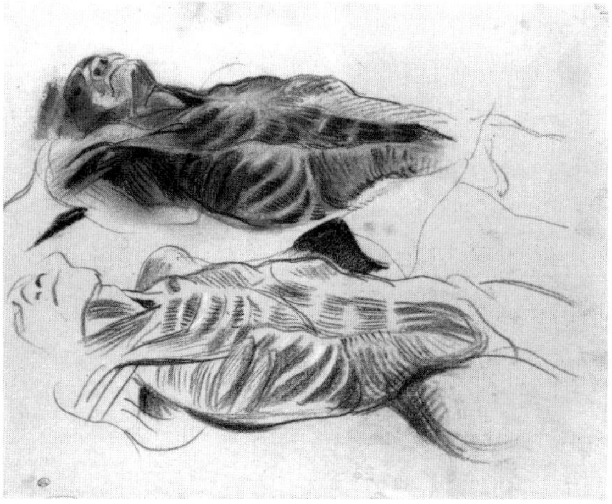

ill. 50

ill. 50 Eugène Delacroix, ***Dissection d'un torse, deux études***, dessin, Département des Arts Graphiques, Musée du Louvre, Paris.

1
J. Szczepinska-Tramer, 1981, pp. 631-637.
2
Musée du Louvre. Département des Arts Graphiques. Inv. n° R.F. 6072.
3
On peut citer la dernière « pensée » de chacun des deux « programmes ».
* Sur le feuillet disparu : « février. - m'occuper uniquement du style des maîtres et composer sans sortir et toujours seul. »
* Sur le Carnet Zoubaloff : « société quelques soirs » et non « quelques fois », nous semble-t-il.
4
Ch. Clément, mars 1867, p. 226 ; 1868 et 1879, pp. 48-49 ; cité dans exp. Paris, 1991-1992, p. 268.
5
On verra plus loin que les artistes se contentaient parfois de moulages de dissection.
6
G. Bazin, 1987, II, pp. 463-480. Nous voudrions remercier V. Roger pour son obligeance et D. Wildenstein pour sa générosité.
7
La plupart des dix-neuf restants ont des livres pour sources : les cinq calques d'après Stubbs du Musée des Beaux-Arts de Besançon sont parfois trop scrupuleusement fidèles à la trajectoire des vaisseaux profonds pour être de la main d'un artiste aux visées larges ; les autres études sont des reprises assez faibles du livre de J.N. Brunot (1820, notes 25 et 103).
8
Ce qui peut dans certains cas surprendre, étant données la naïveté de la démarche (par exemple, l'*Etude d'un écorché pour un nautonnier*, dans G. Bazin, 1992, V, p. 130, n° 1442), ou la fidélité par trop studieuse à un document (par exemple, la copie d'après Gamelin, dans G. Bazin, 1994, VI, pp. 145-146, n° 2037).
9
Mathias-Duval décrit en détail les diverses péripéties de cette découverte dans le livre qu'il publia avec E. Cuyer en 1898.
10
Cote Jf 16 pet. fol.
11
Mathias-Duval et E. Cuyer, 1898, p. 218. Le folio de cote Jf 37 n'est pas comme l'indique Bazin « l'original de Monnet », mais une copie consternante de fidélité, au modelé plus suave, plus néo-classique que celui des planches originales. Ces copies sont dans le sens du tirage.
12
Cote Jf 17 pet. fol. : *Anatomie ou la Connoissance du Corps humain détaillée dans chaque partie pour la facilité des personnes qui professent le Dessin. Composée de 42 planches d'après les dessins originaux de Ch^les^ Monnet, Peintre de la ci-devant Académie. Et la description générale des muscles faite par Tanude chirurgien Anatomiste de Montpellier. Se vend à Paris chez Jean, Rue Saint-Jean-de-Beauvais, n° 32.*
13
Br. Chenique, exp. Paris, 1991-1992, p. 265 : « 1810. 20 février. Inscription au Cabinet des Estampes ».
14
Ces dessins du fonds E. de Varennes ayant été démontés lors de la campagne de restauration, menée à l'occasion de la présente exposition, on a pu découvrir au verso de trois des feuilles quelques inédits :
* au verso de l'étude ostéologique de la tête et du torse : composition à deux personnages masculins nus (**cat. D.2** verso)
* au verso de l'étude myologique de la tête et du torse : études d'encolures et de têtes chez l'homme et le cheval (**cat. D.1** verso)
* au verso de l'étude du pied vu de face : divers exercices morphologiques, un personnage enturbanné, vu de profil (**cat. D.12** verso).
15
G. Bazin, 1987, I, p. 98.
16
L'exemplaire appartenant à l'Ensba est celui qui fut offert par Tortebat à l'Académie royale (cote M1.1585). La préface est attribuée par certains histo-riens à Roger de Piles (St. Loire, 1992, pp. 435-454).
17
H. Ronot, 1968 [1970], pp. 93-100. Dans cet article, l'auteur révèle l'intervention de Jacques-Philippe, frère cadet d'Edme, dans la réalisation des planches.
18
Malibu, Musée J. Paul Getty (G. Bazin, 1987, II, p. 402, n° 235 ; L. Eitner, 1991, p. 104, fig. 49 ; exp. Paris, 1991-1992, p. 12, ill. 19, et p. 329, n° 7). On retrouve par contre cinq études de 6 cm de haut, représentant des fragments de l'écorché de Houdon, au-dessus d'un dessin de femme jouant de la guitare sur une feuille du Musée Bonnat de Bayonne, Inv. n° 764 verso (G.Bazin, 1992, V, p. 129, n° 1438), et les jambes de ce même écorché dans la partie basse de la feuille du Musée J. Paul Getty.
19
Les squelettes de membres inférieur et supérieur, que l'on trouve au verso d'un dessin représentant « un écrivain méditant (...) nu, le calame à la main » (coll. part., dans G. Bazin, 1990, IV, p. 129, n° 1135, et dans Ph. Grunchec, exp. New York, San Diego, Houston, 1985-1986, pp. 144-145, n° 74), nous montrent Géricault appliquant cette technique du « corps transparent ». Le verso d'une autre étude conservée dans une collection particulière est également très proche (exp. Paris, 1991-1992, p. 142, ill. 226 et p. 376, n° 178).
20
Une autre feuille d'une collection particulière (G. Bazin., 1987, II, p. 484, n° 467), nous semble un bon exemple parmi d'autres. On voit Géricault passer morphologiquement d'une Sainte Marie-Madeleine à un Saint Sébastien, par glissement de courbes et contrecourbes accentuées, venant du couturier et de l'arcature tibiale.
21
La période romaine semble recouvrir de longs moments de déshérence sexuelle et amicale, « une année de tristesse et d'ennui » (lettre à Dedreux-Dorcy, du 27 novembre 1816, dans P. Courthion, 1947, p. 93), moments qui nous valent un ensemble de dessins obsessionnels : viols, strangulations... lourdement disséqués en surface. Reproduits plus souvent depuis quelques années, ils correspondent sans doute à un goût contemporain chez certains de la musculation, ou au besoin chez d'autres de pitance fantasmatique autour du viol et de la castration.
22
Retranscription de J. Gasquet, dans P.M. Doran (éd.), 1978, p. 113.
23
G. Bazin, 1987, II, pp. 311-312, 469-474, n°s 415 à 431.
24
Notre conviction à ce point de vue s'est trouvée renforcée, lorsqu'avec E. Brugerolles nous avons demandé l'avis de Chr. Degueurce, anatomiste, conservateur du Musée Fragonard à l'École Vétérinaire d'Alfort, qui nous a aidé dans notre recherche par ses suggestions et nous a permis l'accès aux réserves de la bibliothèque.
25
Notre Département conserve, parmi d'autres moulages non colorés, une jambe antérieure droite de cheval écorchée, grandeur nature, signée « Brunot 1816 » sous le sabot, à l'intérieur du fer (Ensba, Département de Morphologie, Inv. n° M.12. H. 0,413 ; L. 0,670 ; P. 0,150) (**ill. 35, 36** et **38**). Nous disposons d'autre part, de quelques moulages polychromes de préparations anatomiques de félins. Nombreux sont les établissements qui possèdent des moulages de cette sorte : le Musée Fragonard, par exemple, conserve quelques rares survivants d'une collection de moulages réalisés par le même sculpteur animalier, Jacques Nicolas Brunot (1763-1826), d'après divers animaux, présentés au Salon de 1817, et acquis par l'École Vétérinaire en 1818 et en 1820 (G. Amyot du Mesnil Gaillard, 1995). Cette pratique du moulage, prenant l'empreinte d'une préparation anatomique, est ancienne. Elle précéda jusqu'à la fin du XVIIIe siècle l'exécution des cires anatomiques. La disparition progressive des cabinets de curiosité entraîna sans doute le désintérêt pour les cires. Dans le même temps, les murs des ateliers d'artistes se couvraient peu à peu de moulages de corps humain ou d'animaux, de masques mortuaires, de fragments de dissection estampés en plâtre (M. Lemire, 1990). Nous voudrions ici remercier notre collaborateur Ph. Comar.

26
Lorsque, bien plus tard, lors de son voyage à Londres, Géricault songea à publier un tel livre, qu'il intitula sur une feuille d'album conservée à l'Université de Yale (G. Bazin, 1987, II, p. 239, fig. 194): « cours d'anatomie du cheval à l'usage des peintres et des amateurs », il savait sans doute qu'il possédait dans ses cartons cette documentation.
On trouve à l'Ensba un autre projet pour le frontispice, intitulé « anatomical studi (*sic*) of the arabian horse », de cet ouvrage qui ne fut jamais réalisé (**cat. D.98**).

27
G. Bazin, 1990, I, p. 124, n° 1160.

28
« Crista sterni », crête sternale, dans la dénomination internationale, dans R. Barone, 1986, I, p. 435.

29
Il n'est pas exclu que l'artiste ait trouvé cette représentation d'un squelette dans un livre d'anatomie, un précis d'extérieur, un guide du parfait maréchal ou un traité de cavalerie qui nous aurait échappé, chacun de ces ouvrages peut en comporter. Les petites ombres propres des os et la régularité systématique des ombres portées des pieds n'infirment en rien, au contraire, cette possibilité.

30
Depuis, les squelettes de cheval sont le plus souvent disposés en « aplombs réguliers » (membres parallèles entre eux, vus de face et de profil).
De même, le lecteur averti pourra s'étonner de nous voir utiliser souvent le terme « jambe », en suivant l'usage que lui donne Littré : « 3ᵉ membres de certains animaux qui , comme les jambes de l'homme, soutiennent le corps. Les jambes d'un chien, d'un bœuf, d'un cheval (...) ; 4° chez le cheval, région comprise entre le jarret et le sabot... ». Ces deux définitions sont, depuis la fin du XIXᵉ siècle, considérées comme inadéquates. Le terme « jambe » est appliqué de nos jours à la seule région comprise entre le grasset et le jarret. Les spécialistes, d'autre part, imposent les termes de « membre antérieur » et de « membre postérieur », commodes en zootechnie, mais... d'un usage parfois difficile.
Et, « Littré le dit, qui ne se trompe jamais » (L.F. Céline, éd. 1981, p. 5).

31
Musée du Louvre, Département des Arts Graphiques, Inv. nᵒˢ 10666 à 10705. M. et A. Sérullaz, 1984, I, pp. 352-361, nᵒˢ 938 à 977.

32
Inv. n° 10696 (M. Sérullaz, 1984, I, p. 359, n° 968).

33
Inv. n° 10697 (M. Sérullaz, 1984, I, p. 359, n° 969).

34
D'autres feuilles de cet album sont très précisément datées de cette même période. Delacroix poursuivit épisodiquement cette recherche tout au long de sa vie. Comment ne pas revenir en arrière et songer par exemple à la lettre d'octobre 1828 adressée à Barye : « le lion est mort... au galop... je vous y attends... », et aux dessins réalisés par les deux artistes assis côte à côte, devant le félin dépouillé, couché, puis retourné en tous sens, ou pendu par les antérieures (exp. Paris, 1993, pp. 103-107, et exp. Paris, Musée du Louvre, 1996, p. 118).

35
Nous voulons remercier L. Caylux, restauratrice, qui nous a, la première, enjoint de noter les différences de nuance colorée et de densité des matériaux utilisés dans l'une et l'autre de ces études, et Chr. Sauzède pour les précisions pleines de bon sens qu'il a bien voulu nous donner.

36
Nous voulons remercier P. Le Nouëne, conservateur en chef des musées d'Angers, qui nous a permis une première approche de ce fonds.

37
La vue latérale droite de cette tête de cheval est chez David d'Angers (**ill. 33**), malgré la différence de rendu imputable à l'absence de sanguine, traitée avec une aisance comparable à celle que l'on trouve dans les vues équivalentes du fonds Géricault. La vue latérale gauche, par contre, est beaucoup plus intéressante dans le dessin de David d'Angers (**ill. 34**) que dans celui de l'Ensba, le plus faible de la série (**cat. D.21**). Ces deux études totalement inédites appartiennent à un ensemble qui comprend 54 feuilles pour l'anatomie humaine et 22 pour le cheval, dont près de la moitié sont des contre-épreuves (ces contre-épreuves ne sont pas nécessairement pour l'artiste des préliminaires à une publication, mais plus simplement un procédé commode pour obtenir la version inversée d'une étude : côté gauche/côté droit, montoir/hors montoir. On trouve de même, dans l'album Moreau Nelaton, plusieurs contre-épreuves réalisées par Delacroix de certains de ses dessins anatomiques. C'est un peu l'équivalent du report au graphite que nous venons de voir utilisé par Géricault).

38
Les dessins d'anatomie humaine du fonds David d'Angers ont tous été réalisés à la pierre noire et à la sanguine. La présence du contexte, la pesanteur caractéristique de la tête ou des membres sur la table de dissection, donnent à certains d'entre eux, dans lesquels la pierre noire et la sanguine s'entremêlent parfois brutalement, une ampleur et une présence impressionnantes (**ill. 47 et 48**). D'autres, plus studieux ou morphologiquement plus systématiques, semblent provenir d'une autre main. Les dessins d'anatomie du cheval sont tous exécutés à la seule pierre noire, sur une esquisse légère qui délimite les contours du morceau étudié. La qualité particulière des noirs très stridents et le modelé un peu abrupt de la pierre noire nous semblent évoquer le plâtre plus que la chair. Ces remarques nous amènent à penser que ces anatomies du cheval, qui sont toutes d'une même main, ont été réalisées d'après des moulages de préparations anatomiques.

39
Nous croyons le reconnaître dans ses proportions, avec son oreille solitaire, en haut à gauche d'une vitrine, sur une carte postale intitulée : « Une Vue du Musée », dans *L'École d'Alfort à l'âge d'or de la carte postale. 1900-1918*, Recueil de Médecine Vétérinaire. Hors série. Alfort, 1988, p. 49 (haut).Ce moulage, comme bien d'autres, a depuis disparu.

40
Maintenir ainsi immobilisée, dans une telle attitude, durant le temps nécessaire à l'exécution de trois dessins, une pièce aussi fragile qu'une antérieure de cheval, tiendrait du prodige et nécessiterait une savante installation de cales et contrepoids. Les ligaments et tendons frais, sortis de leur contexte aponévrotique, ne pouvaient, avant l'usage du formol, se maintenir dans une égale tension durant un temps aussi long.

41
G. Bazin, 1989, III, p. 235, n° 949.

42
Cette « écriture n'est certainement pas de Géricault », de l'avis des graphologues consultés par G. Bazin (1987, II, p. 311), qui, après avoir trouvé les copies d'après Monnet « dignes des plus belles planches anatomiques du XVIIᵉ et du XVIIIᵉ », juge « ces dessins hippiques mous et faibles ; la manière de faire les hachures (...) incertaine et confuse ».

43
« Boîte à outils » est le terme que j'utilise lors de chaque rentrée d'octobre, devant un auditoire parfois éberlué et curieux de me voir disposer, sur le bureau de l'amphithéâtre, quelques crânes et un bassin féminin bien ouvert, comme préalable à toute réflexion sur le dessin.

44
G. Bazin, 1987, II, p. 469, n° 413 ; exp. Paris, 1991-1992, p. 140, ill. 223 et p. 376, n° 177. Après avoir étudié le pied vu de face sous deux angles différents, Géricault a dessiné la jambe en travers de la feuille. Les tendons et les chairs ont l'aspect rétracté caractéristique de ces préparations dont notre Département possède un exemple assez proche.

45
Certains décrivent ainsi un corps bien vivant, tout enveloppé de graisse et de peau, « nu » en somme. Ce qui, dans certaines circonstances, peut devenir une « académie ».

46
Dans un essai écrit à Iéna, en vue d'une réimpression de *la Métamorphose des plantes* de 1790, essai qui ne fut publié en définitive qu'en 1817, dans le premier *Cahier de Morphologie* (Goethe, ed. 1992, pp. 73 note 1 et p. 76 note 1).

47
Les *années de voyage*, ébauchées dès 1798, furent remaniées jusqu'à la version de 1829 (Goethe, ed. 1954, pp. 1222-1233). Merci à mon ami R. Cavallo.

48
Musée du Louvre, Département des Arts Graphiques, Inv. n° 10666 (M. Sérullaz, 1984, I, pp. 352-353, n° 938). La plupart des dessins de cet album Moreau Nélaton viennent, pour l'anatomie humaine, de dissections habilement menées par un prosecteur sensible à la présence de Delacroix. Les annotations rares, toujours morphologiquement pertinentes, n'ont rien de livresque, comme celles du fonds Géricault. Les dessins de dissection du cheval de cet album datent des derniers jours d'«avril 55», et précèdent, de façon paradoxale et intéressante, les études du squelette datées des 1er et 2 mai.

49
G. Bazin, 1987, I, p. 43, document 134.

50
G. Bazin, 1987, II, p. 313.

51
Goethe, ed. 1954, p. 1223.

52
Cité par I.D. Knoch (exp. 1996, I, p. 148, 159, notes 6 et 9).

53
Les techniques modernes d'asepsie permettent à l'un de mes amis, anatomiste, de proférer: «Mes cadavres sont plus propres que le pavage», pourtant rutilant de la salle dans laquelle il officie. Mais la dissection de cadavres frais, donc septiques, si nécessaire à certains chercheurs, reste encore aujourd'hui dangereuse.

54
Ce n'est que le 15 mai 1847, à Vienne, que Semmelweis fit afficher l'ordre aux étudiants de se laver les mains et de les frotter avec une solution désinfectante avant de pénétrer dans la maternité. En effet, l'un des services n'était fréquenté que par des sages-femmes, et présentait nettement moins de cas de fièvre puerpuérale que celui auquel les étudiants en médecine avaient accès (Dr V.P. Comiti, mars 1979, p. 36). Toute notre gratitude à notre ami D. Bastian.

55
«Ce n'est qu'en 1869 que Bischoff se servira de gants de caoutchouc pour préserver ses mains, lors des séances de dissection» (Dr V.P. Comiti, mars 1979, p. 36).

56
Archives Nationales, AJ52 443 (exp. Paris, 1993, p. 103).

57
Cité par N. Athanassoglou-Kallmyer, 1996, I, pp. 129-130 et 139-140, notes 29 et 32.

58
Mathias-Duval et E. Cuyer, 1898, p. 244.

59
Le Musée Orfila ne possède plus aujourd'hui que des moulages en plâtre de cerveaux d'hommes célèbres (Gambetta, etc.).

60
Dans ces années-là, l'École des Beaux-Arts s'installait peu à peu dans l'ancien Musée des Monuments Français, son site actuel. Le «Museum» de Suë se décomposant sur place donna beaucoup de soucis à la direction de l'École. Archives Nationales, AJ52 450 (exp. Paris, 1993, p. 106, et conférence de Jacques Fossard, «Les Suë», Faculté de Médecine, s.d.).

61
Découverte de Fr. Chappey (exp. Paris, 1991-1992, p. 266).

62
J. Béclard, 1867-1868, p. XIX. Jules Béclard (1817-1887) est le fils de Pierre Augustin Béclard (1785-1825). Que J. de Couëssin soit remerciée ici de sa très grande compréhension à notre égard et de sa générosité.

63
P.N. Gerdy, 1829, Avertissement, p. VI.

64
A. Bruel, 1959, p. 5. En 1855, David d'Angers, qui devait mourir l'année suivante, revint à Saint-Florent, devant la statue de Bonchamps qu'il avait réalisée en 1819: le chef vendéen expirant est représenté demi-nu, un bras levé vers l'avant, il demande qu'on grâcie les prisonniers dont faisait partie le père de David. Examinant le torse, le sculpteur aurait dit: «Je ne suis pas mécontent de mon ouvrage (...) j'étais jeune (...) notre Béclard m'aidait». L'ami de David fut son condisciple à l'École Centrale d'Angers. Parmi les dessins d'anatomie humaine du fonds David d'Angers, certains sont plus analytiques et plus circonscrits. Ne seraient-ils pas de la main de cet ami? Si l'on prend les dires du sculpteur au pied de la lettre, leur collaboration se poursuivit bien au-delà du séjour romain de David... jusqu'à la mort de Béclard.

65
Et non en 1787, comme l'indiquent les Dictionnaires Larousse. J. de Couëssin a obtenu des Archives Départementales de l'Aube, copie de l'acte de naissance de P.N. Gerdy, à Loches sur Ource, le 1er mai 1797 (12 floréal an V).

66
J. Béclard, 1867-1868, p. XIX.

67
G. Guénot, 1856, p. 123.

68
Archives Nationales, AJ 52 35.

69
P.N. Gerdy, 1829, p. X.

70
J. Béclard, 1867-1868, p. XXVI.

71
Il suffit de noter la pauvreté du discours érotique et descriptif du malheureux qui ne voudrait pas sortir de la bienséance et de l'euphémisme.

72
Gerdy étudie en détail de David *Le Serment des Horaces*, *Léonidas*, *Les Sabines* et le *Bélisaire*; de Girodet, *Le Déluge*, *La Révolte du Caire*, *Le Sommeil d'Endymion* et l'*Atala*; et le *Christ* de Prudhon.

73
«La dépression cervico-dorsaire est ovalaire ou rhomboïdale ...», ce «méplat est très distinct sur la figure la plus élevée du tableau de la Méduse ...» (p.70), «l'apophyse épineuse (...) de la septième vertèbre du cou (...) est très visible dans le même tableau sur une figure du premier plan, renversée la face sur le radeau...» (p. 71). Nos commentaires restent les mêmes aujourd'hui, lorsqu'à la fin de nos cours, nous projetons des diapositives de ces détails.

74
G. Bazin, 1987, II, p. 313.

75
Exp. Paris, 1991-1992, p. 140, ill. 222 et p. 376, n° 176 ; G. Bazin, 1987, II, pp. 468-469, n° 412.

76
Déjà évoquée note 44.

77
Exp. Paris, 1991-1992, p. 140, ill. 222 et p. 376, n° 176.

78
Département de Morphologie, Inv. n° M.11. H.0,700 ; L. 0,275; P. 0,140. Comment ne pas penser à l'extrait du manuscrit de Montfort: «Le soir après des journées comme celles que j'ai retracées, M. Géricault ne restait pas pour cela oisif. Je me rappelle que le peintre M. Steuben vint le voir plusieurs fois et nous dessinions tous ensemble soit une jambe en plâtre, soit un bras, d'écorchés moulés sur nature» (exp. Paris, 1991-1992, p. 314). L'un de ces dessins a donc survécu. Espérons qu'il soit de Géricault. Avouons que l'«essai de hachures» qui convainc tant G. Bazin nous paraît naïf dans son rendu. L'ensemble est d'ailleurs très hésitant, les petites ombres fragmentaires surajoutées, en particulier.

79
Déjà évoqué note 44.

80
G. Bazin, 1987, II, p. 310.

81
Th. Gautier, ed. 1995, p. 186; cité par N. Athanassoglou-Kallmyer, 1996, I, p. 132.

82
Précisons que le cadavre connaît de 6 à 12 heures après la mort, une période de rigidité, due à l'acide lactique qui crée l'équivalent d'une crampe générale, qui dure 36 à 48 heures. Au-delà, la putréfaction agissant, l'acide lactique n'a plus d'effet et le corps se ramollit définitivement. Hunter a, l'un des premiers sans doute, profité de cette période de rigidité pour mouler les cadavres qu'il avait préalablement installés dans les premières heures qui suivent la mort (voir notre article dans exp. Paris, 1993, p. 104). Les tendons connaissent un processus simple de dessication, ils se rétractent en longueur et en diamètre. Si le ligament annulaire du carpe, par exemple, est sectionné, ils prennent alors la corde, et l'avant-bras devient une sorte de «violon».

83
Relativement court (de l'ordre de quelques années), avant l'usage du formol.

84
Un seul fragment est disséqué, en partie seulement d'ailleurs, et ne semble pas « préparé » puisque l'on constate très nettement, dans la peinture du Musée des Beaux-Arts de Rouen, l'avachissement des fibres.

85
Ph. Grunchec, 1991, p. 114, n° 179 ; exp. Paris, 1991-1992, p. 141, ill. 224 et pp. 375-376, n° 175.

86
Ph. Grunchec, 1991, p. 114, n° 181.

87
Musée du Louvre, Inv. n° RF 581 ; Ph. Grunchec, 1991, p. 114, n° 180.

88
Ils auraient pu être cinq.

89
I.D. Knoch, 1996, I, pp. 158-159, note 4.

90
Qui représentent le même « sujet », au même stade de décomposition.

91
On ne sait, dans cette toile du Musée des Beaux-Arts de Rouen, ce qui est le plus pénible, du sujet ou de l'exécution : le rendu de la dissection est anecdotique, les trois repères du coude, systématiques, la main et le pied, inconsistants.

92
La dernière en date vient de l'un de nos proches, qui voit dans ce linge comme une métaphore de celui que l'on aperçoit dans *L'origine du monde* de Courbet.

93
Lorsque les praticiens prirent conscience du danger, certains optèrent pour des gants de fil très serré, qu'ils changeaient dès qu'ils ressentaient l'humidité : Mikulicz, inventeur des drainages qui portent son nom, en changeait « toutes les 5 à 10 minutes » (Dr V.F. Comiti, mars 1979, p. 36).

94
Ph. Grunchec, 1991, pp. 13-114, n° 174.

95
Ph. Grunchec, 1991, p. 114, n° 180.

96
Y. Cantarel-Besson, exp. Paris, 1991-1992, p. 314.

97
Delacroix s'est contenté de trouver ce lieu « bizarre ».

98
Ch. Clément, 1879, pp. 130-132.

99
La pesanteur est enfin seule maîtresse du jeu, le corps n'obéit plus qu'à elle.

100
N. Athanassoglou-Kallmyer a traité de façon très rigoureuse cette « politique de la mort » (1996, I, pp. 121-141).,

101
Th. Gautier, ed. 1995, p. 187.

102
La signature de Champmartin réapparaîtra peut-être lors de nouveaux dévernissages. Champmartin (1797-1883) n'est pas seulement le peintre de ces débris de têtes coupées, ou d'un chat que l'on attribuait naguère à Géricault. En dehors du portrait connu de Delacroix, nous voudrions signaler celui de Madame de Mirbel, miniaturiste « fort bien en cour », autant sous les Bourbons que sous Louis-Philippe, et qui aurait beaucoup fait pour aider le jeune Delacroix. Elle porte, dans ce portrait du Musée de Versailles, d'amples manches dites « à l'imbécile » et un inoubliable canezou (A. Joubin, 1938, I, pp. 214 et 330, et II, pp. 17 et 137 ; Fr. Boucher, 1965, p. 356).

103
Le processus de réalisation des moulages de J. N. Brunot nous est fourni par le très intéressant rapport de la commission qui s'est tenue à l'École le « 26 Xbre 1816 », pour examiner ses travaux. On y peut lire, entre autres : « Ces études sont de grandeur naturelle, car elles été moulées d'abord sur les animaux disséqués et retravaillées ensuite pour en faire disparoître les déformations inévitables dans l'opération du moulage (...) ». Dans les dernières années de sa vie, vers 1820, J. N. Brunot publia quatre cahiers de quatre lithographies chacun, intitulés *Études anatomiques du cheval, utiles à sa connaissance intérieure et à sa représentation relativement aux arts*, qui eurent un succès certain : il en existe une édition allemande (notes 7 et 25).

104
Avant que d'entreprendre cette étude, j'ai fait longtemps l'erreur de croire que ces derniers dessins avaient été réalisés lors d'une dissection à Alfort ou ailleurs (exp. Paris, 1993, pp. 102-103, ill.).

105
G. Bazin, 1987, II, p. 310 ; Mathias-Duval et E. Cuyer, 1898, pp. 210-211. Nous n'avons pu convaincre E. Brugerolles d'exposer la plus médiocre de ces copies d'après Monnet (**cat. D.7**), pour illustrer ces paroles définitives.

106
Cette Académie est en fait « l'Académie Suisse », que fréquenta entre autres Cézanne, située « au second étage de cette masure », sur le même palier que « l'ancienne morgue ».

107
C. Leymarie (1897), dans P. Courthion, 1947, pp. 191-192.

108
P. Cézanne, ed. 1978, p. 301. À son fils Paul, en 1906, il parlera des dessins d'Émile Bernard comme de « vieilleries ».

ill. 10
Wandelaar, planche du *Musculorum Tabula IV*, du traité de Bernard Siegfried Albinus *Tabulae Sceleti et Musculorum corporis humani Lugduni Batavorum*, La Haye, 1747, estampe, bibliothèque de la Faculté de médecine, Paris.

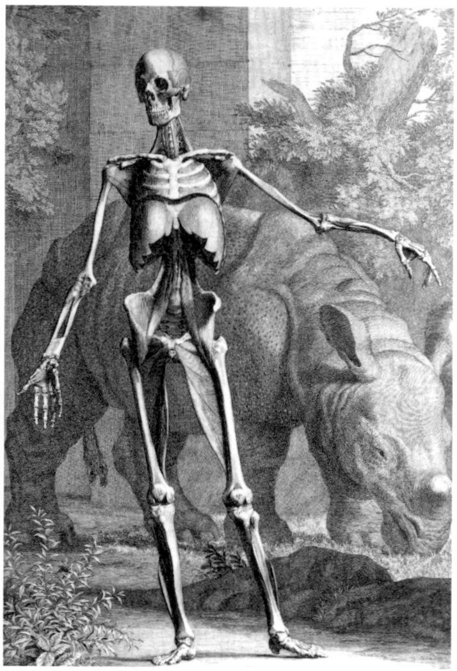

ill. 10

Géricault et l'Italie

Le voyage en Italie de Géricault à l'automne 1816 répond sans doute à une tradition ancienne mais il est aussi, selon Charles Blanc et Charles Clément, une fuite face aux tensions que représente la liaison avec sa tante Alexandrine-Modeste Caruel[1]. Les rares documents en notre possession ainsi que la biographie de Clément contribuent à étayer l'interprétation la plus répandue de ce séjour que résument les formules d'« Italie noire » et d'« année terrible[2] », le tout perpétuant fidèlement une conception romantique du génie solitaire, malheureux et tourmenté par ses fantasmes sexuels. On oublie volontiers que cette vision particulièrement réductrice des choses ne révèle que quelques aspects de l'état psychique de l'artiste ; en effet, en dépit de toutes les affirmations péremptoires, les rapprochements faits jusqu'alors entre le choix de ses motifs et les documents à notre disposition ont trop souvent été guidés *a priori* par cette conception traditionnelle[3]. Précisons d'entrée que le séjour italien de Géricault s'inscrit dans un programme de formation classique que tout artiste ambitieux – comme il l'était assurément – s'efforçait de suivre[4]. En outre, ce voyage s'imposait d'autant plus en 1816 que les chefs-d'œuvre réunis au musée Napoléon et facilement accessibles aux artistes français, restitués à l'automne 1815, laissaient un vide douloureux. Cette perte, jointe au complexe d'infériorité français depuis toujours sous-jacent face aux richesses artistiques de l'Italie, aggravée enfin par la honte de la défaite napoléonienne, appelait un voyage en guise de compensation[5]. Pour finir, et comme le dit St. Germer, ce séjour peut également être analysé comme une démarche pour définir et mieux arrêter sa propre position d'artiste[6].

Géricault se met en route pour l'Italie via Lyon et le Mont Cenis ; il séjourne d'abord à Florence à l'automne 1816 avant de se rendre à Rome. Au printemps 1817, il fait un détour par Naples et Paestum, revient passer quelques semaines à Rome puis rentre à Paris en septembre 1817 après s'être arrêté à Florence à nouveau et à Sienne. Les rares documents conservés, ainsi que les œuvres réalisées en Italie – dessins, croquis et quelques études peintes à l'huile –, prouvent qu'il visite les lieux qui sont les étapes traditionnelles d'un voyage de formation : la sacristie de San Lorenzo à Florence[7], la chapelle Sixtine[8], les collections du Vatican et de la villa Borghese à Rome[9], Tivoli[10], le museo Borbonico à Naples[11], Paestum[12]. Si l'on tient également compte des scènes de la vie quotidienne[13], l'artiste a donc à sa disposition un large éventail de sujets. En dépit de la tonalité globalement assez conventionnelle de ce programme, ce qui frappe dans le choix fait par Géricault, c'est le traitement très personnel adopté et plus encore le caractère presque obsessionnel du retour de certains motifs.

Le corpus des œuvres réalisées en Italie se décompose en quatre groupes principaux : les *vedute* et les vues des monuments que Géricault a visités ; les copies d'après l'antique ou d'après les maîtres, plus nombreuses ; les scènes de genre « modernes » ; enfin les compositions qui offrent une synthèse enflammée de tous ces motifs, et dont les recherches expressives ont suscité tant d'analyses de type psychologique voire psychanalytique[14]. Il n'en reste pas moins que les limites entre ces différents groupes ne sont pas aussi claires et définies qu'il y paraît et que les conséquences de ces recoupements demandent encore à être tirées.

Pour le premier groupe, seuls deux exemples sont conservés à l'Ensba : l'étude d'une fenêtre en plein cintre au verso de *La Marche de Silène* (**cat. D.64**) et la *Vue de Montmartre* (**cat. D.82**). En raison de la mise en page et du trait sûr et vigoureux, c'est sans doute du retour d'Italie qu'il faut dater ce paysage, comme la gouache de la collection Krugier[15], tous deux témoignant des ressources expressives et de la manière acquises lors de son séjour[16].

Le deuxième groupe comporte d'importantes copies d'après les sculptures de Michel-Ange conservées à la sacristie de San Lorenzo (**cat.D.58** à **D.61**)[17]. L'étude d'après les maîtres, exercice dont les fondements théoriques sont connus, a toujours été une constante dans la formation académique et Géricault le pratiquait. Parmi les notes manuscrites de 1812 qui établissent son programme de travail sommaire, on trouve les mentions : « Dessiner et peindre les grands maîtres antiques. Lire et composer. Anatomie. - Antiquités. [...].- Italien[18] ». Si les copies antérieures au voyage d'Italie et contemporaines de ces notes, comme celles du Carnet Zoubaloff, révèlent une conception encore très classique, le séjour italien permet à Géricault d'aborder cet exercice en toute liberté et comme un moyen d'expression artistique autonome. Ce faisant, il reprend dans ses dessins des motifs des siècles précédents dont il donne,

cat. D.59

dans ses meilleures copies, une interprétation originale tout en saisissant l'esprit de son modèle. Les dessins d'après les sculptures de Michel-Ange, conservés à l'Ensba, sont à cet égard caractéristiques[19]. Les figures de l'Aurore, du Crépuscule et du Jour, disposées dans une mise en page rythmée (**cat. D.60** et **D.61**), reprennent le schéma michelangelesque, tout en révélant la forte émotion de l'artiste devant les originaux[20]. Les traits de plume, les hachures nerveuses et les contours repris trahissent la rapidité de l'étude : le *non-finito* est aussi consubstantiel à ces copies qu'aux œuvres originales et témoigne de la confrontation directe et intense avec le modèle. Pourtant Géricault n'a pas toujours fait preuve de cette force d'expression dans ses copies ; ainsi l'étude d'après le *Moïse* de San Pietro in Vincoli offre l'exemple d'une écriture appliquée, signe d'un intérêt très médiocre pour le motif (**cat. D.62**). Parfois en revanche l'artiste sait étudier scrupuleusement et précisément son modèle, comme dans ses copies d'après Raphaël, d'après les *Balbi* et la *Testa Caraffa* du Carnet de croquis de Zurich ; toutefois son interprétation atteint rarement le degré d'intensité qui émane des copies d'après les sculptures funéraires de Michel-Ange[21].

La feuille représentant la statue de *Balbus* (**cat. D.63** et **ill. 51**) appartient également à ce deuxième groupe tandis que la *Bacchanale* (**cat. D.57**) ne s'y rattache qu'indirectement – et encore sans qu'on puisse l'affirmer avec certitude – puisqu'elle s'inspire vraisemblablement d'un camée antique gravé par Wicar et Mongez, que Géricault a dû copier d'ailleurs longtemps avant son voyage en Italie[22] (**ill. 52**).

Le troisième ensemble, composé de scènes réalisées en Italie ou d'inspiration italienne, est représenté dans le fonds de l'Ensba par le *Paysan romain assis tenant un enfant dans ses bras* (**cat. D.72** recto et verso), une esquisse pour le tableau *La Famille italienne* (**cat. D.73** verso), la *Prière à la Madone* (**cat. D.77**), la lithographie *Bouchers de Rome* (**cat. E.1**) et des scènes d'exécution capitale (**cat. D.73** et **D.74**). Le choix des motifs, à l'exception des scènes d'exécution, est en grande partie déterminé par le goût de l'époque pour les sujets populaires à caractère folklorique, tels qu'ils furent traités par Bartolomeo Pinelli puis repris jusque vers le milieu du siècle par Victor Schnetz, Ary Scheffer, Antoine Jean-Baptiste Thomas ou encore Léopold Robert[23]. Le développement de ces thèmes résulte d'une évolution des normes et critères esthétiques, sensible tant auprès du public que parmi les artistes. La recherche – anglaise à l'origine – d'une Italie pittoresque et idéale amène les amateurs, de plus en plus nombreux, à visiter les hauts lieux de la culture classique, mais aussi à s'intéresser aux scènes de la vie quotidienne. Ce goût pour le pittoresque s'étend à tous les spectacles de la nature, aux pêcheurs sur les rochers de la côte d'Amalfi, comme aux paysans et brigands de la campagne romaine, représentants de la classe populaire qui pouvait seule – pensait-on – offrir l'image de l'Italie authentique. Cependant que Léopold Robert, Victor Schnetz et la plupart des artistes allemands choisissent soit de banaliser la vie populaire simple et pieuse dans des compositions complaisantes, soit d'en mettre en évidence la signification symbolique par des métaphores laborieuses, illustrant ainsi avec succès le cliché touristique de la *Bella Italia*[24], Géricault donne pour sa part de ces scènes de genre alors si en vogue une interprétation résolument originale.
En ce sens on peut considérer que *La Famille italienne* (**cat. D. 73** verso) et le *Paysan romain assis tenant un enfant dans ses bras* (**cat. D.72**) annoncent et préfigurent largement les œuvres réalisées en Angleterre, à sujet social et d'une tonalité très critique[25]. Dans ce contexte, il faut d'abord mentionner les scènes d'exécution, très éloignées des autres compositions contemporaines sur ce sujet.
On pense bien sûr, comme l'indique déjà E. Brugerolles en 1984[26], aux œuvres d'Antoine Jean-Baptiste Thomas, comme *Un an à Rome* dont Géricault possédait un exemplaire[27] (**ill. 53**), ou encore à une eau-forte de Pinelli publiée en 1817 qui montre un condamné à mort promené à dos d'âne à travers la ville[28]. Toutefois, la nouveauté de Géricault réside dans l'immédiateté avec laquelle il traite son sujet. L'hypothèse de Clément, selon laquelle l'artiste aurait repris dans un tableau la composition du dessin du Nationalmuseum de Stockholm[29], confirme son intérêt pour ce thème, intérêt que N. Athanassoglou-Kallmyer interprète comme le signe d'un engagement politique, cependant que L. Nochlin et R. Michel l'expliquent par l'angoisse de la castration[30]. Que Géricault ait dessiné les *Préparatifs d'une exécution capitale en Italie* (**cat. D.73**) à la plume, encre brune sur une esquisse à la mine de plomb et au recto de l'étude pour *La Famille italienne* (**cat. D.73** verso), prouve

cat. D.63

ill. 51

cat. D.57

ill. 52

ill. 51
Le Normand, *Gravures d'après l'antiquité*, pl. 55, Bibliothèque nationale de France, Paris.

ill. 52
Wicar et Mongez, *Tableaux, statues, bas-reliefs, et camées de la galerie de Florence et du Palais Pitti*, 1789, I, pl. 15, Bibliothèque nationale de France, Paris.

ill. 53
Antoine Jean-Baptiste Thomas, *Un an à Rome*, estampe, Bibliothèque nationale de France, Paris.

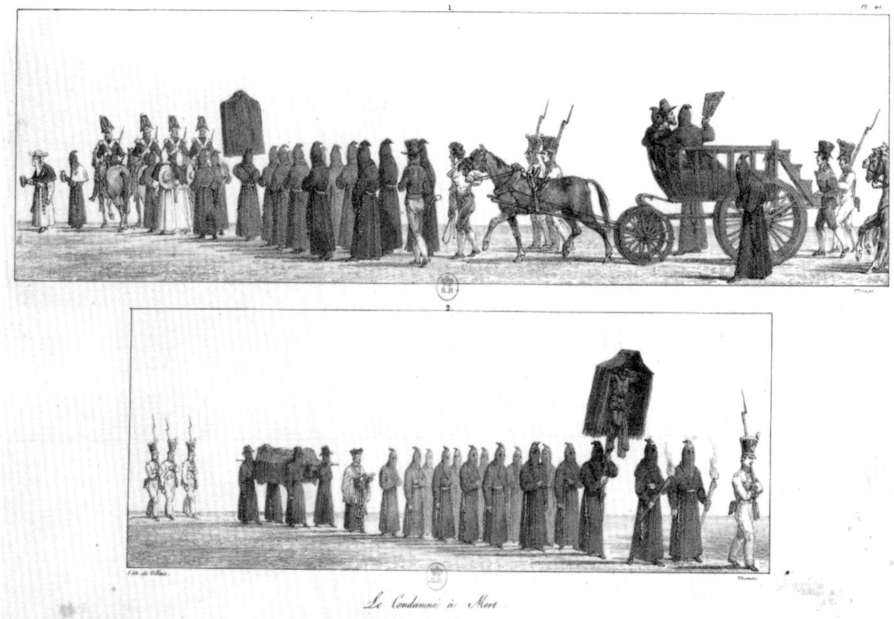

ill. 53

d'ailleurs bien la prééminence de ce sujet par rapport au motif du verso. On peut ajouter que l'artiste retrace le déroulement de l'exécution dans toutes ses phases successives, procédant ainsi comme pour la *Course de chevaux libres* et les *Bouchers de Rome* [31] (**cat. E.1**), mais aussi comme Pinelli dont les illustrations pour *Gli estremi casi della famosa Beatrice Cenci* représentent les différents épisodes de la mort de la célèbre parricide Béatrice Cenci et de ses frères, de l'enfermement en prison jusqu'à l'exécution sur l'échafaud[32]. Il ne faut pas pour autant en conclure que Géricault ait subi, à cet égard aussi, l'influence des séries gravées de Pinelli, celles-ci s'inscrivant clairement dans la tradition des *Modern Moral Subjects* de Hogarth et des *Bilderfolgen* de Chodowiecki. Reste le constat, irréfutable, que ses œuvres italiennes présentent des analogies iconographiques frappantes avec celles de l'artiste romain[33] ; ainsi les compositions des *Bouchers de Rome* (**cat. E.1** et dessin de Cambridge) semblent inconcevables[34] sans la connaissance du *Cavalcature che conducano le bestie bovine in Roma* de Pinelli daté de 1809 (**ill. 54**) et le *Jour de marché aux bœufs* de Thomas (**ill. 55**). Les dessins de Géricault ont cependant une dimension, une force intemporelle, qui leur est propre, à l'opposé du caractère anecdotique des œuvres graphiques contemporaines, car ils expriment toujours une expérience ou une émotion vécues par l'artiste lui-même. Ainsi, Dans *Bouchers de Rome* (**cat. E.1**), il met l'accent sur la supériorité intellectuelle des cavaliers qui dominent et maîtrisent l'animal prisonnier de ses instincts, conférant de la sorte au combat entre l'homme et la bête une véritable dimension métaphorique. Plus généralement, Géricault allie d'une part un sens aigu de la réalité, qui s'exprime par des notations rapides sous forme d'esquisses et le porte à s'intéresser à tout mais plus particulièrement aux motifs insolites, d'autre part un art consommé de la mise en scène dont témoignent ses études peintes à l'huile et ses dessins rehaussés à la gouache, d'une facture très picturale, réalisés pendant son voyage en Italie et peu après son retour à Paris [35].

Quant aux dessins de nus (**cat. D.78** et **D.79**), à caractère plus intime, ils sont d'une tout autre nature. L. Eitner a récemment fait une nouvelle tentative de les mettre en relation avec la personne d'Alexandrine-Modeste Caruel[36] – la tante de Géricault – ce, en raison d'une ressemblance supposée du modèle avec cette dernière ; il fonde cette hypothèse sur le portrait de Béziers[37] – considéré à tort comme un portrait de la seule maîtresse de l'artiste identifiée à ce jour – qu'il met en relation avec la tête de femme figurant sur la feuille 34r de l'Album de Chicago [38] et avec les femmes des feuilles 2 et 47r du Carnet de croquis de Zurich. Il a pourtant été établi que le modèle féminin de la feuille 2 du Carnet de Zurich[39] – et par conséquent celui de la feuille 34r de l'Album de Chicago – ne pouvait être qu'Elisabeth Adélaïde Dedreux-Colin[40]. En revanche, sur la feuille 33r du même carnet figure un autre nu féminin, proche de celui représenté sur le dessin de l'Ensba, qui permet ainsi de dater ces feuilles de la période italienne[41].

À l'évidence, le séjour en Italie de Géricault se traduit par une forte présence dans sa production des sujets à caractère érotique ; aux dessins rehaussés de gouache figurant des scènes de passion amoureuse ou plus explicitement des actes sexuels, auxquels la mythologie tient lieu de prétexte et d'ornement, il faut en effet ajouter des esquisses spontanées qui attestent son intérêt presque obsessionnel pour cette thématique[42]. Ceci nous amène au quatrième groupe d'œuvres que je propose de définir comme résultant de la « synthèse » des expériences et découvertes italiennes assimilées par l'artiste et traitées dans sa production de cette époque. Il s'agit des œuvres qui associent les motifs traditionnellement étudiés et repris d'après l'antique, à des scènes de lutte pour la vie ou de joie de vivre, objet d'observations ou d'expériences personnelles et immédiates ; citons *La Marche de Silène* de 1817 (**cat. D.64**) et le dessin récemment redécouvert au verso des quatre *Léda et le cygne* à la suite de leur restauration (**cat. D. 65** à **D.68**). Comme l'atteste la *Bacchanale* (**cat. D.57**), Géricault s'intéresse très tôt dans sa carrière à l'antique ; c'est à Rome pourtant qu'il conçoit une composition entièrement renouvelée autour de la figure de Silène, composition qu'il charge ainsi, sans doute, d'une signification nouvelle[43]. Le motif de Silène lui-même s'inspire soit d'un sarcophage romain, soit de l'interprétation qu'en donne Annibal Carrache dans ses fresques du palais Farnèse[44]. On sait en effet que Géricault a copié des bas-reliefs de sarcophages antiques[45], il n'est donc pas exclu qu'il ait vu à Rome un des sarcophages dyonisiens, proche de cette composition.

ill. 54

ill. 55

ill. 54
Bartolomoeo Pinelli, *Cavalcature che conducono le bestie bovine in Roma, per macellare*, estampe, Bibliothèque nationale de France, Paris.

ill. 55
Antoine Jean-Baptiste Thomas, *Jour de marché aux bœufs*, estampe, Bibliothèque nationale de France, Paris.

cat. E.1.

De la même manière, les quatre esquisses sur le thème de *Léda et le cygne* (**cat. D.65** à **D.68**) ne doivent rien au hasard. L'artiste avait sans aucun doute eu connaissance de pierres gravées ou de bas-reliefs antiques[46] représentant ce sujet qui lui était aussi familier par l'estampe ; enfin on sait qu'il copia lui-même entre autres la *Léda* de la galerie Borghèse[47]. L'Italie lui offrait un choix inépuisable de scènes et de sujets érotiques de ce type, parmi lesquels il n'avait plus qu'à puiser dès lors qu'il était sensible à cette veine. Son imagination l'amenait sans cesse à reprendre les mêmes thèmes et à réaliser d'innombrables esquisses et études figurant Pan courtisan, des centaures ravisseurs et des Léda copulant, avec une redondance qui tient de l'obsession. Il est à noter que les œuvres les plus abouties et les plus originales, dans l'affirmation d'un style personnel, sont les dessins à la pierre noire rehaussés de gouache et de lavis, conservés notamment au Département des Arts Graphiques du Musée du Louvre et à l'Art Museum de Princeton[48], lesquels n'apparaissent qu'au cours de l'été 1817. Il serait donc tout à fait erroné d'y voir le résultat d'un effort de Géricault pour sublimer l'échec de sa liaison avec sa tante, cette explication n'étant guère guidée que par le souci de fournir une version conforme à la morale et aux bonnes mœurs. C'est en effet en Italie aussi que l'artiste réalisa les quelques nus qui représentent des modèles féminins non identifiés[49].

L'Italie fut pour Géricault, alors âgé de vingt-cinq ans, un tournant décisif. Pour la première fois en effet, il put s'affranchir des contraintes qui lui pesaient tant à Paris et qui, selon Clément, furent déterminantes dans sa décision de partir. Pour la première fois également, il put se consacrer pleinement à son art conformément à l'idée qu'il s'en faisait. Ce voyage, effectué de septembre 1816 à novembre 1817, n'a pas été conçu et projeté comme un simple séjour de formation, même si ses prémisses peuvent en donner l'impression (les croquis du Carnet de Zurich et quelques feuilles de l'Ensba attestent que l'artiste a bien vu de nombreux monuments et sites célèbres pendant son séjour). L'Italie n'était pas aux yeux de Géricault le pays de l'Antiquité et de la Renaissance, elle lui importait comme le lieu d'une confrontation libératrice avec des modèles tels que Michel-Ange, avec le pittoresque de la vie quotidienne moderne, mais aussi avec sa propre sexualité. Seules ses expériences italiennes ainsi que les réponses et solutions esthétiques qu'elles ont apportées à ses interrogations lui ont donné cette force créatrice, en quelque sorte explosive, qui l'a poussé à réaliser à son retour *Le Radeau de la Méduse*.

Marc Fehlmann

(Traduit de l'allemand par François Grunbacher)

1
À propos du déroulement du voyage tel que nous le connaissons aujourd'hui, voir Br. Chenique, exp. Paris, 1991-1992, p. 276. Pour certaines étapes précises ainsi que pour les motifs dessinés par Géricault, voir M. Fehlmann, 1995, pp. 86-107. La liaison malheureuse entre Géricault et Alexandrine Modeste-Caruel est évoquée pour la première fois par Ch. Blanc, 1842, p. 417. L'affaire est racontée avec beaucoup de tact par Clément qui se garde de mentionner le nom de la dame en question (1879, pp. 77-78). Cette relation n'a cessé depuis lors d'être l'objet d'une attention soutenue. (L. Eitner, Winter, 1996, pp. 375-389, plus particulièrement pp. 387 et 388).

2
R. Michel, 1992, p. 47.

3
Cette question a récemment été soulevée par St. Germer, 1996, I, p. 435.

4
Rappelons seulement ici l'hypothèse selon laquelle Géricault aurait eu très tôt l'intention de participer au concours du Prix de Rome. (J. Szczepinska-Tramer, 1982, p. 135; Br. Chenique, exp. Paris, 1991-1992, pp. 267-268).

5
Au sujet de la disparition du Musée Napoléon, voir P. Wescher, 1978, p. 131 et également une estampe anonyme *L'Artiste français pleurant les chances de la Guerre* reproduite par : Ch. Saunier, 1902, p. 116, ill. XII.

6
St. Germer, 1996, I, p. 443.

7
Cat. D.58 à **D.61**.

8
H. Houssaye, novembre 1879, cité par : P. Courthion, 1947, p. 178 ; Ch. Clément, 1879, pp. 82-83 sans mention spécifique de la chapelle Sixtine.

9
M. Fehlmann, 1995, pp. 100-106.

10
G. Bazin, 1990, IV, pp. 119-120.

11
M. Fehlmann, 1995, pp. 102-106.

12
M. Fehlmann, 1995, pp. 102-106.

13
Cat. D.72 à **D.77**.

14
Des interprétations d'inspiration psychanalytique ont été récemment proposées par N. Athanassoglou-Kallmyer, R. Michel et St. Germer, 1996, I.

15
G. Bazin, 1987, II, p. 406, n° 247 (verso).

16
Conformément à la datation de G. Tinterow et à la thèse de Chr. Sells ; en effet les premiers dessins à la pierre noire rehaussés de gouache et annotés par l'artiste ont été réalisés à Rome (G. Bazin, 1990, IV, p. 141, n° 1214, pp. 148-149, n°s 1226 et 1227). Sont par ailleurs proches quant à la technique et au style les dessins mentionnés par G. Bazin, 1990, IV, pp. 136-138, n°s 1200 et 1203 (ce dernier rejeté pour des raisons inexplicables par Bazin), pp. 150-151, n° 1232, pp. 154-155, n° 1242, pp. 159-160, n°s 1254 et 1255, pp. 181-182, n° 1319, p. 195, n° 1353 et p. 220, n° 1403. Peuvent également être datés de 1817 les dessins p. 175, n° 1301 (avec cependant une technique de plume, encre brune, lavis et gouache) et p. 126, n° 1168 (dessin retravaillé à la plume, encre brune et à la gouache sur la mine de plomb). Les diverses scènes militaires dessinées à la pierre noire – qui sont par ailleurs à rapprocher des esquisses controversées de l'Album de Chicago ainsi que *du Combat de cavaliers* du Musée du Louvre – s'inscrivent logiquement, nous semble-t-il, dans la continuité stylistique de ces dessins rehaussés de gouache réalisés en Italie. Si l'on accepte cette hypothèse, il faut aussi y rattacher la *Scène de cannibalisme* du Musée du Louvre. En ce qui concerne le paysage, voir G. Tinterow, 1990, p. 41, n° 4. Pour la chronologie voir Chr. Sells, 1989, pp. 341-357. Il n'y a pas lieu d'énumérer ici d'autres arguments en faveur d'une révision de la chronologie ; soulignons toutefois qu'il est absurde de prêter à Géricault à partir de 1812 et de façon chronique plusieurs styles simultanés alors que cette hypothèse peut-être aisément contredite par la mise en évidence d'une chronologie linéaire. Une telle analyse ne remettrait d'ailleurs en aucun cas en cause la complexité de l'œuvre caractérisée par d'innombrables emprunts ou reprises de motifs et de structures thématiques apparemment aléatoires.

17
Il faut ajouter à cette série une étude d'après l'*Aurore* (G. Bazin, 1990, IV, p. 113, n° 1125).

18
L. Bâtissier, s. d. [1841], p. 5 ; Ch. Clément, 1879, pp. 29-30.

19
Ch. Clément, 1879, pp. 82-83.

20
Pour la composition de la feuille, voir l'étude pour la *Sibylle de Libye* du Metropolitan Museum de New York, inv. n° 24.197.2 (Joseph Pulitzer Bequest) où Michel-Ange place ses figures de façon apparemment aléatoire mais d'une main très sûre, créant entre elles une tension semblable.

21
Citons le dessin à la plume, encre brune et lavis brun d'après Andrea del Sarto du Carnet de croquis de Zurich (G. Bazin, 1990, IV, p. 104, n° 1093) et d'après Marcello Venusti (M. Fehlmann, 1995, p. 100) ; quelques copies d'œuvres attribuées à Raphaël (G. Bazin, 1990, IV, pp. 105-106, n°s 1096 à 1099) ; les *Balbi* (G. Bazin, 1990, IV, pp. 107-108, n°s 1104 à 1108) et **cat.D.63** ; la *Testa Caraffa* (G. Bazin, 1992, V, pp. 130-131, n°s 1443 et 1444).

22
Voir **cat. D.57**. Il faut noter qu'une partie des illustrations de Wicar et Mongez diffèrent profondément des originaux, comme le montre la comparaison entre le *Bacchus et Ariane* et le camée qui a servi de modèle pour cette planche. L. Tondo, et Fr.-M. Vanni, 1990, p. 170, n° 59 et ill. p. 199 (jaspe rouge, faux datant du XVIIIe siècle, Inv. 14776). Pour toutes ces raisons, il convient de se demander s'il existe un original antique susceptible d'être mis en relation avec le dessin de Géricault et la planche de Wicar et Mongez ou si l'on n'a pas plutôt à faire à un pastiche réalisé à partir de plusieurs camées.

23
Pour les motifs empruntés par Géricault à Pinelli, voir L.R. Matteson, 1980, pp. 74-78, et l'étude pertinente de L. Eitner, 1983, pp. 110-112. Concernant Schnetz et Robert, voir P. Gassier, 1983, p. 79. Parmi les peintres tardifs de scènes de genre italiennes, il faudrait citer Decamps et Delaroche, (D.F. Mosby, 1977, I, pp. 135 et II, pl. 59 et 67). À propos de Delaroche voir K. Kalinowski et C. Heilmann, 1992, n° 65 : *Les Pèlerins à Rome*.

24
Le traitement de ces motifs dans les scènes de genre de Carl Blechen, Franz Ludwig Catel, Johann Georg von Dillis ou Ludwig Richter témoigne clairement chez tous ces artistes d'une même appréhension de la population italienne contemporaine dont l'image, enjolivée et sublime, est romantique dans la plus large acception du terme. A propos de Blechen voir P. Ortwin Rave, 1940, pp. 386-429, n°s 1551-1696, (femmes italiennes et genre italien) ; à propos de Catel voir E. Steingräber, W.-D. Dube, Chr. Heilmann, 1989, pp. 45-47, n° 3798, WAF 142 et WAF 143. À propos de Dillis voir Chr. Heilmann (éd.), 1991, surtout pp. 254-256, n° 121 et p. 260, n° 126. À propos du répertoire de motifs des dessins romantiques allemands voir J. Glaesemer (éd.), exp. Berne, 1985.

25
L. Delteil, 1924, n°s 31 et n° 38.

26
E. Brugerolles, 1984, p. 241, n° 342. Les illustrations de Thomas sont reproduites par N. Athanassoglou-Kallmyer, 1996, I, pp. 124, 130, note 4, p. 200, fig. 50.

27
Exemplaire conservé à la Bibliothèque nationale de France, cote Ub48 (G. Bazin, 1987, I, p. 98, doc 312, n° 63).

28
Gastigo, dato ai Maliventi, 1817 (B. Rossetti, 1981, p. 186).

29
G. Bazin, 1990, IV, p. 182, n° 1322 ; Ch. Clément, 1879, p. 298, n° 91.

30
L. Nochlin, 1996, I, p. 403, R. Michel, 1996, I, pp. 1-37 ; la thèse d'une angoisse de la castration fut déjà avancée par E. Lucie-Smith, 1972 et 1991, p. 236.

31
L'ordre chronologique des phases successives de l'exécution ne peut pas être fixé avec certitude mais il semble partir de la droite vers la gauche (le calque de l'Ensba est inversé par rapport au dessin original), voir **cat. D.73** et **D.74**.

32
M. Apolloni (éd.), 1983, pp. 221-223.

33
On peut déceler entre Pinelli et Géricault une autre analogie qui n'a pas été relevée à ce jour, s'agissant notamment de scènes érotiques représentées dans des intérieurs aux murs drapés, c'est le cas de *Ménage à trois* du J. Paul Getty Museum (L. Eitner, Winter, 1996, p. 376, fig. 1), des *Amants* provenant d'une collection particulière (L. Eitner, 1996, p. 385, fig. 14) et du *Baiser* (G. Bazin, 1990, IV, pp. 181-182, n° 1319), mais aussi des couples d'autres feuilles (G. Bazin, p. 162, n° 1262 et p. 181, n° 1318) ; tous rappellent d'une façon ou d'une autre la *Scuola di Priapo* de Pinelli datée de 1810 (Rome, Instituto Nazionale della Grafica, Gabinetto Nazionale delle Stampe, sans n° d'inventaire), reproduite de façon incomplète dans M. Apolloni (éd.), 1983 (note 32), p. 44.

34
L.R. Matteson, 1980, pp. 76-77.

35
Comme les *Bouchers de Rome*, du Fogg Art Museum de Cambridge (G. Bazin, 1990, IV, p. 141, n° 1214 et pp. 144-145, n° 1219), le *Sacrifice antique* du Musée du Louvre (G. Bazin, p. 149, n° 1227), *La Mossa*, du J. Paul Getty Museum (G. Bazin, p. 198, n° 1358) et du Musée du Louvre (G. Bazin, pp. 202-203, n° 1368) et *La Ripresa* du Musée des Beaux-Arts de Lille (G. Bazin, p. 212, n° 1383).

36
L. Eitner, 1996, p. 388 (les numéros de Bazin sont signalés entre crochets conformément aux indications de L.Eitner dans les notes correspondantes) : « Tempting as it may be to suspect that Alexandrine-Modeste might have stood as model for her lover, there is no evidence that would support this unlikely assumption. Her appearance can be inferred with some confidence, though not absolute certainty, from a painted portrait [G. Bazin, 1992, V, pp. 257-258, n° 1765] and several drawings by Gericault [G. Bazin, 1990, IV, p. 175, n° 1300 ; 1989, III, p. 148, n° 722 ; 1992, V, pp. 238-239, n° 1725 et p. 277, n° 1821] [...]. It is possible that this models attraction for Gericault lay in her resemblance to his mistress... ».

37
G. Bazin, 1992, V, pp. 257-258, n° 1765.

38
G. Bazin, 1989, III, p. 148, n° 722.

39
G. Bazin, 1992, V, pp. 238-239, n° 1725 (feuille 2 recto), p. 239, n° 1726 (feuille 2 verso), et p. 277, n° 1821 (feuille 47 recto).

40
M. Fehlmann, 1995, p. 103 et note 45.

41
M. Fehlmann, 1995, p. 105.

42
L. Eitner, Winter, 1996, p. 380.

43
R. Michel, 1992, pp. 60-61.

44
Fr. Matz, 1968-1969, II, p. 204, n° 88 ; conservé jusqu'en 1805 à San Maria Maggiore et aujourd'hui au British Museum (Inv. n° 2298), il a fait l'objet de nombreuses interprétations. Fr. Matz cite en tout dix sarcophages dionysiens connus qui montrent Silène ivre sur son mulet avançant vers la droite. Au début du XIXe siècle, six d'entre eux se trouvaient toujours à Rome. Depuis la Renaissance, de nombreuses copies et interprétations ont été faites de ce premier sarcophage, dont les plus célèbres sont les gravures de Marc Antonio Raimondi (Bartsch, XIV, p. 182, n° 222-1 et p. 192, n° 240) et les fresques d'Annibal Carrache (D. Posner, 1971, II, ill. 111v).

45
M. Fehlmann, 1995, pp. 89-92 et 102-106, fig. 5-7 et fig. 13-14.

46
Parmi les représentations antiques de Léda que Géricault pourrait avoir vues à Rome, citons le bas-relief du Palazzo Corsetti (G. Koch, et H. Sichtermann, 1982, p. 157, n° 3), et un sarcophage aujourd'hui disparu (H. Sichtermann, 1984, pp. 43-57, repr. 1, 3 et 4 et d'autres exemples à la p. 57, note 72). Un camée de la collection Farnèse que Géricault pourrait avoir vu au Musée Borbonico présente un type très répandu de la Léda (Inv. 25967). (E. Pozzi, 1989, p. 224, n° 24).

47
Géricault connaissait la représentation antique de Léda par l'ouvrage de T. Piroli, (1789, vol. III, pl. VIII et IX, et vol. IV, pl. IV) dont il possédait un exemplaire, (G. Bazin, 1987, I, p. 99, n° 68). Copie de Géricault d'après la *Léda* de la Galerie Borghèse dans le Carnet de croquis de Zurich sur la feuille 45v (G. Bazin, 1990, IV, p. 107, n° 1103), qu'il a selon toute vraisemblance dessiné devant l'original (M. Fehlmann, 1995, pp. 100-101).

48
G. Bazin, 1990, IV, pp. 150-151, n° 1232 (Musée du Louvre), pp. 154-155, n° 1242 (Musée du Louvre), p. 175, n° 1301 (The Art Museum de Princeton).

49
Voir le *Ménage à trois* du J. Paul Getty Museum, le nu du Carnet de croquis de Zurich et **cat. D.79**.

L'Angleterre

L'argent

Dès l'automne 1819, tandis que la toile est encore exposée au Salon à Paris, Géricault s'est très certainement entendu avec William Bullock, organisateur d'expositions, pour présenter à l'Egyptian Hall de Londres *Le Radeau de la Méduse* avec un droit d'entrée. Au plus tard au début de l'année 1820, un accord est sans aucun doute conclu entre les deux hommes. Construit entre 1811 et 1812 comme lieu d'exposition et musée privé à vocation lucrative – en 1816, la présentation de la « calèche de voyage » de l'Empereur Napoléon attira 800 000 visiteurs – l'Egyptian Hall que dirige Bullock n'est pas sans lien avec le Salon[1]. On y voit aussi bien des œuvres de dimensions modestes comme, en 1814, la *Réunion d'oiseaux étrangers placés dans différentes caisses* (Paris, Musée du Louvre), une aquarelle de Leroy de Barde (1777-1828) exposée ensuite à Paris en 1817, que des œuvres de format monumental comme en 1816, le *Brutus condamnant ses fils à mort* (Paris, Musée du Louvre) de Guillaume Guillon-Lethière (1760-1832), qui figurait au Salon de 1812 où Géricault avait débuté avec *Le Chasseur de la Garde* (Paris, Musée du Louvre[2]). Sur sa demande, la traversée de la Manche du *Radeau de la Méduse* s'effectua au printemps 1820 sous la responsabilité d'Auguste Lethière, fils du peintre[3].

Pourquoi ce voyage en Angleterre – le premier de deux séjours – et l'exposition du *Radeau de la Méduse* ? Naturellement une seule réponse ne peut suffire. L'aigreur non dissimulée de Géricault qui considère qu'il a été mal reçu au Salon de 1819 a sans nul doute précipité son départ ; ce sentiment est né non seulement des critiques très dures de certains, non de tous cependant, mais aussi du manque de reconnaissance et de récompense de son talent au Salon. Le jury décerna en effet cette année-là une médaille d'or à trente-deux artistes, dont Géricault, et lui proposa, semble-t-il, d'acheter *Le Radeau de la Méduse* sous certaines conditions et à un prix que l'artiste jugea inacceptables[4]. Rappelons, en parallèle à cet événement, que son voyage en Italie suivit de quelques mois son échec au Prix de Rome de 1816.

Les multiples manifestations de mélancolie, de sentiments de persécution, d'envie de parcourir le monde propre au romantisme rendent cette question plus obscure encore et complexe : « [Il] exprimait le vif désir [...] de faire quelque voyage lointain, et de chercher à mener une vie aventureuse dans les pays étrangers à notre civilisation. Il parlait de visiter l'Orient, d'aller à Jérusalem[5]. »

L'Orient de Géricault se borne alors à l'Egyptian Hall où, entre les mois de juin et de décembre 1820, l'exposition de la toile du *Radeau de la Méduse* rapporta énormément d'argent : le tiers des droits d'entrée versés au peintre se monte à 17 000 ou 20 000 francs[6]. Bullock organisa encore au moins une autre présentation du *Radeau de la Méduse*, cette fois à la « Rotunda » de Dublin entre février et mars 1821, qui fut, financièrement du moins, un échec[7].

Il ne faut pas ainsi sous-estimer les enjeux commerciaux lorsqu'on étudie la période du voyage en Angleterre. L'échec critique au Salon et simultanément la révélation d'un scandale personnel, celui de sa liaison avec sa tante et la naissance de leur fils en août 1818, le contraignirent sans doute à affronter le marché de l'art. Aidé en grande partie par une aisance financière familiale – en particulier par les sommes héritées à la mort de sa mère en 1808 et de sa grand-mère en 1813 – Géricault peut de moins en moins s'offrir le luxe d'une indépendance relative qui le met à l'écart d'un travail sérieux de commandes, indépendance qui lui avait permis jusqu'ici de mener une carrière publique plutôt discrète et restreinte[8].

Antoine Montfort (1802-1884), son élève, indique que Géricault « partit pour l'Angleterre emportant avec lui son tableau qu'il exposa à part, et dont le produit lui permit de rester trois ans (Montfort est ici dans l'erreur) éloigné à l'étranger, sans recourir à sa propre bourse[9] ».

L'Angleterre permit à Géricault de s'éloigner des contraintes familiales et du monde de l'art parisien – critiques, Salons, organisation officielle des instances culturelles et des grandes commandes – et lui donna l'occasion de chercher et de développer ses propres capacités commerciales. Cela s'intègre bien sûr dans un contexte et une idéologie libérale – terme qui recouvre au début du XIXe siècle des notions de mobilité sociale et d'individualisme politique – qui sont difficilement compatibles avec le libéralisme d'opposition politique sur lequel l'histoire héroïque de Géricault a été édifiée, avec cette recherche d'humanisme, cette lutte contre l'oppression, ce républicanisme tardif ou précoce.

La période anglaise de Géricault peut-être divisée de la manière suivante : un premier voyage en 1820 pour présenter *Le Radeau de la Méduse* à l'Egyptian Hall de

Bullock et un second séjour, de janvier à décembre 1821, pour réaliser les lithographies avec Charles Hullmandel. Un parfait exemple de « synergie » entre la curiosité unanime du public londonien pour une peinture d'histoire française de grand format et l'intérêt particulier pour l'histoire du radeau de la *Méduse* et de son scandale (une traduction anglaise du récit de Corréard et de Savigny paraît à Londres en 1818) ; en 1820, Bullock utilisa sûrement la réputation de Géricault – autant que le succès du *Radeau de la Méduse* – lors du Salon de 1819 et Hullmandel put ensuite à son tour compter sur la cote élevée du peintre après le succès de l'exposition de Bullock.

Les espoirs de Géricault lors de son second voyage en Angleterre sont clairement exprimés dans une lettre bien connue qu'il adresse de Londres à son ami, Dedreux-Dorcy : « ... Je travaille et lithographie à force. Me voilà voué pour quelque temps à ce genre, qui, étant tout neuf à Londres, y a une vogue inconcevable ; avec un peu plus de ténacité que je n'en ai, je suis sûr que l'on pourrait faire une fortune considérable[10]. » Ces propos sont datés du 12 février 1821, c'est-à-dire peu après son arrivée, alors que la plupart des planches destinées à Hullmandel – les 13 lithographies de la série *Various Subjects Drawn from Life and on Stone* (**cat. E.23** à **E.35**) – étaient déjà conçues.

De nombreux liens unissaient Géricault et Hullmandel et leur projet de collaboration s'étend sur une longue période. Hullmandel (1789-1850) était né à Londres d'un père allemand et d'une mère française et avait étudié vraisemblablement l'art à Paris. En 1817, il entreprend son « grand tour » et part dessiner, à la même époque que Géricault ; il crée sa propre imprimerie à son retour, entre le milieu de l'année 1818 et mai 1819, dans la maison familiale au 51 Great Malborough Street. À ses débuts, Hullmandel se montre un homme d'affaires avisé et un bon chef d'atelier, mais également un lithographe expérimenté, créant ses propres compositions ; il se consacre avec beaucoup d'intérêt aux innovations de ce mode de reproduction, à son développement sous divers aspects aussi bien techniques, commerciaux qu'esthétiques[11].

Clément situe le premier contact entre Hullmandel et Géricault peu après l'arrivée de l'artiste à Londres en avril 1820, pour la présentation du *Radeau de la Méduse*[12] : Hullmandel édite au milieu de l'année 1820 une lithographie (**cat. E.22**) d'après le tableau et destinée à illustrer le catalogue de l'exposition ou à servir d'affichette publicitaire[13]. En août 1820, c'est-à-dire juste après le retour d'Angleterre de l'artiste, Hullmandel arrive en France pour se rendre à Paris, où les deux hommes règlent sans doute les modalités de leur collaboration[14].

La grande et véritable histoire de Géricault et l'Angleterre commence peut-être avec un contrat de travail – ou plus exactement avec deux contrats – et s'achève lorsque les dieux austères du commerce font place à la mélancolie et au désespoir. La collaboration de Géricault avec Hullmandel prend fin en mai 1821, à l'achèvement de la dernière planche de la série lithographiée ; si les critiques parues tout au long de l'année sont très favorables, le projet s'avère être un désastre financier total, Géricault, suivant la plupart des témoignages, étant obligé de couvrir lui-même les frais d'impression des lithographies[15].

Ainsi, l'architecte Charles Cockerell (1788-1863), une des relations du peintre à Londres, laisse dans son journal une image tout à fait étonnante de l'artiste, peu avant son départ « ... profond et mélancolique, sensible, vie singulière – comme celle des sauvages américains dont on parle dans les livres, baignant dans la torpeur pendant des jours et des semaines puis se livrant à des actions violentes, chevauchant, se précipitant, se lançant, s'exposant à la chaleur, au froid, à toutes sortes de violences – est venu en Angleterre surtout pour se soustraire à l'oisiveté et se retirer du monde, la compagnie – crains qu'il aille mal[16] ».

La modernité

La lithographie, comme l'écrit Walter Benjamin, « offrait pour la première fois à l'art du dessin la possibilité de mettre ses productions sur le marché, non seulement de manière massive (comme auparavant), mais sous des formes chaque jour nouvelles. L'art du dessin devint, grâce à la lithographie, capable d'illustrer la vie quotidienne. Il commença à marcher du même pas que l'imprimerie[17] ».

Cette analyse permet de donner un commentaire, à la fois juste, net et complet des lithographies anglaises de Géricault.

En fait le voyage en Angleterre ne fut pas la première occasion pour Géricault d'aborder cette technique et de

cat. D.97

cat. E.57

représenter des scènes de la vie quotidienne. Cela apparaît à la fin de l'année 1817 avec les *Bouchers de Rome* **(cat. E.1)**, peu après ses contacts avec la réalité contemporaine dont il nous transmet son interprétation à travers les dessins de la période italienne **(cat. D.72** à **D.78)** ; dans les deux cas, les scènes de la vie moderne ne rompent pas avec les références antiques.
La modernité de l'« Italie » est cependant (en apparence) l'Antiquité ; ce sont les formes « réelles » de la vie quotidienne observées et observables, l'absence de distance les séparant qu'évoque Baudelaire avec une certaine ironie dans sa définition de la modernité chez *Le Peintre de la vie moderne* (1863) : « La modernité, c'est le transitoire, le fugitif, le contingent, la moitié de l'art, dont l'autre moitié est l'éternel et l'immuable[18]. » La phrase de Baudelaire, « il y a eu une modernité pour chaque peintre ancien[19] », semble annoncée sous les pinceaux de Géricault par : « il y a une antiquité pour chaque peintre moderne ».

Baudelaire ne cite jamais Géricault, mais ils appartiennent cependant au même courant historique ; l'image de la modernité chez Baudelaire inclut une tension entre la représentation du présent et l'art du passé, entre le monde observé en perpétuel changement, et ce qu'il nomme « l'art mnémonique[20] » : « Tous les bons et vrais dessinateurs dessinent d'après l'image écrite dans leur cerveau, et non d'après la nature[21] ».
Le rapprochement se complique par le fait que Géricault s'inspire souvent pour ses compositions de modèles largement diffusés, notamment en ce qui concerne les scènes de la vie quotidienne ou à sujet dramatique influencées par les célèbres gravures populaires de Bartolomeo Pinelli[22] (1781-1835) **(cat. E.1)**. Dans sa perception de l'antiquité moderne italienne, Géricault annonce les tropes sceptiques de la modernité chez Baudelaire et dans sa lithographie des *Boxeurs* **(cat. E.7)** datée de 1818, il semble même anticiper sur le caractère contemporain de sa propre production londonienne.
À cette époque la boxe est considérée à Paris comme un sport anglais et la lithographie s'inspire très vraisemblablement de gravures populaires anglaises.

Les œuvres les plus importantes du séjour londonien de Géricault sont *Le Gibet*, scène publique de pendaison, dessin à la plume, encre brune et au lavis, la suite des lithographies intitulée *Various Subjects Drawn from Life and on Stone* **(cat. E.23** à **E.35)** et la toile représentant *Le Derby d'Epsom* (Paris, Musée du Louvre ; voir **cat. D.97**). Bien que drapées dans le manteau d'une objectivité et d'un réalisme marqué par l'histoire et la rhétorique, ces compositions prennent la forme et sont le produit d'un art pictural anglais puissant et complexe.

Le Gibet, sujet tiré du grand mélodrame politique de la pendaison des conspirateurs de la rue Cato à Londres le 1er mai 1820 et dont la conception et la fonction restent encore inconnues aujourd'hui, est à mettre en relation avec les « images à deux sous » traditionnelles sur ce thème à Londres et la suite lithographiée avec les sources populaires littéraires et gravées. *Le Derby d'Epsom* (vraisemblablement peint chez le marchand de chevaux Adam Elmore) est sans aucun doute inspiré par les scènes de sport populaires en Angleterre à l'époque, comme celles de Henry Alken ou James Pollard par exemple[23].

Géricault avait bien sûr conçu ces œuvres en fonction d'un public anglais et de commandes éventuelles. Mais c'est aussi un homme des rues, le premier poète visuel de la ville, avec ses splendeurs et ses misères : « Je ne m'amuse pas du tout et ma vie est absolument celle que je mène à Paris, travaillant beaucoup dans ma chambre et rôdant ensuite, pour me délasser dans les rues où il y a toujours un mouvement, et une variété si grande que je suis sûr que vous n'en sortiriez pas[24]. » Ces propos apparaissent de nouveau dans une lettre qu'il adresse à son ami Dedreux-Dorcy en février 1821 et se répète en écho sous la plume de Baudelaire dans *Le Peintre de la vie moderne* à propos de Constantin Guys : « La foule est son domaine, comme l'air est celui de l'oiseau, comme l'eau celui du poisson[25]. »

On a ainsi, d'un côté l'un des motifs de prédilection de Géricault – les chevaux de peine et d'agrément dans leur diversité et leur particularité **(cat. D.89, E.26, E.27, E.29** à **E.35)** – qu'évoque Baudelaire : « [M. Guys] connaît non seulement le cheval général, mais s'applique aussi heureusement à exprimer la beauté personnelle des chevaux[26] », et de l'autre *Le Derby d'Epsom* où, par ce rendu du mouvement répété, l'artiste cherche à introduire une des caractéristiques propres à la grande peinture de la fin du XIXe siècle, qui traite du thème de la vitesse, de la haute-société et de l'anglomanie : les meilleurs exemples sont bien sûr les œuvres de Degas et de Manet, notamment *Les Courses au bois de Boulogne* de Manet (Etats-Unis, collection Mrs John Hay Whitney) qui fait sans aucun doute référence à la toile de Géricault acquise par le Musée du Louvre en 1866. Mais comment interpréter ce vol surnaturel, comme suspendu dans un espace indéterminé baigné d'une atmosphère étouffante ?

Géricault connaissait les peintures à sujet sportif de Henry Alken, peut-être même avant son départ pour l'Angleterre et son ouvrage *The national Sports of Great Britain, with Descriptions in English and French*, écrit à Londres en 1821[27]. Les nombreux articles du livre sur les droits des animaux dans les scènes de course, de chasse, de tauromachie et de combats d'animaux sont peut-être autant d'indices d'un sentiment contemporain d'injustice à leur égard que dénonceraient les scènes de sport et de courses équestres de Géricault. La légende figurant sous une planche représentant l'arrivée d'une course à Newmarket Heath mentionne par exemple que « C'est ici le moment où l'on exerce le plus de cruauté à l'égard des chevaux, c'est-à-dire où les jockeys employent souvent l'éperon et le fouet[28]... ». Les courses de chevaux peintes par Géricault ne peuvent en aucun cas être considérées comme des documents politiques ; on peut seulement remarquer que l'artiste met en pendant à chaque pur-sang un cheval de trait, et que le Londres qu'il choisit est moins celui de la mode et des loisirs éphémères que le Londres prolétaire, laborieux et misérable. Le lieu menaçant et sans vie aux abords de la ville où se situe *Le Derby d'Epsom* annonce les paysages dévastés plus tardifs des environs de Paris, et le final abandon du *Cheval mort* (**cat. E.88**) – après un bref détour dans l'imaginaire romantique de *l'Arabe pleurant son cheval mort* et du *Lion dévorant un cheval* (**cat. D.98, D.99** et **E.41**) – représentent dans l'œuvre de Géricault les scènes de la modernité qui apparaissent en Angleterre et ailleurs, et que l'on peut identifier à un *Memento mori*.

Robert Simon

(Traduit de l'anglais par Stéphanie Wapler)

1
S. Lodge, 1965, pp. 616-627 ; L. Johnson, août 1954, pp. 249-254 ; H. Honour, janvier 1954, pp. 38-39 ; R. Altick, 1978, *passim*. De manière plus générale, Ch. Clément, 1879, reéd. en 1973 ; L. Eitner, 1972 et 1991 ; G. Bazin, 1987, I, pp. 21-128 ; Br. Chenique, exp. Paris, 1991-1992, pp. 261-308 et 317-324.

2
Exp. Paris, 1991-1992, p. 338, n° 36.

3
Ch. Clément, 1879, p. 191 et Br. Chenique, exp. Paris, 1991-1992, p. 289.

4
Ch. Clément, 1879, p. 176 ; S. Lodge, 1865, p. 617 ; Br. Chenique, exp. Paris, 1991-1992, pp. 287-288 (lettre de Forbin).

5
L. Batissier, [1841], dans P. Courthion, 1947, p. 53.

6
Ch. Clément,1879, p. 191 ; L. Batissier, [1841], dans P. Courthion, 1947, p. 56.

7
Sur l'exposition de Dublin et la question d'une représentation de l'œuvre à Edimbourgh, voir Br. Chenique, exp. Paris, 1991-1992, pp. 294-295.

8
G. Bazin, 1987, I, pp. 27-28, doc. 27 et pp. 31-32, doc. 55-57 ainsi que Br. Chenique, exp. Paris, 1991-1992, pp. 264 et 269.

9
Y. Cantarel-Besson, exp. Paris, 1991-1992, p. 313.

10
Br. Chenique, exp. Paris, 1991-1992, p. 320.

11
M. Twyman, 1988, pp. 42-90.

12
Ch. Clément, 1879, p. 214.

13
Ch. Clément, 1879, p. 384 ; J. F. de la Combe, 1856, pp. 18 et 274 ; voir **cat. E.22**.

14
Chr. Sells, juin 1986, p. 390. Il est également possible que Hullmandel soit venu en France plus tôt encore dans la perspective de développer certaines affaires. Dans les premières années de sa carrière, il fut aidé de diverses manières par Delpech et Engelmann, deux lithographes établis à Paris qui avaient déjà travaillé avec Géricault avant 1820. Bien plus tard, Engelmann note en effet que « M. Hullmandel, artiste distingué de Londres, avait... obtenu communication de nos procédés en 1821 ». (G. Engelmann, 1840, p. 45). Il semble que Hullmandel et Géricault aient eu tous deux connaissance de ces relations communes et il est ainsi très vraisemblable que Delpech et Engelmann aient alors facilité, d'une manière ou d'une autre, leur rencontre, y prenant peut-être eux-mêmes part (M. Twyman, 1988, pp. 57 et 364, notes 92-94).

15
Sur les conflits entre Géricault et les éditeurs de la suite anglaise, Rodwell & Martin, se reporter au récit de Montfort (Y. Cantarel-Besson, exp. Paris, 1991-1992, p. 313 ; L. Batissier, [1841], dans P. Courthion, 1947, p. 57 ; Ch. Clément, 1879, p. 215).

16
Br. Chenique, exp. Paris, 1991-1992, p. 297.

17
W. Benjamin, 1997, p. 20.

18
Ch. Baudelaire, éd. 1976, p. 695.

19
Ch. Baudelaire, éd. 1976, p. 695.

20
Ch. Baudelaire, éd. 1976, pp. 697-700.

21
Ch. Baudelaire, éd. 1976, p. 698. Sur Baudelaire et Géricault, voir C. Brunet, 1996, II, pp. 841-870.

22
L.R. Matteson, 1980, pp. 74-78.

23
Sur la scène de la pendaison londonienne, voir R. Simon, 1996, I, pp. 255-272 et R. Michel, pp. 19-21 ; sur *Le Derby d'Epsom*, voir S. Lodge, 1965, pp. 617-618 ; L. Eitner, 1983, pp. 234-237, et 1991, pp. 319-326, ainsi que Kl. Berger, 1968, pp. 114-115 et 142-145.

24
Br. Chenique, exp. Paris, 1991-1992, p. 320.

25
Ch. Baudelaire, éd. 1976, p. 691.

26
Ch. Baudelaire, éd. 1976, p. 723 ; sur l' « énergie libidinale » des images de chevaux chez Géricault, voir L. Nochlin, 1996, I, pp. 403-421.

27
S. Lodge, 1965, pp. 617-618 ; H. Alken, 1821.

28
H. Alken, 1821, « Racing, Newmarket Heath », planche III (non paginé).

Le « reportage » réaliste d'un observateur objectif : la suite anglaise de Théodore Géricault

À son retour d'Italie en 1817, Théodore Géricault, sans doute très encouragé par son ami Horace Vernet, s'essaye à la lithographie ; cette nouvelle technique ravive son intérêt pour les sujets contemporains et son désir de créer un style « moderne ». En 1820 puis en 1821, ses voyages en Angleterre vont agir comme catalyseur : la suite de douze planches intitulée *Various Subjects Drawn from Life and on Stone* (Sujets variés tirés de la vie et dessinés sur pierre) (**cat. E.23** à **E.35**) est réalisée à Londres au printemps 1821 où elle est publiée par Charles Hullmandel, l'un des imprimeurs d'estampes les plus importants à l'époque. Elle comporte douze planches précédées d'un frontispice, dont neuf consacrées au thème du cheval et trois à des scènes de rue à Londres.

Tenue pour une très grande réussite de Géricault dans l'art de la lithographie, la suite, par les thèmes qu'elle illustre, désigne l'artiste français comme un précurseur important du réalisme. Attentif à la vie de ses contemporains, sensible aux injustices sociales, Géricault y dépeint en effet le quotidien tel qu'il l'observe dans les rues de Londres au moins autant que la vie équestre chère aux Anglais. Ses planches, témoignage d'un vérisme à l'opposé du traitement traditionnel des scènes de genre, sont sans précédent ; quant aux sujets retenus, ils ne sont alors guère à la mode auprès des collectionneurs anglais d'estampes, très amateurs de « gravures de sport ». Encore soumis à l'influence de ses éditeurs pour ses premières lithographies londoniennes, l'artiste est parvenu à s'en libérer et fait œuvre résolument novatrice.

Déjà très populaire en France, la lithographie est encore considérée en Angleterre comme une forme d'art mineure et ne s'y développe qu'avec lenteur. La faiblesse des effets de clair-obscur qu'elle permet est pour beaucoup, semble-t-il, dans ces réticences.

Bientôt pourtant, quelques imprimeurs – parmi lesquels le célèbre Rudolph Ackermann (1764-1834) – décident de procéder à la fabrication de gravures d'art en véritables professionnels. Le premier, Ackermann, élève l'art de l'estampe à un très haut niveau d'excellence, associant aux tirages en série des illustrations de grande qualité. En 1819, il publie la première traduction anglaise de l'ouvrage d'Aloys Senefelder, l'inventeur de la lithographie.

Ses efforts conduisent « The Royal Society for the Encouragement of Arts, Manufactures & Commerce » (RSA) à reconnaître les mérites commerciaux et artistiques de cette nouvelle technique d'impression[1] en décernant l'année même une médaille d'or à Senefelder pour son invention. La diffusion de son livre fait alors naître une réelle curiosité pour la lithographie et en 1821, la RSA décide de faire figurer cet art au programme des exercices susceptibles d'être primés, afin d'encourager « les arts de toutes sortes[2] ».

L'année même où Senefelder est distingué par la RSA, Charles-Joseph Hullmandel (1798-1850), fils de musicien allemand, né à Londres, se voit décerner une médaille d'argent pour « un dessin lithographié[3] ». Ses voyages en Europe, où il a fait de nombreuses études et esquisses, lui ont donné le goût de la lithographie. Toutefois, à la différence d'Ackermann, technicien et homme d'entreprise, il est artiste : au-delà de sa simple fonction de reproduction, ce nouvel art lui semble devoir permettre des innovations techniques et artistiques. Il s'efforce dès lors de mettre au point une méthode tonale qui rivaliserait avec l'aquatinte très utilisée dans la réalisation des aquarelles topographiques.

Parallèlement et dans le même souci de perfectionnement technique, souhaitant connaître les procédés lithographiques utilisés par le célèbre imprimeur parisien, Engelmann, il s'engage avec ce dernier, en 1821, dans une collaboration qui s'avère décevante et s'achève en 1826[4]. Il n'en reste pas moins préoccupé par la question de la diffusion des lithographies et dresse dans un livre publié en 1824, *The Art of Drawing on Stone*, un tableau désastreux du marché anglais, rappelant qu'« en France, des gravures représentant toutes sortes de sujets trouvent des acquéreurs parmi les mêmes classes de la société qui les considèrent en Angleterre avec autant de mépris que s'il s'agissait de hiéroglyphes...[5] ».

Lucide quant aux perspectives qui s'ouvrent au commerce de l'estampe à Londres dans ce contexte, il comprend qu'il ne peut assurer son essor sans la contribution d'un peintre à la renommée bien établie. Les artistes anglais demeurant très hostiles à l'art lithographique, il décide de faire appel à un artiste français, Théodore Géricault, connu pour avoir exposé au Salon à Paris, ville considérée par ailleurs comme un foyer artistique de première importance en ce domaine.

Géricault arrive en Angleterre et se met très vite au travail puisque la série monumentale des « Sujets variés »

ill. 56

cat. E.28

ill. 56
Bartolomeo Pinelli,
Povera, Stroppia in Roma,
estampe,
Bibliothèque nationale
de France, Paris.

– connue sous le nom de suite anglaise – est publiée l'année même chez les éditeurs Rodwell & Martin[6].
Les sept premières lithographies réalisées, *The Piper*, *Pity the Sorrows of a poor old Man*, *Horses going to a Fair*, *The Flemish Farrier*, *A Party of Life Guards*, *Horses Exercising* et *The Coal Waggon* sont datées du 1er février. *An Arabian Horse* est datée du 1er mars, *A Paralytic Woman* du 1er avril, *The English Farrier* et *Entrance to the Adelphi Wharf* du mois de mai. *A French Farrier* n'est pas daté. Le rôle de Hullmandel ne s'arrêta pas à l'impression des planches puisqu'il aida de façon décisive l'artiste à choisir et réunir les sujets[7].

Comme l'a relevé L. Eitner[8] , Géricault avait « clairement à l'esprit un public anglais[9] » dont il souhaitait se faire connaître en prouvant qu'il pouvait rivaliser avec les artistes nationaux dans leur domaine de prédilection. Il n'en reste pas moins que ses lithographies furent perçues comme d'inspiration étrangère au point que les éditeurs Rodwell & Martin n'hésitèrent pas à le réorienter. Il s'efforça en effet de faire œuvre personnelle, peu désireux d'aliéner son art en le conformant à des canons qui lui étaient étrangers. Si la grande suite reçut en fin de compte un bon accueil, Géricault n'en tira d'ailleurs lui-même aucun profit[10].

Nous proposons de regrouper les douze lithographies de la suite anglaise – « variées » comme le suggère leur titre et sans lien narratif entre elles – de la manière suivante :

1. Chevaux et hommes de soin :
   - A. Chevaux de peine :
     - *Entrance to the Adelphi Wharf* (**cat. E.29**)
     - *The Coal Wagon* (**cat. E.34**)
     - *Horses going to a Fair* (**cat. E.35**)
   - B. Chevaux, maréchaux-ferrants et palefrenier classés selon leur pays d'origine :
     - *A French Farrier* (**cat. E.31**)
     - *The English Farrier* (**cat. E.32**)
     - *The Flemish Farrier* (**cat. E.30**)
     - *An Arabian Horse* (**cat. E.27**)
   - C. Chevaux entraînés à la monte :
     - *Horses Exercising* (**cat. E.33**)
   - D. Chevaux militaires :
     - *A Party of Life Guards* (**cat. E.26**)
2. La misère dans les rues de Londres :
   - *The Piper* (**cat. E.24**)
   - *Pity the Sorrows of a poor old Man* (**cat. E.25**)
   - *A Paraleytic (sic) Woman* (**cat. E.28**).

Neuf des douze estampes de la suite sont consacrées au cheval et plus particulièrement aux liens qui l'unissent à l'homme, au travail, au service militaire, dans l'exercice de fonctions royales, dangereuses et difficiles ou dans des activités plus plaisantes. Ce thème est privilégié par Géricault, à l'inverse de la tendance affichée le plus souvent par la gravure de sport anglaise où l'animal est isolé dans un cadre à peine ébauché, ce qui lui confère une fonction essentiellement décorative.

Les différentes catégories de chevaux représentées illustrent ainsi la variété des rôles – parfois extrêmes – qui leur sont attribués dans la société : instrument de travail ou source de plaisir et de joie, qui renvoient – par allusion – respectivement aux classes laborieuses et à l'aristocratie.

Dans ce contexte, on comprend mieux ce *leitmotiv* du cheval si l'on songe à la place occupée par cet animal avant l'invention des moyens de transport et de travail. Par ailleurs, la représentation classique et héroïque du cheval, dont *La Course de chevaux libres* donne l'exemple, est écartée au profit d'un nouvel héroïsme à la conception radicalement différente : l'héroïsme du quotidien, l'héroïsme de la vie « moderne », que ce soit dans les scènes équestres élégantes ou les autres, plus triviales.

Trois lithographies équestres contiennent quelques éléments « populaires » qui évoquent les gravures de sport anglaises : *Horses Exercising*, très élégante, *Party of Life-Guards* d'allure plus militaire et *An Arabian Horse* où Géricault tente peut-être de satisfaire les exigences de ses éditeurs. Les autres estampes adoptent un ton plus grave et dépassent l'anecdote : ce sont des témoignages réalistes qui révèlent une observation aiguë du social.

Les trois dernières planches de la suite, *The Piper* (**cat. E.24**), *A Paraleytic* (sic) *Woman* (**cat. E.28**) et *Pity the Sorrows of a poor old Man* (**cat. E.25**) illustrent de manière mémorable le thème de la misère en évoquant les difficultés des classes laborieuses londoniennes déjà esquissées, en filigrane, dans les neuf autres lithographies. Ce sont des œuvres d'une qualité exceptionnelle et L. Eitner a souligné à leur propos « l'objectivité avec laquelle Géricault a rendu la détresse et la misère humaines dans leur contexte social [...] sans parallèle dans l'art anglais[11] ».

ill. 57
Bartolomeo Pinelli,
Li Piferari, estampe,
Bibliothèque nationale
de France, Paris.

ill. 58
Bartolomeo Pinelli,
I Pifferari presso il Teatro di Marcello,
estampe,
Bibliothèque nationale
de France, Paris.

cat. E.24

ill. 57

ill. 58

L'affirmation de L. Eitner semble en effet pleinement justifiée par l'absence notoire d'héroïsme dans ces scènes. Auparavant, la plupart des artistes anglais qui traitaient les questions sociales prenaient comme modèle William Hogarth dont les gravures moralisatrices, réunies en une suite de scènes reliées entre elles par une histoire, étaient autant de flèches empoisonnées contre l'ordre social anglais corrompu. Le message de ces scènes demeure très lié à la structure narrative et quoique Hogarth ait rendu avec précision le décor où évoluent les personnages, sa manière ironique et humoristique ne pouvait qu'en exclure tout réalisme : les attitudes et les gestes de ses héros, par leur outrance, tournent à la caricature.

Les trois dernières estampes de la suite anglaise de Géricault soulignent cette même volonté de délivrer un message moral et de témoigner des misères sociales, mais l'artiste français y parvient de manière très différente, évitant le récit et l'anecdote chers à Hogarth : chaque sujet est autonome, sans continuité narrative avec les autres planches. En illustrant le sort des pauvres et la misérable place accordée aux malades et aux fous, Géricault témoigne d'une sympathie réelle pour l'être humain, ses souffrances, sa vie morale, qui révèle son tempérament sensible aux inégalités sociales.

Ces trois planches doivent beaucoup à Bartolomeo Pinelli, graveur romain de premier plan, spécialisé dans les sujets populaires, qui publia à partir de 1809 d'importantes éditions de ses gravures, célèbres en Europe[12]. Dès 1819, lors de son séjour à Rome, Géricault prit connaissance de son œuvre[13].

Pinelli fit imprimer en 1810 une série de 50 gravures intitulée *Nuova raccolta di cinquanta motivi pittoreschi e costumi di Roma* (Nouvelle collection de motifs pittoresques et costumes de Rome[14]). Surnommé « *pittor de Trastevere* », il représenta les coutumes du peuple romain auquel il confère une grandeur classique[15]. En 1820, la série fut publiée à Londres par Hullmandel sous forme de lithographies en couleurs[16]. Sans doute Géricault put-il alors revoir le travail de Pinelli et l'étudier à loisir chez son imprimeur londonien au moment où il travaillait à la suite : deux lithographies qu'il consacre à la misère de Londres rappellent deux gravures de Pinelli, *Povera, Stroppia in Roma*, (Une pauvresse à Rome) (**ill. 56**) et *Li Piferari* (Les Joueurs de cornemuse[17]) (**ill. 57** et **58**).

Si elles empruntent en même temps à la tradition de la peinture de genre anglaise et à Pinelli, les trois dernières planches de Géricault – qui ignore les conventions morales et sentimentales inséparables de la représentation du genre social en Angleterre – n'en demeurent pas moins très originales : elles ne portent aucune trace d'un didactisme à la Hogarth, de la douceur ou de la dignité accordées aux pauvres en haillons chez Gainsborough, Morland ou leurs suiveurs. Et elles n'évoquent pas davantage les pantomimes narratives de David Wilkie, fort admiré par Géricault.

L'objectivité avec laquelle Géricault a peint la misère et le désarroi humains demeure sans égale, à l'époque, dans l'art anglais ou français. Rappelons enfin qu'elle précède de vingt à trente ans les romans de Dickens, comme *Oliver Twist* (1837), *An Old Curiosity Shop* (1840-41) ou *Hard Times* (1854).

Un examen attentif des lithographies permet d'évaluer le degré d'habileté de l'artiste et révèle la progression de son travail : sa réussite, dans une technique relativement nouvelle, apparaît exceptionnelle.

Les artistes – et Géricault parmi eux – ont pu obtenir grâce à la lithographie cet effet « lavé » propre à l'aquarelle et à l'aquatinte, mais avec encore plus de facilité et de rapidité dans l'exécution. En travaillant en ce sens, ils se sont efforcés de rendre la richesse de variation des graduations tonales allant des gris les plus clairs aux noirs les plus profonds.

Parmi les premiers, Hullmandel développe ainsi cette méthode. Mécontent de la mauvaise qualité d'impression de ses propres lithographies à la craie, il met au point certains procédés techniques pour mieux préparer la surface de la pierre. Il ajoute, par exemple, au procédé d'impression une « pierre-de-teinte », une pierre distincte qui permet à l'artiste d'obtenir, lors de l'impression, un ton neutre, transparent où les blancs peuvent alors être « réservés » en grattant ou même en creusant la pierre à sa surface[18]. Il a aussi l'idée d'appliquer très délicatement l'encre sur la pierre au moyen d'un morceau de bois circulaire recouvert d'une peau de chevreau[19], ce qui donne un effet « adouci » à l'impression finale. Par ce procédé, l'artiste peut donner un aspect plus sombre à certaines parties de la lithographie en recouvrant le dessin linéaire d'un film transparent granuleux gris. L'effet obtenu est alors très proche de l'aquarelle : plusieurs couches de divers gris sont superposées et donnent aux objets une illusion de volume.

A Paraleytic (sic) *Woman* (**cat E.28**) offre un des meilleurs exemples de cette technique très souvent utilisée par Géricault : on la note dans les ombres rendues au sol au premier plan, au mur près de la jeune fille, dans la partie ombrée de la chaise roulante comme aussi dans le manteau de la femme.

La lithographie a permis ainsi à Géricault de créer d'exceptionnels effets dramatiques, dans le rendu des ombres et des lumières. Les délicates parties tonales et graduées données en général par l'aquatinte apparaissent ici pour la première fois, semble-t-il. L'artiste français paraît avoir exaucé les désirs de Hullmandel au-delà de toute espérance : ses lithographies sont alors bien plus appréciées que ne le sont celles de ses contemporains.

Si Bouchot juge sévèrement les lithographies isolées et les recueils édités entre 1819 et 1820 d'Horace Vernet qui « paraissent à l'œil de légères esquisses au crayon, d'aspect uniforme, à peine estompées de gris, et comme passées de couleur[20] », il voit dans les œuvres lithographiées de Géricault « une vigueur d'aspect et d'oppositions qui déroutaient singulièrement les tenants du vieux système ; elles écrasèrent les travaux similaires d'Horace Vernet, de Guérin, de Lami comme ferait une toile de Rembrandt, d'un Boucher ou d'un Drouais. Au strict point de vue de milieu, sa lithographie est le reflet de sa peinture ; elle est lourde, un peu grossière, dépourvue de charmes. C'est une femme puissante, aux traits d'homme. Les ombres y ont une intensité qui n'est pas toujours plaisante, même pour les gens prévenus et convaincus[21] ».

Pour Fr. Bergot également, Géricault « domine impérieusement la technique de la lithographie, [...] et peut transformer le fait-divers de l'anecdote en une forme quasi emblématique, des gris dégradés, délicats et soyeux, aux noirs de velours les plus profonds[22] ».

C'est précisément parce qu'il le considérait comme une forme de création originale, que Géricault exerça en virtuose l'art de la lithographie ; le premier, il parvint à en dévoiler les pouvoirs d'expression dramatique. Les qualités de grandeur, de sobriété et de monumentalité associées le plus souvent à la peinture à l'huile de grand format sont ici maîtrisées par l'artiste dans des œuvres de bien plus petites dimensions, en noir et blanc, au moyen d'un art à l'époque encore considéré comme humble et modeste. Et ses lithographies sont peut-être les premières dans l'art européen à égaler la peinture à l'huile par la puissance communicative et l'expressivité du trait.

Alexander Mishory

(Traduit de l'anglais par Stéphanie Wapler)

1
Fr. Kligender, 1968, p. 131.

2
H. T. Wood, 1913, p. 305.

3
H.T. Wood, 1913, p. 305. Je remercie Mrs Susan Bennett, directrice de la Bibliothèque de la RSA et le Dr Allen, conseiller historique de la Société, pour m'avoir avec beaucoup de gentillesse fait parvenir toutes les informations détenues par les archives de la Société concernant le prix remis à Hullmandel ainsi qu'un exemplaire de l'ouvrage cité ici.

4
« Hullmandel », dans : S. Leslie, (éd.), 1937.

5
F.H. Man, 1970, p. 38.

6
« Peu de temps après son arrivée en Angleterre, Géricault s'était mis en rapport avec Hullmandel, le meilleur imprimeur-lithographe de Londres, et avec les éditeurs Rodwell & Martin chez qui il publia, dans les premiers mois de 1821, les douze pièces (treize en comptant le titre) qui forment la suite des grandes lithographies anglaises. » Ch. Clément, 1879, p. 214.

7
L. Eitner, 1991, p. 433, note 71.

8
L. Eitner, 1991, p. 291.

9
L. Eitner, 1991, p. 291.

10
« Ces estampes eurent beaucoup de succès ; cependant elles furent la cause d'un nouveau mécompte pour l'artiste, car l'éditeur le frustra de tout le profit qu'il en pouvait attendre : il paraît même qu'en fin de compte Géricault dut mettre quelque chose de sa poche pour couvrir les frais ». Ch. Clément, 1879, p. 214

11
L. Eitner, 1991, p. 310.

12
L. Eitner, 1991, p. 140.

13
L.R. Matteson, 1980.

14
M. Fagglioli, et M. Marini, exp. Rome, 1983.

15
B. Rosetti, 1981, p. 97.

16
Dw. Miller, 1970, p. 30.

17
Les commentaires des notices.

18
Godfrey, p. 9.

19
Godfrey, p. 9.

20
H. Bouchot, 1895, p. 69.

21
H. Bouchot, 1895, p. 84.

22
Fr. Bergot, exp. Rouen, 1981-1982, p. 6.

Vivre en marge
Géricault et la vie militaire

La carrière pourtant brève de Théodore Géricault est jalonnée de toute une série de tableaux grandioses : *Le Chasseur de la Garde* en 1812 (**ill. 59**), *Le Cuirassier blessé quittant le feu* en 1814 (**ill. 60**), la suite de paysages monumentaux en 1818 et, bien sûr, *Le Radeau de la Méduse* en 1819. En plus de ces tableaux, on sait que Géricault a préparé d'autres projets non moins ambitieux : *La Course de chevaux libres, L'Assassinat de Fualdès* et *La Traite des nègres.* Il n'est pas resté oisif dans l'intervalle, car il a peint, dessiné et gravé des centaines d'œuvres de petites dimensions comparables à celles qui forment le noyau de la présente exposition. Beaucoup appartiennent à des catégories traditionnelles : les portraits, les études d'après les maîtres dans les musées, et les esquisses d'après le modèle vivant. D'autres ont un caractère plus personnel et plus spécialisé, notamment celles qui se rapportent à l'univers du cheval. Parmi les œuvres de petit format, il en est qui portent l'empreinte du moment historique vécu par Géricault. Ce sont les images de fantassins et de cavaliers, de combats violents et de pauvres victimes des guerres napoléoniennes qui remplissent des pages et des pages dans ses carnets, et que l'on retrouve dans de nombreux dessins et lithographies. Elles forment une sorte de base continue au sein de l'œuvre de Géricault, une trame d'histoire réelle sous les envolées de son imagination.

Les auteurs ont diversement interprété ces œuvres. Pour Clément, « ce ne sont pas des tableaux. Ce sont des exercices, des études[1]. » Bazin semble déconcerté par le mal que s'est donné l'artiste pour représenter l'enchevêtrement compliqué des scènes de combat. « Dans ce foisonnement d'études, remarque-t-il, qui d'ailleurs se répètent sans qu'on saisisse une véritable progression d'une idée élaborant une composition, on doit bien constater une certaine difficulté de Géricault à inventer l'organisme complexe d'une bataille, à opérer la synthèse de ces mouvements multiples, se confondant en une mêlée[2]. » Bazin perçoit les tensions qui traversent ces œuvres, mais il pense qu'elles signalent la position de l'artiste à la charnière de deux tendances esthétiques, prisonnier du conflit entre romantisme et classicisme. Enfin, L. Eitner voit dans ces mêmes images d'agréables divertissements matérialistes, plus ou moins dénués de contenu. « C'est la magnificence des uniformes, écrit-il, bien plus que n'importe quelle action ou anecdote, qui confère une espèce de poésie plastique à ces tableaux étrangement semblables à des natures mortes. Ils ne recèlent nulle trace d'une quelconque signification symbolique, nulle allusion à la fatalité ou à un destin tragique. Les soldats imperturbables s'offrent aux regards comme des modèles de splendeur martiale[3]. » L. Eitner situe en 1813-1814 la plupart des tableaux de cavaliers en grand uniforme, où, dit-il, « le pur plaisir visuel efface tout autre préoccupation[4] ». Seraient ainsi effacés, entre autres, l'invasion de la France par les armées alliées, les efforts désespérés de Napoléon pour défendre Paris et, enfin, l'occupation de la capitale par les troupes étrangères.

Doit-on confiner Géricault dans les pures séductions du prestige de l'uniforme au moment précis où l'Empire s'effondre ? R. Michel nous invite à y regarder de plus près et observe que l'artiste « peint la guerre en l'occultant. L'ambiguïté de l'image traduit l'ambiguïté de l'idéologie[5]. » De l'ambiguïté narrative à l'ambiguïté idéologique, il y a un pas que j'hésite à franchir, mais je pense effectivement que ces tableaux, joints aux dessins et estampes regroupés dans le cadre de la présente exposition, nous fournissent un exemple éclatant de cette suite de faux départs, ruptures, repentirs, ratures, fragments et déchirures que G. Didi-Huberman place au centre de la figuration : « Freud abordait ainsi la question du figurable sous l'angle d'une déchirure ou d'un défaut constitutif. Mais, loin d'y trouver un argument d'ineffabilité ou quelque chose comme une philosophie néo-romantique de l'infigurable, il enchaînait tout aussitôt sur cette conception presque "expérimentale" d'un *travail* de la figuration *envisagé avec sa déchirure* — sa déchirure au travail[6]. » Je ne tenterai pas ici de proposer une lecture parfaitement homogène de ces tableaux, mais je voudrais établir des correspondances entre leurs fissures et les relations tortueuses de Géricault avec l'entreprise guerrière, la défaite nationale, puis le redressement qui a marqué les débuts de la Restauration ainsi que la période la plus créative dans la brève existence de l'artiste.

> « Rien de nouveau que de maudits bruits de guerre avec la Russie qui me font trembler pour notre voyage[7]. »
> *Journal* de Stendhal, le 27 mars 1811

Dans les premiers mois de 1811, Stendhal se demande si la guerre avec la Russie ne va pas compromettre son voyage en Italie, tandis que des milliers de jeunes gens ont des inquiétudes autrement plus pressantes. La conscription les expédie sur la rive du Niémen, à la frontière orientale de l'Empire, où s'opère un grand rassemblement d'armes, de matériel et d'hommes en prévision de l'offensive de Napoléon contre Moscou[8]. Géricault, qui appartient à la classe d'âge appelée sous les drapeaux, trouve une parade. Le 30 avril 1811, lui et son père signent un contrat avec Claude Petit, qui a terminé son service, pour qu'il se fasse enrôler à la place de l'artiste[9]. Claude Petit reçoit une avance de mille francs. Le solde de trois mille francs lui sera réglé à la fin de la mobilisation. S'il est tué, cette somme sera versée à ses héritiers. Il rejoint son régiment à Strasbourg en mai 1811 et meurt moins de neuf mois plus tard à l'hôpital militaire de Wesel. Géricault paye trois mille francs à la famille du jeune homme, comme convenu. S'il n'a rien fait d'illégal en s'achetant un remplaçant, on suppose tout de même qu'il ne réagit pas à la disparition de Claude Petit comme il l'aurait fait pour n'importe quelle victime de la guerre. On ne saura jamais ce qu'il a vraiment ressenti au fond de lui en apprenant la mort de son remplaçant, mais la réalité brutale du marché conclu avec Claude Petit jure avec son envoi au Salon de 1812 : un fringant chasseur chargeant l'ennemi (**ill. 59**). Que penser de cette discordance, et y a-t-il un rapport entre les autres tableaux de soldats peints par Géricault et son refus de servir dans l'armée de Napoléon ?

ill. 59
Théodore Géricault, *Le Chasseur de la Garde*, peinture, Musée du Louvre, Paris.

ill. 60
Théodore Géricault, *Le Cuirassier blessé quittant le feu*, peinture, Musée du Louvre, Paris.

Bizarrement, Géricault finira par prendre les armes, non pas dans l'armée impériale, mais (au grand dépit de ses futurs biographes) dans le corps d'élite des mousquetaires du roi, la garde à cheval de Louis XVIII. Pourquoi avoir rejoint cette compagnie de jeunes aristocrates attachés à la protection du roi vieillissant ? « La vanité, un rien de snobisme et l'exemple d'autres jeunes gens de la bonne société ont sûrement contribué à sa décision[10] », répond L. Eitner. Clément avance une explication à la fois plus confuse et plus légère : « On se demande ce qui peut engager le jeune artiste à entrer dans cette carrière. Plus d'une raison, je crois : d'abord le désœuvrement qu'entraînent les commotions politiques ; puis le goût qu'il eut toujours pour les spectacles militaires ; la perspective de vivre au milieu des chevaux et d'en avoir à lui ; l'exemple de ses amis royalistes, ses compagnons de monde et de plaisir ; peut-être aussi le brillant et galant uniforme rouge des mousquetaires. Il ne faut pas chercher plus loin[11]. »

Grâce aux recherches de Bazin dans les archives de l'armée[12], on sait que Géricault est resté chez les mousquetaires bien au-delà des huit semaines ou des trois mois avancés par L. Eitner et par Clément. En outre, sa carrière militaire s'est interrompue, mais pas achevée, avec les Cent-Jours. Il a repris son poste en juillet 1815, jusqu'au 1er octobre de la même année.

Un détail a échappé à tous ceux qui ont essayé de trouver une cohérence entre l'engagement de Géricault au service de la Restauration et ses tableaux de soldats bonapartistes (il a envoyé au Salon, en novembre 1814, *Le Cuirassier blessé quittant le feu*, **ill. 60**), c'est qu'il était affecté à la 1re compagnie de mousquetaires. Là, il se trouvait sous les ordres du comte de Nansouty, un héros napoléonien célèbre pour avoir mené une charge de cavalerie décisive à la bataille de Wagram[13]. Nansouty avait vaillamment servi l'Empereur en 1814, pendant la campagne de France, ce qui ne l'a pas empêché d'être accueilli à la cour de Louis XVIII comme

ill. 59

ill. 60

une personnalité susceptible d'aplanir le hiatus politique entre l'Empire et la Restauration. À sa mort en février 1815, le commandement de la 1re compagnie de mousquetaires fut confié au marquis de Lauriston, un autre grand personnage de l'Empire, ancien aide de camp, ambassadeur et général de Napoléon[14]. La 2e compagnie de mousquetaires du roi, en revanche, était dirigée par le marquis de Lagrange, un royaliste bon teint.

L'unité à laquelle appartenait Géricault était donc une des formations sociales de la première Restauration où des hommes qui avaient servi Napoléon pouvaient accéder pour s'intégrer dans le nouvel édifice politique. Cette idée d'intégration s'accordait bien avec les mots d'ordre d'« union et oubli » qui prévalaient dans la pensée de Louis XVIII avant les Cent-Jours[15]. Surtout, l'affectation précise de Géricault chez les mousquetaires permet de comprendre que son comportement apparemment étrange s'insère en réalité dans un contexte d'apaisement national, et semble tout à fait normale de la part d'un jeune homme dont la famille avait accru sa fortune dans le commerce du tabac sous l'Empire, devenant un des fournisseurs attitrés de Napoléon[16]. En somme, on peut discerner une logique dans sa trajectoire personnelle à un moment où les événements se sont accélérés dans la vie politique française, entre l'Empire et la Restauration. Est-ce une question d'idéaux vacillants, de revirements d'opinion ? Je ne le crois pas, car sa biographie n'est pas très différente de celle d'autres jeunes gens de sa génération et de son milieu social. Il a agi comme le voulaient les usages de la vie après Waterloo, en dehors des calculs idéologiques. Bien entendu, Géricault occupe quand même une place à part, parce qu'il a réalisé des œuvres d'art qui nous intéressent aujourd'hui, et il faut se demander dans quelle mesure son passé militaire a déteint sur ses œuvres évoquant la vie militaire. Autrement dit, ses choix de vie et leurs conséquences deviennent-ils perceptibles dans son art ? C'est ce que nous allons voir maintenant.

> « TROMPETTE, s.m. (tron-pè-te, de *trompette*, s.f.). Individu qui sonne, qui a la charge de sonner de la trompette : *Le trompette de la compagnie.*
> - Loc. fam. *Il est bon cheval de trompette, il ne craint pas le bruit :* il est difficile à effrayer, à troubler, comme un cheval de trompette que le son de la trompette n'effraye pas[17]. »
> *Grand dictionnaire universel du XIXe siècle*

Dans l'œuvre de Géricault, les premiers tableaux de la vie militaire se partagent à peu près en trois groupes. On a d'abord les portraits d'officiers à cheval ou avec un cheval. Certains ont des poses à la manière de tableaux célèbres d'Antoine-Jean Gros[18], tandis que d'autres chargent plus vigoureusement, dans la mouvance de Jacques-Louis David[19]. L'étude de l'*Officier de lanciers à cheval* (**cat. D.55**) laisse entrevoir l'objectif de ces tableaux : Géricault s'est efforcé d'établir précisément les contours de l'homme et du cheval, la mise en selle du cavalier et les particularités du costume, notamment la forme de la chapska. Les traits circulaires sur chaque épaule sont là pour rappeler que les officiers polonais portaient l'aiguillette à gauche et une simple épaulette à droite. Ce genre de dessin fournit des informations détaillées sur un homme, sa monture et son costume à la parade, pas sur le champ de bataille.

Cependant, quelques-uns des premiers tableaux de Géricault tentent d'évoquer le combat. Le plus remarquable est peut-être *La Défense du drapeau* (**ill. 61**), actuellement à la Wallace Collection de Londres[20]. Bazin, qui situe cette toile au début de 1812, ne la trouve

ill. 61
Théodore Géricault,
***La Défense du drapeau*,**
peinture, Wallace Collection, Londres.

ill. 61

ill. 62

ill. 62
Théodore Géricault,
***Trompette de lanciers*,**
peinture, National
Gallery of Art,
Washington.

cat. D.55

cat D.52

cat D.52 verso

ill. 63

ill. 63
Théodore Géricault,
Trompette de lanciers,
estampe,
Bibliothèque nationale
de France,
Paris.

pas totalement réussie : « La composition est réalisée par juxtaposition d'éléments plutôt qu'ordonnée selon un système organique commandé par une action. L'artiste n'a pas su dégager l'épisode central, la conquête du drapeau, et l'orchestrer par les éléments secondaires qui l'accompagnent. Les corps sont mal construits, la facture est très serrée, un peu lourde, exécutée avec de petites brosses courtes et dures, sans aucun frottis, ni glacis, même dans les parties d'ombre[21]. »

La dispersion de l'image et l'absence de centre d'intérêt bien déterminé s'expliquent mieux si l'on songe à la haute estime de Géricault pour les peintures de batailles du baron Gros, attestée par de nombreuses études d'après ce maître et réitérée dans le *Manuscrit de Montfort*[22]. La toile de la Wallace Collection, qui pastiche divers épisodes empruntés à Gros dans une facture laborieuse, révèle les limites techniques et créatives d'un peintre qui venait juste de se soustraire au combat en envoyant quelqu'un d'autre à sa place.

Enfin, le troisième groupe de tableaux militaires réunit des œuvres qui restent d'autant plus spectaculaires aujourd'hui que nous ne parvenons pas à en cerner la signification. On ne sait pas très bien pourquoi Géricault a peint plusieurs tableaux de trompettes, dont l'un des plus saisissants représente *Trois trompettes du 2e régiment de chevau-légers lanciers en tenue de gala* et se trouve à présent à Washington (**ill. 62**)[23]. Contrairement à certains auteurs modernes qui relèguent ces œuvres au rang de gravures de mode militaires où l'on ne discerne « nulle trace d'une quelconque signification symbolique, nulle allusion à la fatalité ou à un destin tragique[24] », je partirai du contenu psychologique énoncé par R. Michel : « Ces modernes guerriers ne combattent point ; ils *pensent*. Ce sont des soldats philosophes[25]. » De tous les trompettes recensés dans l'œuvre connu de Géricault, un seul souffle vraiment dans son instrument pour sonner la charge[26]. Je ne suis pas certain qu'il faille en déduire que tous ces soldats méditent profondément sur la guerre et la paix. Tout ce que l'on peut affirmer, c'est qu'ils sont calmes, et que les tableaux désavouent ostensiblement la violence et les horreurs de la guerre. Il ne se passe rien, aucun danger ne menace dans l'immédiat, il n'y a rien à faire, sinon attendre.

Peindre des images de soldats qui ne font rien pendant que le pays s'enfonce dans la guerre, cela ne revient pas simplement à fuir la réalité, car ces œuvres abordent l'histoire en même temps qu'elles refusent de la représenter. On dirait que Géricault s'est appliqué tout à la fois à étudier ses modèles et à les tenir à l'écart de la mêlée. C'est, à mon sens, un des aspects qui font tout l'intérêt de ses trompettes. Dès lors qu'ils ne sonnent pas la charge, il ne se passe rien. Et même si le combat s'engage, ils sont censés (eux et leurs montures) garder leur calme et leur sang-froid, rester impavides. Je crois que les trompettes fascinaient Géricault parce que, en 1812, c'étaient là des qualités qu'il concevait difficilement. Quelqu'un d'autre était allé à la guerre à sa place.

Une autre raison de supposer que ces tableaux étaient lourds de sens, c'est que les trompettes reviennent dans l'œuvre de Géricault bien après la fin de l'Empire. En 1818, lorsqu'il commence à réaliser des lithographies, il copie le personnage central d'une de ses peintures (**ill. 63**), puis le décalque par transparence sur l'envers de la feuille afin de le retourner (**cat. D.52** recto) et se sert de ce calque comme modèle pour une gravure (**cat. D.52** verso). Peut-être, comme le note Bazin, est-il « arrivé à Géricault de reprendre des thèmes qu'il avait traités antérieurement et qu'il jugeait propres à intéresser le public[27] », mais cela ne nous dit pas pourquoi le trompette serait un de ces thèmes. Cependant, l'existence de Géricault avait pris soudain un tour catastrophique, car sa liaison amoureuse avec sa tante était sur le point de se concrétiser par une naissance et ne pouvait plus rester ignorée du reste de la famille[28]. On peut seulement imaginer les conversations au sein de la maisonnée dans les mois qui ont précédé l'arrivée du bébé, mais on devine pourquoi Géricault a pu être séduit à nouveau par l'image de calme inébranlable qu'offrait le personnage du trompette.

Il peut paraître bizarre de dire qu'en peignant ses premiers tableaux de la vie militaire, Géricault obéissait au désir de refouler le souvenir de l'achat d'un remplaçant, surtout compte tenu de l'énergie extraordinaire qui imprègne sa toile la plus ambitieuse de la période, *Le Chasseur de la Garde* (**ill. 59**). Mais si l'on considère dans son ensemble le « système » d'œuvres mis en place par Géricault en 1811-1812, au lieu de privilégier ses réalisations « majeures », on voit se dégager une espèce d'économie psychique. Alors que les petites peintures de trompettes procèdent d'un refoulement et d'une contrainte liés à sa dérobade devant la conscription, *Le Chasseur de la Garde* sert d'exutoire à toute cette énergie contenue, qui explose sur la cimaise du Salon en débordant du cadre[29]. Le modèle du tableau, Alexandre Dieudonné, était un vieux briscard, sur les champs de bataille depuis 1793. Géricault l'a peint juste avant son départ pour la Russie. Il est mort au combat, à peu près au moment où son effigie chargeait sur les murs du Salon[30].

R. Michel signale fort justement une identification lexicale secrète intervenue dans la relation entre Géricault et Dieudonné, dont le patronyme est « en langue vernaculaire, l'équivalent de Théodore. Cette équation d'état-civil suggère fortement un mécanisme projectif d'identification directe : l'œuvre est *aussi* un autoportrait[31]. » J'ajouterai ceci : Géricault a peint le soldat qu'il avait refusé de devenir. En figurant un remplaçant fictif, infiniment plus héroïque que Claude Petit n'aurait jamais pu l'être, il a libéré un trop-plein d'énergie qui l'a poussé à enfreindre les convenances picturales, les règles de conduite imposées aux élèves et le protocole professionnel du Salon en envoyant un tableau d'une ambition démesurée. Un siècle plus tard, en pleine tourmente de la Grande Guerre, Freud déclarera : « L'individu qui n'est pas lui-même devenu un combattant, ni, de ce fait, une infime particule de la gigantesque machine de guerre, se sent confus dans son orientation et inhibé dans sa capacité d'activité. Je pense que, pour lui, la moindre indication sera la bienvenue, qui lui rendra plus facile de s'y reconnaître tout au moins dans ce qui lui est proprement intérieur[32]. » Géricault n'avait pas vraiment besoin de s'y reconnaître. Il savait d'où venait le mal, et son tableau tentait de l'exorciser.

« Nous apercevons parfaitement Bautzen en haut de la pente vis-à-vis de laquelle il est situé. Nous voyons fort bien, de midi à trois heures, tout ce qu'on peut voir d'une bataille, c'est-à-dire rien. Le plaisir consiste à ce qu'on est un peu ému par la certitude qu'on a, que là se passe une chose qu'on sait être terrible[33]. »
Journal de Stendhal, le 21 mai 1813

On a toujours dit que, dans les mois de 1813 et 1814 où la Grande Armée et l'Empire se sont écroulés face à l'avance des Alliés, Géricault s'était comporté en observateur impassible. L. Eitner écrit : « Quelques-unes des idées qui se bousculent dans sa tête tandis que se joue le destin de la France nous sont révélées par les fragments épars de ses carnets de l'époque, et notamment par l'ensemble de vingt-huit feuilles communément appelé Album de Chicago. [...] Une profusion de minuscules hussards, lanciers et mameluks s'élancent de-ci de-là, sur des chevaux qui caracolent, bondissent et se cabrent. Ces petits personnages et leurs montures s'agitent beaucoup, mais ne possèdent absolument pas la puissance dynamique de *L'Officier de chasseurs*[34]. » Or, si l'on abandonne l'idée que les artistes doivent se lancer dans une perpétuelle course au chef-d'œuvre, un autre scénario se dessine, qui révèle non pas un Géricault passivement distrait pendant la campagne de France, mais aux prises avec la difficulté de représenter les combats violents et, plus particulièrement, le danger militaire qui menaçait la France.

Prenons le folio 57r de l'Album de Chicago dont parle L. Eitner (**ill. 64**). Comme bien des feuilles d'étude improvisées de Géricault, la page se divise en trois registres et, à juger par la façon dont les images se chevauchent, il a dû commencer par les quatre petits croquis du haut : une idée de scène de bataille panoramique, deux variantes d'une mêlée entre soldats français et cosaques, et un trompette des chasseurs de la Garde à cheval. Cette pensée pour la Garde impériale, surtout à un moment où elle remportait des victoires fantastiques dans des conditions défavorables, semble avoir conduit Géricault à esquisser une assez grande reproduction de son *Chasseur de la Garde* (**ill. 59**). Je crois, comme Bazin, que ce croquis est une image souvenir du tableau de Salon, parce qu'on y retrouve des détails du costume et de la selle qui ne figurent que dans la composition définitive. La copie partielle de son tableau de *Trois trompettes* évoqué plus haut (**ill. 62**) montre bien que Géricault songeait alors aux trompettes. Un peu plus à droite, il a imaginé, dans une belle démonstration d'agilité visuelle, ces mêmes cavaliers vus de dos (le croquis est calé sous une des scènes de bataille du registre supérieur et empiète sur la queue du cheval du chasseur chargeant). En bas à gauche, il a esquissé rapidement ce que Bazin appelle un « mameluk caracolant sur son cheval[35] », et que l'on serait en peine de décrire plus précisément. Enfin, et cela me paraît important, Géricault a exécuté, là où il restait de la place, deux croquis de jambe antérieure droite d'un cheval. Et cette jambe sera en fin de compte celle de la monture de son *Cuirassier blessé quittant le feu* de 1814 (**ill. 60**).

Cette feuille d'études ne nous parle pas des distractions d'un artiste insouciant alors que se joue le destin de la France, mais de l'élaboration attentive d'un tableau en prise sur les événements. Comme Stendhal a pu le constater à Bautzen, il était quasiment impossible de *voir* une bataille moderne, et tout aussi difficile de se la *figurer* si l'on ne s'était jamais approché soi-même d'un champ de bataille. Le registre supérieur du folio 57r (**ill. 64**) semble indiquer que Géricault a renoncé assez vite à son projet de montrer un combat vu de loin, préférant se concentrer sur une mêlée qui oppose des Français à des cosaques et remémore l'humiliation infligée par la retraite de Russie. Là non plus, ses facultés de visualisation ne pouvaient s'appuyer sur rien de concret. Les deux petits dessins révèlent qu'il s'est rabattu sur des souvenirs de tableaux admirés : le cavalier français ressemble au général Murat dans *La Bataille d'Aboukir* du baron Gros (1806 ; Versailles, Musée national du château et de Trianon), tandis que le soldat blessé à gauche paraît s'inspirer de l'officier polonais dans *La Bataille d'Eylau* du même baron Gros (1808 ; Paris, Musée du Louvre). Une autre étude sur le même thème (**cat. D.84**) s'éloigne de ces modèles, encore que le soldat blessé aux jambes coincées autour d'un cadavre de cheval rappelle le splendide nu masculin au premier plan de *La Bataille d'Aboukir* de Gros. En resserrant peu à peu le cadrage autour d'un corps à corps imaginaire, Géricault a obtenu une composition de plus en plus binaire, où les personnages se trouvaient comprimés dans un espace sans profondeur comparable à celui d'un autre tableau qu'il admirait profondément : *Les Révoltés du Caire* d'Anne-Louis Girodet-Trioson (1810 ; Versailles, Musée national du château et de Trianon)[36].

Bazin note que les multiples croquis dans l'Album de Chicago et sur des feuilles connexes nous « font assister à de véritables songeries de Géricault qui rêve de batailles sans se décider pour la nature du combat et des combattants. S'il y a toujours un parti français, il lutte contre des Orientaux (campagne d'Égypte ?), des Russes, d'autres Européens[37]. » Tout cela donne à penser que Géricault ne se contentait pas d'assister impassiblement à l'agonie de l'Empire, mais la transposait mentalement en une lutte contre l'Europe tout entière. L'identité variable de l'ennemi dans ses efforts pour donner à voir cette lutte laisse supposer que, comme tant d'autres Français, il ne savait plus très bien où était le vrai danger, du côté des Alliés ou de l'Empereur[38]. Le folio 57r de l'Album de Chicago (**ill.64**) traduit les incertitudes de Géricault par un repli sur soi, une méditation sur son œuvre. Comme le fait observer Th. Crow, il axe son travail sur son précédent triomphe au Salon pour faire un tableau diamétralement opposé, tant par son sujet que par son style, au *Chasseur de la Garde* de 1812[39] (**ill. 59**). La jambe antérieure droite du cheval qui revient deux fois sur le folio 57r, pour finir par s'incorporer dans *Le Cuirassier blessé* (**ill. 60**), révèle que l'« ennemi » imaginaire qui fait peur au soldat blessé n'est autre que Géricault lui-même, ou plutôt l'homme et l'artiste qu'il a été jusque-là. Je suis moins convaincu par les hypothèses de Th. Crow concernant la bataille qui a donné lieu au tableau du Salon de 1814, parce que le « combat » de Géricault se concentre moins sur la personne du soldat, me semble-t-il, que sur le cheval. Si la monture du *Chasseur de la Garde* (**ill. 59**) de 1812 ne présente pas une plus grande exactitude anatomique que le corps d'Alexandre Dieudonné (l'un et l'autre

ill. 64
Théodore Géricault,
Feuille d'études : scènes militaires,
dessin, folio 57r, Art Institute, Chicago.

ill. 64

s'écartent des normes physiques), ses défauts proviennent de l'explosion d'énergie phénoménale qui parcourt la toile. Dans aucun des dessins ou des esquisses à l'huile pour le cheval de Dieudonné, Géricault ne cherche à casser ou entraver son énergie[40].

Ses réflexions sur le cheval du *Cuirassier blessé* se traduisent en revanche par des notes éparses dans ses croquis. Outre les fragments du folio 57r, le Carnet Zoubaloff (Paris, Musée du Louvre) recèle beaucoup d'études de parties isolées du cheval[41]. Nous avons aussi dans notre exposition une feuille d'études pour un même cheval (**cat. D.54** recto et verso). Au recto, on découvre un croquis d'après la monture du marquis de Moncade dans son portrait par Van Dyck (Paris, Musée du Louvre) et la tête merveilleusement expressive d'un animal terrifié, tandis qu'au verso, on dénombre au moins sept essais de représentation des membres postérieurs d'un cheval trébuchant qui deviendra la créature étrangement difforme du tableau définitif (**ill. 60**). Étant donné la passion de Géricault pour les chevaux et l'équitation, il faut voir dans ses pénibles efforts un transfert d'émotion qui s'inscrit dans la situation historique de la France en 1813-1814. L'angoisse de Géricault, peut-être aussi sa mauvaise conscience, au sujet de la crise nationale imminente, se traduit par une violence infligée à l'animal qu'il aime le plus.

> « Les intérieurs d'âmes que j'ai vus dans la retraite de Moscou m'ont à jamais dégoûté des observations que je puis faire sur les êtres grossiers, sur ces manches à sabre qui composent une armée[42]. »
> *Journal* de Stendhal, le 21 mai 1813

Le travail sur *Le Cuirassier blessé* (**ill. 60**) coïncide avec l'engagement de Géricault dans la 2e compagnie des mousquetaires du roi, et l'on peut affirmer sans grand risque d'erreur que ses illusions sur la vie militaire seront dissipées par le retour d'exil de Napoléon : non pas par les événements proprement dits (il réintègre son unité après Waterloo), mais par le choc du premier drame dans son existence de soldat. La compagnie de Géricault est envoyée en détachement aux Tuileries dans la nuit du 19 au 20 mars 1815, où Louis XVIII s'enfuit à Béthune. Il confiera plus tard : « La cour était encombrée de gens qui vociféraient, et lorsque je vis la lâcheté de tous ces soldats qui jetaient leurs armes et reniaient leur serment, je résolus de suivre le roi[43]. » Le plus frappant dans cette histoire, c'est que Géricault explique sa décision de suivre le roi par une réaction à la lâcheté observée chez ses collègues, et non pas par un attachement politique total à la monarchie. L'épisode a marqué un tournant dans sa conception de la vie militaire, comparable à celui que Stendhal avait vécu parmi les ruines de la Grande Armée en Russie. Il s'est rendu compte que l'ordre impeccable et les uniformes magnifiques des défilés à grand spectacle ne pouvaient garantir le courage au combat. C'est une leçon sur les dures réalités du militarisme que beaucoup de jeunes gens ont apprise lorsqu'une série de défaites a balayé les fastes de la victoire. Elle pourrait se formuler en des termes empruntés à Michel de Certeau, car les défilés et parades entretiennent le mythe de la vie militaire comme art de *stratégie*, par quoi l'on désigne « le calcul (ou la manipulation) des rapports de forces qui devient possible à partir du moment où un sujet de vouloir et de pouvoir (une entreprise, une armée, une cité, une institution scientifique) est isolable. Elle postule un *lieu* susceptible d'être circonscrit comme un *propre* et d'être la base d'où gérer les relations avec une *extériorité* de cibles ou de menaces[44]. » La débandade à laquelle Géricault assiste le 19 mars lui fait toucher du doigt une réalité fondamentale : la vie militaire est un art de *tactique*, autrement dit « une action calculée que détermine l'absence d'un propre. [...] La tactique n'a pour lieu que celui de l'autre. Aussi doit-elle jouer avec le terrain qui lui est imposé tel que l'organise la loi d'une force étrangère. Elle n'a pas le moyen de *se tenir* en elle-même, à distance, dans une position de retrait, de prévision et de rassemblement de soi. [...] Elle n'a donc pas la possibilité de se donner un projet global ni de totaliser l'adversaire dans un espace distinct, visible et objectivable. Elle fait du coup par coup[45]. »

Quand Géricault décide de suivre Louis XVIII, en réaction à la lâcheté manifestée autour de lui, il agit sur un mode éminemment tactique, dans un conflit existentiel auquel ni sa formation, ni sa vision mythique de la vie militaire ne l'avaient préparé. Après cette leçon, les personnages héroïques isolés, tels *Le Chasseur de la Garde* ou *Le Cuirassier blessé*, disparaissent des tableaux militaires de Géricault. Ayant compris que les tactiques des individus ne sont quasiment jamais en phase avec les vastes stratégies des dirigeants, il sait qu'aucun personnage isolé ne pourra jamais rien signifier de grandiose. Par la suite, lorsque des soldats apparaissent dans l'œuvre de Géricault, ils sont dissociés de toute anecdote, plongés dans une méditation énigmatique et indifférents à leur environnement, jouissant d'une pleine liberté d'action sur le champ de bataille[46].

Je fais appel ici aux notions relativement abstraites de *stratégie* et de *tactique* pour des raisons historiques, parce qu'elles circonscrivent précisément la façon dont on a relaté l'aventure impériale après Waterloo. D'un côté des généraux et des barons de l'Empire se mettent à rédiger des souvenirs qui mettent les événements en perspective et tentent de les insérer dans un grand dessein stratégique[47]. Les plus importants et les plus attendus de ces mémoires sont ceux de Napoléon lui-même. De son exil de Sainte-Hélène est venue la rumeur qu'il dictait ses pensées à Emmanuel de Las Cases, dont le livre intitulé *Le Mémorial de Sainte-Hélène* paraît en 1823, deux ans après la mort de l'Empereur[48]. Une deuxième sorte de chronique prend à rebours ces souvenirs « officiels ». C'est celle que ne se lassent pas de raconter les milliers de grognards et de demi-solde qui ont servi sous les drapeaux[49]. La plupart du temps, leurs récits sont à l'échelon personnel, limités à quelques épisodes et bourrés d'anecdotes sur la pratique du « système D » dans la pagaille des lignes de combat et la terreur de la mort aveugle. Ce ne sont pas des traités de stratégie ratée, mais des histoires de tactique, portant sur des réactions d'urgence à des préoccupations de survie immédiate. La tactique, écrit Michel de Certeau, « est un art du faible[50] ». Il ne faut pas s'étonner si certains des thèmes qui se dégagent avec le plus de force des récits d'anciens combattants touchent à l'héroïsme, au stoïcisme et aux souffrances des soldats.

Géricault n'a aucune expérience personnelle de ces choses-là, mais il les découvre dans les témoignages parallèles sur la vie militaire entendus dans l'entourage d'Horace Vernet, qui s'installe dans un atelier voisin, au 11, rue des Martyrs, à peu près au moment où les mousquetaires du roi sont licenciés. Les deux peintres ont désormais des jardins qui communiquent directement, de sorte qu'ils se voient très souvent. Vernet présente Géricault à ses amis bonapartistes, dont le général Maximilien Foy, le parolier populaire Pierre-Jean Béranger et Antoine-Vincent Arnault, qui commandera plus tard à Géricault deux illustrations pour une chronique partisane de la vie et des exploits de Napoléon. Le colonel Louis Bro donne une description savoureuse de cette société un peu extravagante : « Il faut dire que la maison, ou plutôt le grand atelier d'Horace Vernet, était devenu, chaque soir, le lieu de rendez-vous des braves gens qui gardaient leur fidélité à l'empereur. David, le peintre, et Arnault, avant leur exil, s'y montraient. Les deux fils d'Arnault, Lucien et Telville, ce dernier jeune et brillant officier en demi-solde, le remplacèrent. Géricault y dépensait son esprit. Le duc d'Orléans, que nous appelions M. de Valmy, car il avait combattu dans cette bataille, s'y plaisait et parlait constamment de *Lui*, de l'homme qui agonisait là-bas, sous la férule des Anglais. Les généraux Foy, Colbert et Lamarque venaient prendre le café. Foy avait l'habitude de dire, en montrant un mannequin informe sur lequel Charlet, grand frondeur, avait écrit "le régime" : *Quand le pendrons-nous*[51] *?* ». Le témoignage du colonel Bro place Géricault au milieu de quelques personnages importants pour une bonne appréhension de ses images de la vie militaire : Arnault, Colbert (qu'il a peint), et Nicolas-Toussaint Charlet, le plus réputé de tous les créateurs de lithographies inspirées par la vie dans les armées de Napoléon.

Géricault vouait une grande admiration à Charlet. Les deux hommes se sont rencontrés en 1818[52], et c'est certainement l'exemple de Charlet qui a motivé certaines des lithographies de soldats les plus émouvantes que Géricault ait jamais réalisées. L'influence de Charlet tient moins au style de ses gravures qu'à leur fonction, car elles ne servent pas à illustrer des événements mémorables, mais à fournir un sujet de conversation, un point de départ pour l'évocation des souvenirs des anciens soldats, et une occasion de revivre le passé en le racontant. Son *Marchand de dessins lithographiques* de 1819 **(ill. 65)**[53] met en lumière cette fonction sociale. Des estampes, représentant surtout des chevaux et des militaires, sont épinglées au mur d'un éventaire, tandis que d'autres sont rangées dans d'épais cartons empilés sur la planche. Deux soldats d'âge différent regardent et commentent les gravures de l'étalage. Ils parlent justement d'une lithographie d'Horace Vernet qui représente des cosaques attaquant un groupe de soldats français blessés pendant la funeste retraite de Russie[54]. C'est encore une histoire de tactique, de « système D » à l'œuvre, que l'aîné raconte à son cadet vivement intéressé.

L'indice le plus probant de l'immersion de Géricault dans cet univers de récits verbaux et de souvenirs militaires se trouve peut-être dans *Le Factionnaire suisse au Louvre*, une lithographie publiée en juin 1819 (**cat. E.12**)[55]. Un mutilé de la Grande Armée, mal habillé et clopinant sur sa jambe de bois, veut traverser les Tuileries mais un des gardes suisses qui assurent la protection de Louis XVIII l'empêche de passer. L'ancien combattant ouvre sa redingote pour montrer sa Légion d'honneur et aboie un ordre au factionnaire : « Sentinelle, portez... arme ! » Le plus jeune soldat exécute l'ordre par un réflexe automatique qui réjouit beaucoup les badauds. Ce fait divers est paru dans *Le Constitutionnel* du 6 juin 1819. La lithographie de Géricault constitue une réponse graphique immédiate à un incident mettant en scène un bonapartiste[56]. Elle prouve qu'il écoutait et lisait avec curiosité les faits divers du moment. Cette attitude le conduira vers l'aventure des naufragés de *La Méduse*, qui fournira le sujet de son plus célèbre tableau.

Les thèmes militaires de Géricault lui ont bientôt valu une sympathie à l'égal de celle qu'avait pu susciter l'estampe montrée du doigt dans *Le Marchand de dessins lithographiques* (**ill. 65**). Est-ce qu'il songeait à son malheureux remplaçant quand il écoutait les histoires des anciens combattants dans l'atelier d'Horace Vernet ? Quand il travaillait à ses estampes et ses dessins de la vie de soldat ? Je crois que oui, et je suppose que le désir de s'associer aux réunions amicales des bonapartistes dans l'atelier de Vernet l'a incité à s'essayer à des techniques et des sujets susceptibles de faire oublier l'épisode un peu gênant de son service chez les mousquetaires du roi[57]. Il s'est mis à élaborer des compositions narratives toutes différentes de ses précédentes évocations de la vie militaire, en surmontant peu à peu les hésitations et maladresses qui caractérisent ses premiers efforts pour représenter des scènes de combat à multiples personnages. Après son voyage en Italie, plongé dans l'ambiance de l'atelier de Vernet, il a abordé avec une assurance nouvelle l'agencement des groupes de soldats au feu. Cela se sent tout de suite quand on voit la superbe *Artillerie à cheval de la Garde impériale changeant de position* (**cat. E.13**) et le théâtral *Caisson d'artillerie* (**cat. E.11**). Deux particularités distinguent ces images de ses œuvres antérieures. D'une part, le point de vue en contre-plongée permet aux personnages d'occuper tout l'espace délimité par le cadre et de se dresser devant le spectateur en se découpant sur le ciel, tandis que la « profondeur de champ » est réglée de manière à juxtaposer des groupes vigoureusement modelés au premier plan et des scènes d'arrière-plan aux dimensions considérablement réduites. Au lieu d'essayer de montrer le combat de l'extérieur, tel que le verrait un témoin distancié, Géricault rapproche le spectateur des protagonistes (français) et se borne à suggérer la présence de l'ennemi. Cette formule pourrait sembler, de prime abord, reprendre le schéma narratif employé dans les tableaux monumentaux de 1812 et 1814 (**ill. 59** et **60**). Or, les nouvelles œuvres se différencient nettement du fait qu'elles représentent des actions bien précises : un bataillon d'artillerie se poste ailleurs, un soldat s'apprête à lancer une mèche allumée. En somme, Géricault n'a pas cherché ici à symboliser le « faire la guerre » de manière générale ou allusive, mais à isoler des moments de tactique ponctuelle sur le champ de bataille. Ce déplacement, de la situation globale de conflit aux particularités du combat

ill. 65
Toussaint Charlet,
***Marchand de dessins lithographiques*, estampe,**
Ensba, Paris.

ill. 65

proprement dit, m'apparaît comme une réaction de Géricault aux souvenirs personnels des combats relatés par d'anciens soldats aux réunions bonapartistes dans l'atelier d'Horace Vernet.

D'autre part, les scènes de la vie militaire proposées par Géricault possèdent désormais une solide composante matérialiste que l'on ne trouvait pas dans les œuvres antérieures. Ainsi, les oppositions presque binaires à l'intérieur d'un même plan dans l'esquisse de 1813-1814 (**cat. D.84**) semblent bien schématiques en regard d'une feuille de 1818 environ (**cat. D.83**), où la complexité de l'action, l'organisation de l'espace et la puissance des gestes concourent à créer une présence physique impérieuse. On doit voir là, notamment pour le personnage qui lutte avec un cheval au premier plan à droite, un effet de son voyage en Italie et du remarquable instinct des volumes sculpturaux acquis à Rome en travaillant à ses études pour *La Course de chevaux libres* [58]. Mais on sent aussi une hardiesse nouvelle dans la seconde composition, qui tend à dégager un espace où l'action pourra se déchaîner au lieu de rester contenue dans un tracé abstrait.

Un « déchaînement » analogue de la charge affective se produit dans ses tableaux militaires de la période. Alors que ses trompettes de naguère étaient des monuments de calme dans le chaos implicite de la bataille, visant à réprimer la violence qu'il ne pouvait affronter, il nous montre à présent les effets de la bataille en évoquant le drame personnel des soldats. S'il est vrai que *Le Cuirassier blessé* (**ill. 60**) était une victime de la guerre, ses blessures restaient quasiment invisibles dans le tableau, et la majeure partie de la violence refoulée se reportait sur le corps du cheval. À présent, des êtres humains laissent voir leur souffrance, non sans manifester une dignité qui continue de nous toucher profondément (**cat. E.8** et **E.10**). Ces hommes dépenaillés et estropiés sont à l'image des anciens de la Grande Armée qui livrent alors leurs témoignages : vaincus, démobilisés, sans chef ni utilité, parfois même sans moyens d'existence. Géricault, qui a connu lui-même une désillusion sous l'uniforme des mousquetaires en 1815, a compris que l'armée était la proie des égoïsmes et vanités en tout genre, mais les récits qu'il entend de la bouche des rescapés des campagnes napoléoniennes narrent une tragédie collective aux dimensions de l'épopée.

La plupart des tableaux de Géricault qui représentent des soldats blessés battant en retraite les montrent dans une situation d'entraide. Dans le *Chariot chargé de soldats blessés* (**cat. E.8**), des militaires de tous grades s'entassent pêle-mêle sur une charrette d'agriculteur. Ce qui est remarquable, c'est la façon dont Géricault souligne les gestes de réconfort qu'échangent les hommes, tandis que les chevaux, inconscients de la portée des événements, folâtrent à leur habitude en se mordillant et se bousculant. *Le Retour de Russie* (**cat. E.10**) est encore plus émouvant à cet égard. Géricault avait sans doute prévu au départ de figurer seulement un carabinier blessé, comme l'indique le dessin (**cat. D.85**) où le soldat, à cheval, a les pieds nus, un bras en écharpe et un bandage autour de la tête. Cet homme semble avoir perdu son épée (le fourreau est vide), mais il a réussi à garder son fusil, fixé par une sangle en travers de la selle. Il a l'air sombre et découragé, bien loin de la fougue qui précédait la bataille. Mais une fois que l'on a évalué l'état physique du soldat, l'image s'épuise. Il n'y rien d'autre à dire. Un spectacle infiniment plus poignant est offert par le cuirassier et son camarade grenadier (**cat. E.10**), si dignes dans leur malheur, dont l'aspect monumental tient à leur mise en relation. Ils occupent toute la place, coupés du contexte banalement anecdotique de l'armée en déroute, apparemment indifférents à tout ce qui n'est pas leur dévouement mutuel. Le soldat à cheval, bras en écharpe, est aveuglé par ses bandages. Le grenadier peut se servir de ses yeux et guider le cheval, mais il a perdu un bras au champ d'honneur. Il serre la bride dans sa main valide, tandis que le cuirassier s'appuie sur son épaule pour se redresser sur la selle.

cat. E.10

Les hommes ne disent pas un mot, et ce n'est pas nécessaire, car chacun d'eux sait que sa survie dépend de l'autre. Dans le fond, on aperçoit vaguement une sorte d'écho à leur camaraderie, car un soldat porte sur son dosun collègue incapable de marcher. Si Géricault avait participé à l'aventure de la Grande Armée en Russie, et en avait réchappé, ces images seraient nourries de son expérience vécue, et pourtant elles n'auraient peut-être pas autant de force. Je crois que s'il a pu créer des scènes aussi puissamment émouvantes, c'est, entre autres, parce que, à force d'entendre les souvenirs des anciens combattants, il se sentait obligé de compenser (voire de surcompenser) la pâleur de son existence, de masquer le fait qu'il aurait pu y être, s'il n'avait pas envoyé Claude Petit à sa place.

> « Napoléon n'est plus. Le temps où l'on peut écrire son histoire est arrivé. [...] Le moment est des plus favorables à l'exécution de cette entreprise. La majeure partie de ces faits opérés sous nos yeux est présente à notre mémoire, et déjà les documents propres à en développer les causes se publient. Aucune lumière ne manque aujourd'hui à l'écrivain qui veut connaître la vérité ; aucune liberté ne manque à l'historien qui veut la publier[59]. »
> Antoine-Vincent Arnault, *Vie politique et militaire de Napoléon.*

Malgré une introduction en forme d'hymne à l'objectivité historique, Antoine-Vincent Arnault donne dans sa *Vie politique et militaire de Napoléon*, publiée en fascicules entre 1822 et 1826, une version des faits qui n'est pas des plus impartiales. Ce n'est guère étonnant au vu de sa longue carrière d'auteur et de fonctionnaire au service de l'empereur. Arnault a attiré l'attention de Bonaparte en 1797 avec une tragédie intitulée *Oscar*, puis il est devenu son « instructeur » littéraire sous le Consulat. Nommé secrétaire général du conseil de l'Université en 1806, il a affirmé son soutien à Napoléon pendant les Cent-Jours et l'Empereur l'a couché sur son testament en lui attribuant un legs de cent mille francs[60]. Comme la plupart des notables du régime qui avaient rejoint Napoléon à son retour de l'île d'Elbe, Arnault a dû s'exiler à Bruxelles en 1816 (en même temps que Jacques-Louis David), mais il a pu rentrer à Paris en 1819 et, apprend-on en lisant les mémoires du colonel Bro, fréquenter l'atelier de Vernet. Comme il était l'oncle de Mme Bro, il connaissait certainement Géricault, qu'il a dû solliciter pour son projet de publier une biographie illustrée de Napoléon[61].

Le gros (deux volumes reliés au format *in-folio*) et luxueux (illustré de cent trente-neuf lithographies en pleine page) album d'Arnault raconte la vie de Napoléon depuis sa naissance en Corse jusqu'à sa mort à Sainte-Hélène, en présentant ses campagnes militaires, ses missions diplomatiques et ses histoires personnelles sous la forme de cent trente-six « tableaux » associant le texte à l'image. Bref, cet ouvrage répond de manière exemplaire à la description du texte hagiographique selon Michel de Certeau : « La vie de saint est une composition de lieux. Primitivement, elle naît en un lieu fondateur (tombe de martyr, pèlerinage, monastère, congrégation, etc.) devenu lieu liturgique, et elle ne cesse d'y ramener (par une série de voyages ou de déplacements du saint) comme à ce qui est finalement la preuve. Le parcours vise le retour à ce point de départ. L'itinéraire même de l'*écriture* conduit à la *vision* du lieu : *lire*, c'est aller *voir*.

Le texte, avec son héros, tourne autour du lieu. Il est déictique. Il montre toujours ce qu'il ne peut ni dire, ni remplacer. La manifestation est essentiellement locale, visible, et non dicible ; elle *manque* au discours qui la désigne, la fragmente et la commente en une succession de tableaux. Mais cette "discursivité", qui est passage de scène en scène, peut énoncer le *sens* du lieu, irremplaçable, unique, extraordinaire et sacré (*hagios*)[62]. »

L'objectif consistant à montrer le héros dans ce qu'il a d'indicible et l'abondance des illustrations dans l'album d'Arnault sont à rapprocher du moment historique de sa publication, car les années 1822-1826 ont connu quelques-unes des réactions politiques les plus virulentes de la Restauration, surtout après la vague de soulèvements carbonaristes de 1821-1822[63]. Les bonapartistes étaient contraints à une certaine discrétion. On se rappellera, par exemple, que le jury du Salon de 1822 a refusé plusieurs scènes de bataille d'Horace Vernet où l'on voyait des drapeaux tricolores, et que l'artiste a exposé ses tableaux refusés dans son atelier[64]. Ce contexte contribue à expliquer les longues précautions de style d'Arnault, et sa volonté de s'abriter derrière une façade d'objectivité historique.

Géricault a réalisé deux lithographies pour l'album d'Arnault : *Marche dans le désert* (**cat. E.19**), publiée le 6 septembre 1823 avec la dixième livraison, et *Le Passage du mont Saint-Bernard* (**cat. E.20**), paru le 28 février 1824, un mois après la mort de Géricault[65].

cat. E.19

cat. E.20

cat. D.101

cat. D.101 verso

cat. D.102

Une feuille d'études recto-verso pour la première lithographie (**cat. D.101** recto et verso) semble indiquer que l'artiste ne s'est pas mis tout de suite au diapason des visées hagiographiques d'Arnault. Il devait illustrer le trente-deuxième tableau, qui récapitule les événements suivants : « Marche à travers le désert ; combats de Damanhour, de Rahmaniéh, de Cheibreifs ; bataille des Pyramides ; entrée au Caire[66]. » Géricault a poursuivi dans la veine des images pathétiques de la vie de soldat dont nous venons de parler. Laissant de côté le long récit des manœuvres militaires, il a préféré se concentrer sur un court paragraphe évoquant les souffrances physiques des hommes dans le désert : « Entrés de nuit dans le désert, les soldats n'avaient pu juger ni de l'étendue, ni de la nature des contrées qu'ils allaient parcourir. Mais quand le soleil, éclairant et embrasant cet océan de sable, leur eut révélé l'immensité de la plaine aride et brûlante où leurs pas s'enfonçaient, où l'ombre et l'eau sont également étrangères, où, sous les ardeurs d'un ciel sans nuage, nul secours, nul abri ne leur était offert ; le découragement s'empara des âmes faibles ; et le sentiment du malheur présent, accru par le souvenir du bonheur passé, fit même entrer le désespoir dans celle de plus d'un brave. La soif dévorait l'armée ; et ce supplice, qui croissait à chaque pas, était encore irrité par une illusion particulière au climat ; illusion par laquelle, à une certaine distance, ces sables se transformaient aux yeux des voyageurs en eaux limpides qui les fuyaient à mesure qu'ils croyaient s'en approcher : c'était le supplice de Tantale[67]. »

Dans sa première idée d'image (**cat. D.101** recto), Géricault a obstrué le premier plan avec un chameau têtu et plusieurs chevaux mal en point qui refusent d'obéir. Des colonnes de soldats défilent à l'arrière-plan. Au second plan, un homme semble gratter le sol, sans doute victime des mirages évoqués dans le texte. Bonaparte a mis pied à terre et, sabre au clair, il exhorte un groupe de soldats exténués à continuer d'avancer. L'insistance de Géricault sur le calvaire des soldats écrase Bonaparte, et le présente même comme un chef sans pitié qui trouve normal de faire marcher ses hommes en plein soleil dans le désert.

Cette idée ne convenait évidemment pas au propos d'Arnault, et Géricault a dû remanier la composition (**cat. D.101** verso) pour l'illustration définitive (**cat. E.19**). Dans la seconde version, les soldats en détresse sont repoussés sur les bords de l'image, tandis que le centre, bien dégagé, est réservé à Bonaparte. Il n'a plus le sabre au clair, et la distance qui le sépare de ses aides de camp semble indiquer qu'il est tout prêt à partager le sort des simples soldats. La représentation du personnage est strictement *iconique*, dans la mesure où elle reproduit la pose et l'apparence du célèbre *Bonaparte au pont d'Arcole* du baron Gros (Paris, Musée du Louvre). Cet emprunt n'est d'ailleurs pas fortuit, car la plupart des images de Bonaparte dans cette partie de l'album s'inspirent du même modèle, selon un procédé de répétition dont Michel de Certeau signale le rôle capital dans l'iconographie héroïque : « L'individualité, dans l'hagiographie, compte moins que le personnage. Les mêmes traits ou les mêmes épisodes passent d'un nom propre à l'autre : de ces éléments flottants, comme de mots ou de bijoux disponibles, les combinaisons composent telle ou telle figure et l'affectent d'un sens. Plus que le nom propre, importe le modèle qui résulte de ce "bricolage" ; plus que l'unité biographique, le découpage d'une fonction et du type qui la représente[68]. »

Quand Géricault a conçu sa deuxième lithographie pour Arnault (**cat. D.102** et **E.20**), il avait manifestement compris le système. Alors que le texte s'étend longuement sur la détermination admirable dont les soldats ont fait preuve en franchissant les Alpes avec leurs vivres, leurs munitions et leurs canons, l'artiste n'a pas perdu son temps à essayer d'évoquer leur lutte physique. Il est allé directement à l'endroit où l'auteur affirme que Bonaparte « allégeait la fatigue du soldat en la partageant » et que, une fois parvenus au col du Grand-Saint-Bernard, les hommes « trouvaient des tables chargées de vivres que le premier consul y avait fait porter, ainsi que le vin[69] ». L'image de Géricault vante résolument les mérites du général. Les moines de l'hospice fondé par Bernard de Menthon, les bras chargés de nourriture, et Bonaparte en personne, bien reconnaissable à sa main glissée dans le gilet, accueillent les soldats qui arrivent par la gauche.

Les deux lithographies réalisées par Géricault pour l'album d'Arnault situent leurs acteurs dans de vastes paysages panoramiques. C'est une autre nouveauté dans ses évocations de la vie militaire. Il avait déjà employé des décors analogues dans ses lithographies de 1818-1820 commandées par Ambroise Cramer, un des militaires de l'entourage d'Horace Vernet, qui avait participé aux guerres de l'indépendance en Amérique latine en qualité d'aide de camp du général José de San Martin[70]. Les récits de Cramer lui avaient inspiré deux scènes de bataille assez conventionnelles. Du reste, au dire de Clément, « il ne tarda pas à se fatiguer d'un travail pour lequel il n'avait pas les éléments nécessaires[71] ». Les vues panoramiques utilisées dans ces deux œuvres constituent des exceptions parmi les images de la vie militaire créées à cette époque par Géricault. Elles servent à pallier le manque d'informations en supprimant la nécessité d'introduire des détails topographiques trop précis.

On peut se demander pourquoi Géricault s'est attelé quatre ans plus tard à un projet quasi identique, et sans doute aussi « fatiguant ». En premier lieu, il y avait évidemment le contenu du livre d'Arnault. Collaborer à une vie de Napoléon, un thème qui revêtait une importance mythique aux yeux de ses amis et de ceux de Vernet, c'était pour Géricault une occasion de participer au folklore des souvenirs d'anciens combattants bonapartistes avec la seule chose qu'il pouvait apporter : son art. La deuxième considération devait toucher à sa situation financière encore aggravée par des accidents de cheval successifs au début de 1822 et par un placement désastreux dans une affaire qui n'a pas marché[72]. Pendant qu'il se remettait lentement de ses blessures, il pouvait travailler à des lithographies et espérer gagner assez vite de l'argent par ce moyen. Enfin, compte tenu de la première esquisse pour Arnault, où Géricault a fait l'erreur de centrer l'image sur les soldats et non sur leur chef, j'invoquerai une conversation de l'artiste avec le peintre François Gérard, en 1821[73]. Comme Géricault exprimait le désir d'aller en Orient, Gérard essaya de le dissuader : « Que vous manque-t-il ici ? Vous êtes né riche, vous avez du talent, et vos premiers efforts dans la pratique d'un art difficile ont été couronnés de succès. À quoi bon courir les chances d'un voyage dans des contrées presque inconnues ? N'avez-vous pas ici une source inépuisable d'inspirations ? Que voulez-vous de plus ? » À quoi Géricault aurait répondu : « Ce qui me manque, c'est l'épreuve du malheur ! » Ces propos sont peut-être apocryphes, mais leur présence dans la légende de Géricault semble indiquer que le spectre de Claude Petit, ce pauvre soldat parti pour un voyage où il avait rencontré la suprême « épreuve du malheur », continuait à hanter les pensées du peintre. Réaliser des lithographies de la vie de Napoléon, c'était aussi une façon de servir l'Empereur, d'entrer dans l'armée et de se substituer à son remplaçant, au moins dans son imaginaire.

Michael Marrinan

(Traduit de l'anglais par Jeanne Bouniort)

1 Ch. Clément, 1879, p. 41.

2 G. Bazin, 1989, III, p. 63.

3 L. Eitner, 1991, p. 58.

4 L. Eitner, 1991, p. 59. L'interprétation de L. Eitner est contesté par R. Michel, 1996, I, pp. 4-5.

5 R. Michel, exp. Paris, 1991-1992, p. 36.

6 G. Didi-Huberman, 1990, p. 185.

7 Stendhal, éd. 1937, IV, p. 87.

8 L. Madelin, 1949, pp. 108-121.

9 G. Bazin, 1987, I, p. 29, document 38.

10 L. Eitner, 1991, p. 96.

11 Ch. Clément, 1879, p. 74.

12 G. Bazin, 1987, I, pp. 32-36, documents 60-72.

13 Ph. Mansel, 1988, pp. 108- 109.

14 Ph. Mansel, 1988, pp. 83-84 et 129.

15 G. de Bertier-Sauvigny, 1955, pp. 77-78 (rééd. en 1990, coll. Champs).

16 G. Bazin, 1987, I, pp. 143-151.

17 P. Larousse, 1866-1890, XV, p. 538.

18 Le *Lancier de la Garde impériale* de Géricault (G. Bazin, 1989, III, p. 168, n° 782) a un air de famille avec le *Portrait du fils du général Legrand* du baron Gros (Salon de 1810 ; Los Angeles County Museum of Art), tandis que son *Comte de Colbert* (G. Bazin, 1989, III, pp.173-174, n° 795) se place sur un registre du portrait d'apparat qui le rapproche beaucoup du *Murat, roi de Rome* de Gros (Salon de 1812 ; Paris, Musée du Louvre).

19 On comparera, par exemple, le *Général de l'empire chargeant* de Géricault (G. Bazin, 1989, III, p. 169, n° 784) avec l'archétypal *Bonaparte franchissant les Alpes au Grand-Saint-Bernard* de David (Rueil-Malmaison, Musée national du château de Malmaison).

20 G. Bazin, 1989, III, pp. 169-170, n° 785.

21 G. Bazin, 1989, III, p. 44.

22
Voir, par exemple, G. Bazin, 1987, II, p. 357, n° 108, p. 359, n° 112, p. 452, n° 367, pp. 456-458, n° 382, 383 et 384, et Y. Cantarel-Besson (exp. Paris, 1991-1992, p. 316).
23
G. Bazin, 1989, III, p. 177, n° 801 (Washington, National Gallery of Art). Bazin considère cette œuvre comme une copie du tableau actuellement dans une collection particulière (G. Bazin, 1989, III, p. 176, n° 799). En l'occurrence, ses arguments ne me paraissent pas convaincants, même si c'est l'un des rares points sur lesquels je diverge avec son remarquable travail d'érudition. Parmi les autres images de trompettes, il faut citer G. Bazin, 1989, III, pp. 175-176, n° 798, p. 178, n° 802, p. 212, n° 894, pp. 256-257, n° 1009 et 1010 et un ensemble plus tardif : G. Bazin, 1992, V, pp. 157-160, n°s 1506, 1507, 1508, 1510, 1511 et 1512, pp. 179-181, n°s 1561 et 1563.
24
L. Eitner, 1991, p. 58.
25
R. Michel, exp. Paris, 1991-1992, p. 36.
26
G. Bazin, 1989, III, p. 212, n° 894.
27
G. Bazin, 1992, V, p. 35.
28
Georges Hippolyte est né le 21 août 1818 (G. Bazin, 1987, I, p. 120, document 432).
29
M. Marrinan, 1996, I, pp. 59-87.
30
G. Bazin, 1989, III, p. 70.
31
R. Michel, exp. Paris, 1991-1992, p. 30.
32
S. Freud, (1915), éd. 1988, XIII, p. 127.
33
Stendhal, éd. 1937, V, p. 179.
34
L. Eitner, 1991, p. 56.
35
G. Bazin, 1989, III, p. 177.
36
Y. Cantarel-Besson (exp. Paris, 1991-1992, p. 316).
37
G. Bazin, 1989, III, p. 62.
38
Sc. Fahmy, 1934, pp. 1-23.
39
Th. Crow, 1995, pp. 283-287.
40
G. Bazin, 1989, III, pp. 67-75 et pp. 218-226, n°s 904-924.
41
G. Bazin, 1989, III, pp. 251- 255, n°s 989 à 1003.
42
Stendhal, éd. 1937, V, p. 176.
43
Cité par Ch. Clément, 1879, p. 75.
44
M. de Certeau, éd. 1990, p. 59.
45
M. de Certeau, éd. 1990, pp. 60-61.
46
Surtout, le *Trompette de hussards* (Williamstown, Sterling and Francine Clark Art Institute) et les deux tableaux figurant un *Portrait de carabinier* (Rouen, Musée des Beaux-Arts, et Paris, Musée du Louvre).
47
On peut citer par exemple : général G. Gourgaud, 1818 ; baron A.-J.-F. Fain, 1823 ; comte Ch.-Tr. de Montholon, 1823-1825.
48
E. de Las Cases, 1823.
49
Fr. Bluche, 1980, pp. 130-135 ; J.-L. Dubreton, 1959, pp. 80-85 ; J. Vidalenc, 1955, passim.
50
M. de Certeau, éd. 1990, p. 61.
51
Cité par G. Bazin, 1987, I, p. 57.
52
Le colonel de la Combe a publié en 1856 une lettre de Charlet relatant les circonstances de sa rencontre avec Géricault, qui est partiellement reproduite par Br. Chenique, exp. Paris, 1991-1992, p. 282.
53
Colonel de la Combe, 1856, p. 222, n° 85.
54
R. Schindler, exp. Providence, 1982, p. 28 et note 6.
55
G. Bazin, 1992, V, pp. 204-205, n° 1631 et les études et variantes n°s 1632-1635.
56
R. Simon, 1996, I, pp. 257-272.
57
D'après Ch. Clément 1879, p. 75, « il ne parlait qu'avec un peu d'embarras de cette escapade, et n'aimait pas qu'on la lui rappelât ».
58
G. Bazin, 1992, V, p. 36.
59
A.-V. Arnault, 1822-1823, introduction.
60
F. G. Healey, 1959.
61
G. Bazin, 1987, I, p. 59 et 1992, V, p. 87.
62
M. de Certeau, 1975, p. 286.
63
Voir A. Jardin et A.-J. Tudesq, 1978.
64
E. de Jouy, A. Jay, 1822.
65
P. Joannides, 1973, pp. 666-671.
66
A.-V. Arnault, 1822-1823, pp. 63-64.
67
A.-V. Arnault, 1822-1823, p. 63.
68
M. de Certeau, 1975, p. 281.
69
A.-V. Arnault, 1822-1823, p. 104.
70
G. Bazin, 1992, V, pp. 64-67 et 208-209, n°s 1643 et 1644.
71
Ch. Clément, 1879, p. 382.
72
Br. Chenique, exp. Paris, 1991-1992, pp. 297-299.
73
L. Batissier, [1841], p. 15, cité par G. Bazin, 1987, I, p. 71, document 227.

L'Orient «engagé» de Géricault

À aucun moment dans l'histoire de la France, l'Orient n'a occupé une aussi grande place que du temps de Géricault, au plus fort de la vague romantique. Victor Hugo constate en 1829, dans une préface en forme de manifeste pour son recueil *Les Orientales*: «On s'occupe aujourd'hui [...] beaucoup plus de l'Orient qu'on ne l'a jamais fait. Les études orientales n'ont jamais été poussées si avant. [...] Il résulte de tout cela que l'Orient, soit comme image, soit comme pensée, est devenu pour les intelligences autant que pour les imaginations, une sorte de préoccupation générale[1]. »

Cette «préoccupation générale» avait déjà commencé à se faire sentir au siècle précédent, par suite d'une série de faits historiques et culturels bien précis. Dans la foulée des campagnes napoléoniennes en Égypte et en Syrie en 1798, ou même avant, des chercheurs se sont spécialisés dans l'étude des langues et littératures des pays du Levant. Des émissaires et des voyageurs, depuis le comte de Choiseul-Gouffier jusqu'à Chateaubriand ou au comte de Forbin, directeur des Beaux-Arts sous la Restauration, rapportent de fabuleux récits sur les us et coutumes des indigènes. Des archéologues et des savants, de Champollion à Vivant Denon, étudient les monuments et déchiffrent les écritures des populations anciennes du bassin méditerranéen. Des linguistes traduisent les grands textes de la tradition orientale, tels que *Les Mille et une nuits*.

Mais il faut attendre le début du mouvement romantique en France, dans les premières décennies du XIXe siècle, pour sortir ces sujets du champ étroit de l'érudition et donner le jour à un courant culturel de grande envergure. L'émotion suscitée par les événements survenus récemment dans les Balkans, notamment le formidable soulèvement du peuple grec contre la domination ottomane en 1821, donne un regain d'actualité aux thèmes orientaux, en procurant aux artistes et écrivains une source d'inspiration renouvelée[2]. C'est dans ces circonstances que le romantisme récupère l'exotisme pour en faire une arme symbolique dans son combat pour la modernité. L'Orient devient ainsi la réplique du romantisme à la vénération de l'Antiquité classique entretenue par l'académisme officiel. Le critique A. Jal, frappé par le nombre de peintures consacrées à la guerre de l'indépendance grecque au Salon de 1824, assimile la modernité romantique à la Grèce contemporaine, et le passéisme académique à l'Antiquité gréco-romaine: «Le romantisme coule à pleins bords dans la société et, comme la peinture est aussi l'expression de la société, la peinture devient romantique. Je ne m'en plains pas. J'ai assez des vieux Grecs, ce sont les Grecs modernes qui m'intéressent[3].»

Victor Hugo ne dit pas autre chose quand il déclare cinq ans plus tard: «Au siècle de Louis XIV, on était helléniste, maintenant on est orientaliste[4].»

Reste que, au temps de Géricault, l'«Orient» recouvre des notions assez vagues et fugitives. Ce terme englobe une multitude de situations géographiques et de communautés nationales qui semblent avoir pour seul point commun un profil culturel extra-européen. L'appartenance à l'Asie, fût-elle «mineure», n'est pas du tout obligatoire. La Pologne, la Grèce et l'Espagne ont droit à l'appellation, au même titre que l'Afrique du Nord et le Japon. L'essentiel est d'être «lointain» (mais pas forcément en dehors de l'Europe) et, de préférence, au sud. Là encore, on peut prendre à témoin Victor Hugo. Le poète, parlant de lui à la troisième personne, explique à propos de son recueil: «Les couleurs orientales sont venues comme d'elles-mêmes empreindre toutes ses pensées, toutes ses rêveries; et ses rêveries et ses pensées se sont trouvées tour à tour [...] hébraïques, turques, grecques, persanes, arabes, espagnoles même, car l'Espagne c'est encore l'Orient; l'Espagne est à demi africaine, l'Afrique est à demi asiatique[5].» L'Orient romantique correspond en réalité à une conception eurocentrique d'une altérité géographique et culturelle, dont l'existence semi-fictive alimente l'imaginaire artistique.

L'iconographie orientaliste de Géricault fluctue avec toute la versatilité qui caractérise l'époque. Contrairement à ses contemporains Horace Vernet et Eugène Delacroix partis à la découverte du Levant, et malgré le souhait de visiter Jérusalem et l'Orient qu'il a exprimé au baron Gérard[6], Géricault n'a jamais mis les pieds dans ces contrées. Hormis les naufragés turcs rencontrés par hasard dans les rues de Paris, dont l'un, prénommé Moustapha, est devenu son domestique et modèle (**cat. D.100**), sa connaissance des choses de l'Orient provient des sources indirectes les plus disparates: les tableaux évoquant les campagnes napoléoniennes en Orient (notamment celles du baron Gros et de ses professeurs Carle Vernet et Pierre-Narcisse

cat. E.6

Guérin), des journaux de voyage illustrés, les poésies de Byron, les romans orientalistes et le bric-à-brac pittoresque accumulé par son ami monsieur Auguste. C'est pourquoi ses thèmes orientalistes vont un peu dans tous les sens, depuis les images de Noirs à celles des personnages grecs et turcs, en passant par les représentations d'épisodes situés en Espagne ou en Amérique latine.

Malgré toute cette diversité, on perçoit une certaine cohérence dans la vision de l'Orient que propose Géricault. Son fil conducteur est l'idéologie. En 1818, il y a déjà longtemps que Géricault s'est défait de ses sympathies royalistes pour épouser les convictions libérales et bonapartistes du groupe d'anciens officiers de la Grande Armée, d'artistes et d'hommes politiques, qui se réunit dans l'atelier d'Horace Vernet, à Montmartre. Il y a là quelques-uns de ses meilleurs amis : Nicolas-Toussaint Charlet, Eugène Lami, le colonel à la retraite Bro (qui sera au chevet de l'artiste mourant quelques années plus tard) et Horace Vernet lui-même[7]. Horace Vernet et le docteur Georget, un aliéniste ami et collectionneur de Géricault, appartiennent tous deux à la Société de la morale chrétienne, axée sur des valeurs humanistes républicaines, qui milite pour l'abolition de l'esclavage et de la peine de mort et soutient différents mouvements insurrectionnels de par le monde, depuis la Grèce jusqu'aux colonies espagnoles. Je dirai donc, qu'étant donné le climat de durcissement politique, de censure et de surveillance policière des dissidents libéraux, qui règne dans les années 1820, l'apparition des thèmes orientaux et des personnages exotiques dans l'œuvre de Géricault signale son adhésion d'artiste à la modernité romantique, mais traduit aussi sur le mode de la métaphore l'attachement aux valeurs libérales. Alors que, pour la plupart de ses contemporains, l'Orient n'est qu'un prétexte à un exotisme de façade, l'iconographie orientaliste de Géricault sert à véhiculer des revendications humanistes subreptices et à diffuser des mots d'ordre politiques défendus, à commencer par les idéaux de liberté, d'égalité et de fraternité étouffés par la Restauration, mais cultivés en secret par ses opposants.

La quête d'un Orient « engagé » explique aussi les déclarations de Géricault au baron Gérard, rapportés par Batissier, concernant son espoir de découvrir là-bas «l'épreuve du malheur[8]». Pour lui, l'Orient est terre de souffrance et de rédemption. L'Orient signifie l'oppression et le despotisme, mais aussi la lutte pour s'affranchir coûte que coûte de ce despotisme, au péril de la vie même. C'est le lieu où les Grecs écrasés sous le joug ottoman et les Espagnols asservis à l'absolutisme des Bourbons se soulèvent aux cris de liberté et d'indépendance. C'est le pays des victimes de la traite des nègres et de l'exploitation coloniale, mais aussi de la rébellion noire contre la domination blanche, notamment la révolte des esclaves à Haïti dans les années 1790, sur laquelle le colonel Bro a pu apporter son témoignage direct.

Les images orientalistes de Géricault, conçues comme autant de paraboles visuelles truffées de messages humanistes et politiques, relèvent tout à la fois de la tradition et de la réalité contemporaine. De la réalité contemporaine, parce qu'elles sont résolument ancrées dans le temps présent. Il peint des scènes orientales qui renvoient à des questions d'actualité et des faits historiques récents (les révoltes d'esclaves, les insurrections latino-américaines, les soulèvements révolutionnaires grecs), en représentant méticuleusement les physionomies et les costumes des Arabes ou des Turcs, des mameluks ou des cosaques.

La tradition est respectée aussi, quoique moins ostensiblement. Car, malgré leur réalisme et leur contemporanéité, les compositions orientales de Géricault perpétuent l'héritage séculaire des satires sociales déguisées en récits orientaux. Cette tradition d'un Orient « moralisé », qui a donné au XVIIIe siècle les *Lettres persanes* de Montesquieu (1721) et le *Zadig* de Voltaire (1747), se poursuit sans interruption au début du XIXe, avec des fictions orientalistes aussi immensément populaires que *Ourika* de Mme Duras (1823-1824), dénonçant les ostracismes, et *Les Aventures du dernier Abencérage* de Chateaubriand (1817), véritable plaidoyer pour la tolérance religieuse. Dans ces œuvres littéraires, l'Orient devient l'écran où l'on projette une actualité trop brûlante. Il fournit un moyen commode de reporter ailleurs des critiques dérangeantes, et d'exprimer par des voies détournées des opinions hardiment réformatrices. L'orientalisme de Géricault sert à des fins de camouflage analogues. Des scènes de conflit entre les Grecs chrétiens et les Turcs musulmans, comme *Le Giaour* (**cat. E.90**) ou *La Fiancée d'Abydos* (**cat. E.91**) d'après Byron, évoquent la guerre d'indépendance où s'est engagé le peuple grec, qui constitue un des grands thèmes de la gauche libérale dans son opposition au régime conservateur des Bourbons[9]. De fait, l'antagonisme entre liberté et oppression sous-tend la totalité des sujets byroniens de Géricault. L'intrépide Mazeppa est supplicié pour avoir bafoué les conventions sociales (**cat. E.89**). Lara était un bandit rebelle, sans foi ni loi (**cat. E.92**). Mazeppa, en particulier, revêt une valeur emblématique universelle : ligoté nu sur un cheval lancé dans un galop effréné au sein d'un paysage tourmenté, il incarne la quintessence de la nature inapprivoisée et de la force primitive indomptable de l'homme[10].

Ses images de mameluks majestueux sont à replacer dans la même perspective allusive. Napoléon avait recruté ces farouches miliciens égyptiens, parfois plus puissants que le sultan lui-même, pour en faire une garde d'élite. Un mameluk somptueusement costumé, du nom de Roustam, l'accompagnait partout. Après la défaite de Waterloo, ces cavaliers subirent les mêmes vexations que les autres soldats de la Grande Armée rendus à la vie civile. Ils connurent un sort particulièrement épouvantable dans le Midi, où beaucoup d'entre eux périrent dans les massacres de bonapartistes perpétrés par des royalistes fanatiques durant la Terreur blanche, en 1816-1817.

Pour des libéraux de la Restauration comme Géricault et ses amis Nicolas-Toussaint Charlet, Auguste Raffet, Eugène Lami et Horace Vernet, représenter des mameluks, mais aussi des grognards et des demi-solde érigés en héros, c'est un moyen d'affirmer des sympathies bonapartistes et de défendre les grands principes de la gauche libérale[11]. Au Salon de 1819, où Géricault a envoyé son *Radeau de la Méduse*, Horace Vernet expose un *Massacre des mameluks dans la citadelle du Caire*, qui contient une allusion à peine voilée à l'épisode de la Terreur blanche et, par extension, un rappel nostalgique des splendeurs napoléoniennes passées. Les nombreuses lithographies de Charlet figurant de braves grenadiers de l'Empire remplissent la même fonction. Avec son *Mameluk de la Garde impériale défendant un trompette blessé contre un cosaque* (**cat. E.6**). Géricault ne fait que transposer dans un cadre exotique le thème de l'abnégation héroïque du soldat napoléonien, tel qu'on le rencontre, par exemple, dans une célèbre lithographie de Charlet figurant un *Grenadier de Waterloo* (1817-1818).

Si les mameluks se font les porte-parole des idées bonapartistes libérales en France, les républicains espagnols, de même que les insurgés grecs, portent symboliquement le flambeau de la liberté à l'étranger. Là encore, les décors, personnages et costumes exotiques servent à maquiller les paraboles libertaires de Géricault. Ses quatre lithographies de 1819-1820 consacrées aux guerres d'indépendance en Amérique latine (*La Bataille de Maïpu*, *La Bataille de Chacabuco* et les portraits équestres de *Manuel Belgrano* et *José de San Martin*) (**cat. E.14** à **E.17**) rendent hommage aux luttes pour la libération des possessions espagnoles en Amérique latine et au soulèvement simultané des républicains espagnols contre l'absolutisme de Ferdinand VII, deux causes défendues par les libéraux français. Les estampes de Géricault sont à appréhender dans le contexte d'une prolifération d'images lithographiques sur des thèmes militaires espagnols, dues à ses amis Auguste Raffet, Eugène Lami, Horace Vernet, Louis Garneray et Hippolyte Lecomte. Les républicains espagnols se battent aussi contre l'Inquisition, rétablie par la monarchie. Un dessin de Géricault intitulé *Ouverture des portes de l'Inquisition* (1820 ; Paris, Musée du Louvre) évoque la fin de cette effroyable institution, marquée par l'ouverture des cachots et la libération des prisonniers[12].

Mais les opprimés par excellence sont incontestablement les Noirs. Géricault les élève au rang de héros surhumains dans ses dessins sur la révolte haïtienne. Un dessin conservé dans une collection particulière parisienne nous présente un cavalier noir à la carrure herculéenne à moitié nu sur sa puissante monture, qui charge des soldats français en uniforme. Un autre dessin, actuellement dans un musée américain (Stanford University Museum and Art Gallery), donne à voir un beau porte-étendard noir effondré sur son cheval mort dans une position qui rappelle quelques illustres précédents classiques. Une de ses premières lithographies inspirées des estampes populaires anglaises évoque la lutte pour l'égalité des races en opposant un Noir et un Blanc dans un combat de boxe emblématique.

Ces images de Noirs héroïques sont à rapprocher des œuvres de Géricault figurant des victimes noires de la domination blanche, notamment celles qui soulèvent la question de l'esclavage (**cat. D. 88**). Le duc de Broglie, Benjamin Constant et d'autres libéraux de la Restauration ont pris position en faveur d'une abolition de l'esclavage, qui fait l'objet de débats houleux à la Chambre des députés dans les années 1820. C'est peut-être Alexandre Corréard, un rescapé du naufrage de *La Méduse* devenu éditeur et pamphlétaire libéral, qui a convaincu Géricault de se rallier à cette cause. L'introduction de trois Noirs dans son tableau du *Radeau de la Méduse* en 1819, ainsi que ses dessins de malheureux nègres traînés sur le marché aux esclaves (**cat. D.88**) sont autant de gestes visant à défendre la liberté des Noirs et l'abolition de l'esclavage, mais aussi les droits de l'homme de manière plus générale[13]. Si ses images de nègres se conforment au stéréotype orientaliste du sauvage à demi nu et muni d'armes rudimentaires, elles ne soulignent pas moins vigoureusement la supériorité morale des Noirs sur des Blancs prétendument civilisés.

Le triptyque orientaliste des insurrections espagnole, grecque et noire revient dans les derniers projets grandioses de Géricault, pour lesquels il n'a pu faire que des dessins[14]. Ils représentent respectivement *La Libération des prisonniers de l'Inquisition espagnole*, *La Reddition de Parga* (un épisode du début de la guerre de l'indépendance grecque) et *La Traite des nègres* (**cat. D.88**). Ces trois sujets dénotent une seule et même préoccupation : la liberté sous toutes ses formes, religieuse, ethnique, politique ou raciale. Chaque fois, cette idée est accommodée à la sauce exotique. Si Géricault avait pu réaliser son triptyque monumental, il aurait fourni un réquisitoire visuel édifiant contre le règne de plus en plus tyrannique des Bourbons, et surtout de Charles X, monté sur le trône quelques mois avant la mort prématurée de l'artiste en septembre 1824.

Nina Athanassoglou-Kallmyer

(Traduit de l'anglais par Jeanne Bouniort)

1
V. Hugo, (1829), ed. 1968, I, pp. 10-11.

2
N. Athanassoglou-Kallmyer, 1989.

3
A. Jal, 1824, p. 13.

4
V. Hugo (1829), ed. 1968, I, p. 10.

5
V. Hugo (1829), ed. 1968, I, p. 11.

6
L. Batissier, s.d. [1841], reproduit dans P. Courthion, 1947, p. 53.

7
N. Athanassoglou-Kallmyer, juin 1986, p. 268 sq.

8
L. Batissier, s.d. [1841], dans P. Courthion, 1947, p. 54.

9
Voir à ce sujet N. Athanassoglou-Kallmyer, 1989.

10
E. Estève, 1928.

11
N. Athanassoglou-Kallmyer, mai 1986, p. 65 sq.

12
N. Athanassoglou-Kallmyer, décembre 1990, p. 227 sq.

13
Kl. Berger et D. Chalmers Johnson, 1969, p. 301 sq. Voir également L. Eitner, 1991, pp. 260-271.

14
D'après Ph. Grunchec, Géricault a peut-être commencé à travailler sur ces trois projets avant de préparer *Le Radeau de la Méduse*. Il les aurait laissés en attente pour exécuter son grand tableau de Salon, avant de les reprendre pendant la dernière année de sa vie (exp. New York, San Diego, Houston, 1985-1986, pp. 123-127).

Théodore Géricault, lithographe d'avant-garde

À Frédérique Lucien

Parler d'avant-garde à propos d'un artiste du début du XIXe siècle peut paraître anachronique, car le terme semble réservé aux seuls artistes du siècle suivant. Pour Géricault, on a pris l'habitude d'utiliser les mots *novateur* ou *moderne*. Mais c'est pourtant bien *d'avant-garde* (politique et esthétique) dont il sera question dans ce court essai puisqu'il nous a semblé que l'invention manifestée dans les lithographies de Géricault méritait un terme fort. Un terme capable – on peut rêver – d'interpeller notre conformisme *moderne*.

Le catalogue d'un collectionneur érudit : le manuscrit de Triqueti

La présente exposition d'une partie de l'œuvre lithographiée de Géricault nous a semblé l'occasion idéale pour publier, *in-extenso* (voir annexe), le catalogue inédit des lithographies de Géricault rédigé par le sculpteur Henri de Triqueti (1802-1874) et conservé dans les collections de l'École nationale supérieure des Beaux-Arts depuis sa donation en 1887[1]. Catalogue inédit, certes, mais dont certains spécialistes de l'artiste ont pu prendre connaissance lors de sa présentation en 1981 au cours de l'exposition *Géricault et le cheval à travers la lithographie*[2]. À vrai dire si le petit catalogue de Triqueti ne suscita aucun intérêt de la part de la communauté géricaldienne, on le doit sans aucun doute à l'utilisation qu'en fit Charles Clément pour son propre travail de recensement. De prime abord, une lecture un peu trop superficielle de cet inventaire laisse en effet supposer qu'il n'est qu'une pâle copie – qui plus est succincte – du catalogue de Clément. Il n'en est rien.
C'est tout simplement l'inverse. Nous sommes convaincu que ce manuscrit de Triqueti a servi de base au travail de Clément et que ce dernier l'a purement et simplement recopié (jusqu'à la numérotation). Une première mouture du travail de Clément fut publiée le 1er juin 1866 dans la *Gazette des Beaux-Arts* avant d'être republiée en 1868 et 1879. Ce catalogue, on le sait, est important puisqu'il demeure la référence obligée pour quiconque voudrait aborder l'œuvre lithographique de Géricault. Clément, c'est évident, ne pouvait rien inventer, aussi est-on heureux de lire sous sa plume la liste des personnes auxquelles il fit appel pour dresser son catalogue : « Les secours ne m'ont pas manqué pour mener à bonne fin ce petit ouvrage, et si j'ai mal fait, c'est de ma faute. Les principaux amateurs de Paris, MM. His de Lasalle, de Triqueti, Marcille, Moignon, Valton, les élèves et les amis de Géricault : MM. Dreux-Dorcy, Léon Cogniet, Montfort, Lehoux, ont mis à ma disposition, avec la plus parfaite obligeance, leurs collections, leur savoir, leurs souvenirs, des renseignements de toute sorte[3] ».
Suit une mention particulière pour Jamar, l'ancien rapin de Géricault[4]. Henri de Triqueti est donc nommé en deuxième position, sans qu'il soit fait mention de la nature exacte de son apport. Clément nous apprend simplement que l'ancienne « collection de M. Jamar » a été « acquise par M. de Triqueti ». La date de cette acquisition n'est pas connue. Sans doute a-t-elle eu lieu dans les années 1850, ou au début des années 1860, époque à laquelle Triqueti aurait ensuite entrepris de recenser ses lithographies. Une lecture attentive de ce catalogue permet en effet de le dater des années 1854-1865[5]. Il n'est guère possible, pour l'instant, d'affiner cette fourchette chronologique. Naturellement cet inventaire ne peut être postérieur à 1866, date du propre catalogue de Clément, que Triqueti, c'est à souligner, ne cite, et pour cause, jamais. Ces lithographies restèrent en la possession du sculpteur jusqu'à sa mort puis elles intégrèrent enfin les collections du Musée des Beaux-Arts de Rouen en 1876[6].

Il n'est pas dans notre intention de procéder à l'étude attentive et exhaustive de toutes les différences qui existent entre le catalogue de Triqueti et celui de Clément. Cette tâche reviendra à celles et ceux qui voudront se pencher sur les sources pour rendre à Triqueti ce qui lui revient et, par ailleurs, pour constater l'important apport de Charles Clément. Quelques exemples bien choisis peuvent toutefois nous convaincre de l'utilité de ce travail critique.

À propos du portrait de *M*[r]. *Delanneau* (dont on sait désormais qu'il s'agit en fait de celui de René Castel[7]) (**ill. 66**), Triqueti fit ce commentaire :

« Cette pièce qui semble peu importante est supérieure aux meilleurs portraits lithographiés de cette époque, par la puissance et la science du dessin, jointe à la naïveté de l'exécution et la vérité de l'expression. »

Clément s'approprie ainsi l'analyse du sculpteur :

« Cette pièce, qui au premier abord peut paraître peu importante, est supérieure par la puissance et la science du dessin, par la naïveté de l'exécution, aux meilleurs ouvrages du même genre de cette époque[8] ».

On remarquera l'abandon de la fameuse « vérité de l'expression » qui convient pourtant si bien au portrait de Castel (**ill. 66**). Clément, malheureusement, est un habitué de la « chose ». Par *chose*, nous entendons la censure consciente ou inconsciente de tout ce qui pourrait vaguement contrevenir ou heurter son idée de bienséance[9]. Le cas suivant en est un bon exemple. Il s'agit de la lithographie *Je rêve d'elle au bruit des flots* (**cat. E.5**). Triqueti écrit : « Mr. Bruzard croyant par là donner plus de prix à l'épreuve qu'il possédait, abusa de l'avis que Jamar lui donna de l'endroit où un certain nombre de ces épreuves pouvaient être acquises à un prix très modéré, pour les acheter en bloc et les détruire, c'est une infamie dont il est bon de garder le souvenir. »

Le sage et prude Clément recopia : « M. Bruzard, pour donner plus de prix à l'épreuve qu'il possédait, usa de l'avis que M. Jamar lui avait donné de l'endroit où un certain nombre d'exemplaires de cette pièce pouvaient être acquis à un prix très-modéré pour les acheter et les détruire[10]. »

Exit l'« infamie » de Monsieur Bruzard. Pour terminer nous donnerons un exemple d'information omise par Clément. Triqueti, à propos de l'unique eau-forte du catalogue, indique qu'elle a été « faite tandis que Géricault était malade » (**cat. E. 98**). Clément ne reprend pas l'assertion qui permet cependant de proposer une datation : 1822 ou 1823. Un détail… mais qui aurait sans doute évité à Delteil de proposer la date, par ailleurs invraisemblable, de 1817[11].

ill. 66
Théodore Géricault, *Portrait de René Castel*, estampe, Bibliothèque nationale de France, Paris.

Du politique en matière de lithographie

L'initiation de Géricault au nouveau procédé de la lithographie a été fulgurante. Elle eut lieu en 1818-1819, au moment où il entreprenait son *Radeau de la Méduse.* Deux années charnières pendant lesquelles une lecture politique de son œuvre devient de plus en plus perceptible, pour ne pas dire évidente. Les quatre lithographies consacrées en 1819 aux guerres d'indépendance de l'Amérique latine appartiennent naturellement à ce cycle[12] (**cat. E.14** à **E.17**), tout comme celles qu'il consacra aux vicissitudes des guerres napoléoniennes. La lithographie du *Factionnaire Suisse au Louvre* (**cat. E.12**) a l'immense intérêt de résumer à elle seule les ambiguïtés qui ont régi – et régissent encore – la lecture politique des œuvres de Géricault. En 1861, dans son compte rendu d'une vente de lithographies, Philippe Burty en fit la description suivante : « Un factionnaire de la garde suisse porte les armes à un invalide de la grande armée en costume bourgeois qui, en passant devant lui, entr'ouvre sa lévite et lui fait voir sa décoration. Cette pièce, assez insolite dans l'œuvre de Géricault qui ne paraît guère s'être occupé de politique, est d'une exécution lourde et d'une composition embarrassée. Elle est devenue rare, ainsi que toutes les pièces auxquelles s'attache un intérêt historique. 15 fr.[13] ». On aura bien évidemment relevé les termes expéditifs de Burty : la pièce est « assez insolite » et, de toute façon, Géricault « ne paraît guère s'être occupé de politique ». Ces négations résument les difficultés que l'on peut rencontrer dès qu'il s'agit de proposer une lecture engagée. De son côté, Clément, bien évidemment, ne fit rien – parce que sa bienséance

ill. 66

chronique n'y avait aucun intérêt – pour donner les clefs historiques et contextuelles nécessaires à la lecture du *Factionnaire Suisse au Louvre* (**cat. E.12**). Mieux, il égara les chercheurs en affirmant que si la lithographie était bien de 1819, la scène décrite datait de 1817. En somme, de la vieille histoire… Il aura fallu attendre les recherches et la communication de R. Simon au colloque *Géricault* de 1991, pour que l'on rétablisse enfin l'extraordinaire dimension politique de cette lithographie. L'épisode datait bien de 1819, et *Le Constitutionnel* l'avait relaté le 6 juin dans ses colonnes[14]. Il était tiré d'une actualité brûlante, activée et développée par toute la presse d'opposition : à savoir le statut de ces mercenaires étrangers à la solde des Bourbons[15], l'avenir compromis des militaires napoléoniens en demi-solde et, enfin, celui de la Légion d'honneur. Nous n'irons pas plus loin dans l'analyse de cette lithographie et nous renvoyons les lecteurs au texte de R. Simon[16].

Au dossier, nous ajouterons simplement cette pièce. Elle provient du *Bulletin de Paris*, compte rendu quotidien et confidentiel émanant de la Préfecture de police. Le 27 juin 1819, dans sa rubrique « Surveillance générale », Anglès, ministre d'Etat et préfet de police, y signalait, comme à son habitude, les estampes susceptibles de troubler l'ordre public :

« Quelques gravures dont il a déjà été fait rapport reparaissent, se multiplient et semblent être remarquées : telle que La Minerve en goguette, caricature fort compliquée et qui offre un grand nombre d'allusions dirigées contre les auteurs d'écrits libéraux ou indépendants.

Celle qui représente un Suisse au Louvre est aussi plus fréquemment remarquée aux étalages[17]. »

S'agit-il de la lithographie de Géricault ou de la version « populaire » dont R. Simon a retrouvé la trace[18] ? On ne sait, car toutes deux ont été publiées le même jour (le 15 juin), mais nous aurions tendance à croire qu'il s'agit bien de la lithographie de Géricault car elle seule porte dans sa marge inférieure un titre explicite, repris, en partie, par Anglès. Mais là n'est pas le plus important. Ce qu'il convient de souligner, c'est la nature subversive du sujet traité par Géricault, et ceci à deux mois de la présentation officielle de son *Radeau de la Méduse* (le 25 août), dans ce même palais du Louvre. Et de souligner par la même occasion la rapidité d'exécution de cette lithographie : le fait divers est rendu public le 6 juin ; neuf jours plus tard, le 15 juin, elle est mentionnée dans le registre du dépôt légal[19] ; douze jours plus tard, le 27 juin, Anglès la signale dans son rapport. Dès lors on peut se demander si l'information de Triqueti – reprise par Clément – qui voudrait qu'Horace Vernet soit le dessinateur du « pavillon de l'horloge des Tuileries » ne trouve pas son fondement dans cette rapidité d'exécution. Pour L. Rosenthal, cette collaboration amicale prouvait qu'ils avaient voulu dessiner une « véritable manifestation antibourbonienne[20] ». L. Eitner – chaud militant d'une lecture apolitique des œuvres de Géricault – tente bien évidemment d'en minimiser la portée en affirmant que « la lithographie la plus partisane de Géricault semble bien inoffensive[21] ». Voire. Les moyens qu'il utilise pour convaincre ses lecteurs sont dignes de Clément. Mieux encore. Son refus d'envisager l'importance des enjeux sociaux et politiques du statut de la Légion d'honneur – ceux-là même dont il est question dans cette lithographie – se retrouve dans sa lecture édifiante du *Radeau de la Méduse*. Géricault – preuve, s'il en est une, qu'il s'intéressait à cette question d'actualité – a peint une croix de la Légion d'honneur sur la poitrine de l'un des personnages centraux et fondamentaux de son naufrage[22] : celle du père, penché sur le corps de son fils mort[23]. Certains critiques du Salon de 1819, de tendances libérales ou bonapartistes, se sont bien évidemment empressés de signaler et de commenter la présence de cette croix des braves[24]. Or, que fait L. Eitner ? Il se moque de « la myopie » de ces critiques et nie, purement et simplement, l'existence de cette croix[25]. Une croix qu'un visiteur du Musée du Louvre peut aller voir ou discerner sur une bonne reproduction du *Radeau de la Méduse*[26]. (Sans commentaire)[27]. Toujours à propos de Légion d'honneur, Anglès signalait encore le 23 juillet 1819 :

« Une nouvelle gravure représente un cocher de cabriolet découvrant sa poitrine et montrant une décoration à un jeune officier qui veut le forcer à le conduire, au bas est une explication qui apprend que l'officier ayant frappé le cocher celui-ci l'a provoqué en duel et que ce dernier a été tué.

Cet événement dont aucun Rapport de Police n'a fait mention a été inséré dans quelques Journaux sans cesse occupés de recueillir les faits vrais ou faux qui peuvent aigrir et agiter les esprits.

Les gravures secondent ces écrivains en reproduisant les mêmes anecdotes[28]. »

Lithographies séditieuses

On a souvent remarqué, sans vraiment l'expliquer, le changement de registre perceptible dans les lithographies de Géricault entre 1819 et 1821. De sujets dirons-nous bonapartistes, des années 1818-1819, Géricault passe à des sujets sociaux tirés de l'Angleterre prolétarienne et accorde toute son attention à la vie quotidienne du cheval puis en explore les différentes races, de la plus noble à la plus rustique. Comment nous faut-il interpréter ce changement de registre ? Tout d'abord, il convient de constater que l'artiste ne renonça pas au premier d'entre eux puisque le tableau de la *Charge de Cuirassiers* (Londres, Wallace Collection) et plusieurs aquarelles sur ce même thème passent, avec raison, pour être des productions des années 1822-1823. Mais restons en 1819, année charnière, et restons dans le domaine des lithographies qui ne s'adressent pas aux seuls amateurs de tableaux, mais au plus grand nombre. Elles étaient d'un prix modique, se vendaient et s'exposaient dans la rue. Ce dernier facteur n'est pas à négliger, il est même fondamental puisque le développement foudroyant de ce nouveau support politique et son possible impact sur la population étaient l'une des préoccupations du pouvoir : « Le peuple voit beaucoup de gravures, des dessins, des caricature qui sans être séditieuses, affirme Anglès, portent néanmoins un caractère prononcé d'opposition à l'autorité[29]. » Les journaux, de l'extrême droite à l'extrême gauche, participèrent activement à cette « petite guerre lithographique[30] » en commentant longuement les nouvelles productions : « Grâces à la lithographie, écrit un lecteur du *Conservateur littéraire* (journal ultra-royaliste), le crayon est devenu pour nos polémistes une arme aussi prompte et aussi redoutable que la plume. La seule différence, c'est qu'on peut assister gratis aux escarmouches en plein air[31]. » Un autre journal ultra, *La Quotidienne*, reprochait ouvertement au gouvernement de laisser se développer ces « caricatures impériales » dans lesquelles reparaissaient « les cocardes tricolores, les aigles et les costumes de l'*ex-garde* ». Ces « images grotesques » lui rappelaient les caricatures révolutionnaires : ces « horribles placards qui salissaient nos murs en 93 ». Et de conclure sans ambiguïté : « Nous ne cesserons de répéter que l'autorité est coupable de ces outrages faits à la morale, tant que nous continuerons à voir l'impunité d'un tel désordre[32]. » À vrai dire, les autorités affrontaient comme elles le pouvaient ce nouveau phénomène. Début mai 1819, par exemple, la police saisit chez l'imprimeur Engelmann la pierre lithographique d'une gravure séditieuse[33]. Mais à la fin de l'année un procès mettant en cause la vente de gravures représentant Napoléon se solda par un acquittement[34], au grand regret du pouvoir qui dut constater que les lois en vigueur ne pouvaient enrayer la multiplication de « caricatures politiques [...] faites dans un esprit de trouble et d'un aspect dégouttant[35] ».

Telle était la situation à la veille de l'assassinat du duc de Berry (dans la nuit du 13 février 1820).

Le 17 février, quelques jours après l'acte fatal de Louvel destiné à supprimer l'héritier mâle des Bourbon, un rapport de commissaire de police faisait état d'un cri entendu à la Barrière du Trône : « Vive Napoléon, j'aime Napoléon ». Ces cris, dits séditieux, étaient alors sévèrement réprimandés et punis de prison. Dans ce même rapport, le commissaire de la Porte Saint-Marcel répétait ce qu'il avait pu glaner auprès de ses mouchards : « Il paraitroit que des ouvriers s'entretiennent de Bonaparte. Ils disent que ses 5 ans d'exil étant fini on ne peut lui en faire subir un plus long et qu'il peut revenir. [...] On parle aux anciens Militaires de leurs victoires ; de leur temps de gloire, afin de les exalter[36]. » Deux jours plus tard, le 19 février, d'Anglès indiquait dans son rapport les mesures de sécurité qu'il jugeait indispensables : « Toutes les précautions propres à prévenir des rixes et des troubles ont été prescrites aux divers agens, des ordres ont été donnés pour que l'on ne souffrit aux étalages aucune gravure, estampe ou portrait susceptible de causer des discussions ou de l'effervescence, et qu'on enleva toutes celles qui y seraient exposées. Le bon ordre m'a paru rendre nécessaire ces diverses précautions[37]. »

Le nouveau gouvernement engendré par cette crise vota des nouvelles lois visant à supprimer certaines libertés individuelles et à museler la presse. Il n'oublia pas les gravures. Une ordonnance du 1er avril 1820

cat. E.12

régissait désormais leur publication et leur vente[38]. De *guerre lithographique*, il ne fut plus question. En 1822, de retour d'Angleterre, Géricault n'aurait sans doute jamais pu publier une lithographie aussi tendancieuse que son *Factionnaire Suisse au Louvre* (**cat. E.12**). La censure y veillait. C'est peut-être l'une des causes possibles – mais bien évidemment pas nécessairement la seule – de ce fameux changement de registre.

Spéculateur et dessinateurs accélérés

Un mois après l'assassinat du duc de Berry, Géricault prévenait Horace Vernet, alors à Rome :

« La mort du duc de Berry a servi de texte à plusieurs dessinateurs accélérés un spéculateur avait voulu m'unir à son entreprise et me voulait charger de représenter sur une pierre toute la famille royale en pleurs devant le corps du malheureux prince[39]. »

Deux points nous semblent essentiels : *un spéculateur* s'est adressé à Théodore Géricault, c'est-à-dire que d'une part il était connu et reconnu par un certain milieu comme susceptible de fournir ce travail et, deuxième point, la production d'un dessin sur pierre lithographique pouvait être, si l'on suivait de très près l'actualité, un moyen rapide de s'enrichir. Géricault, on le sait, refusa la proposition mais il existe un dessin double-face qui semble prouver son intérêt pour ce sujet politique (l'œuvre est entrée récemment dans les collections du Musée des Beaux-Arts de Rouen[40]). Par ailleurs, Géricault ne semble pas avoir abandonné l'idée que la production de lithographies pouvait être un moyen idéal de faire fortune. Onze mois plus tard, le 12 février 1821, alors à Londres, il écrivait à Dedreux-Dorcy : « Me voilà voué pour quelque temps à ce genre qui, étant tout neuf à Londres, y a une vogue inconcevable ; avec un peu plus de ténacité que je n'en ai, je suis sûr que l'on pourrait faire une fortune considérable[41]. » La tradition rapportée par Batissier veut qu'il n'ait rien gagné : « la vente n'alla pas assez bien pour couvrir les frais, puisqu'en fin de compte Géricault fut obligé de payer une guinée à son éditeur. Il se trompait, comme vous voyez, quand il s'imaginait avoir trouvé le moyen d'amasser une fortune[42]. »

Cartons lithographiques

L'engouement de Géricault pour la lithographie trouve son corollaire dans les techniques mises au point par les pionniers de ce nouveau mode d'expression. Découverte en 1798-1799 par le Munichois Aloys Senefelder, la lithographie fut introduite en France par Vivant Denon, mais il faudra attendre le 15 avril 1816 pour que cette invention y prenne son véritable essor. À cette date, Charles Lasteyrie fondait à Paris et dirigeait une imprimerie lithographique, sise au 54 rue du Four-Saint-Germain. La même année, au mois de juin, Godefroy Engelmann, d'abord installé à Mulhouse, ouvrait son atelier au 18 de la rue Cassette. Les rapports entre l'imprimeur-lithographe et l'artiste sont primordiaux. Il ne fait aucun doute que dans ces premières années d'améliorations techniques et de nouvelles inventions Géricault ait attentivement suivi leur évolution. La mise au point du carton lithographique en est la parfaite illustration. Le 14 octobre 1819, *Le Censeur Européen* annonçait à ses lecteurs : Senefelder « met actuellement le comble à sa découverte, en confectionnant un papier-pierre, c'est-à-dire un carton enduit d'une substance pierreuse et propre à remplacer la pierre de Munich. On craint, à la vérité, que ce papier-pierre ne puisse fournir un grand nombre d'épreuves ; mais l'inventeur qui a déjà tant fait pour son art, remédiera peut-être à ce défaut ; et c'est alors que tout le monde pourra devenir lithographe[43] ». Clément, le premier, a donné ces quelques précisions :

« En quittant Paris, Géricault avait emporté une provision de *cartons lithographiques*, beaucoup plus légers et plus faciles à transporter que les pierres d'ailleurs encore rares et très-chères à cette époque. Il s'en servit pour dessiner sept estampes qui ne sont pas au nombre des mieux réussies qu'il ait faites. [...] Ce procédé présentait de graves inconvénients. Géricault ne l'a pas employé davantage, et depuis lors on l'a, avec raison, tout à fait abandonné[44]. »

Clément ne fournit pas la date de ces lithographies. Grâce à La Combe, le biographe de Charlet, on sait que certaines ont été dessinées lors du premier périple, c'est-à-dire entre le 10 avril et le 19 juin 1820[45]. Mi-avril, la nouvelle invention du papier lithographique était rendue publique par la presse parisienne. Géricault était à Londres. Cela veut donc dire qu'il s'était procuré, avant son départ de Paris, les premiers prototypes de cette invention. Le 27 avril, *Le Censeur Européen* annonçait :

« M. Senefelder, inventeur de la lithographie, a fait aujourd'hui, en présence d'une commission de la société d'encouragement et de plusieurs autres personnes, des essais du nouveau pas qu'il vient de faire faire à cet art intéressant. Il imprime des dessins faits sur un papier enduit d'une substance dont la composition est son secret : ce papier rend absolument le même service que la planche de cuivre ou la pierre ; [...] Ainsi désormais on pourra multiplier à l'aide d'un appareil peu embarrassant, des copies de l'écriture ou du dessin : on n'aura pas de carrières à chercher ; le papier de M. Senefelder tient lieu de pierre. Ce papier est presque aussi étonnant que la première découverte [46]. »

Géricault l'essaya et l'abandonna. Toutes les lithographies réalisées avec ce procédé ne sont pas dessinées au crayon lithographique mais à la plume, ce qui leur donne un aspect linéaire, sans « effet de profondeur [47] » (**cat. E.36** à **E. 41**). Elles sont très éloignées de celles des années 1818-1819 où les tons oscillent entre le blanc et le noir, en passant par toute une gamme de gris. Or c'est bien cette recherche subtile de la confrontation des deux couleurs extrêmes qui semble avoir été l'objet de toutes les attentions de Géricault.

Car il y a deux camps : le blanc et le noir

Cette quête du noir et du blanc marque sans nul doute le deuxième séjour à Londres. Géricault y publiera une série de lithographies qui sont de purs chefs-d'œuvre. Dans sa lettre à Dedreux-Dorcy, écrite de Londres le 12 février 1821 (et déjà mentionnée plus haut), Géricault, après lui avoir avoué qu'il travaillait « beaucoup » adopte un ton des plus ironiques pour définir la nature de ses travaux en cours : « La sagesse, je le sens, devient de jour en jour mon lot ; sans que je cesse pour cela d'être le plus fou de tous les sages, car mes dessins sont toujours insensés, et, quoi que je fasse, toujours autre chose que ce que je voudrais faire. Je suis cependant plus raisonnable que vous, puisque au moins je travaille et lithographie à force[48]. » L'aveu est extraordinaire : ses dessins sont *insensés* ! Un aveu, une fois encore, censuré par Clément puisque ce dernier lui fait dire « car mes désirs sont toujours insatiables[49] » au lieu de « car mes dessins sont toujours insensés ». Qu'est-ce qui est vraiment insensé ? Les dessins qu'il est en train de faire, dit-il, or il avoue lithographier à force. Il est donc quasi certain que Géricault parle de ses sept ou huit lithographies sorties des presses d'Hullmandel le 1er février 1821 (**cat. E.24** à **E.26**). Géricault a parfaitement raison, ses dessins sont insensés dans le sens où l'on n'a jamais utilisé la lithographie comme il l'a fait. Techniquement, ses œuvres sont parfaites. Il explore toutes les possibilités graphiques alors à sa disposition. Les sujets de ces lithographies révèlent encore l'acuité visuelle et la finesse d'observation de leur auteur. À cette date, « rien de comparable n'existe dans le registre de la perception, vraie et sensible, de cet espace banal que Géricault "invente" : la rue[50] ». Inédite également sa perception des enjeux sociaux vécus par la première nation industrielle. La noirceur de cette vision rejoint celle de l'économiste Sismondi qui, dès 1819, avait perçu et analysé le caractère inhumain des nouveaux modes de production[51]. Pendant ce temps, Saint-Simon et des journaux comme *Le Censeur Européen* en étaient encore à célébrer les futurs bienfaits de l'ère industrielle naissante[52].

Sa lithographie des boxeurs (**cat. E.7**) est tout aussi visionnaire : le combat que se livrent ces hommes de races différentes préfigure l'histoire tragique que l'on connaît (poursuite de la traite, colonialisme). Le Noir et le Blanc s'y affrontent avec force, énergie et violence, « car il y a deux camps : le blanc et le noir[53] ».

ill. 67
Théodore Géricault, *Cheval que l'on ferre*, dessin, Museum of Fine Arts, Boston.

cat. E.69

ill. 67

Le drame prend ainsi sa source dans le contour marqué du dessin, dans l'opposition entre les deux hommes et le fond, dans le modelé sculptural et dans le contraste entre les deux couleurs. Chez Géricault, écrit M. Fried, « le recours à ces moyens atteint un extraordinaire niveau, non seulement d'intensité, mais aussi de condensation, de compression, voire d'abstraction[54] ».

La quête des demi-teintes

De bonne heure les lithographes cherchèrent une technique imitant certains procédés en usage dans la gravure sur cuivre, comme l'aquatinte, inventée par Le Prince en 1768. Le lavis lithographique, ou lithographie au tampon[55] permet de conjuguer avec bonheur et de varier à l'infini les tons et les nuances, de faire ressortir les valeurs. Toutes choses que l'artiste ne peut obtenir avec le seul emploi du crayon. L'inventeur du procédé, Engelmann, déposa son brevet dès le 27 octobre 1819. Il n'existait aucun moyen, écrivait-il en 1822 dans son *Manuel du dessinateur lithographe*, « d'exécuter des teintes légères, telles que des ciels et des lointains. Il fallait renoncer à ces objets d'un effet si remarquable, si nécessaire, ou se borner à de simples traits indicatifs, si l'on ne voulait courir le risque de voir ces parties devenir ou trop lourdes ou trop noires, ou enfin de perdre la moitié du travail. On regrettait, et non sans raison, l'absence des demi-teintes, indispensables à l'harmonie des dessins : le blanc du papier se montrait partout avec une sorte de crudité désagréable ; il était presque impossible de mettre de la couleur et d'observer la dégradation de la lumière et des tons dans les planches lithographiques[56] ». Le procédé d'Engelmann laissait encore à l'artiste la faculté d'utiliser sur sa planche le crayon lithographique, la plume et le grattoir pour « y piquer des lumières[57] ».

Toute cette gamme de colorations mise à la disposition des artistes allait séduire Géricault. L'un des premiers, il utilisa cette technique du tampon dans quatre lithographies[58]. Elles font partie d'un ensemble intitulé par Clément « Suite de sept petites pièces publiées par Gihaut », et peuvent être datées des années 1822-1823[59] (**cat. E.64** à **E.70**). L'une d'entre elles, le *Cheval que l'on ferre* (**cat. E.70**), nous intéresse plus particulièrement car elle est la transcription d'un lavis (Boston, Museum of Fine Arts) (**ill. 67**), réalisé en Angleterre en 1821, ou l'année suivante, à Paris[60]. Une étude attentive de ce dessin permet de saisir l'utilisation subtile qu'il fait de toute une gamme de lavis de gris, de brun et de sépia. Tous ces tons – sombres – sont en quelque sorte l'antithèse des effets tout aussi subtils – mais colorés – de l'aquarelle.

Colorer ou Colorier ?

La quête du noir et du blanc ne peut masquer la quête du *coloré*. Cette dernière semble avoir été pour Géricault une obsession de tous les instants. On en voudra pour preuve ce passage, tiré de l'une de ses trop rares lettres. A la suite d'une discussion qu'il avait eue la veille avec son ami Auguste Brunet, Géricault prenait la plume pour lui expliquer l'aspect avilissant du mot *colorié :*

« Pourriez-vous dire par exemple qu'un paysage de *claude lorrain* Soit colorié, vous ne le diriez sans doute pas et je suis persuadé que Saisi du même enthousiasme en retrouvant la nature, vous vous Ecririez avec moi dieu! que cela est beau ! l'imitation est parfaite dans cette douce ivresse le mot Colorié ne vient se présenter à votre esprit sans qu'il vous couvre d'opprobe [...]. Si nous Comparons les gravures de rembrandt a beaucoup d'autres moins vigoureuses, vous n'hésiterez pas à dire quelles sont colorées plus improprement cependant que dans aucun autre cas puisque sur une gravure d'un seul ton il n'y a point de Couleur. [...] la seule idée raisonnable ce me semble est celle qui admet les deux mots colorer et colorier en leur donnant une acception différente [61]. »

N'y a-t-il vraiment « pas grand-chose » – comme l'affirme Bazin – à tirer de ces opinions « quant à l'art de Géricault[62] » ? Nous croyons le contraire. Écrite, selon J. Sagne[63], en septembre 1819, cette longue missive sur les deux mots *colorer* et *colorier* trouverait son origine dans les remarques, acides, adressées à Géricault par les critiques du Salon de 1819. Vedette incontestable de ce Salon, *Le Radeau de la Méduse* suscita l'intérêt de la foule et des journalistes de tous bords et ces derniers lui consacrèrent de longues analyses dans lesquelles était abordé le problème de la couleur. Dès le 27 août, deux jours après l'inauguration, le chroniqueur de la *Gazette de France* parlait « d'un effet très-heurté, d'un coloris mort[64] ». Le 29 août, le critique de *L'Indépendant* – faisant sans doute allusion à son *Officier de chasseurs*, exposé au Salon de 1812 et de 1814 – terminait son examen en affirmant que Géricault l'avait « accoutumé à une couleur plus énergique[65] ». Le lendemain, dans *La Quotidienne*, le reproche se fit plus précis : « Quant à la couleur, nous ne voyons pas comment M. Géricault pourra justifier ce parti qu'il a pris de donner à son tableau une couleur uniforme, en sorte qu'il paraît peint au bistre[66]. » Le 8 septembre, en écho au critique de *L'Indépendant*, Henri de Latouche tentait cette explication : « Le premier et le plus remarquable défaut de ce tableau est la couleur. Ce gris rougeâtre, que l'éclat du ciel ne motive pas assez, s'étend avec trop d'uniformité sur la scène. Ce défaut pourrait faire croire que Géricault n'est pas coloriste ; c'est une erreur. Il a cette qualité, qui dans l'état actuel de notre école est devenue indispensable. Mais le temps ne lui permettant pas de donner à cette partie de son ouvrage tout le soin qu'elle exigeait, il a cherché une manière plus expéditive ; et ce qui doit nous paraître un vice, est ici l'effet d'un système. Espérons que l'artiste ne se hasardera plus à improviser un tableau, et qu'après avoir prouvé son talent dans l'ordonnance et le dessin, il voudra montrer celui qu'on lui reconnaît comme coloriste[67]. »

Plus noir

Faut-il suivre cette tentative d'explication ? Doit-on vraiment la couleur bistre du *Radeau de la Méduse* au manque de temps ? En aucun cas, bien évidemment. Toutes les études préliminaires de Géricault, peintes et dessinées, attestent qu'il s'agissait bien d'un parti pris. Autrement dit, et pour reprendre l'expression d'Henri de Latouche, *d'un système*. Plusieurs journaux reprochèrent encore à l'artiste la « teinte noire et lugubre » de son tableau[68], son « coloris très monotone », ses ombres « trop noires[69] ». Le 23 octobre 1819, au fait de toutes ces attaques, Jal tentait de lui rendre justice : « les connaisseurs admirent la liberté du pinceau, l'impression des têtes, la véracité des poses et la majesté de la composition ; les ignorants condamnent sans la comprendre la couleur de cette belle production, leur critique est un éloge que l'artiste est heureux de mériter, son tableau passe dans l'opinion publique pour un des plus remarquables que notre École française ait produits depuis longtemps, on oublie les taches qui le déparent et l'on proclame M. Géricault peintre de mérite et homme de génie[70]. »

Le lapsus est trop beau ! En voulant défendre *Le Radeau de la Méduse*, Jal allait sans doute encore plus loin que certains critiques, ceux-là même qu'il entendait trucider. Car en évoquant et, tout compte fait, en regrettant ces fameuses *taches*, Jal voyait juste. Très juste. Toute la composition du tableau semble reposer sur de violents contrastes lumineux qui se résument à l'opposition naturelle du blanc et du noir. Charles Clément l'avait remarqué : « La coloration ne sort pour ainsi dire pas d'une gamme qui va du blanc au noir. C'est à peine si l'on aperçoit quelques rouges, quelques verts, quelques bleus assourdis, étouffés, perdus dans l'harmonie sombre et monochrome de l'ensemble[71]. » En 1823, quelques mois avant son décès, Géricault signalait lui-même ces contrastes. Il les remarquait, le fait mérite d'être souligné, non sur l'original, mais sur une petite copie que venait d'exécuter son élève Lehoux. Vers 1860-1865, Montfort rapportait ainsi l'événement :

« Voici ce qu'il me dit un jour, où étant déjà au lit, je lui montrais une copie de son tableau faite par Lehoux et que Lehoux, je ne sais plus pour quel motif, n'avait pu lui venir soumettre lui-même. J'avais placé cette copie sous son œil à quelque distance du lit et la fixait depuis quelques moments lorsqu'il me dit, mais est-ce que mon tableau offre ainsi ces taches blanches de tous les côtés ? Le tableau de la Méduse était alors dans l'atelier de M. Cogniet et M. Géricault ne l'avait pas vu depuis longtemps et comme je lui répondais qu'ayant vu Lehoux travailler à sa copie elle m'avait paru assez belle et qu'il connaissait aussi bien que moi le soin qu'avait dû apporter Lehoux à ce travail, il reprit : Eh bien ! Monfort, c'est une fameuse leçon, et désormais, si je reviens à la santé, j'aurai soin d'avoir un foyer de lumière où s'arrêtent les yeux et ne commettrai plus la faute de la diviser ainsi à droite et à gauche de manière à enlever à l'ouvrage toute espèce de sérénité et il laissa ensuite tomber sa tête en soupirant[72]. »

Et Clément d'ajouter : « Il était un reproche cependant qu'on lui avait fait sous toutes les formes et auquel il ne voulait souscrire sous aucun prétexte : c'était l'aspect sombre dont il avait empreint cette scène de désolation " Si j'avais à recommencer mon tableau, disait-il, je ne changerais absolument rien sur ce point ", jugeant bien que son effet était dans cette gamme sévère, et qu'en la modifiant il ne pourrait qu'affaiblir l'impression[73]. »

Par le choix délibéré de cette obscurité et des taches qui en résultent, Géricault rejoint le sublime tel qu'il a été défini par Burke dans la deuxième moitié du XVIIIe siècle : un sublime qui trouve sa source dans la crainte et la pulsion de mort, dans la terreur et le délice. La tache, explique J.C. Lebensztejn, « impose violemment un plaisir du manque » et « dépouillée d'une motivation figurative qui l'habite au préalable, la tache apparaît comme une image presque absolue du sublime. Et ce qui se laisse voir d'étrange dans son noir et blanc, c'est que le blanc de la réserve est le lieu de l'obscur, du manque et de la mort ; que la binarité franche de ses contrastes illustre de façon claire et brutale l'obscurité de ses articulations et l'énigme de ses desseins[74] ». Cette *énigme*, croyons-nous, pourrait bien être celle de notre inconscient qui contient, selon Jung, « tous les aspects de la nature humaine, la lumière et l'ombre, la beauté et la laideur, le bien et le mal, la profondeur et la sottise[75] ».

Cette longue digression par *Le Radeau de la Méduse* nous a permis d'entrevoir l'un des aspects picturaux de l'art de Géricault. Toutes ces données se retrouvent dans son art graphique. Une autre lithographie au tampon atteste l'existence de cette problématique du noir et du blanc, de l'ombre et de la lumière. Pour son *Cheval anglais monté par un jockey* (**cat. E.69**), Géricault utilisa la nouvelle technique d'Engelmann en transcrivant l'un de ses dessins au lavis de sépia (Bayonne, Musée Bonnat) (**ill. 68**)[76]. Les clairs-obscurs sont adoucis ou intensifiés, accentués de contrastes très violents oscillant entre des noirs de velours les plus profonds (la robe du cheval), des gris dégradés, délicats et soyeux (le ciel), et des blancs lumineux, exacerbés par l'emploi du grattoir (le tapis de selle, le pantalon du jockey).

ill. 68
Théodore Géricault, *Cheval anglais monté par un jockey*, dessin, Musée Bonnat, Bayonne.

On retrouve toutes ces caractéristiques dans la lithographie, déjà mentionnée, du *Cheval de trait gris-pommelé que l'on ferre* (**cat. E.70**) mais l'usage qu'il fait du tampon et du grattoir permet un traitement fort différent. On n'y retrouve pas ces grands aplats qui singularisent le *Cheval anglais monté par un jockey* (**cat. E.69**) mais, au contraire, tout un réseau de taches sombres et lumineuses. Le *Cheval de trait gris-pommelé* (**cat. E.98**) date probablement de 1823 et, rapporte Delteil, « si l'on en croit une annotation *manuscrite* au bas d'une épreuve que posséda Chéramy, cette pièce serait la *dernière lithographie* que Géricault aurait remise à Gihaut, alors qu'il était déjà fort malade[77] ». À la même époque, nous l'avons vu, il demandait à Montfort si son *Radeau de la Méduse* présentait vraiment « ces taches blanches de tous les côtés ? ». Cette prise de conscience, pour le moins singulière, atteste en fait l'existence de ce véritable *système* – remarqué au Salon de 1819 – et que l'on retrouve dans toute ses productions.

Ce rapide survol des quelques techniques utilisées par Géricault, dans son œuvre peinte, graphique et lithographique, nous a permis de mettre en avant l'un des aspects majeurs de son art : le clair-obscur. Dès son retour de Rome, fasciné par l'opposition du noir et du blanc, Géricault s'emparait d'un nouveau mode d'expression qui lui permettait d'en explorer les ressources infinies. Les maîtres anciens, affirmait-il à Montfort, n'avaient pas toujours eu « besoin du secours des couleurs » pour faire de beaux tableaux, ils avaient fait « des choses admirables avec du noir et du blanc[78] ». « Plus un tableau est noir, mieux il vaut », aurait-il encore affirmé à Robert-Fleury[79]. Enfin, dans la marge d'une épreuve d'essai de son *Cheval attaqué par un lion* (**cat. E.97**), un ordre manuscrit de Géricault vaut manifeste : « plus noir[80] ».

Bruno Chenique
Belleville, le 15 juin 1997

cat. E.97

ill. 68

Rermerciements :
Emmanuelle Brugerolles, Frédéric Chappey, Marie Pessiot, Gilles Grandjean, Anne-Elizabeth Rouault.

Remarque :
L'orthographe et la ponctuation des documents ont été respectées.

1
Don de Lee Childe. De Triqueti, l'École des Beaux-Arts conserve encore le catalogue des gravures de Poussin, Bonnington et Decamps.

2
J. Boutet-Loyer, exp. Montargis, 1981, n° 74.

3
Ch. Clément, juin 1866, p. 522.

4
On doit à Frédéric Chappey la découverte de la date du décès de Jamar (janvier 1996, p. 4 et juin-août 1996, pp. 33-37).

5
Le manuscrit ne peut être antérieur à 1854 car Triqueti, dans son n° 25 (« Shipwreck of the Meduse ») mentionne le travail de La Combe sur les lithographies de Charlet. Ce recensement a été publié une première fois en 1854 (en articles) puis en livre en 1856.

6
Fr. Bergot retrace l'histoire de cette acquisition (exp. Rouen, 1981 - 1982, p. 11).

7
Br. Chenique, 1996, I, pp. 343-344.

8
Ch. Clément, juin 1866, p. 524, n° 5.

9
Voir à ce propos l'analyse sans appel de R. Michel, 1996, I, pp. 2-8.

10
Ch. Clément, juin 1866, pp. 524-525, n° 7.

11
L. Delteil, 1924, n° 1. La datation de Delteil est suivie par Ph. Grunchec, exp. Boulogne-Billancourt, 1984, p. 7, n° 81.

12
Sur ces lithographies, on consultera l'article de N. Athanassoglou-Kallmyer, décembre 1990, pp. 227-242. Par ailleurs, on doit à A. Berni la date de commercialisation de ces quatre lithographies à Buenos Aires : 21 juin 1820 (A. Berni, 1960, p. 10). Voir également B. del Carril, 1971, p. 46.

13
Ph. Burty, 1861, p. 241.

14
Le Constitutionnel, Journal du Commerce, Politique et Littéraire, n° 157, dimanche 6 juin 1819, p. 2.

15
« *La Minerve* n'aimait pas la Suisse. [...] Ce peu de sympathie, chez Aignan, comme chez les autres libéraux, a des origines politiques. Ils ne pouvaient pas pardonner aux Suisses, de se mettre au service de gouvernements étrangers pour exercer la "passive et souvent farouche obéissance militaire". Ils prenaient part à la très vive polémique des libéraux de ce temps-là contre les troupes suisses de la Restauration, et ils s'en prenaient encore sur ce sujet, au *Conservateur*, qui défendait ces troupes » (D. Svetozar-Petric, 1927, pp. 207-208).

16
R. Simon, 1996, I, pp. 257-272.

17
Archives nationales, F7. 3874 « Préfecture de Police. Bulletin de Paris. Dimanche 27 juin 1819 ».

18
R. Simon, 1996, I, p. 262 et p. 302, repr. fig. 128.

19
R. Simon, 1996, I, p. 271, note 9.

20
L. Rosenthal, s.d [1905], p. 81.

21
« Seen against the background of the 'Nouvelles Athènes', the exuberant chauvinism of Vernet's circle ant the rabid militarism of Colonel Bro, this most political of Géricault's lithographs seems a mild enough statment » (L. Eitner, 1983, p. 155 et 1991, p. 210).

22
Un motif, souligne avec raison L. Eitner, « qui va devenir la pierre angulaire sur laquelle Géricault va édifier son agencement complexe des naufragés du radeau » (1991, p. 229).

23
On discerne aussi très nettement une croix de la Légion d'honneur sur la poitrine du père blessé (secouru par son fils) dans le dessin de Géricault intitulé *Scène de mutinerie* (Amsterdam, Historisch Museum) ou encore dans la copie d'un dessin perdu de Géricault par Alfred Rethel (G. Bazin, 1994, VI, p. 117, n° 1965, repr.).

24
« J'admire, en frémissant, cet homme dont les traits annoncent le courage et la résignation pour ses propres dangers, et qui, d'un bras mutilé, retient un compagnon d'infortune qui semble chercher dans les flots un soulagement aux tourments qu'il endure. Je considère cet être généreux qui s'oublie lui-même pour secourir son semblable ; et mon œil humide aperçoit avec transport la croix des braves qui décore sa poitrine » (Anonyme, « Intérieur. Paris, 25 août. Le 25 août 1819 », *Le Constitutionnel, Journal du Commerce, Politique et Littéraire*, n° 239, 26 août 1819, p. 2) ; « Ce jeune homme souffre et voudrait mourir ; plus ferme dans la détresse, un vieillard (peut-être son père !) le soutient d'un bras mutilé. N'admirez-vous pas en frémissant l'expression de ses traits ? J'y vois l'empreinte du courage et le sentiment profond du malheur. Cet homme, quel est-il ? quel pays l'a vu naître ? Ah ! je l'ai reconnu : l'étoile qui décore sa poitrine m'apprend qu'il est Français : ces infortunés sont nos frères ! » (A. F. [H. de Latouche], 1819, pp. 49-50) ; « J'ai entendu reprocher à l'artiste d'avoir représenté ses personnages sans vêtements, et de n'avoir pas indiqué à quelle nation appartenaient ces infortunés. On peut d'abord alléguer que ces hommes exposés depuis plusieurs jours à la fureur des vagues, ont dû quitter des vêtements que le sel dont ils étaient imprégnés leur a rendus insupportables à endurer ; ensuite, dire que ces malheureux, prêts à être engloutis à chaque instant, ont quitté des habits qui pourraient les empêcher de nager, si le radeau venait à se rompre, et enfin ajouter, que l'on reconnaît à quelques décorations de la légion d'honneur, à des uniformes que l'on aperçoit, que ces malheureux sont des Français » (« Beaux-Arts. Salon de 1819 - suite du 2e article », *Le Pilote, Journal du Commerce, Politique et Littéraire*, II, n° 301, 10 septembre 1819, p. 1).

25
« Moved to tears, the Bonapartist critic of the *Constitutionnel* imagined that he saw the cross of the Legion of Honour glistening on the chest of the Father » (L. Eitner, 1983, p. 199) ; « Le critique bonapartiste du *Constitutionnel*, ému jusqu'aux larmes, s'imagine avoir vu la croix de la Légion d'honneur sur la poitrine du "père" » (L. Eitner, 1991, p. 274).

26
Notamment dans Ph. Grunchec, 1978, pl. XLII.

27
Sans commentaire car R. Michel a parfaitement résumé les enjeux de la myopie de L. Eitner et de Ch. Clément : « Les deux biographies sont en symbiose parfaite : ils ont exactement le *même* dessein, qui consiste à produire un artiste aux normes. A forger de toutes pièces un Géricault bourgeois. Aussi n'auront-ils de cesse que soient limés, rognés, tronqués les reliefs aigus de cette vie brève. Nier la rupture, gommer la révolte, effacer la différence : là est leur commune obsession » (1996, I, p. 4).

28
Archives nationales, F7. 3874 « Préfecture de Police. Bulletin de Paris. Vendredi 23 juillet 1819 ». R. Simon a commenté et reproduit cette lithographie (1996, I, pp. 263 et 303, repr. fig. 130).

29
Archives nationales, F7. 3874 « Préfecture de Police. Bulletin de Paris. Mardi 27 juillet 1819 ».

30
Anonyme, *La Quotidienne*, n° 273, jeudi 30 septembre 1819, p. 2.

31
Lettre d'un lecteur publiée par A. M., « Beaux-Arts. Sur les lithographies nouvelles », *Le Conservateur littéraire*, II, 1820, p. 147.

32
Anonyme, *La Quotidienne*, n° 243, mardi 31 août 1819, p. 2.

33
« Estampes. Hier, à la réquisition de M. Le procureur du Roi, un Commissaire de police a opéré la saisie d'une gravure intitulée *le petit jeu de société*. La pierre lythographique et 60 exemplaires ont été saisie chez le S[r.] Engelmann rue Louis le Grand n° 27, et

envoyé au Greffe avec le procès-verbal de saisie » (Archives nationales, F7. 3874, « Préfecture de Police. Bulletin de Paris. Jeudi 6 mai 1819 »).

34
« Surveillance générale. Les S[rs.] *Croulebois* père et fils avoient été traduit devant les tribunaux pour vente de gravures représentant Napoléon Bonaparte. Le Juri a déclaré qu'il n'y avoit pas de criminalité en conséquence ils ont été acquittés. Cette décision consacre donc que l'on peut vendre publiquement les portraits de cet homme et des membres de sa famille ainsi que des gravures ou cet ex empereur des français sera représenté avec ses anciens titres et emblêmes se Souveraineté. La police sera impuissante à l'avenir pour l'empêcher. Cet exemple justifie l'importance qu'attachoient les ennemis du Gouvernement d'obtenir l'intervention du Jury en matière publique » (Archives nationales, F7. 3874, « Préfecture de Police. Bulletin de Paris. Mardi 7 décembre 1819 »).

35
« Le nombre des Estampes et des caricatures politiques est plus considérable depuis quelques jours. La plupart de ces productions sont faites dans un esprit de trouble et d'un aspect dégouttant. Toutes les fois qu'on entrevoit quelque outrage que la loi peut atteindre, on a soin de les transmettre au procureur du Roi, mais les lois sont tellement impuissantes et si difficiles à appliquer que ces délits restent impunis » (Archives nationales, F7. 3874, « Préfecture de Police. Bulletin de Paris. Jeudi 16 décembre 1819 »).

36
Archives Nationales, F7. 6746, « Affaire Louvel. Seine. Bulletins de la Préfecture de Police. Notes de police. Feuilles de Surveillance », dossier 4 (« Extrait des rapports des Commissaires de police du 17 février 1820 »).

37
Archives Nationales, F7. 6746, « Affaire Louvel. Seine. Bulletins de la Préfecture de Police. Notes de police. Feuilles de Surveillance », dossier 4 (« Préfecture de Police. Bulletin de Paris. Samedi 19 février »).

38
Depuis 1817, les lithographies étaient simplement soumises « à la déclaration et au dépôt avant la publication, comme les autres ouvrages d'imprimerie » (*Journal des débats politiques et littéraires*, vendredi 10 octobre 1817, p. 1).

39
Lettre de Géricault à H. Vernet, Paris, [entre le 10 et le 28 mars 1820], publiée par Br. Chenique, 1996, pp. 43-44. Depuis la publication de cet article, la lettre de Géricault a été acquise par la bibliothèque des musées nationaux (Musée du Louvre).

40
M. Pessiot et Br. Chenique, octobre 1996, pp. 3-4.

41
D'Arpentigny, 1864, p. 168 ; Ch. Clément, 1879, p. 193.

42
L. Batissier, s. d. [1841], p. 16. L'article de Batissier, sans date, connu par un tiré à part (imprimé à Rouen) est traditionnellement daté de 1842. Une lettre d'Alfred Dumesnil atteste qu'il a été publié en juillet 1841 : « Puis on annonça un jeune homme, M. Louis Batissier, qui a passé quinze jours à Rouen où il avait été appelé pour faire le compte rendu de l'exposition dans le *Journal de Rouen*. Il apportait une notice sur Géricault » (Lettre d' A. Poullain Dumesnil à Eugène Noël, 25 juillet 1841, « La vie quotidienne de Michelet en juillet 1841 », J. Michelet, 1995, p. 450).

43
Le Censeur Européen, n° 122, jeudi 14 octobre 1819, p. 3.

44
Ch. Clément, 1879, p. 219.

45
J. F. de La Combe, 1854, p. 501 ; republié en 1856, p.18.

46
Le Censeur Européen, n° 118, jeudi 27 avril 1820. Voir également *le Mémorial universel de l'industrie française, des sciences et des arts*, « Beaux-Arts », II, [avril] 1820, pp. 93-94 et « Annonces. Cartons lithographiques », [juin] 1820, pp. 287-288. À vrai dire il semble que le papier lithographique ait été disponible dès la fin 1819 : « Un brevet d'invention a été accordé pour la fabrication des papiers lithographiques, qui est déjà en grande activité. Les personnes qui désireront s'en procurer doivent s'adresser à M. *A. Senefelder*, inventeur de la lithographie et de la papyrographie, rue Servandoni, n° 13, près Saint-Sulpice » (*Revue Encyclopédique*, III, 1819, pp. 593-594). En 1819, Senefelder indique lui-même : « Papier-pierre. C'est ainsi que l'on nomme généralement une composition que j'ai inventée, pour imiter la pierre naturelle de Solenhofen. [...] Je compte communiquer bientôt au public les essais que j'ai faits sous ce rapport avec tant de bonheur, et je donnerai par là l'occasion à nos plus habiles chimistes de perfectionner encore davantage ma découverte » (A. Senefelder, 1819, pp. 223-224).

47
H. Hashi, exp. Kamakura, Kyoto, Fukuoka, 1987-1988, p. 180.

48
D'Arpentigny, 1864, p.168.

49
Ch. Clément, 1868, p. 193 (réédition en 1879 avec la même pagination).

50
Fr. Bergot, mai 1982, p. 33.

51
Les *Nouveaux principes d'économie politique* de Sismondi ont été publiés en mars 1819 (G. Dupuigrenet-Desroussilles, 1979, p. 30). Sur ces lithographies, voir en dernier lieu l'article de C. Fox, 1988, pp. 62-66.

52
Les rapports de Géricault avec ces tenants de l'industrialisme sont abordés dans notre article (exp. Vancouver, 1997, pp. 52-93).

53
F. Fanon, 1995, p. 6.

54
M. Fried, 1993, p. 37.

55
On utilise encore les expressions de lavis sur pierre, aquatinte lithographique, aquatinta et lithotint.

56
G. Engelmann, 1822, cité par J. Lieure, 1939, p. 25.

57
G. Engelmann, 1822, cité par J. Lieure, 1939, p. 28.

58
K. Spencer fut la première à souligner l'importance de cette technique (exp. New Haven, 1969, pp. 8, 28-29).

59
Ch. Clément, 1868 et 1879, pp. 397-400. Début 1821, G. Engelmann donnait la publicité nécessaire à son invention en publiant un album de lithographies au lavis (« *Album* exécuté par le nouveau procédé du lavis lithographié, inventé par Engelmann. - [...] A Paris, chez Engelmann, rue Louis-le-Grand, n. 27 », dans *Bibliographie de la France, ou Journal général de l'imprimerie et de la librairie*, « Gravures », n° 2, vendredi 12 janvier 1821, p. 29, n° 27).

60
L. Eitner, exp. Los Angeles, Détroit, Philadelphie, 1971-1972, p. 151, n° 107, repr., et Ph. Grunchec, 1982, pp. 156-157, repr. coul.

61
Lettre de Géricault à Auguste Brunet, s. d. [1819 (?)], publiée par G. Bazin, 1987, I, p. 50-51, doc. 164. A Londres, le 6 mai 1820, après sa visite de l'exposition de la Royal Academy, Géricault écrit encore à Vernet : « L'exposition qui vient de s'ouvrir, m'a plus confirmé encore qu'ici seulement on connaît ou l'en sent la couleur de l'effet » (J. Boilly, 1852, p. 190. La lettre est datée, à tort, du 6 mai 1821).

62
G. Bazin, 1987, I, p. 51.
63
J. Sagne, 1991, p. 200.
64
Anonyme, « Beaux-Arts. Exposition de 1819. Premier article. - Aperçu général du Salon », *Gazette de France*, n° 239, 27 août 1819, p. 1036.
65
D., « De l'exposition de 1819 (Deuxième article) », *L'Indépendant*, n° 112, 29 août 1819, p. 3.
66
Anonyme, « Musée Royal. Exposition des tableaux. (1er article.) MM. Girodet, Gérard, Gros, Guérin et Géricault », *La Quotidienne*, n° 242, 30 août 1819, p. 3-4.
67
A. F. [Henri de Latouche], 1819, p. 49-53.
68
12. B... « Beaux-Arts. Exposition. - 1819 », *Annales de l'Architecture, des Beaux-Arts, des Arts Mécaniques et de l'Industrie des peuples*, XXXVII, 4e livraison, août 1819, p. 176-177.
69
C. B..., « Beaux-Arts. Salon de 1819. - Suite du 2e article », *Le Pilote, Journal du Commerce, Politique et Littéraire*, II, n° 301, 10 septembre 1819, p. 1.
70
G. J[al], 1819, p. 3.
71
Ch. Clément, 1868 et 1879, p. 153-154.
72
Manuscrit de Monfort, (Y. Cantarel-Besson, exp. Paris, 1991-1992, p. 316, cols. 1 et 2).
73
Ch. Clément, 1868 et 1879, pp. 173-174.
74
J. C. Lebensztejn, 1990, p. 127.
75
C. G. Jung, ed. 1988, p. 181.
76
Ph. Grunchec, 1982, pp. 144-145, repr. coul.
77
L. Delteil, 1924, n° 72.
78
Manuscrit de Montfort, (Y. Cantarel-Besson, exp. Paris, 1991-1992, p. 316, col. 2).
79
É. Durand-Gréville, 1925, p. 26.
80
Cette lithographie est conservée à l'Ensba. (Ph. Grunchec, exp. Rome, 1979-1980, p. 365, n° 166 et **cat. E. 97**).

La série des «Études de chevaux»: deux interprétations de la collaboration de Géricault avec Cogniet et Volmar

Jane Munro

Géricault et ses collaborateurs

La série des *Études de chevaux*, publiée par les frères Gihaut en avril et juin 1823 est le meilleur témoignage de la collaboration de Géricault avec d' autres artistes sur son œuvre lithographique. Si la réalisation de la suite des douze lithographies, *Various subjects Drawn from Life and on Stone,* s'était effectuée à Londres en quatre mois, celle des *Études de chevaux* s'étala sur plus d'un an, en raison du mauvais état de santé du peintre durant toute l'année 1822, mais aussi en raison du soin qu'il prit pour contrôler les interprétations de ses collaborateurs, Léon Cogniet (1794-1880) et Joseph Volmar (1796-1865).

Les deux artistes connaissaient bien Géricault. Léon Cogniet entra dans l'atelier de Pierre Narcisse Guérin en 1812, deux ans après Géricault, et en 1817 ils étaient tous les deux à Rome, mais ne semblent pas se côtoyer pendant ce séjour. Joseph Volmar, originaire de Berne, étudia pour sa part avec Géricault à Paris, vers 1804-1816. La participation des deux graveurs était clairement répartie: Cogniet devait copier en sens inverse six des douze planches publiées par Géricault dans la suite anglaise et Volmar lithographier les aquarelles ou les peintures que l'artiste avait réalisées pour certaines d'entre elles pendant son voyage en Angleterre.

La série a souvent été critiquée – plus ou moins sévèrement – pour ses maladresses et son manque de finesse face aux subtilités des œuvres originales. D'après les témoignages contemporains, Géricault suivit précisément l'exécution du travail, corrigeant les planches de Cogniet et de Volmar pour obtenir les effets qu'il désirait: Montfort indique que Géricault retouchait lui-même les planches[1] et Batissier précise qu'il modifia en particulier «les têtes et articulations» des figures gravées par Volmar[2]. Clément assure en 1866 que l'artiste «chargea de l'exécution du tout MM. Cogniet et Volmar, dirigeant, revoyant et corrigeant çà et là» et précise que «tout le travail de grattoir en particulier est de lui[3]». D'après Cogniet, il tient à modifier le rendu de la lumière de certaines planches de la suite anglaise, qu'il juge «trop disséminée» et à «élaguer le blanc qui se trouvait dans les noirs,... renforcer les ombres de manière à donner plus de franchise et quelque chose de plus gras au travail[4]».

Ces témoignages sont confirmés par la présence de trois épreuves retouchées conservées au Fitzwilliam Museum de Cambridge et au Musée des Beaux-Arts de Rouen. Les deux lithographies de Cambridge, exécutées sur un papier brun et acquises chez Sotheby's en 1945 grâce aux amis du musée[5] représentent le *Vieux cheval à la porte d'une auberge*[6] (**ill.69**) lithographié par Volmar et le *Maréchal flamand*[7] (**ill.70**) exécuté par Cogniet d'après la planche de la suite anglaise. Certains détails ont été rehaussés de gouache blanche, mettant ainsi en valeur les visages des personnages principaux, par un effet de contre-jour artificiel: le corps et les jambes du cheval ainsi que le mur pour la première, le cou et le bras du maréchal ainsi qu'à l'arrière-plan pour la seconde. Les animaux ont été en partie redessinés, les croupes et les jambes des chevaux pommelés et le dos et les pattes du chien figurant sur le *Maréchal flamand.* Cette dernière épreuve est particulièrement intéressante car elle est imprimée au dos d'une autre impression de la composition[8], qui n'a pas été pour sa part retouchée; il s'agit de toute évidence d'épreuves préliminaires, destinées à être soumises aux yeux critiques du maître et qui nous permettent aujourd'hui de suivre l'évolution du travail ainsi que de mieux comprendre les effets recherchés par le peintre: ainsi les rehauts de blanc sur les bas du maréchal ajoutent un élément décoratif et ceux apposés sur la joue de l'enfant introduisent de la lumière dans la partie gauche de la composition, jusqu'ici plutôt sombre. Sur un autre exemplaire du *Maréchal flamand,* récemment acquis par le Musée des Beaux-Arts de Rouen[9] (**ill.71**), on constate une évolution du travail par rapport à l'épreuve de Cambridge: l'auréole de fumée et de lumière autour du maréchal est intensifiée et des rehauts de blanc ont été apposés au col et aux manches de son vêtement ainsi que dans la partie inférieure de la composition.

Toutes ces retouches de la main de Géricault confirment le fait – déjà mentionné par Cogniet[10] – qu'il incite ses collaborateurs à intensifier les effets de clair-obscur, ce qui permet de renforcer les lignes et les contours mais atténue par conséquence le *sfumato* et les effets atmosphériques obtenus dans la suite anglaise. Ces modifications, si déplorées par les critiques, sont dues à un parti pris esthétique de l'artiste lui-même et non

ill.69
Joseph Volmar et Théodore Géricault, *Vieux cheval à la porte d'une auberge*, lithographie retouchée, Fitzwilliam Museum, Cambridge.

ill. 70
Léon Cogniet et Théodore Géricault, *Maréchal flamand*, lithographie retouchée, Fitzwilliam Museum, Cambridge.

ill. 71
Léon Cogniet et Théodore Géricault, *Maréchal flamand*, lithographie retouchée, Musée des Beaux-arts, Rouen.

ill. 69

ill. 70

ill. 71

au caprice malheureux de Cogniet et de Volmar. Il trouve peut-être son explication dans la phrase prononcée par Géricault sur son lit de mort : « Pour moi, si je pouvais tracer mon contour avec un fil de fer, je le ferai [11]. »

ALEXANDER MISHORY

DEUX MAUVAIS INTERPRÈTES : JOSEPH VOLMAR ET LÉON COGNIET

Six des douze planches de la série des *Études de chevaux* reproduisent avec fidélité les estampes aux titres identiques de la suite anglaise (**cat. E.72**, **E.74**, **E.76**, **E.78**, **E.82** et **E.83**), tandis que les six autres sont entièrement originales. Elles ont toutes été exécutées par Léon Cogniet et Joseph Volmar d'après des peintures à l'huile ou des aquarelles de Géricault, à son atelier ou chez Dedreux-Dorcy, et très certainement sous la surveillance du maître[12].

L'imprimeur – les frères Gihaut – remit les œuvres de Géricault aux deux jeunes artistes (dont on ignore tout de leur maîtrise réelle de la lithographie) et leur demanda, semble-t-il, de les copier. Deux éléments essentiels incitent à reconnaître en Cogniet et Volmar de très mauvais interprètes de l'œuvre de Géricault : ils l'ont mal copié et ont décidé – de leur propre chef, selon toute vraisemblance – d'y apporter certaines corrections. Ils ont ainsi « aplati » les craquelures des œuvres originales, « effacé » certaines erreurs du maître et ont cherché à rendre plus « lisibles » les sujets en décidant de représenter certains détails de manière plus réaliste et « vraisemblable ». En d'autres termes, Cogniet et Volmar ont fait disparaître toute la poésie et le mystère des chefs-d'œuvre de l'artiste, qui ont tout simplement été transformés par leurs soins en images-souvenirs à vocation commerciale.

L'étude attentive de leur interprétation de la suite anglaise permet de constater une volonté de « simplifier » et de « clarifier » les compositions originales de Géricault, conduisant les deux graveurs à modifier certains éléments caractéristiques : des personnages et des décors architecturaux ainsi que certains effets de clairs-obscurs y sont ainsi « omis » ou transformés. Les proportions des personnages et des chevaux, les gestes et les attitudes sont copiés de manière incorrecte et paraissent beaucoup moins convaincants et réalistes. Enfin, les expressions des visages ne sont pas rendues avec soin et paraissent ternes.

Ces modifications donnent lieu à de nouvelles compositions qui ont perdu toute l'animation, la fraîcheur et la force de conviction qui émanaient des versions originales.

Elles les reproduisent en les inversant, comme en un effet de miroir, et ce simple choix altère déjà radicalement en lui-même la ligne dynamique des premières compositions (Voir également **cat. E.71** et **E.82**).

Je tiens à remercier Mme Myril Pouncey de sa gracieuse intervention.

1
G. Bazin, 1987, I, doc. 396, p. 113.

2
Br. Chenique, exp. 1991-1992, p. 299.

3
Ch. Clément, 1879, pp. 220-221.

4
Ch. Clément, 1789, p. 221 ; voir également l'inscription du verso **cat. D.89**.

5
P. 284-329-1945 ; Sotheby's, 16 avril 1945, lot 112. Le dessin d'un joueur de cornemuse qui fait partie du même lot n'a pas été acheté par le musée et appartient aujourd'hui à un collectionneur suisse.

6
cat. D.82 , Inv. n° P. 311-1945 ; elle a été publiée en avril 1823 avec le titre *Garçon tenant un vieux cheval par une corde, buvant dans un pot* ; voir P. Joannides, 1973, p. 667.

7
cat. D.85, Inv. n° P. 314-1945.

8
Inv. n° P.313-1945.

9
Inv. n° 994-7-1.

10
Voir note 4.

11
Ch. Clément, 1879, p. 258.

12
« De ces douze pièces, six sont la reproduction à peu de chose près de planches de la suite anglaise. Les six autres sont nouvelles et ont été faites d'après des tableaux à l'huile ou des aquarelles. Elles ont été exécutées en partie chez M. Dedreux-Dorcy, en partie dans l'atelier de Géricault et sous ses yeux, par MM. Léon Cogniet et Volmar. » Ch. Clément, 1879, p. 400.

Les derniers grands projets

I

Les dernières années de la vie de Géricault sont profondément troublées. Selon les sources, Géricault subit alternativement des maladies psychologiques et des souffrances physiques épuisantes, les unes exacerbant les autres, ce qui nuisit gravement à sa production depuis le début de l'année 1819[1]. À l'automne 1823, l'artiste tombe gravement malade. Au début du mois d'octobre, le journal *La Pandore* indique que « les amis des arts conçoivent de vives inquiétudes sur la santé de M. Géricault, l'un de nos jeunes peintres sur lesquels l'école moderne fonde les plus grandes espérances[2] ». Le 30 décembre, Delacroix écrit dans son journal : « Il y a quelques jours, j'ai été le soir chez Géricault. Quelle triste soirée ! Il est mourant[3]... » Il meurt le 26 janvier 1824.

Ces années sont aussi gâchées par des soucis financiers toujours croissants. Vers 1820, l'argent reçu en héritage de sa mère et de sa grand-mère a depuis longtemps été entièrement dépensé. Dès 1821, l'artiste s'engage dans différents projets d'investissements hasardeux et à l'été 1823, il fait banqueroute. Quelques mois plus tard, afin de combler ses dettes, il se résigne à laisser vendre plusieurs toiles « à des prix médiocres[4] ».

Jusqu'à quel point tout ceci peut-il contribuer à comprendre l'œuvre de Géricault dans ses dernières années ? D'ailleurs à quelle date commencent ces dernières années ?

Relativement peu de peintures dans l'ensemble – et pour la plupart de relativement petit format – peuvent être datées avec certitude après 1818, c'est-à-dire après *Le Radeau de la Méduse*. Ceci ne signifie pas que Géricault abandonne tout projet de peintures ambitieuses ou monumentales : à défaut de documents probants, on suppose que la série des *Portraits de fous* a sans doute été peinte entre la fin des années 1819 et 1822. Mais cet ensemble, comme les toiles représentant des têtes ou des membres coupés, aurait difficilement pu être conçu par un autre artiste contemporain, *a fortiori* par un peintre d'histoire – statut que Géricault avait conquis après l'exposition du *Radeau de la Méduse* au Salon.

Quoiqu'il en soit, Géricault ne peint plus autant après 1818 et s'il peint, c'est principalement dans un genre mineur. Ses ennuis financiers ont dû le pousser dans une certaine mesure à établir sa position sur le marché de l'art, celui de la lithographie entre autres ; artiste moderne, c'est peut-être là d'ailleurs, par le biais de ce nouveau moyen de reproduction massive, qu'il souhaitait trouver sa place. Inversement, la maladie et son infirmité ont aussi dû limiter de façon décisive les entreprises du peintre. C'est la période anglaise qui a contribué, par dessus tout, à donner à la destinée de Géricault sa forme et son élan des dernières années : lithographe, aquarelliste et peintre de genre.

Des nombreuses « dernières » œuvres auxquelles se réfère la littérature critique de l'artiste du début du XIXe siècle, deux dessins de grand format témoignent toutefois de « grands » projets restés inachevés. L'un d'eux peut être identifié en toute certitude à *La Traite des nègres* (**cat. D.88**) et l'autre, à *L'Ouverture des portes de l'Inquisition* (Paris, Musée du Louvre, **ill. 72**). Cependant, certaines questions relatives à ces œuvres n'ont pas été encore éclaircies : quand les dessins ont-ils été exécutés ? Jusqu'à quel point Géricault les a-t-il élaborés ? Quels étaient réellement leur thème et leur sujet ?

Chr. Sells a effectué jusqu'ici les meilleures recherches sur les divers témoignages relatifs à ces questions et les resitue clairement dans leur contexte : « Datant de 1823...[ces projets] montrent un retour de l'artiste à un art qu'illustre *Le Radeau de la Méduse*, intérêt qu'il aurait momentanément abandonné une fois achevé son *Radeau de la Méduse*. En revanche, s'ils ont été réalisés plus tôt entre le Géricault du *Radeau de la Méduse* et l'artiste des aquarelles anglaises et des lithographies plus tardives, ils donnent un caractère définitif à son intention "d'abdiquer le cothurne" proclamée dans une lettre à Dedreux-Dorcy en février 1821[5] ».

« Géricault, conclut-il, conçut, après *Le Radeau de la Méduse*, des sujets à caractère moral et des figures à grande échelle. Mais les uns comme les autres restent à l'état de projets. Le divertissement que lui procure l'Angleterre dans un premier temps, puis la maladie et la nécessité de gagner sa vie l'empêchent de réaliser de telles compositions. Sur son lit de mort, il exprime ses regrets les plus vifs de n'avoir pu mener la peinture à des sommets plus ambitieux : « Si j'avais seulement fait cinq tableaux[6]... ! »

II

Dernières œuvres des derniers jours : « L'exigence de fin dans le récit historique est une exigence de signification morale, qui considère une succession de faits réels comme la suite des éléments d'un drame moral[7] », écrit Hayden White. Dans ces ultimes projets épiques, Géricault sacrifie à nouveau à la peinture d'histoire, bien loin de la lithographie et des petites scènes équestres. L'inachèvement de ces œuvres contribue à l'élaboration d'un mythe romantique puissant – l'histoire de Géricault en est un des meilleurs exemples – celui de grandes promesses inaccomplies parce que la mort les a brisées. Cela ne signifie en aucun cas que Géricault n'ait pas élaboré ou entrepris des projets ambitieux entre 1819 et la fin de l'année 1823, mais cela met en évidence le fait que les événements et les récits qui les entourent ne sont jamais sans conséquence. À ce propos, les sources sont souvent minces et dans le meilleur des cas contradictoires.

Le premier témoignage fournissant une chronologie ambiguë des événements, paraît dans l'*Annuaire nécrologique* de l'année 1824 : « Une mort prématurée enleva Géricault, à peine âgé de 31 (*sic*) ans, le 26 janvier, avant qu'il eût le loisir de multiplier les productions de son génie. Il avait entrepris deux grandes compositions, *La Traite des nègres*, destinée à faire pendant au *Radeau de la Méduse*, et *La Peste de Barcelone*. Les esquisses et les études de ces deux sujets promettaient de très beaux ouvrages. Quoiqu'il se sentait peu de goût pour traiter les sujets sacrés, peut-être parce qu'ils ont été à peu près épuisés par les anciens maîtres, pourtant il avait voulu s'y essayer : une *Descente de croix*, qu'il était sur le point de terminer, rappelle la manière de l'école italienne[8]. »

Géricault, considéré ici comme un peintre à la fois parfaitement moderne et attaché au style de la grande tradition, est supposé avoir réalisé « deux grandes compositions » : l'adjectif « grand » fait sans aucun doute référence au format et à l'ambition des projets – tels qu'ils sont et tels qu'ils promettent de devenir – mais aussi à la grandeur du sujet, à la noblesse, à la justesse des figures et des attitudes, à leur capacité à « élever l'âme de ceux qui s'en occupent[9] ».

La mention suivante, datée de 1828, est signée d'Arnold Scheffer – frère des peintres Ary et Henry Scheffer –, journaliste d'opposition très engagé, soucieux d'associer Géricault aux débats sur les nouvelles approches esthétiques et le libéralisme politique : « Si une mort prématurée ne l'eût enlevé à trente-deux ans, cette école (l'école romantique) qui lutte aujourd'hui contre de vieilles admirations, d'anciennes habitudes et la routine académique, serait près de triompher. Au tableau du *Radeau de la Méduse* aurait succédé celui de *La Traite des nègres*, représentant un marché d'esclaves sur la côte du Sénégal. Enfin, l'idée d'une composition immense, de la reddition de Parga et la fuite de ses habitants, avait devancé, dans l'âme si noblement inspirée de Géricault, toutes les émotions qu'ont fait naître depuis la cause et les malheurs des Grecs[10]. »

Scheffer ne fournit aucune date pour ces projets et indique seulement qu'ils s'inscrivent dans la suite du *Radeau de la Méduse*, tandis qu'une monographie de 1830 évoque des recherches et une activité intense lors des toutes dernières années de l'artiste : « Géricault méditait, lorsqu'il est mort, d'autres grandes compositions, et principalement deux sujets éminemment propres, comme celui du naufrage de la *Méduse*, à développer la pitié et la terreur, c'est à savoir la traite des nègres et la peste de Barcelone. Il était aussi sur le point de terminer une descente de croix, exécutée avec toute l'élévation du style et la sévérité de ton qui a désigné les meilleures productions de l'école lombarde[11]. »

Dans une autre notice biographique publiée en 1838 figure la simple mention d' « *une Traite des nègres*, *La Peste de Barcelone* et une *Descente de croix*, commencée à l'époque de sa maladie[12] », période que l'on situe entre la fameuse série d'accidents d'équitation, au début de 1822 et la mort de l'artiste.

C'est Batissier qui date précisément dans la première *Vie de Géricault* publiée en 1841, la conception des grands projets, c'est-à-dire au printemps ou à l'été 1823, juste après la « convalescence » de Géricault et la réalisation des suites de lithographies publiées en avril et en juin[13] : « Quand il fut revenu à (la ?) santé, Géricault travailla beaucoup, il exécuta plusieurs tableaux de chevalet, de belles aquarelles et un grand nombre d'études. Il avait le projet de faire un tableau représentant *La Traite des nègres*, et il avait même assemblé quelques croquis relatifs à ce sujet. Un autre sujet, qui lui souriait beaucoup, c'était *L'Ouverture des portes de l'Inquisition en Espagne*. Il voulait peindre cette scène sur une toile immense, faire une sorte de panorama de la foule des malheureux qui échappaient aux prisons de la Sainte-Hermandad. Il avait de plus le projet d'exécuter une statue équestre. Comme la plupart des grands artistes de la Renaissance, il voulait être tout à la fois peintre et sculpteur[14]. » C'est là une sorte d'apothéose du dernier Géricault, par laquelle l'artiste devient un génie et transcende son époque.

Charles Blanc, dans sa monographie parue elle aussi en 1842, donne une version des faits légèrement différente et date les derniers projets à une période légèrement antérieure : Géricault « pensait sérieusement à exécuter de grandes compositions qu'il avait dès longtemps préméditées, dont les sujets étaient *La Traite des nègres* et *L'Ouverture des portes de l'Inquisition*[15] ». Dans le même sens, Thoré, en 1843, propose, mais de manière cependant imprécise, une datation précoce pour l'un des derniers projets et note que Géricault « parlait souvent d'une *Traite des Nègres* qu'il avait eu l'intention de faire après *la Méduse*[16] ».

Enfin, Montfort, l'élève de Géricault qui fournit beaucoup d'éléments biographiques à Clément pour son ouvrage, rattache les dernières œuvres de son maître aux ultimes moments de sa maladie, sans doute à la fin de l'année 1823 : « Dans ses moments de calme, et quand l'espérance de guérir était plus vive, il confiait à ses amis quelques-uns de ses projets, il avait l'idée de peindre la traite des nègres, disait-il, c'était un un beau sujet, la reddition de Parga et je ferai aussi, disait-il, un tableau de chevaux, grand comme nature et un de femmes[17]. »

Le témoignage de Montfort n'en est pas moins ambigu et il n'exclut pas la possibilité que la conception de ces compositions mentionnées remonte à une date bien antérieure.

III

Ces divers témoignages, comme je l'ai déjà dit, ne permettent pas de conclure cependant à une « dernière œuvre ». Ils donnent une série de datations possibles pour les « grandes compositions », qui s'échelonnent de 1819 – je n'ai jusqu'ici trouvé aucune mention de datation antérieure au *Radeau de la Méduse* – à 1823. La liste de projets proposée comprend *La Traite des nègres*, *L'Ouverture des portes de l'Inquisition*, *La Peste de Barcelone*, une *Descente de croix*, *La Reddition de Parga*, une statue équestre, « un tableau de chevaux, grand comme nature et un de femmes » – dont les deux premiers seulement correspondent à des œuvres connues[18].

Le critère du « style » contribue encore moins que les documents historiques à établir une chronologie concluante. Il a été récemment proposé par exemple, de dater *La Traite des nègres* et *L'Ouverture des portes de l'Inquisition* avant *Le Radeau de la Méduse*, en raison de la « sanguine utilisée par l'artiste lors d'une période

ill. 72

ill. 72
Théodore Géricault, *L'Ouverture des portes de l'Inquisition*, dessin, Département des Arts Graphiques, Musée du Louvre, Paris.

relativement brève qui s'étend du voyage en Italie à son retour en France[19] ». De nombreuses œuvres exécutées en partie à la sanguine peuvent ainsi et ont été, de manière convaincante, datées plus tardivement, jusqu'aux derniers jours de la vie de Géricault où, cloué au lit, il travaille sans cesse[20]. De façon plus intéressante encore, les figures et les motifs sont récurrents dans son œuvre et tout au long de sa carrière : ainsi, le boucher figurant dans *La Traite des nègres* est déjà présent dans *Le Marché aux bœufs* (Cambridge, Fogg Art Museum) et la composition du dessin reprend en partie celle de *La Course de chevaux libres*. Dans *L'Ouverture des portes de l'Inquisition*, le père et le groupe familial sont déjà dans *Le Radeau de la Méduse*. Dans ces deux œuvres, on retrouve également les corps allongés des études destinées au *Radeau de la Méduse* et aux dernières lithographies, mais aussi l'art de Raphaël : la figure agenouillée aux bras ouverts de *L'Ouverture des portes de l'Inquisition* reprend l'attitude de l'« héroïne centrale » de *L'Incendie du bourg*[21] et *La Traite des nègres* s'inspire du *Massacre des Innocents*, par l'intermédiaire de la gravure de Marc-Antoine Raimondi.

On a souvent rapproché *L'Ouverture des portes de l'Inquisition* de deux événements politiques contemporains majeurs : la libération à Madrid, en mars 1820, des prisonniers de l'Inquisition et la vive polémique engagée à la fin de l'année 1822 sur une éventuelle intervention militaire des troupes françaises en Espagne, qui culmine avec l'invasion d'avril 1823. Le libéralisme de Géricault et ses idéaux d'émancipation ont évidemment joué un rôle important dans la vigueur de cette œuvre. *La Traite des nègres* n'a jamais été mise en parallèle avec un événement précis et les hypothèses les plus récentes proposent de la rapprocher des débats sur l'esclavage en France et en Angleterre qui débutent vers le milieu de l'année 1820 et se déchaînent au début de l'année 1822[22].

En raison de ces éléments, la date de 1823 semble assez convaincante pour *L'Ouverture des portes de l'Inquisition*, et une période encore plus tardive pour *La Traite des nègres*, qui correspond au moment le plus vif de la polémique sur ce sujet : Géricault choisit généralement de se lancer dans ses projets politiques contemporains lorsque la controverse est la plus intense dans l'opinion publique. Ajoutons qu'il est logique d'estimer qu'il a réalisé à peu près à la même époque ses deux dessins à la sanguine d'un grand format. Certes, les figures, leurs attitudes et les motifs représentés sur ces deux œuvres évoquent bien davantage la période du *Radeau de la Méduse* – entre 1818 et 1819 – que les années qui succèdent aux séjours anglais. En 1820, thèmes et controverses sont parfaitement en place à la fois pour *La Traite des nègres* et pour *L'Ouverture des portes de l'Inquisition*. Il semble hautement vraisemblable que Géricault ait trouvé en 1820 l'inspiration et le temps d'élaborer ces différents projets ambitieux, qu'il n'a ensuite jamais développés de manière plus approfondie après ses voyages en Angleterre, qui marquent ainsi une rupture dans sa carrière. L'argumentation reste cependant mince et étayée essentiellement sur des hypothèses et un contexte historique ; elle répond peut-être au désir de mettre un terme à l'image d'un artiste achevant sa vie sur un grand'œuvre.

Le plus important est peut-être de tirer parti – en ce qui concerne les derniers projets mais aussi de Géricault en général – des zones d'ombres et des témoignages contradictoires et même de leur donner un sens : reconstruire une vie fondée sur la dissimulation, le secret et la fuite, qui n'est rien d'autre que celle de Géricault. Une vie où le héros est plus ou moins absent : « L'exégèse contradictoire d'une historiographie versatile suffirait à prouver que Géricault n'existe pas ; il n'est jamais que le produit du regard, dont l'essence est la *motilité*[23]... », a-t-on récemment écrit.

On a envie de considérer que les lithographies et les petites scènes de genre de Géricault – réalisées pour la majeure partie après *Le Radeau de la Méduse* – ont gêné puis empêché la création de peinture d'histoire, la production d'œuvres de grand format à haute valeur morale. Il faut ensuite souligner la rencontre entre le fait divers et le sujet d'histoire qui sont parfois élevés au même rang. C'est bien sûr l'histoire et la signification du *Radeau de la Méduse*, la première et la dernière grande composition de Géricault. Dans cette perspective, le remords présumé de l'artiste sur son lit de mort, qui réduit *Le Radeau de la Méduse* à une simple « vignette[24] », semble moins correspondre au murmure d'une fin tragique qu'aux débuts d'une interprétation complexe, empreinte d'ironie.

Robert Simon

(Traduit de l'anglais par Stéphanie Wapler)

1
Voir les listes correspondant aux années concernées dans : Br. Chenique, exp. Paris, 1991-1992, pp. 283-307 ; G. Bazin, 1987, I, pp. 41-83.

2
La Pandore, n° 81, samedi 4 octobre 1823.

3
E. Delacroix, éd. 1981, p. 44.

4
Cité par A. Piron, 1865, p. 61.

5
Chr. Sells, août 1986, pp. 563-564. Voici le passage précis de la lettre citée par Chr. Sells : « J'envoie au diable tous les sacrés-cœurs de Jésus : c'est un vrai métier de gueux à mourir de faim. J'abdique le cothurne et la sainte Ecriture pour me renfermer dans l'écurie dont je ne sortirai que cousu d'or. » Citée aussi par Br. Chenique, exp. Paris, 1991-1992, p. 320.

6
Chr. Sells, août 1986, pp. 568-569.
C'est Montfort qui rapporte cette citation de Géricault (Br. Chenique, exp. Paris, 1991-1992, p. 316).

7
H. White, 1981, p. 20.

8
A. Mahul, 1825, pp. 117-118.

9
C.-H. Watelet, P.-C. Lévesque, article « grand », 1792, II, p. 468.

10
A. Scheffer, janvier 1828, p. 196.

11
Cl. Vieilh de Boisjolin, 1830, II, p. 1862.

12
De La Garenne, 1838, suppl. LXV, p. 299.

13
La série de lithographies exécutée pour la plus grande partie par Léon Cogniet et Joseph Volmar porte le titre d'*Études de chevaux*. (P. Joannides, octobre 1973, pp. 667-668 et Fr. Bergot, exp. Rouen, 1981-1982, pp. 88-97, n°s 74 à 86 (où elles sont datées de manière erronnée).

14
L. Batissier, [1841], dans P. Courthion, 1947, p. 61.

15
Ch. Blanc, 30 août 1842, p. 3.

16
Th. Thoré, 1843, I, p. 346.

17
Y. Cantarel-Besson, exp. Paris, 1991-1992, p. 316.

18
Chr. Sells, par exemple, identifie une peinture conservée au Virginia Museum of Fine Arts de Richmond comme une version de *La Peste de Barcelone* (Chr. Sells, août 1986, p. 568).
Ph. Grunchec (exp. New York, San Diego et Houston, 1985-1986, p. 127, fig. 61d) et L. Eitner (1983, p. 274, 1991, p. 380) mettent tous deux en relation des esquisses figurant au verso d'une feuille représentant une étude pour *L'Ouverture des portes de l'Inquisition* avec *La Reddition de Parga,* bien que leurs compositions soient très éloignées du sujet traité (Chr. Sells, août 1986, pp. 567-568).
Clément mentionne pour sa part à plusieurs reprises *La Traite des nègres* et *L'Ouverture des portes de l'Inquisition* dans sa biographie, indiquant que : « nous ne possédons qu'un dessin important de chacun de ces ouvrages » et semble les situer vers la fin de la vie de l'artiste. (Ch. Clément, 1879, pp. 232-233).

19
Ph. Grunchec, exp. New York, San Diego, Houston, 1985-1986, p. 123, n° 60.

20
La Rixe (Londres, British Museum) par exemple, qui peut être datée de 1819 (exp. Paris, 1991-1992, p.178, ill. 290, p. 400, n° 277 et R. Simon, 1996, I, p. 261) et *Main gauche de Géricault* (Paris, Musée du Louvre ; L. Eitner, 1983, p. 288, fig. 223 et p. 361, note 171, et 1991, pp. 404 et 439, note 171 ; exp. Paris, 1991-1992, p. 256, ill. 392, p. 368, n° 148).

21
R. Michel, décembre 1991, pp. 8-11.

22
En particulier : A. Boime, 1996, II, pp. 561-593 ; R. Michel, décembre 1991 et Chr. Sells, août 1986, dont le point de vue diffère.

23
R. Michel, exp. Paris, 1991-1992, p. 250.

24
« À son lit de mort, Géricault se désolait de n'avoir rien fait pour donner la mesure de ce qu'il aurait pu faire.
– Mais la *Méduse*, disaient ses amis.
– La *Méduse*. Bah ! une vignette ! », cité par Br. Chenique, exp. Paris, 1991-1992, p. 305.

Fragment du Temple de Bassæ, **cat. D.42**

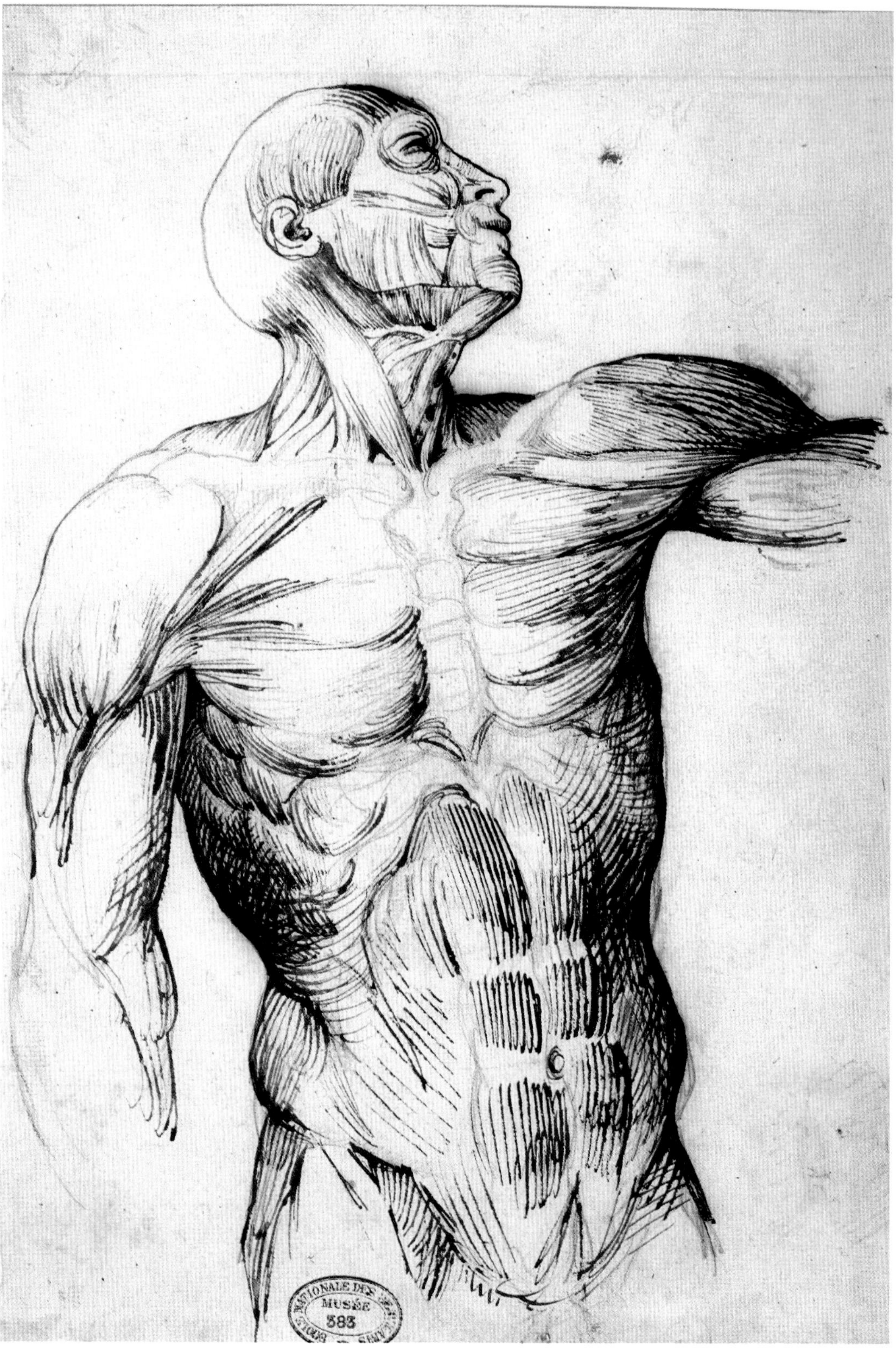

Étude des muscles de la tête et du torse, **cat. D.1**

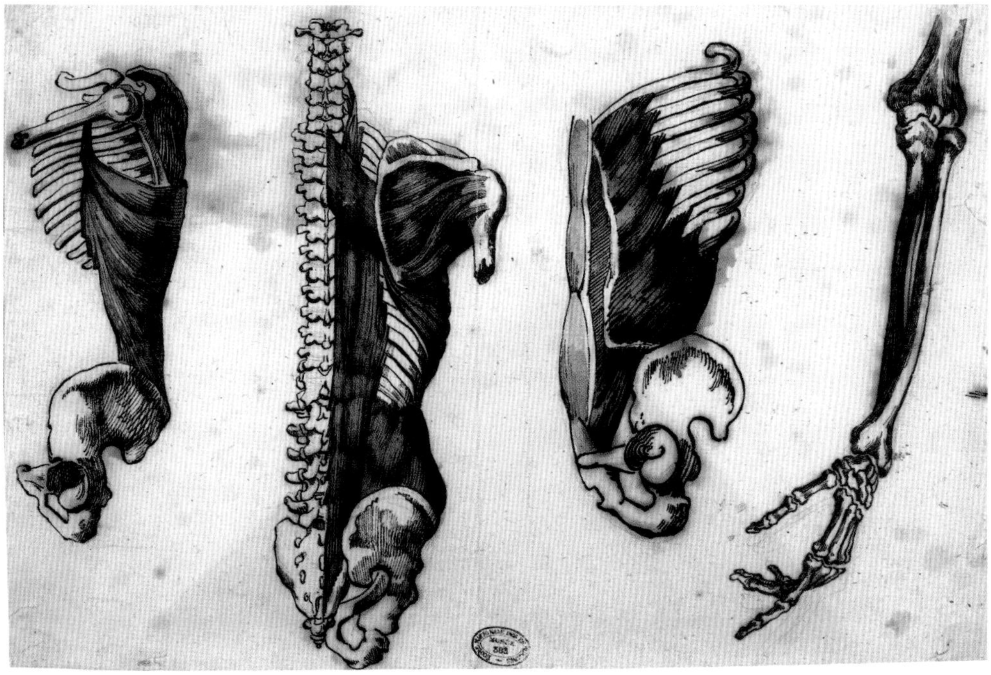

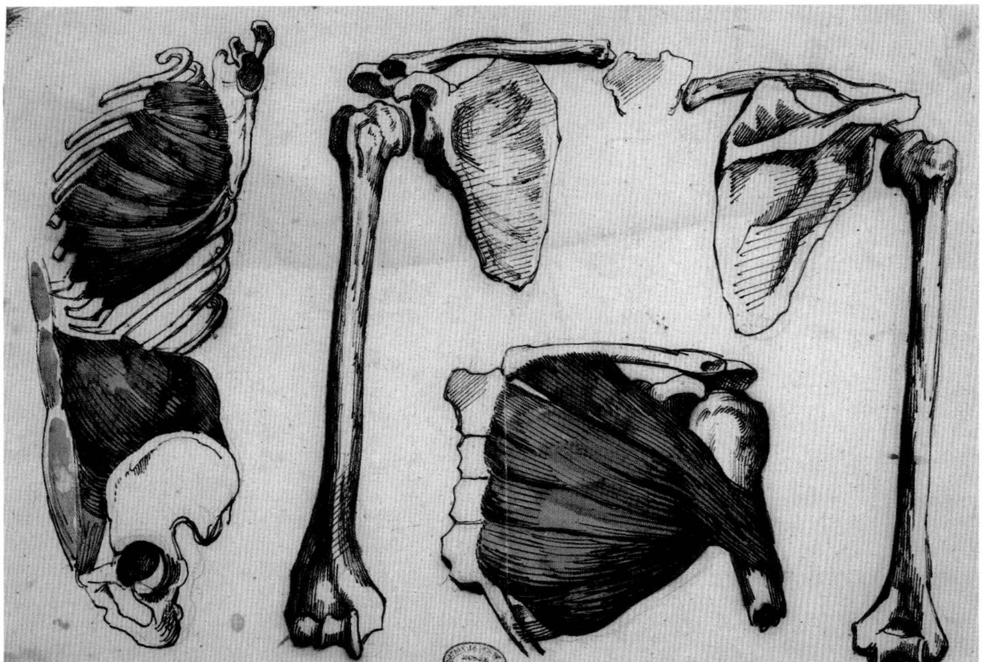

Trois études du squelette et de la musculature du torse : deux en vue latérale, et une en vue postérieure ; étude du squelette de l'avant-bras gauche en demi-pronation, **cat. D.15**

Étude du squelette de l'épaule et du bras droit, en vues antérieure et postérieure ; étude latérale des muscles profonds du torse vus du côté gauche ; étude du grand pectoral gauche vu de face, **cat. D.14**

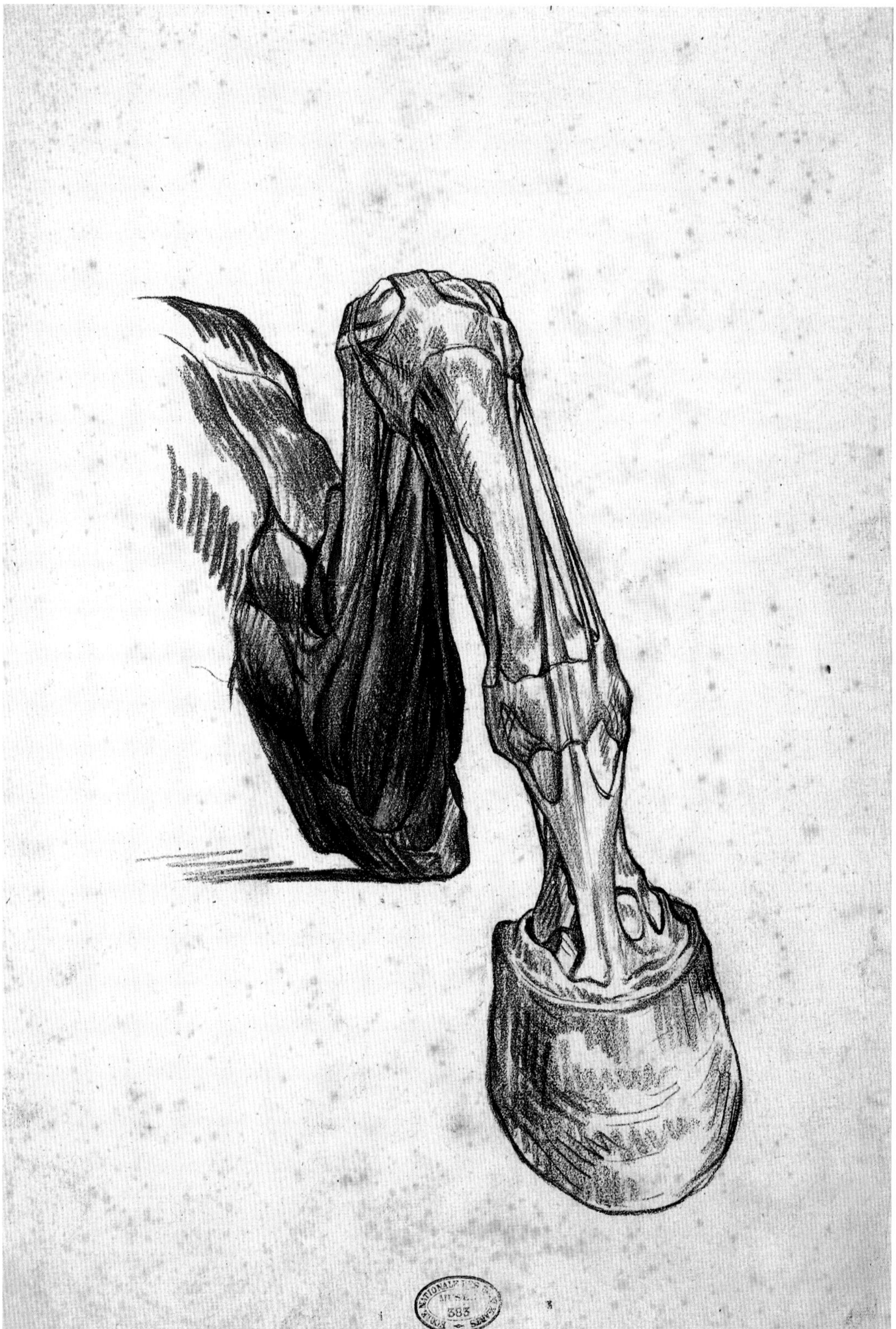

Étude d'un membre antérieur gauche écorché, vu de face, **cat. D.24**

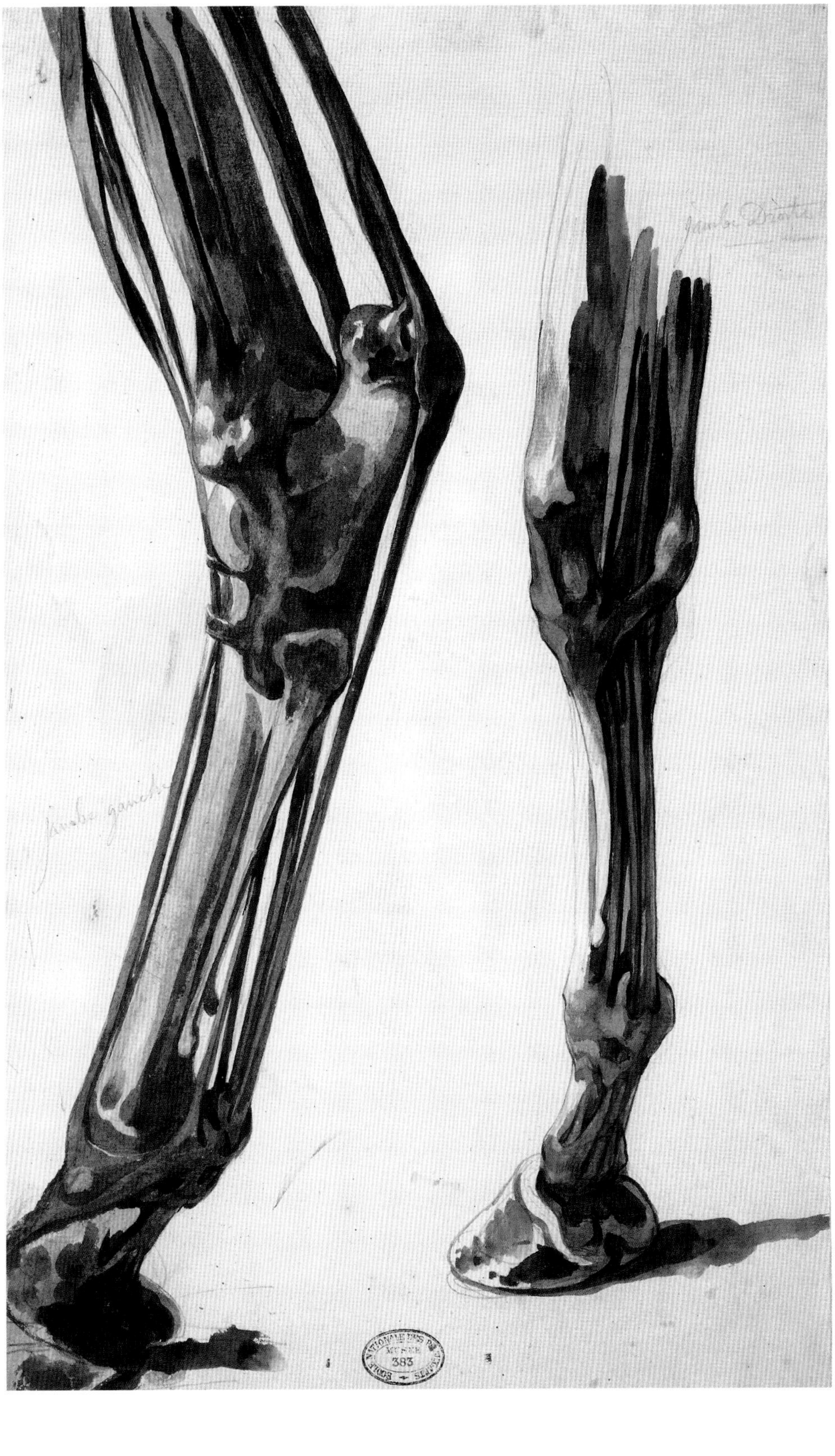

Études d'une «jambe gauche» et d'une «jambe droite» écorchées, **cat. D.33**

Bacchanale, **cat. D.57**

Aurore, crépuscule, jour, enfant, d'après Michel-Ange, **cat. D.60**

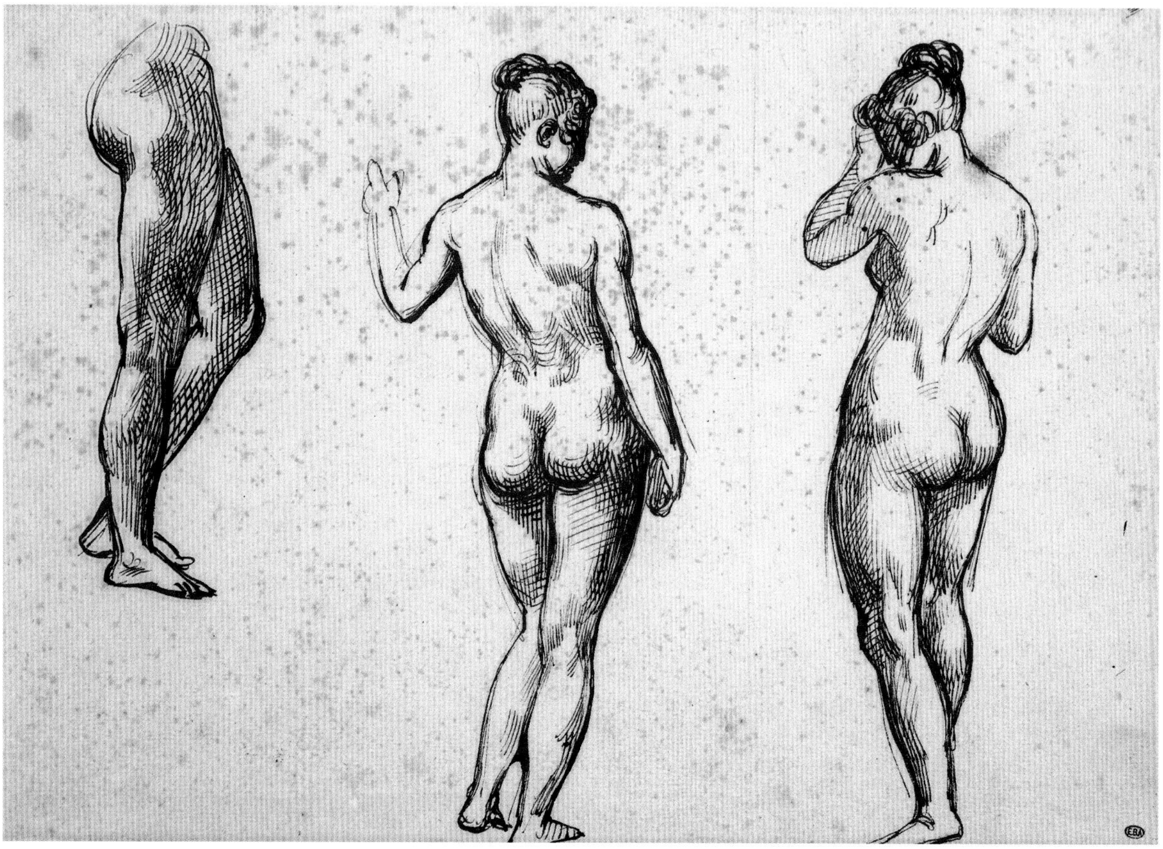

Études de femme nue, vue de dos ; étude de jambe, **cat. D.79**

Étude de deux femmes, **cat. D.78**

Paysan romain assis tenant un enfant dans ses bras *à gauche,* paysan assis *à droite,* et tête de profil *au centre*, **cat. D.72 recto et verso**

Préparatifs d'une exécution capitale en Italie, **cat. D.73**

Une exécution à mort à Rome, **cat. D.74**

Deux chevaux gris-pommelé se battant dans une écurie, **cat. E.9**

Feuille d'études : deux chevaux, l'un vu de face, l'autre de profil, études de tête et de sabot de cheval, **cat. D.54**

Combat de cavalerie, **cat. D.84**

Artillerie à cheval de la Garde impériale changeant de position, **cat. E.13**

« Batalla de Chacabuco »
La Bataille de Chacabuco, 12 février 1817, **cat. E.14**

D^{n} Manuel Belgrano, General en xefe del exercito auxillar del peru, **cat. E.17**

Retour de Russie, **cat. E.10**

Cuirassier blessé à cheval, **cat. D.85**

Vue de Montmartre et études de lions, **cat. D.82**

Portrait d'Auguste Brunet, vu de profil, **cat. D.81**

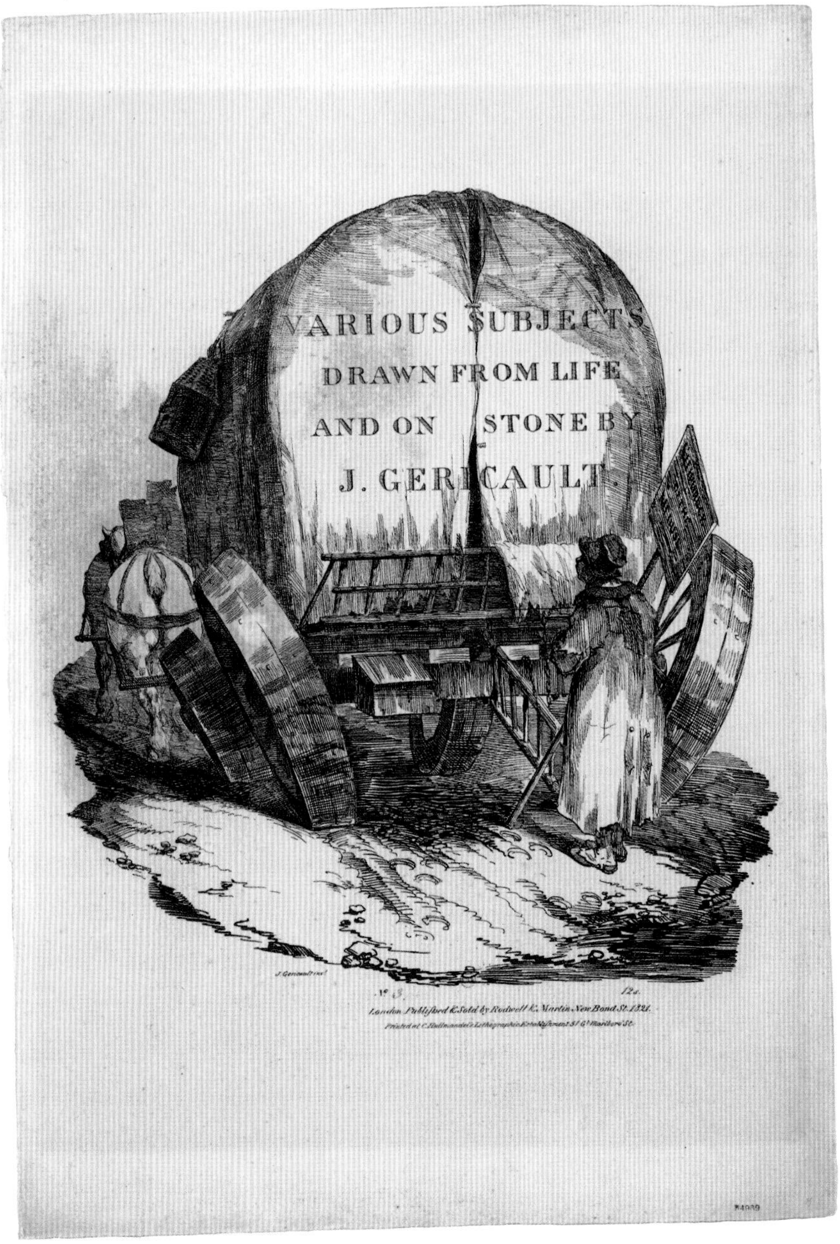

Page précédente : La Traite des nègres, **cat. D.88**

Un fourgon attelé, **cat. E.23**

Le Joueur de cornemuse, **cat. D.95**

A Paraleytic (*sic*) Woman, **cat. E.28**

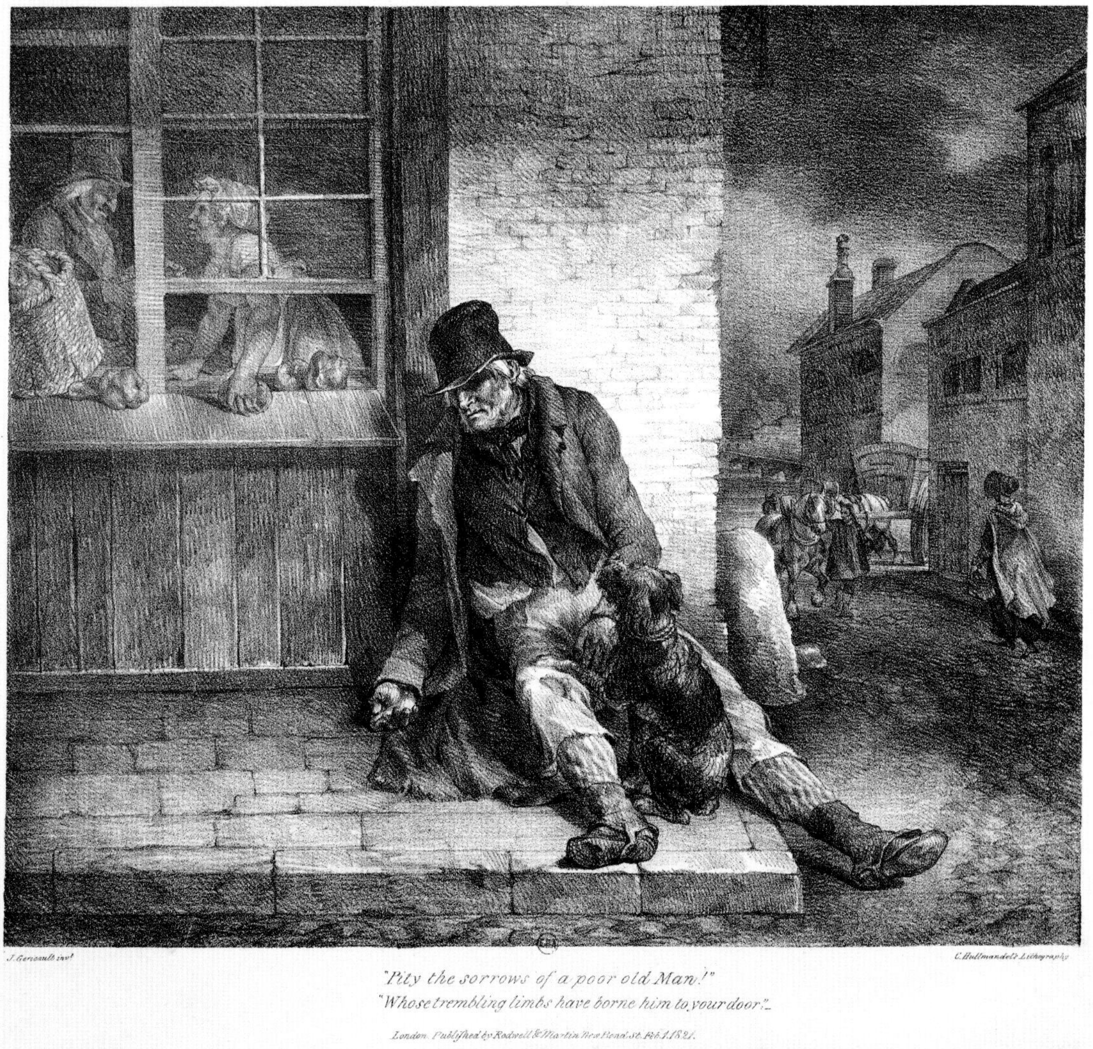
J. Gericault inv^t
C. Hullmandel's Lithography
"Pity the sorrows of a poor old Man!"
"Whose trembling limbs have borne him to your door."_
London. Published by Rodwell & Martin New Bond St. Feb. 1. 1821.

« Pity the Sorrows of a poor old Man »
« Whose trembling limbs have borne him to your door », **cat. E.25**

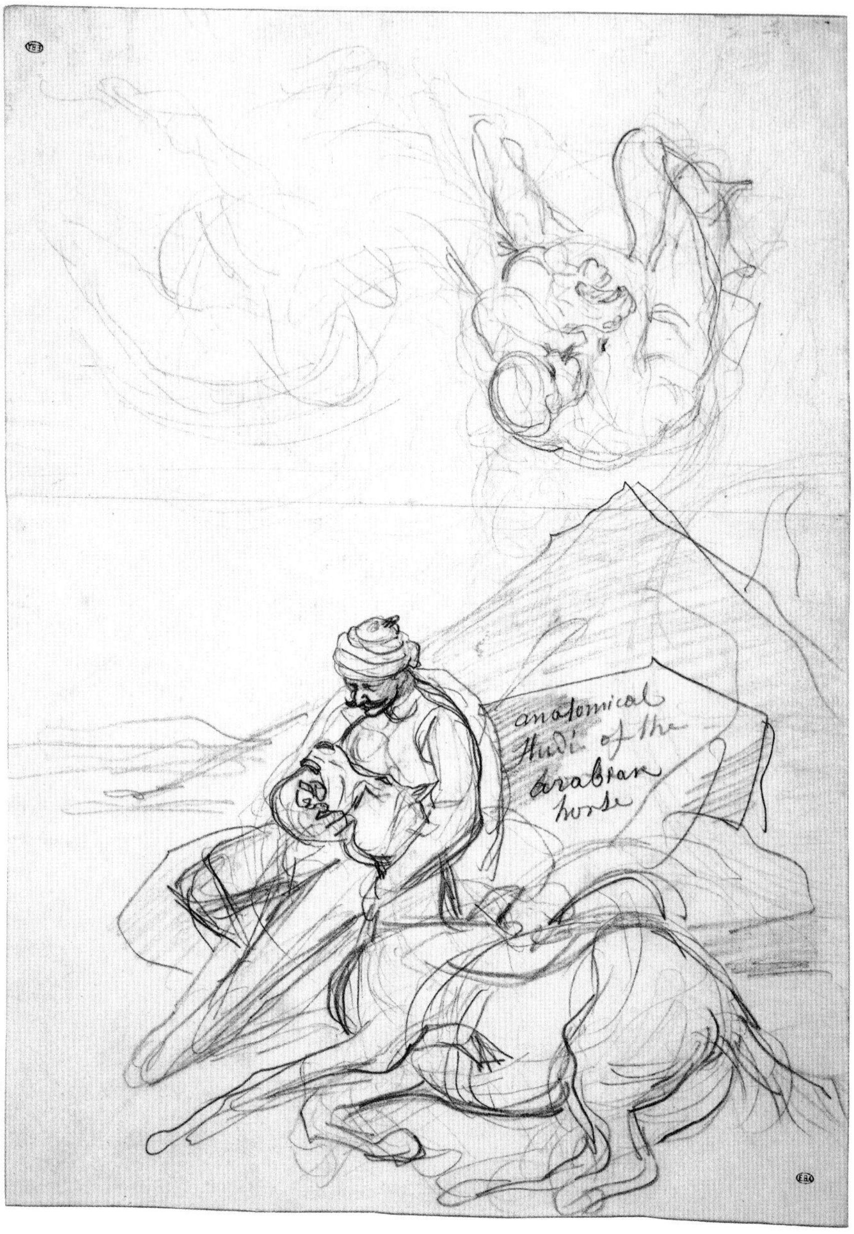

Mameluk pleurant son cheval mort, **cat. D.98**

Mameluk au bord de la mer, **cat. D.86**

Le Cheval du plâtrier, **cat. E.77**

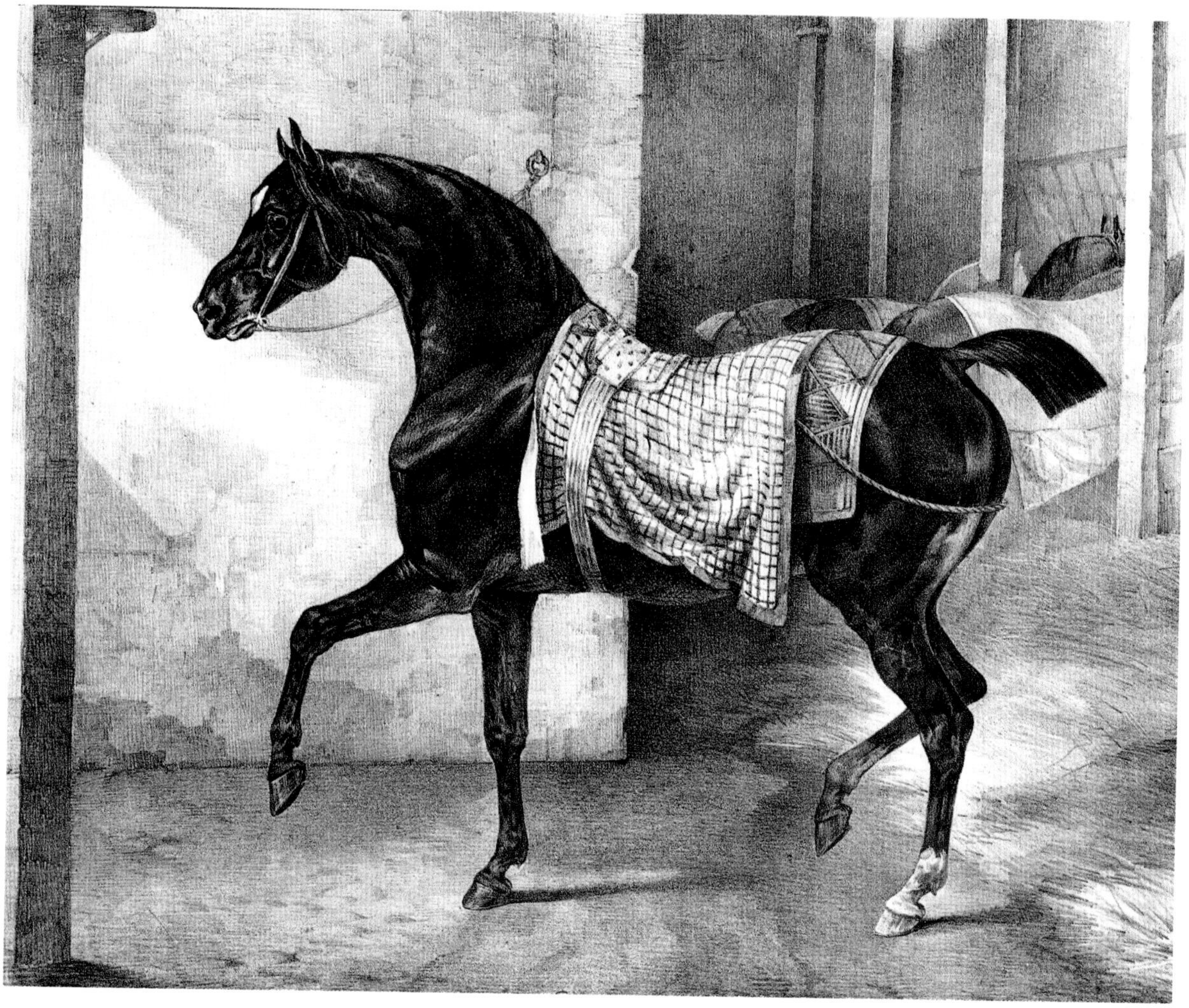

Cheval noir avec une couverture à carreaux attaché dans une écurie, **cat. E.75**

Portrait équestre d'un jeune homme, **cat. D.89**

Inventaire des dessins

Avertissement
L'abréviation **E.B.A.** figurant dans les notices du catalogue correspond à la marque de l'École nationale supérieure des Beaux-Arts apposée sur les dessins lors de leur prise en inventaire.

L'abréviation **Ensba** désigne l'École nationale supérieure des Beaux-arts.

Les dimensions des dessins et des lithographies sont données en mètres ; pour les feuilles à bords irréguliers, les dimensions maximales ont été indiquées ; pour les lithographies, les dimensions ont été relevées deux fois, sans marge et avec marge. Les différentes épreuves d'une même estampe, conservées à l'Ensba, sont mentionnées sous le même numéro de catalogue. La lettre **L.** renvoie à l'ouvrage de Frits Lugt, 1921 (voir bibliographie).

Les notices des dessins et estampes précédées d'un astérisque correspondent aux œuvres exposées.

L'ordre choisi pour l'inventaire des dessins est chronologique. La bibliographie et la liste des expositions mentionnées dans les notices sont exhaustives.

L'ordre retenu pour l'inventaire des estampes est celui de Charles Clément : ce choix répond aux commodités du lecteur habitué à ce classement, mais les nouvelles datations proposées ces dernières années ont été prises en compte. La bibliographie mentionnée n'est pas exhaustive : les ouvrages retenus sont ceux de Charles Clément, Loys Delteil, Philippe Grunchec, François Bergot et Germain Bazin. La liste des expositions où les lithographies de l'Ensba ont été présentées est en revanche exhaustive.

Les notices documentaires ont été établies par Joëlla de Couëssin et Emmanuelle Brugerolles.

Les commentaires sont rédigés par les auteurs suivants : Nina Athanassoglou-Kallmyer, Emmanuelle Brugerolles, Marc Fehlmann, John Paul Lambertson, Alexander Mishory, Robert Simon, mentionnés par les initiales de leurs prénoms et leurs noms à la fin des textes.

Les traductions ont été assurées par Jeanne Bouniort, François Grunbacher et Stéphanie Wapler et ont été revues par Emmanuelle Brugerolles.

Les mentions **cat. D** ou **cat. E** renvoient aux notices des dessins ou des estampes, celle de **ill.** renvoie aux reproductions figurant dans les textes introductifs.

L'inventaire a été établi par
• Notices documentaires
Joëlla de Couëssin
• Commentaires
Nina Athanassoglou-Kallmyer (N.A.-K.) : D.51, D.86, D.94 et D.98 à D.100.
Emmanuelle Brugerolles (E.B.) : D.52 à D.56, D.81, D.83 à D.85, D.101 à D.106 et D.108.
Jean-François Debord (J.-F.D.) : D.33.
Marc Fehlmann (M.F.) : D.57 à D.80, D.82 et D.111 à D.114.
John Paul Lambertson (J.P.L) : D.1 à D.16 et D.34 à D.50.
Robert Simon (R.S.) : D.87 à D.92 et D.95 à D.97.

Seize dessins d'anatomie humaine

Provenance
Ensemble de seize dessins d'anatomie humaine, catalogué par Clément en 1867, 1868 et 1879 comme appartenant à E. de Varennes et donné par ce dernier à l'Ensba en 1883 | Inv. E.B.A. n° 1009.

Bibliographie
Ch. Clément, avril 1867, p. 324, note 2 | Ch. Clément, octobre 1867, p. 372, n° 163 | Ch. Clément, 1868 et 1879, p. 118, note 2, p. 367, n° 179, p. 368 sous le n° 180, p. 436 | Ch. Clément, 1870 | M. Duval, A. Bical, 1890, p. 23 et note 2, pl. V, VI, XI, XII, XV, XVI, XVII, XVIII, XXIV, XXV, XXVI | E. Müntz, janvier 1891, p. 52 | L. Tréal, février 1893, pp. 44-45 | M. Duval et E. Cuyer, 1898, pp. VII, 208-220, 256-263, fig. 95 et 97 | E. Cuyer, juillet 1898, pp. 236-238 | Thieme et Becker, 1920, p. 460 | L. Rosenthal, juin 1924, p. 58 | L. Rosenthal, n° 4, 1924, p. 25 | G. Oprescu, s.d. [1927], p. 19, note 2 | P. Pizon, décembre 1954, pp. 1855-1858, repr. | P. Vallery-Radot, avril 1958, p. 613 | L. Eitner, 1973, p. 470 | L. Eitner, 1983, p. 333, note 113 | G. Bazin, 1987, II, pp. 310-312, 463-468, repr. | M. Guédron, 1997, pp. 46-48, 49, note 10.

Pour ces études d'anatomie, Géricault utilise deux traités destinés aux artistes : les *Études d'anatomie à l'usage des peintres* de Charles Monnet (Paris, 1775) pour douze dessins, et l'*Anatomia per uso dei pittori e scultori* de Giuseppe Del Medico (Rome, 1811) pour quatre autres. Dans les premiers, il a généralement reproduit les compositions de Monnet, en renforçant les lignes et les ombres. Les inscriptions marginales et les croquis visibles au dos de trois de ces feuilles (**cat. D.1, D.11** et **D.12**), traditionnellement datées entre 1816 et 1824, incitent à situer l'ensemble au plus tard en 1812. Edmond de Varennes a offert ces seize feuilles à l'Ensba en 1883. J.P.L.

D.1 Étude des muscles de la tête et du torse

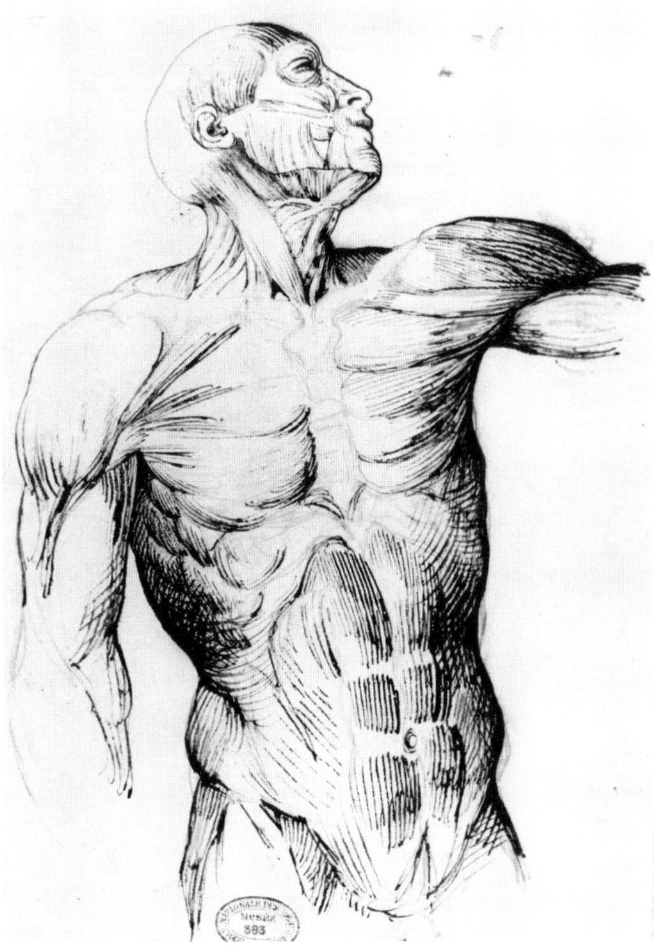

Mine de plomb et plume, encres brune et rouge | H. 0,299 ; L. 0,208 | Verso : *Etudes de têtes d'homme et de cheval,* à la mine de plomb, et en haut à gauche : *Esquisse d'un cheval,* à la mine de plomb | Légères lacunes dans la partie supérieure | Trace de pliure | Contremarque : *Duclos.*

Provenance
Fait partie d'un ensemble de seize dessins d'anatomie humaine, catalogué par Clément en 1867, 1868 et 1879 comme appartenant à E. de Varennes et donné par ce dernier à l'Ensba en 1883 | Inv. E.B.A. n° 1009 (2).

Bibliographie
M. Duval, A. Bical, 1890, pl. VI | P. Pizon, décembre 1954, p. 1857, repr. | G. Bazin, 1987, II, pp. 311-312, 464, n° 396, repr. | M. Guédron, 1997, repr. en couverture.

Expositions
Paris, Hôtel Jean Charpentier, 1924, n° 138 d | Rouen, Musée des Beaux-Arts, 1977, n° 35.

Pour son image du tronc, Géricault a pris modèle sur la planche 12 du traité de Monnet, mais il a retravaillé les muscles du visage et du cou d'après les planches 7 et 8 respectivement. Il a accentué la musculature, suggérée par des hachures et des contre-hachures expressives, et prolongé un peu le dessin des bras et du bassin. Au dos de la feuille, Géricault a esquissé le corps d'un cheval en haut à gauche et la tête de profil au centre : un coursier effarouché qui rappelle la monture du *Chasseur de la Garde* (Musée du Louvre, **ill. 59**). À côté de son cheval, il étudie la tête de son modèle anatomique du recto dans des positions diverses. En haut à droite, il a caricaturé un visage et au centre dessiné un buste coiffé d'un turban. J.P.L.

verso

*D.2 Étude du squelette du tronc, du bassin et de la tête

Mine de plomb, plume et lavis | H. 0,333 ; L. 0, 217 | L'annotation à la mine de plomb *N°13* figure dans la partie supérieure | A droite, inscriptions à la mine de plomb donnant une nomenclature et renvoyant aux numéros du dessin, à la mine de plomb : *1 face du sternum en 6 os/2 cartilage xyphoïde /3 la face des cotes/5 clavicules/6 leur articulation avec sternum/7 articul. avec l'acromium/8 acromium/9 apophise coracoide/10 la grand tuberosit de l'hum/11 partie sup. et moy. de cet os/12 vertebre du col/13 vert. lombaires/14 os sacrum en ded./15 os pubis/16 os des isles* | Déchirure à gauche et taches brunes sur l'ensemble | Trace de pliure dans la partie supérieure | Verso : *Groupe de deux personnages masculins nus*, à la mine de plomb | Filigrane.

Provenance

Fait partie d'un ensemble de seize dessins d'anatomie humaine, catalogué par Clément en 1867, 1868 et 1879 comme appartenant à E. de Varennes et donné par ce dernier à l'Ensba en 1883 | Inv. E.B.A. n° 1009 (1).

Bibliographie

M. Duval, A. Bical, 1890, pl. V | P. Pizon, décembre 1954, p. 1857, repr. | G. Bazin, 1987, II, pp. 311-312, 464, n° 397, repr.

Exposition

Paris, Hôtel Jean Charpentier, 1924, n° 138 b.

Géricault copie le squelette représenté sur la planche 13 de Monnet, sans oublier les légendes qu'il a simplement abrégées. Il a d'abord ébauché le dessin au crayon, avant de le reprendre à l'encre. J.P.L.

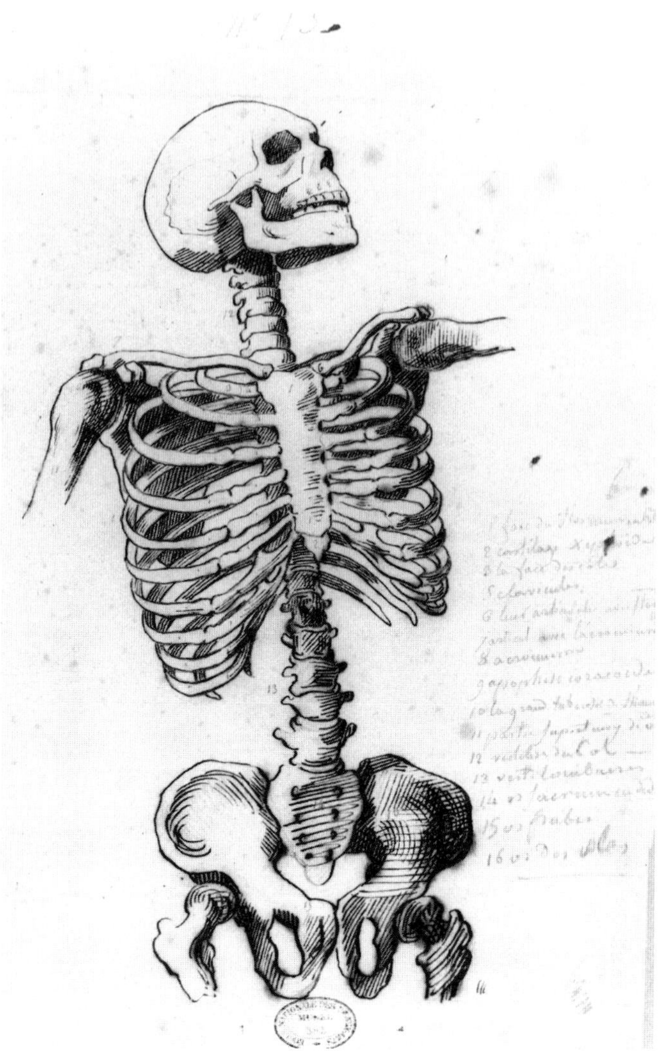

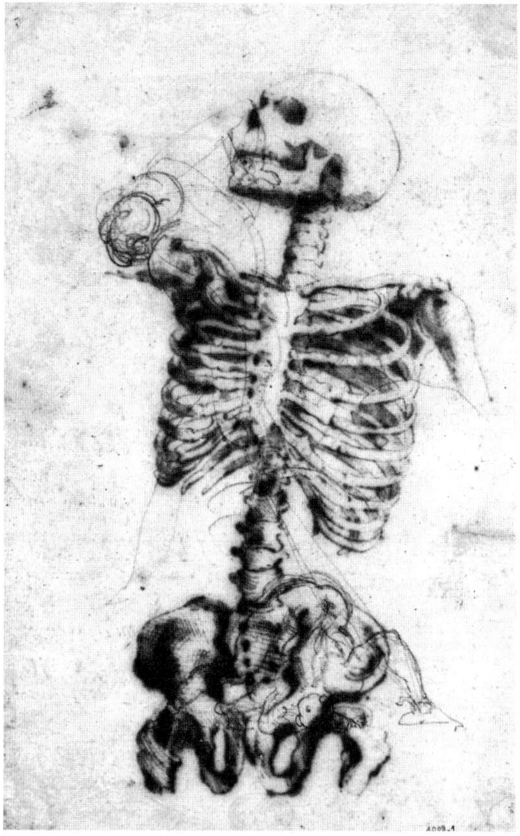

verso

D.3 Étude du squelette et des muscles de l'épaule et du bras droits, en vue latérale externe

Mine de plomb et plume, encres brune et rouge | H. 0,200 ; L. 0,252.

Provenance

Fait partie d'un ensemble de seize dessins d'anatomie humaine, catalogué par Clément en 1867, 1868 et 1879 comme appartenant à E. de Varennes et donné par ce dernier à l'Ensba en 1883 | Inv. E.B.A. n° 1009 (3).

Bibliographie

M. Duval, A. Bical, 1890, pl. XI C et D | G. Bazin, 1987, II, pp. 311-312, 464, n° 398, repr.

Géricault a reproduit la planche 18 de Monnet, montrant les os et les muscles du bras droit. J.P.L.

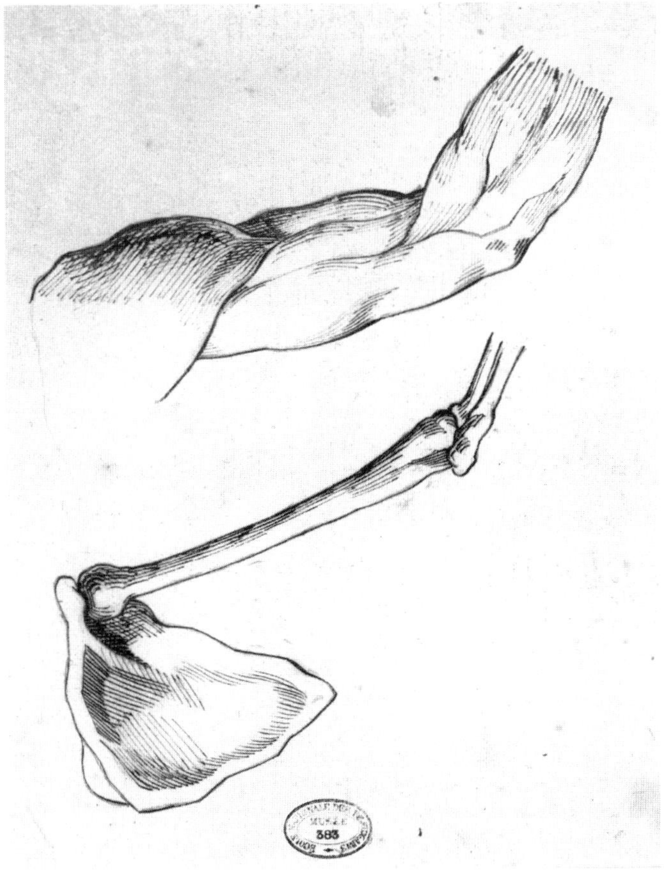

D.4 Étude du squelette et des muscles de l'épaule et du bras droits, en vue antérieure

Sanguine et plume, encres brune et rouge | H. 0,287 ; L. 0,218.

Provenance

Fait partie d'un ensemble de seize dessins d'anatomie humaine, catalogué par Clément en 1867, 1868 et 1879 comme appartenant à E. de Varennes et donné par ce dernier à l'Ensba en 1883 | Inv. E.B.A. n° 1009 (6).

Bibliographie

M. Duval, A. Bical, 1890, pl. XII C et D | G. Bazin, 1987, II, pp. 311-312, 465, n° 399, repr.

Le dessin de Géricault correspond à la planche 19 de Monnet, montrant les os et les muscles du bras droit vus de face. J.P.L.

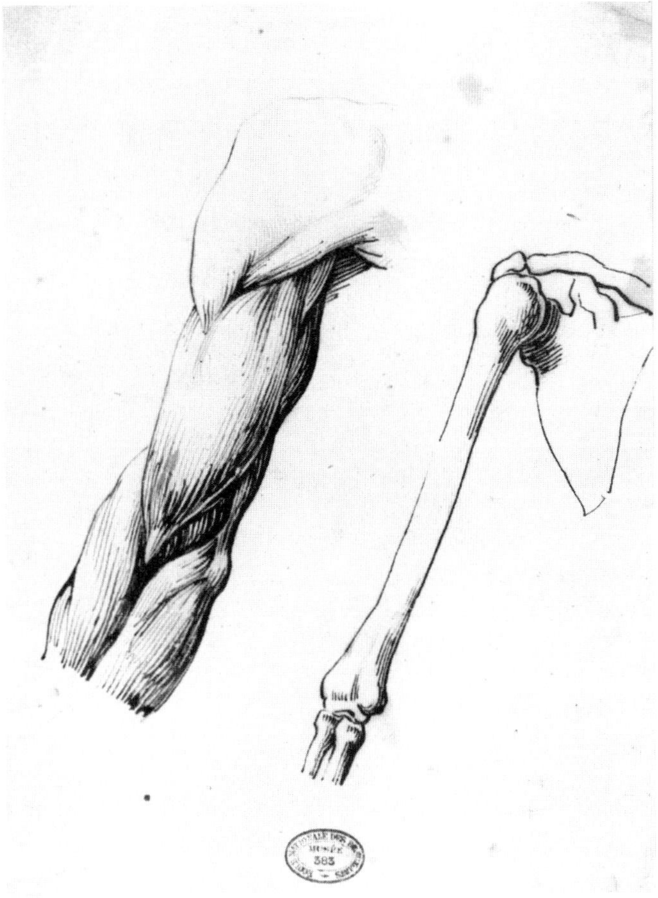

D.5 Étude du squelette et de la musculature d'un bras levé droit, en vue interne

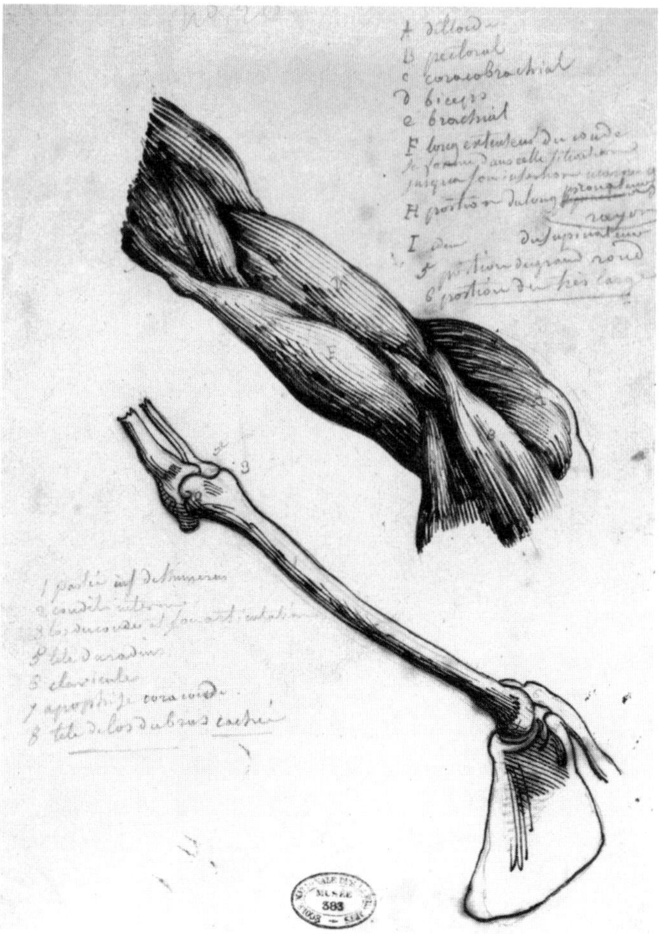

Mine de plomb et plume, encres brune et rouge | H. 0,284 ; L. 0,208 | L'annotation à la mine de plomb *N°20* figure dans la partie supérieure | Inscriptions à la mine de plomb donnant une nomenclature et renvoyant aux chiffres et lettres des dessins : en bas à gauche : *1 partie inf. de l'humerus/2 coudile interne /3 l'os du coude et son articulation/5 tete du radius /6 clavicule/7 apophise coracoide/8 tete de l'os du bras cachée* | en haut à droite : *A deltoide/B pectoral/c coracobrachial/d biceps/e brachia/F long extenseur du coude/sa forme dans cette situation/jusqu'à son insertion marquée 9/H portion du long* (*supinateur* barré) *pronateur du/rayon/I idem du supinateur/5 portion du grand rond /6 portion du très large* | Contremarque : *L Fau...*

Provenance

Fait partie d'un ensemble de seize dessins d'anatomie humaine, catalogué par Clément en 1867, 1868 et 1879 comme appartenant à E. de Varennes et donné par ce dernier à l'Ensba en 1883 | Inv. E.B.A. n° 1009 (5).

Bibliographie

M. Duval, A. Bical, 1890, pl. XII A et B | P. Pizon, décembre 1954, p. 1858, repr. | G. Bazin, 1987, II, pp. 311-312, 465, n° 400, repr.

La feuille de Géricault reprend la planche 20 de Monnet. Le bras droit levé permet l'étude des muscles et des os dans une vue interne. Il a fortement ombré les muscles, surtout dans la région de l'épaule, à l'aide de hachures serrées, qui métamorphosent, selon moi, la planche austère en une image expressive comparable à sa peinture de *Fragments anatomiques* ultérieure (Montpellier, Musée Fabre). J.P.L.

D.6 Étude du squelette et de la musculature de l'avant-bras droit et de la main en pronation, en vue antéro-externe

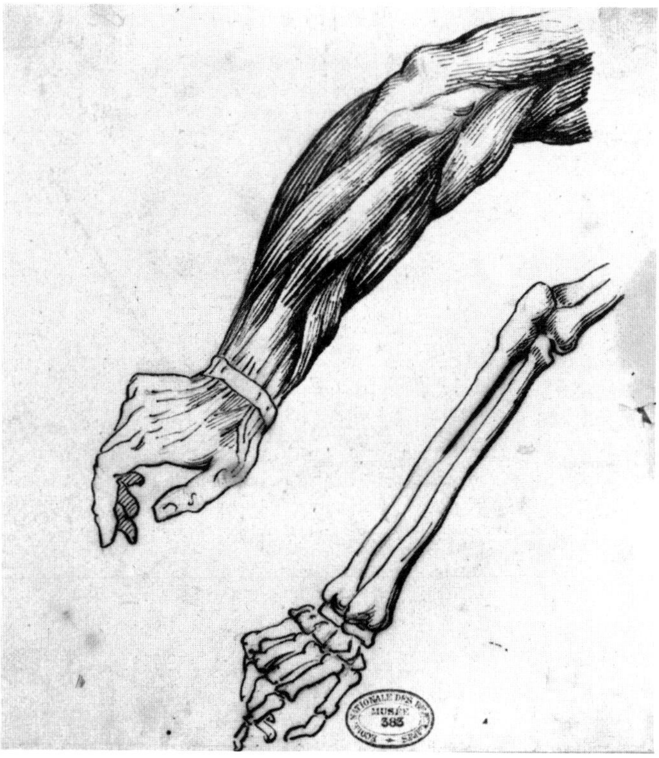

Sanguine et plume, encres brune et rouge | H. 0,216 ; L. 0,200 | Déchirure et tache brune à droite.

Provenance

Fait partie d'un ensemble de seize dessins d'anatomie humaine, catalogué par Clément en 1867, 1868 et 1879 comme appartenant à E. de Varennes et donné par ce dernier à l'Ensba en 1883 | Inv. E.B.A. n° 1009 (7).

Bibliographie

M. Duval, A. Bical, 1890, pl. XV C et D | G. Bazin, 1987, II, pp. 311-312, 465, n° 401, repr.

Le dessin à la plume, encre brune, correspond à la figure 1 de la planche 24 de Monnet, montrant les os et les muscles de l'avant-bras et de la main en demi-pronation. Le jeune artiste a poursuivi son examen de la main dans deux petits croquis de doigts d'après nature exécutés en haut d'une autre feuille (**cat. D.11**), conformément aux principes d'anatomie enseignés par Jean-Joseph Suë à l'École des Beaux-Arts. J.P.L.

D.7 Étude du squelette et de la musculature de l'avant-bras droit en pronation, en vue postérieure

Sanguine et plume, encres brune et violette | H. 0,195 ; L. 0,164.
Provenance
Fait partie d'un ensemble de seize dessins d'anatomie humaine, catalogué par Clément en 1867, 1868 et 1879 comme appartenant à E. de Varennes et donné par ce dernier à l'Ensba en 1883 | Inv. E.B.A. n° 1009 (8).
Bibliographie
M. Duval, A. Bical, 1890, pl. XV B et E | G. Bazin, 1987, II, pp. 311-312, 465-466, n° 402, repr.

Ce dessin reproduit la figure 2 de la planche 24 de Monnet, montrant le coude et l'avant-bras jusqu'au poignet, en confrontant la charpente osseuse et les muscles. Géricault représente le poignet sectionné et taché de rouge, qui peut évoquer une pièce d'anatomie analogue à celles qu'il allait utiliser plus tard pour ses peintures de *Fragments anatomiques* (Montpellier, Musée Fabre) et de *Têtes de suppliciés* (Stockholm, Nationalmuseum). J.P.L.

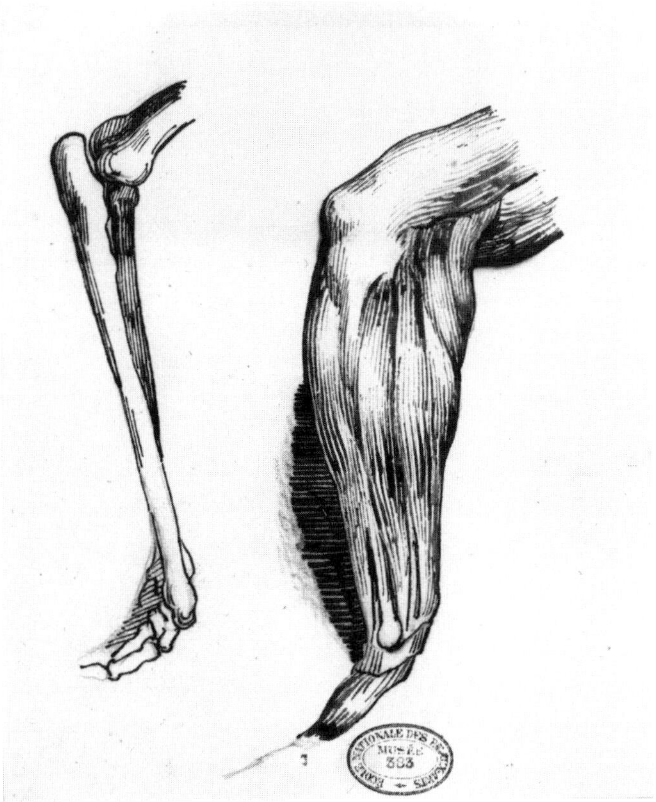

D.8 Étude du squelette et de la musculature de la cuisse et du genou droits, en vue antérieure

Mine de plomb, sanguine et plume, encres brune et rouge | H. 0,254 ; L. 0,195.
Provenance
Fait partie d'un ensemble de seize dessins d'anatomie humaine, catalogué par Clément en 1867, 1868 et 1879 comme appartenant à E. de Varennes et donné par ce dernier à l'Ensba en 1883 | Inv. E.B.A. n° 1009 (12).
Bibliographie
M. Duval, A. Bical, 1890, pl. XXIV C et D | P. Pizon, décembre 1954, p. 1857, repr. | G. Bazin, 1987, II, pp. 311-312, 466, n° 403, repr. | J.P. Lambertson, 1994, pp. 46, 246, n° 24, repr.

Géricault copie la planche 30 de Monnet, figurant le fémur et les muscles de la cuisse vus de face. Il renforce les ombres et accentue l'aspect sculptural des muscles par des hachures obliques. L'ombre sous le genou n'existait pas dans l'original. J.P.L.

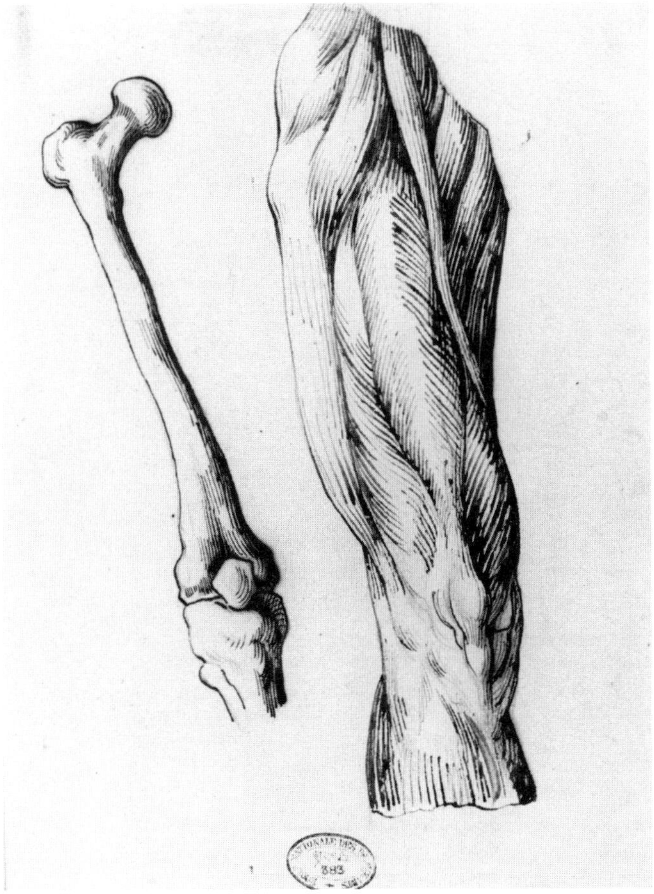

*D.9 Étude du squelette et de la musculature de la cuisse et du genou droits, en vue latérale externe

Mine de plomb, plume, encres brune et violette | H. 0,252 ; L. 0,169 | Taches brunes | Contremarque : *Duclos.*

Provenance

Fait partie d'un ensemble de seize dessins d'anatomie humaine, catalogué par Clément en 1867, 1868 et 1879 comme appartenant à E. de Varennes et donné par ce dernier à l'Ensba en 1883 | Inv. E. B.A. n° 1009 (11).

Bibliographie

M. Duval, A. Bical, 1890, pl. XXIV A et B | G. Bazin, 1987, II, pp. 311-312, 466, n° 404, repr.

La feuille de Géricault reprend la planche 31 de Monnet, qui confronte la cuisse et la fesse de profil avec une vue latérale du fémur. Le jeune artiste souligne le contour par une ombre plus dense afin de donner une illusion de relief.
J.P.L.

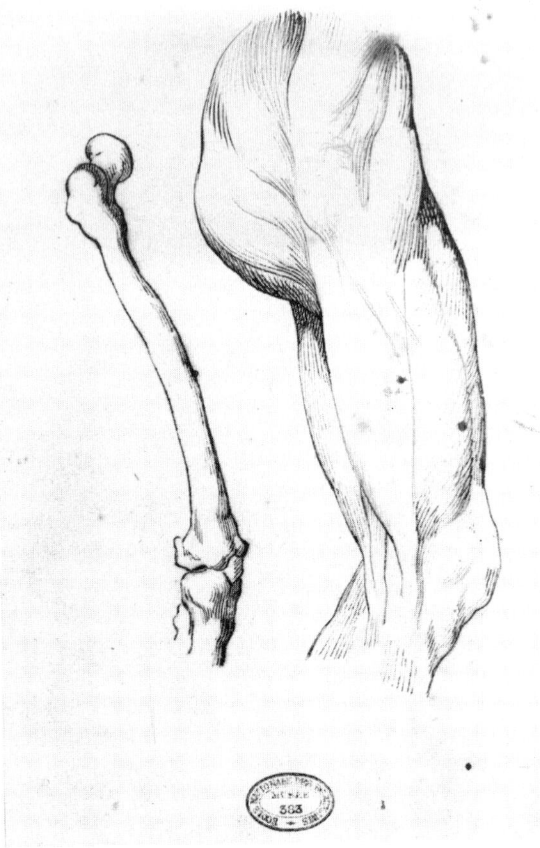

D.10 Étude du squelette et de la musculature du genou, de la jambe et du pied droits, en vue latérale interne

Mine de plomb et plume, encres brune et violette | H. 0,322 ; L. 0,200 | L'annotation à la mine de plomb *N°37* figure dans la partie supérieure | Inscriptions à la mine de plomb renvoyant aux chiffres et lettres des dessins : au centre à gauche : *c articulation de l'os/ de la cuisse/ d tibia/ e peronnée / f l'articulation/ avec le tarse*, en bas à droite : *8 le jambier posterieur a son origine à la partie/ sup. du tibia et au ligament inter osseux forme/ deux tendons et passant derrière la maleole/interne se termine en dessous à un os du tarse il/ sert à l'extension du pied/ 9 le long flechisseur des doigts / 3 insertion du jambier ant./ a maleole interne/ b os de la jambe sans chair* | Taches brunes | Filigrane.

Provenance

Fait partie d'un ensemble de seize dessins d'anatomie humaine, catalogué par Clément en 1867, 1868 et 1879 comme appartenant à E. de Varennes et donné par ce dernier à l'Ensba en 1883 | Inv. E. B.A. n° 1009 (14).

Bibliographie

M. Duval, A. Bical, 1890, pl. XXV D et G | G. Bazin, 1987, II, pp. 311-312, 466, n° 405, repr. | I.D. Knoch, 1996, I, pp. 148-149, 209, fig. 67.

Géricault reproduit la planche 37 de Monnet, montrant la structure osseuse et musculaire de la face interne de la jambe, depuis le genou jusqu'au pied. Il a d'abord ébauché le dessin à la mine de plomb, avant de le reprendre à la plume, encre brune, en omettant le jambier antérieur.
J.P.L.

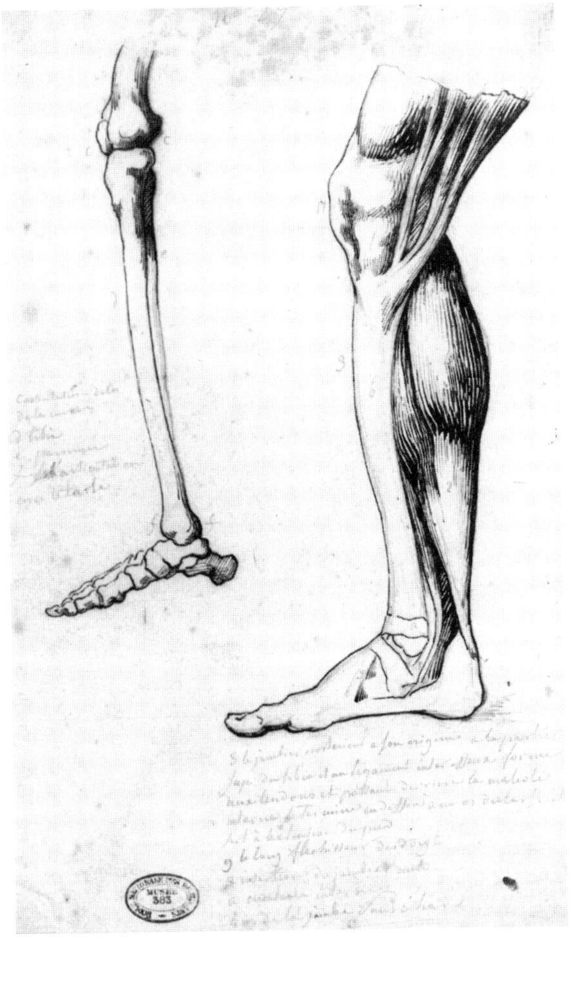

*D.11 Étude du squelette et de la musculature de la cheville et du pied droit, en vue latérale externe

Mine de plomb et plume, encre brune | H. 0,336 ; L. 0,220 | Dans la partie supérieure : *Etudes de doigts*, à la mine de plomb ; dans la partie centrale : *Etude de tête de cheval*, à la mine de plomb ; dans la partie inférieure : *Croquis militaires*, à la mine de plomb | Filigrane : couronne.

Provenance

Fait partie d'un ensemble de seize dessins d'anatomie humaine, catalogué par Clément en 1867, 1868 et 1879 comme appartenant à E. de Varennes et donné par ce dernier à l'Ensba en 1883 | Inv. E. B.A. n° 1009 (16).

Bibliographie

M. Duval, A. Bical, 1890, pl. XXVI C et D | G. Bazin, 1987, II, pp. 311-312, 466-467, n° 406, repr.

Exposition

Paris, Hôtel Jean Charpentier, 1924, n° 138 c.

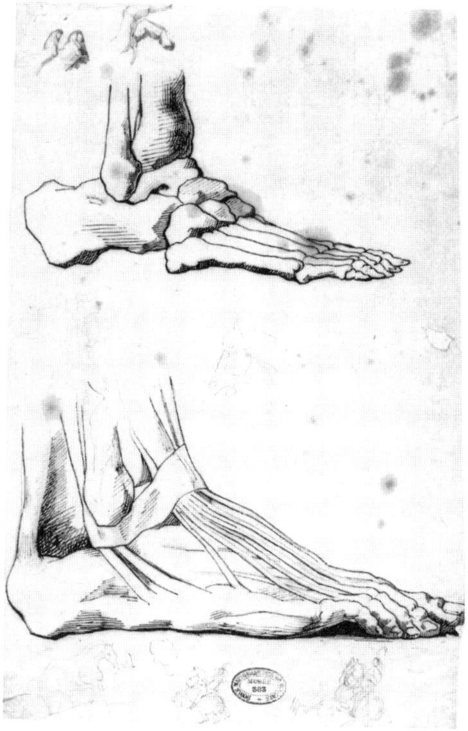

Le dessin de Géricault reprend la planche 39 de Monnet, où la structure osseuse du pied est présentée au-dessus de la myologie correspondante. Géricault a commencé par une ébauche à la mine de plomb, qu'il a partiellement reprise à la plume, encre brune. En outre, il a exécuté plusieurs croquis à la mine de plomb sur la feuille : en haut à gauche, des doigts d'après nature ; au milieu et en bas à gauche, des chevaux ; en bas à droite, un cavalier sur sa monture. Au centre de la marge inférieure, on découvre un croquis important pour le *Chasseur de la Garde* (Musée du Louvre, **ill. 59**), qui révèle que l'artiste avait déjà commencé à orienter la tête du personnage vers le spectateur avant de retourner la composition dans l'autre sens. J.P.L.

D.12 Étude du squelette et de la musculature de la cheville et du pied droit, en vue antérieure

Mine de plomb et plume, encre brune | H. 0,326 ; L. 0,214 | Au centre à gauche : *Etude d'un homme vu de profil tenant un arc*, à la mine de plomb ; en bas à droite, *Etude de pied*, à la mine de plomb | Inscriptions à la mine de plomb renvoyant aux chiffres et lettres des dessins : en haut à droite : *a tibia /b peronnee/c astragal/d scaphoide/e calcaneum/f cuboide /g les os cuneiformes/h os du metatarse/1 premières phalanges/2- /3-*, en bas à gauche : *4 ligament annulaire /5 portion du coudile du tibia/6 maleole externe/7 interne /8 l'hypotenar/9 petit peronnier/10 long extenseur des doigt /11 court extenseur/12 ext. du pouce/13 jambier anterieur* | Verso : *Etudes de pieds, de jambes, de figures et de tête*, à la mine de plomb | Contremarque : *L Fau...*

Provenance

Fait partie d'un ensemble de seize dessins d'anatomie humaine, catalogué par Clément en 1867, 1868 et 1879 comme appartenant à E. de Varennes et donné par ce dernier à l'Ensba en 1883 | Inv. E.B.A. n° 1009 (15).

Bibliographie

M. Duval, A. Bical, 1890, pl. XXVI A et B | P. Pizon, décembre 1954, p. 1857, repr. | G. Bazin, 1987, II, pp. 311-312, 467, n° 407, repr.

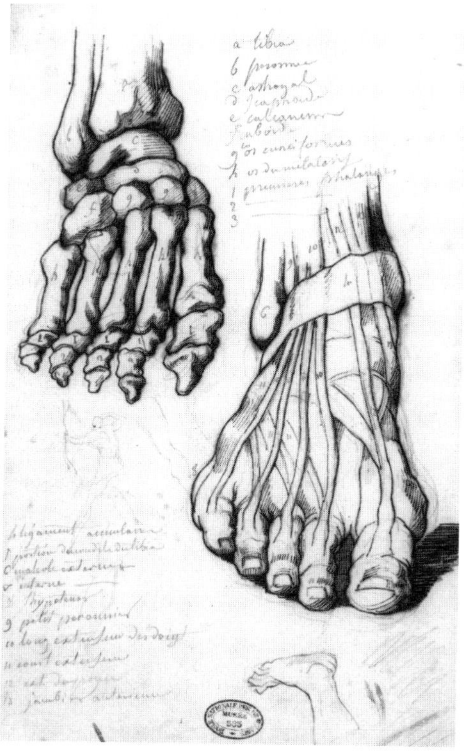

Géricault copie à l'encre la planche 41 de Monnet, montrant les os et les muscles du pied vus de face. Il a complété son étude du pied par un croquis d'après nature en bas de la feuille, et par au moins sept autres au verso. Géricault ajoute, au milieu à gauche de la feuille, un croquis d'archer à mettre en rapport avec la page 24 du Carnet Zoubaloff (Paris, Musée du Louvre). D'autres croquis, au dos de la feuille, en bas à droite, représentent deux nus masculins, un profil d'homme en turban et une jambe de cheval. J.P.L.

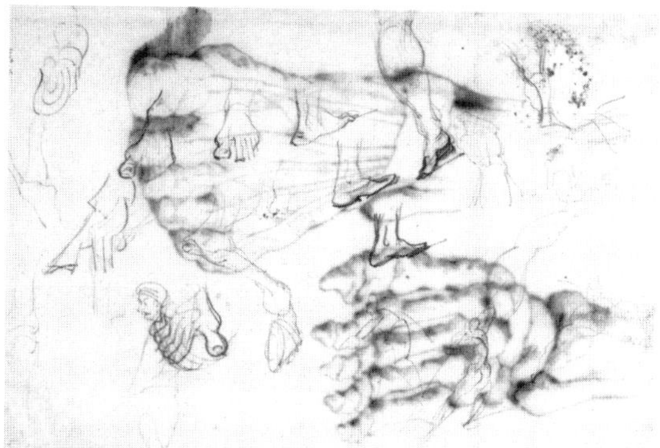

verso

*D.13 Études de crâne, vu de profil et de face

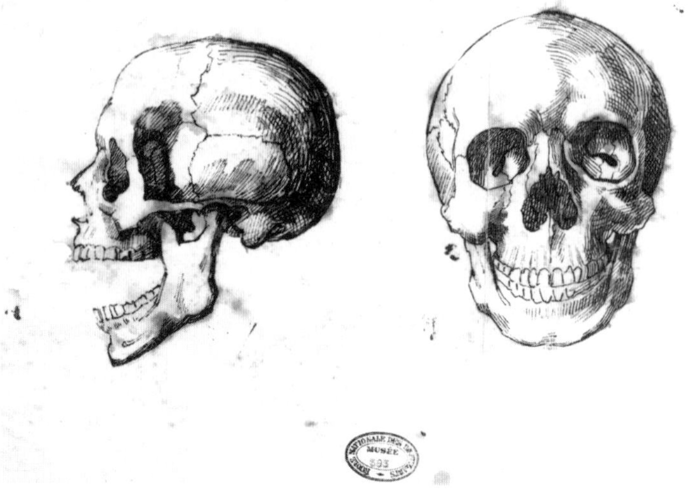

Mine de plomb et plume, encre brune | H. 0,198 ; L. 0,272 | Taches d'humidité sur l'ensemble | Déchirure dans la partie inférieure droite | Traces de pliures au centre | Contremarque : J [cœur] lettres illisibles.

Provenance

Fait partie d'un ensemble de seize dessins d'anatomie humaine, catalogué par Clément en 1867, 1868 et 1879 comme appartenant à E. de Varennes et donné par ce dernier à l'Ensba en 1883 | Inv. E.B.A. n° 1009 (13).

Bibliographie

M. Duval, A. Bical, 1890, pl. XXV A et B | P. Pizon, décembre 1954, p. 1855, repr. | G. Bazin, 1987, II, pp. 311-312, 467, n° 408, repr.

Exposition

Paris, Hôtel Jean Charpentier, 1924, n° 138 a.

Géricault réinterprète la planche 3 de Del Medico. Il ne représente que les vues de face et de profil du crâne, et inverse la mise en page. Comme il n'a pas reproduit les légendes, on a l'impression que les crânes flottent sur la page blanche dans une atmosphère théâtrale. Géricault accentue le sourire en renforçant les ombres des mâchoires sur la vue de face. J.P.L.

*D.14 Étude du squelette de l'épaule et du bras droit, en vues antérieure et postérieure ; étude latérale des muscles profonds du torse, vus du côté gauche ; étude du grand pectoral gauche vu de face

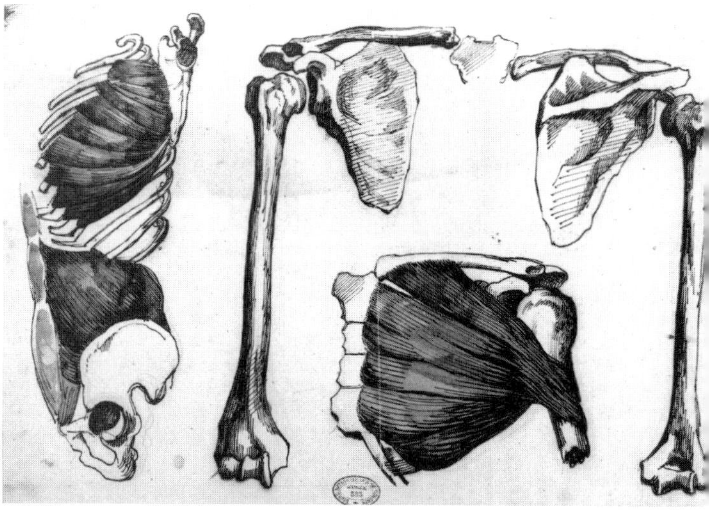

Mine de plomb, plume, encre brune, lavis brun verdâtre | L. 0,273 ; H. 0,407.

Provenance

Fait partie d'un ensemble de seize dessins d'anatomie humaine, catalogué par Clément en 1867, 1868 et 1879 comme appartenant à E. de Varennes et donné par ce dernier à l'Ensba en 1883 | Inv. E.B.A. n° 1009 (4).

Bibliographie

M. Duval, A. Bical, 1890, pl. XI A et B, pl. XVIII, A et C | M. Duval, E. Cuyer, 1898, p. 261, fig. 95 | P. Pizon, décembre 1954, p. 1858, repr. | G. Bazin, 1987, II, pp. 311-312, 467-468, n° 409, repr.

Exposition

Paris, Hôtel Jean Charpentier, 1924, n° 138 e.

Le dessin à la plume et au lavis associe les figures 1 et 2 de la planche 7 de Del Medico aux figures 1 et 2 de la planche 19. J.P.L.

*D.15 Trois études du squelette et de la musculature du torse : deux en vue latérale, et une en vue postérieure ; étude du squelette de l'avant-bras gauche en demi-pronation

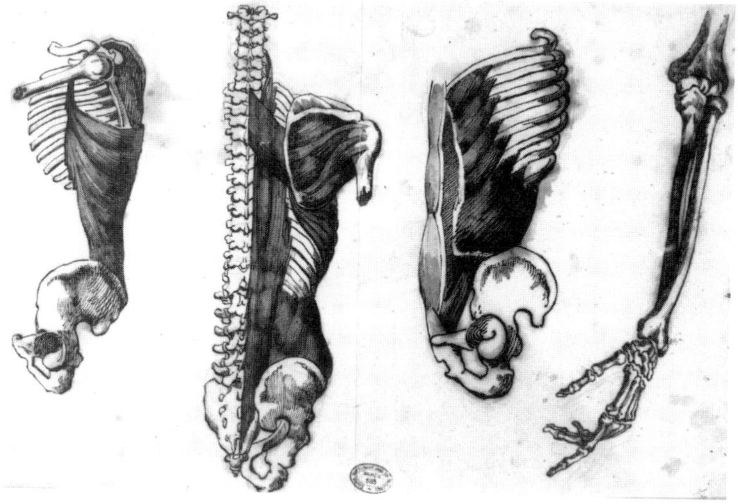

Mine de plomb, plume, encre brune et lavis brun verdâtre | H. 0,293 ; L. 0,449 | Pliure au centre et taches brunes | Contremarque : *J* [cœur] *A* [étoile] I.

Provenance

Fait partie d'un ensemble de seize dessins d'anatomie humaine, catalogué par Clément en 1867, 1868 et 1879 comme appartenant à E. de Varennes et donné par ce dernier à l'Ensba en 1883 | Inv. E.B.A. n° 1009 (9).

Bibliographie

M. Duval, A. Bical, 1890, pl. XV A, XVI B, XVII B | M. Duval, E. Cuyer, 1898, pp. 261, 263, fig. 97 | G. Bazin, 1987, II, pp. 311-312, 468, n° 410, repr.

L'étude de Géricault à la plume et au lavis associe la figure 2 de la planche 8 de Del Medico à la figure 3 de la planche 19 et aux figures 1 et 2 de la planche 21. Géricault ébauche d'abord le dessin à la mine de plomb, et le modifie légèrement avant de le reprendre à la plume, encre brune, comme en témoignent ses représentations de la colonne vertébrale et de la main.

Dans la vue externe de l'avant-bras en demi-pronation, l'artiste a glissé entre les os le fléchisseur profond des doigts. J.P.L.

D.16 Étude du squelette et de la musculature superficielle du dos

Mine de plomb, plume, encre brune et lavis brun verdâtre | H. 0,377 ; L. 0,212 | Déchirure dans la partie inférieure à gauche | Taches brunes | Filigrane.

Provenance

Fait partie d'un ensemble de seize dessins d'anatomie humaine, catalogué par Clément en 1867, 1868 et 1879 comme appartenant à E. de Varennes et donné par ce dernier à l'Ensba en 1883 | Inv. E.B.A. n° 1009 (10).

Bibliographie

M. Duval, A. Bical, 1890, pl. XVII A | P. Pizon, décembre 1954, p. 1857, repr. | G. Bazin, 1987, II, pp. 311-312, 468, n° 411, repr.

Exposition

Paris, Hôtel Jean Charpentier, 1924, n° 138 f.

Le dessin à la plume et au lavis reprend la planche 20 de Del Medico. J.P.L.

Dix-sept dessins anatomiques du cheval

Provenance
Ensemble de dessins d'anatomie du cheval, mentionné par Clément en 1867, 1868 et 1879 comme appartenant à E. de Varennes et donné par celui-ci à l'Ensba en 1883 | Inv. E.B.A. n° 1008.
Bibliographie
Ch. Clément, avril 1867, p. 324, note 2 | Ch. Clément, octobre 1867, p. 372, n° 164 | Ch. Clément, 1868 et 1879, p. 118, note 2, pp. 367-368, n° 180 | E. Duhousset, janvier 1884, p. 50 | M. Duval, A. Bical, 1890, p. 23 | E. Müntz, janvier 1891, p. 52 | L. Tréal, février 1893, p. 44, note 1 | M. Duval, E. Cuyer, 1898, pp. 208-210 | U. Thieme, F. Becker, 1920, p. 460 | P. Pizon, décembre 1954, p. 1855 | E. Duhousset, janvier 1884, p. 50 | D. Aimé-Azam, 1956, p. 38 | P. Vallery-Radot, 5 avril 1958, p. 613 | D. Aimé-Azam, 1970, p. 40 | L. Eitner, exp. Los Angeles, Detroit, Philadelphie, 1971-1972, p. 147 sous le n° 103 | L. Eitner, 1973, p. 470 | Ph. Grunchec, 1982, p. 100 | L. Eitner, 1983, p. 333, note 113 | C. Legrand, exp. Besançon, 1982-1983, sous le n° 91 | D. Aimé-Azam, 1983 et 1991, p. 58 | G. Bazin, 1987, II, pp. 311-312, 469-474, n°s 415 à 431, repr. | M. Guédron, 1997, pp. 46-48, 49, note 10, pp. 110, 113, note 11.

–

Voir *À propos de quelques dessins anatomiques de Géricault* de J.-Fr. Debord (**cat. pp. 43-66**)

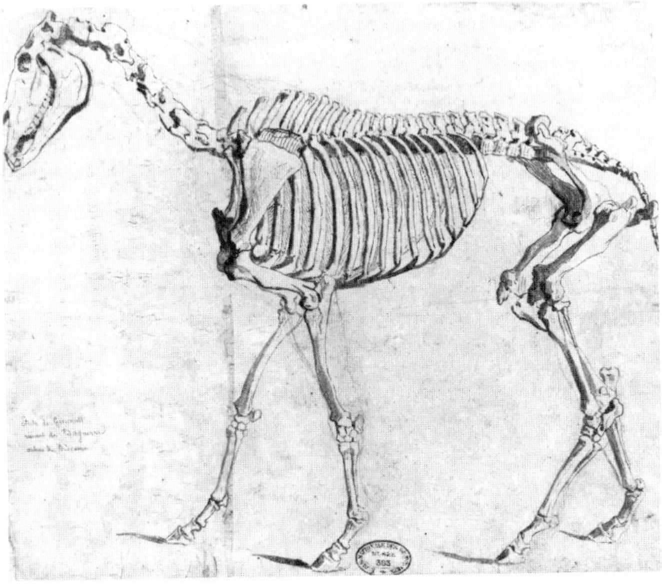

*D.17 Squelette de cheval, en vue latérale gauche (côté montoir)

Mine de plomb, plume, encre brune et lavis de brun sur papier calque | H. 0,270 ; L. 0,317 | A gauche, inscriptions à la mine de plomb : *Etude de Géricault/ venant de Daguerre/ auteur du Diorama* | Traces de nombreuses déchirures.
Provenance
Fait partie d'un ensemble de dessins d'anatomie du cheval, mentionné par Clément en 1867, 1868 et 1879 comme appartenant à E. de Varennes et donné par celui-ci à l'Ensba en 1883 | Inv. E.B.A. n° 1008 (1).
Bibliographie
Ch. Clément, octobre 1867, p. 372 sous le n° 164 | Ch. Clément, 1868 et 1879, p. 367 sous le n° 180 | G. Bazin, 1987, II, pp. 311-312, 473, n° 427, repr.

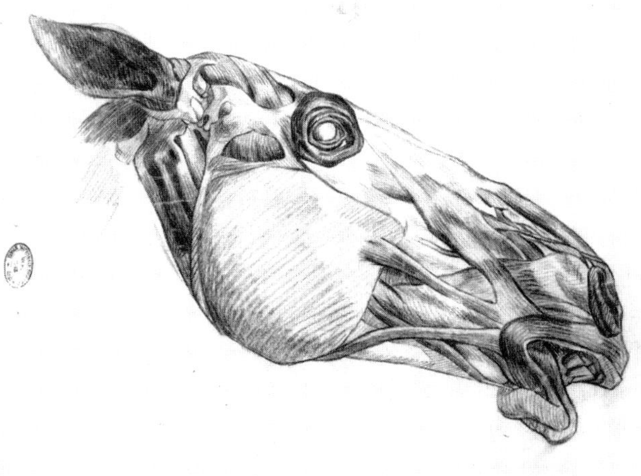

*D.18 Étude d'une tête de cheval écorchée, en vue latérale droite

Pierre noire, fusain et sanguine | H. 0,295 ; L. 0,427 | Contremarque : *T Δ R*.
Provenance
Fait partie d'un ensemble de dessins d'anatomie du cheval, mentionné par Clément en 1867, 1868 et 1879 comme appartenant à E. de Varennes et donné par celui-ci à l'Ensba en 1883 | Inv. E.B.A. n° 1008 (2).
Bibliographie
Ch. Clément, octobre 1867, p. 372 sous le n° 164 | Ch. Clément, 1868 et 1879, p. 367 sous le n° 180 | G. Bazin, 1987, II, pp. 311-312, 470, n° 416, repr.

D'après le même modèle que le dessin suivant.

.19 Étude d'une tête de cheval écorchée, en vue latérale droite

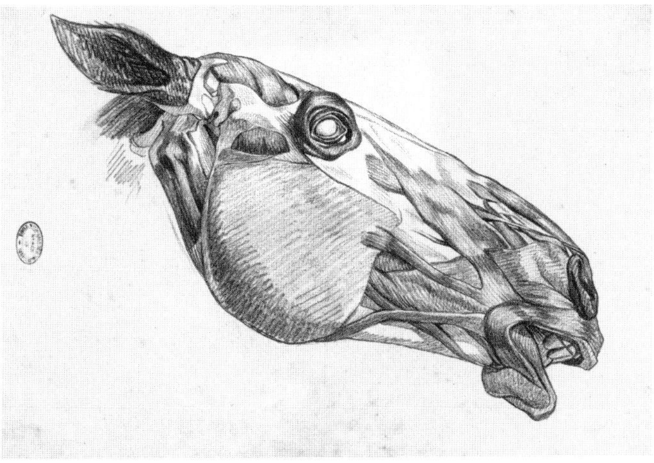

Pierre noire grasse et sanguine grasse | H. 0,288 ; L. 0,429 | Contremarque : deux lettres *J* ou *G* et *B*.

Provenance

Fait partie d'un ensemble de dessins d'anatomie du cheval, mentionné par Clément en 1867, 1868 et 1879 comme appartenant à E. de Varennes et donné par celui-ci à l'Ensba en 1883 | Inv. E.B.A. n° 1008 (3).

Bibliographie

G. Bazin, 1987, II, pp. 311-312, 470, n° 417, repr. | J.-Fr. Debord, exp. Paris, 1993-1994, pp. 102-103, fig. 57.

D'après le même modèle que le dessin précédent.

.20 Étude d'une tête de cheval écorchée, vue de face

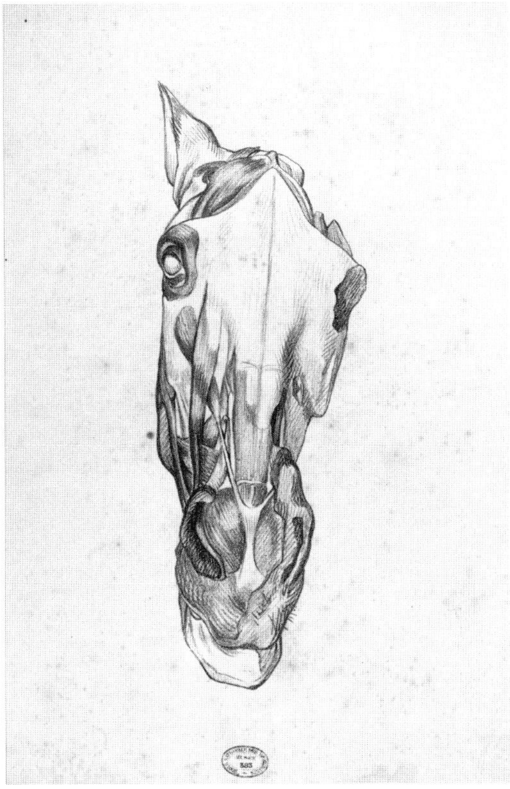

Pierre noire grasse et sanguine grasse | H. 0,426 ; L. 0,288 | Taches brunes sur la feuille | Contremarque : deux lettres *J* ou *G* et *B*.

Provenance

Fait partie d'un ensemble de dessins d'anatomie du cheval, mentionné par Clément en 1867, 1868 et 1879 comme appartenant à E. de Varennes et donné par celui-ci à l'Ensba en 1883 | Inv. E.B.A. n° 1008 (4).

Bibliographie

G. Bazin, 1987, II, pp. 311-312, 471, n° 420, repr.

.21 Étude d'une tête de cheval écorchée, en vue latérale gauche

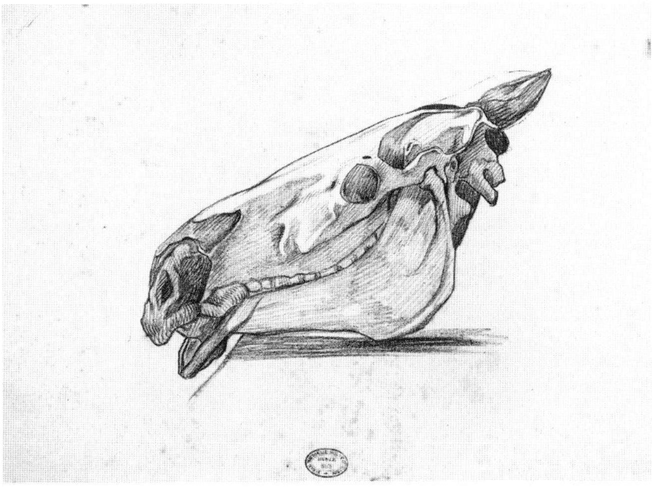

Pierre noire grasse et sanguine grasse | H. 0,281 ; L. 0,407 | Taches brunes.

Provenance

Fait partie d'un ensemble de dessins d'anatomie du cheval, mentionné par Clément en 1867, 1868 et 1879 comme appartenant à E. de Varennes, et donné par celui-ci à l'Ensba en 1883 | Inv. E.B.A. n° 1008 (5).

Bibliographie

G. Bazin, 1987, II, pp. 311-312, 472, n° 423, repr.

D.22 Étude de l'encolure d'un cheval écorché, en vue latérale gauche (coté montoir)

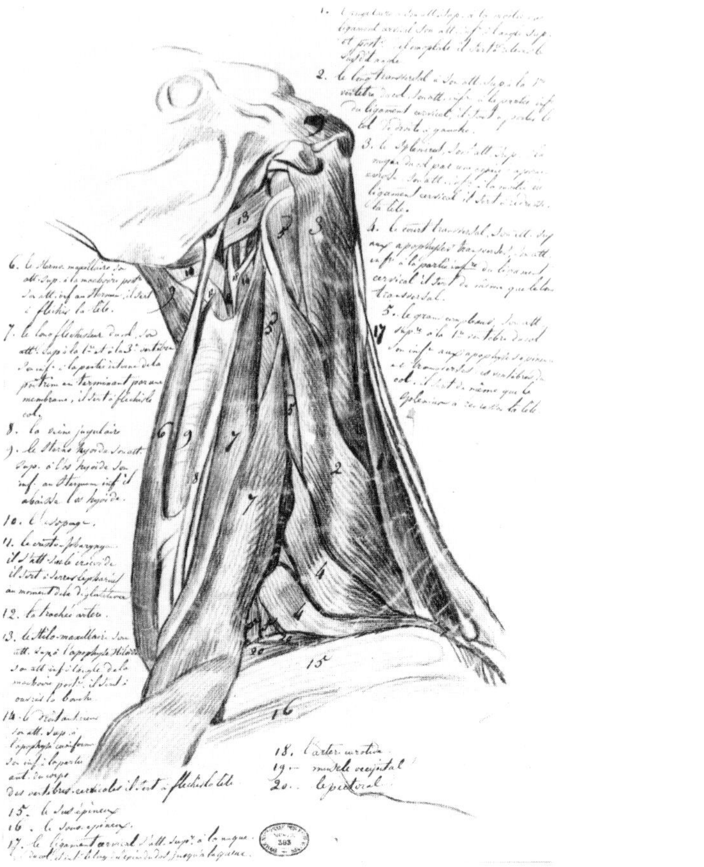

Pierre noire, fusain et sanguine | H. 0,443 ; L. 0,298 | Annotations à la plume, encre brune, donnant une nomenclature et renvoyant aux numéros du dessin : à gauche : *6 le sterno-maxillaire son/ att. sup. à la machoire post^{re}/ son att. inf au sternum. il sert/ à fléchir la tête./ 7. le long fléchisseur du col. son/ att. sup à la 1re et à la 3e vertèbre/ son inf. à la partie interne de la/ poitrine en terminant par une/ membrane. il sert à flechir le/ col./ 8. la veine jugulaire/ 9. le sterne hyoïde son att/ sup. à l'os hyoïde son/ inf. au sternum inf il/ abaisse l'os hyoïde./ 10. l'esopage/ 11. le cristo-pharynx./ il s'att. sur le cricoïde/ il sert à serrer le pharinx/ au moment de la déglutition./ 12. la trachée artère./ 13. le stilo-maxillaire son/ att. sup. à l'apophyse stiloïde/ son att. inf. à l'angle de la/ machoire post^{re} il sert à/ ouvrir la bouche./ 14. le droit anterieur/ son att. sup. à/ l'apophyse cuniforme/ son inf. à la partie/ ant. du corps/ des vertèbres cervicales il sert à fléchir la tête./ 15. le sus épineux/ 16. le sous-épineux./ 17. le ligament cervical s'att. sup^{r} à la nuque/ du col, et inf^{r} le long de l'épine du dos jusqu'à la queue./ 18. l'artere carotide./ 19. muscle occipital./ 20. le pectoral.*, en haut à droite : *1. l'angulaire a son att. sup. à la moitié du/ ligament cervical son att. inf^{r} à l'angle sup./ et post^{r} de l'omoplate il sert à relever le/ susdit angle./ 2. le long transversal a son att. sup. à la 1re/ vertebre du col, son att. inf^{re} à la partie inf^{re}/ du ligament cervical, il sert à porter le/ col de droite à gauche./ 3. le splenius, son att. sup. à la/ nuque du col par une espèce d'aponé/ vrose, son att. inf^{re} à la moitié du/ ligament cervical il sert à redresser/ la tête./ 4. le court transversal. son att. sup./ aux apophyses transverses, son att./ inf^{re} à la partie inf^{re} du ligament/ cervical il sert de même que le long/ transversal./ 5. le grand complexus. son att./ sup^{re} à la 1re vertèbre du col/ son inf^{re} aux apophyses épineuses/ et transverses des vertèbres du/ col. il sert de même que le/ splenius à redresser la tête* | Trace d'une légère déchirure au centre de la feuille.

Provenance

Fait partie d'un ensemble de dessins d'anatomie du cheval, mentionné par Clément en 1867, 1868 et 1879 comme appartenant à E. de Varennes et donné par celui-ci à l'Ensba en 1883 | Inv. E.B.A. n° 1008 (6).

Bibliographie

G. Bazin, 1987, II, pp. 311-312, 471, n° 419, repr.

D.23 Étude du torse d'un cheval écorché, en vue latérale gauche (côté montoir)

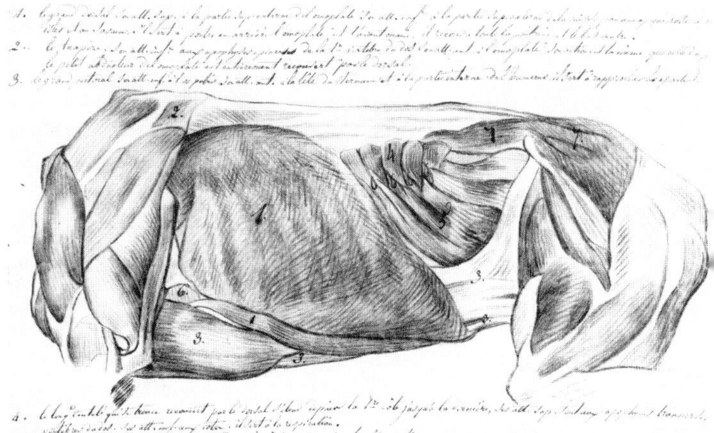

Pierre noire, fusain et sanguine | H. 0,294 ; L. 0,447 | Inscriptions à la plume, encre brune, renvoyant aux numéros du dessin : en haut : *1. le grand dorsal son att. sup. à la partie sup. externe de l'omoplate son att. inf^{re} à la partie sup. externe de la cuisse par une aponevrose à l'os des/ isles et au sacrum. Il sert à porter en arrière l'omoplate et l'avant main. il recouvre toute la poitrine et le bas ventre./ 2. le trapeze. son att. inf^{re} aux apophyses epineuses de la 1e vertebre du dos son att. ant. à l'omoplate, son action est la même que celle du precedent le petit abducteur de l'omoplate est entièrement recouvert par le dorsal./ 3. le grand pectoral son att. inf. à l'os pubis, son att. ant. à la tête du sternum et à la partie interne de l'humerus, il sert à rapprocher les épaules.*, en bas : *4. le long dentelé qui se trouve recouvert par le dorsal s'étend depuis la 1re côte jusqu'à la dernière, ses att. sup. sont aux apophyses transverses des/ vertèbres du dos. ses att. inf. aux cotes. il sert à la respiration./ 5. le grand oblique son att. sup. aux 5 dernières cotes, son att. inf. à l'os pubis./ 6. les intercostaux ils servent comme le grand oblique à la respiration./ 7. le long dorsal. son att. sup. le long de la colonne vertebrale au garreau son att. inf. et pos^{re} à l'os sacrum. il sert à redresser la partie/ anterieure du cheval.*

Provenance

Fait partie d'un ensemble de dessins d'anatomie du cheval, mentionné par Clément en 1867, 1868 et 1879 comme appartenant à E. de Varennes et donné par celui-ci à l'Ensba en 1883 | Inv. E.B.A. n° 1008 (7).

Bibliographie

G. Bazin, 1987, II, pp. 311-312, 473, n° 428, repr.

*D.24 Étude d'un membre antérieur gauche écorché, vu de face

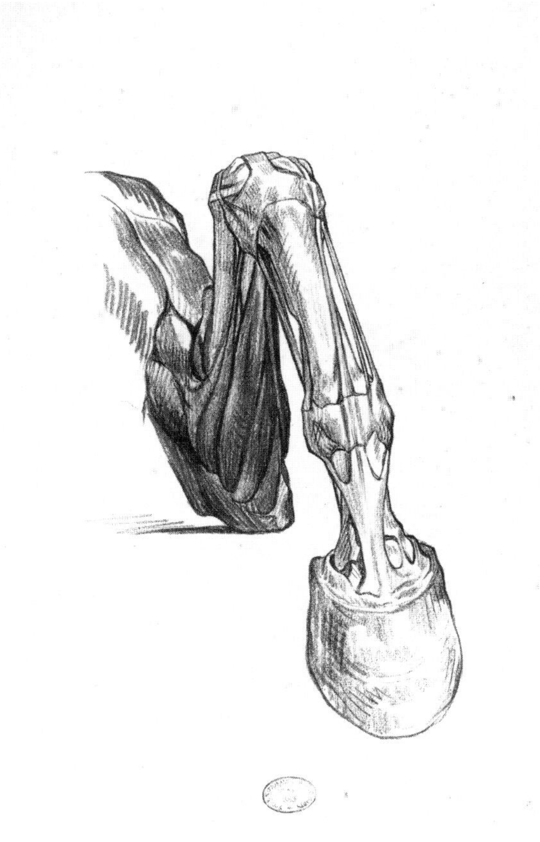

Pierre noire grasse et sanguine grasse | H. 0,397 ; L. 0,276 | Nombreuses taches brunes.

Provenance

Fait partie d'un ensemble de dessins d'anatomie du cheval, mentionné par Clément en 1867, 1868 et 1879 comme appartenant à E. de Varennes et donné par celui-ci à l'Ensba en 1883 | Inv. E.B.A. n°1008 (8).

Bibliographie

G. Bazin, 1987, II, pp. 311-312, 470, n° 418, repr. | J.-Fr. Debord, exp. Paris, 1993-1994, pp. 102-103, fig. 56.

En flexion du coude du genou et du boulet, il repose sur l'olécrane (os du coude) et la pince (**cat. D.25** et **D.26**).

D.25 Étude d'un membre antérieur gauche écorché, en vue latérale interne

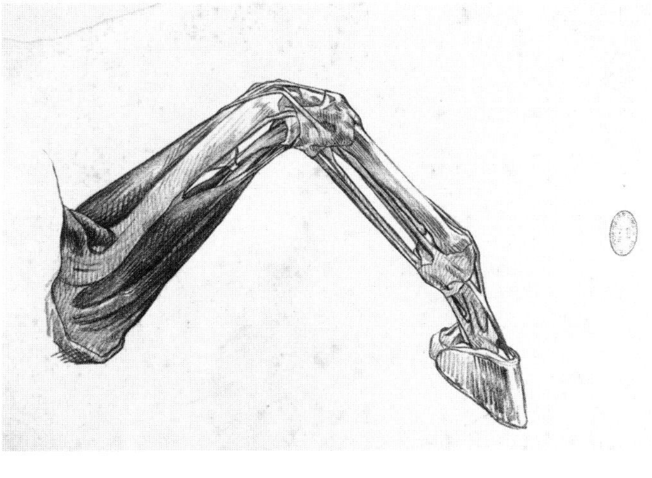

Pierre noire grasse et sanguine grasse | H. 0,399 ; L. 0,270 | Taches brunes | Lacunes dans la partie supérieure droite.

Provenance

Fait partie d'un ensemble de dessins d'anatomie du cheval, mentionné par Clément en 1867, 1868 et 1879 comme appartenant à E. de Varennes et donné par celui-ci à l'Ensba en 1883 | Inv. E.B.A. n° 1008 (9).

Bibliographie

G. Bazin, 1987, II, pp. 311-312, 471-472, n° 422, repr.

En flexion du coude du genou et du boulet, il repose sur l'olécrane et la pince (**cat. D.24** et **D.26**).

D.26 Étude d'un membre antérieur gauche écorché, en vue latérale externe

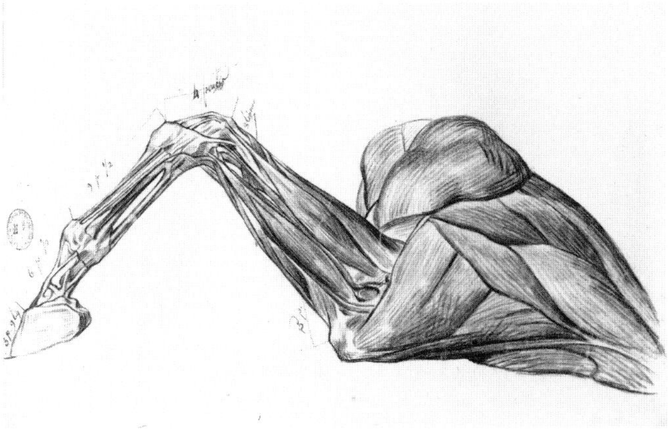

Pierre noire, fusain et sanguine | H. 0,444 ; L. 0,280 | Inscriptions de mesures à la plume, encre brune.

Provenance

Fait partie d'un ensemble de dessins d'anatomie du cheval, mentionné par Clément en 1867, 1868 et 1879 comme appartenant à E. de Varennes et donné par celui-ci à l'Ensba en 1883 | Inv. E.B.A. n° 1008 (10).

Bibliographie

G. Bazin, 1987, II, pp. 311-312, 471, n° 421, repr. | J.-Fr. Debord, exp. Paris, 1993-1994, pp. 102-103, fig. 58.

En flexion du coude du genou et du boulet, il repose sur l'olécrane et la pince (**cat. D.24** et **D.26**).

*D.27 Étude d'un membre postérieur droit écorché, en vue latérale externe

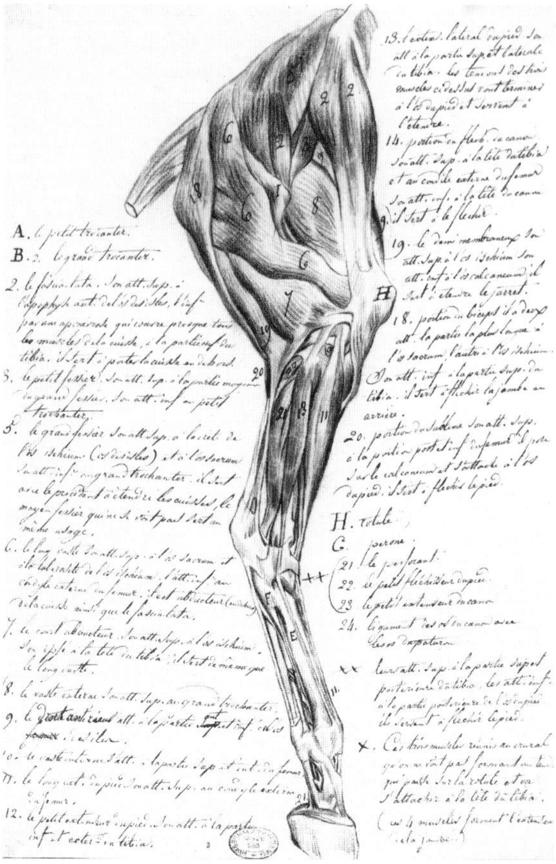

Pierre noire, fusain et sanguine | H. 0,443 ; L. 0,298 | De chaque côté : inscriptions à la plume, encre brune, renvoyant aux numéros du dessin : à gauche : *A. le petit trocanter./ B.2. le grand trocanter./ 2. le fascia-lata. son att. sup. à/ l'apophyse ant. de l'os des isles, l'inf^e/ par une aponévrose qui couvre presque tous/ les muscles de la cuisse, à la partie inf. du/ tibia. il sert à porter la cuisse en dehors./ 3.le petit fessier. son att. sup. à la partie moyenne/ du grand fessier. son att. inf au petit/ trochanter./ 5. le grand fessier son att. sup. à la crète de/ l'os ischium (os des isles) et à l'os sacrum/ son att. inf^e au grand trochanter. il sert/ avec le precédent à étendre les cuisses, le/ moyen fessier qui ne se voit pas sert au/ même usage./ 6. le long vaste son att. sup. à l'os sacrum et/ à la tubérosité de l'os ischium. l'att. inf^e au/ condyle externe du femur. il est abducteur (en dehors)/ de la cuisse ainsi que le fascia-lata./ 7. le court abducteur . son att. sup. à l'os ischium./ son infé. à la tete du tibia , il sert de même que/ le long vaste./ 8. le vaste externe son att. sup. au grand trochanter./ 9. le droit antérieur s'att. à la partie* (sup. barré) *ant. et inf. de l'os/* (femur barré) *des iles./ 10. le vaste interne s'att. à la partie sup et int. du femur* (accolade de 8 à 10 avec le signe *) */ 11. le long ext. du pied son att. sup. au condyle externe/ du femur./ 12. le petit extenseur du pied. son att à la partie/ inf et exter^re du tibia.* ; à droite : *13. l'extens. latéral du pied. son/ att. à la partie sup. et latérale/ du tibia. les tendons des trois muscles ci dessus vont terminer/ à l'os du pied et servent à/ l'étendre./ 14. portion du flech. du canon./ son att. sup. à la tête du tibia/ et au condile externe du femur/ son att. inf. à la tête du canon/ il sert à le flechir./ 19. le demi membraneux son/ att. sup. à l'os ischium son/ att. inf à l'os calcaneum il/ sert à etendre le jarret./ 18. portion du biceps il a deux/ att. la partie la plus longue à/ l'os sacrum, l'autre à l'os ischium. Son att. inf. à la partie sup. du/ tibia, il sert à flechir la jambe en/ arrière./ 20. portion du sublime son att. sup./ à la portion post et inf du femur il pose/ sur le calcaneum et s'attache à l'os/ du pied. il sert à flechir le pied./ H. rotule/ G. peroné/ 21. le perforant./ 22. le petit fléchisseur du pied./ 23. le petit extenseur du canon* (accolade de 21 à 23 avec le signe**) */ 24. ligament des os du canon avec/ les os du paturon/ ** Leurs att. sup. à la partie sup et/ posterieure du tibia, les att. inf./ à la partie posterieure de l'os du pied./ ils servent à flechir le pied./* Ces trois muscles réunis au crural/ qu'on ne voit pas formant un tendon/ qui passe sur la rotule et va/ s'attacher à la tête du tibia./ (ces 4 muscles forment l'extenseur/ de la jambe.)* | Contremarque : *T Δ*.

Provenance

Fait partie d'un ensemble de dessins d'anatomie du cheval, mentionné, par Clément en 1867, 1868 et 1879 comme appartenant à E. de Varennes et donné par celui-ci à l'Ensba en 1883 | Inv. E.B.A. n° 1008 (11).

Bibliographie

G. Bazin, 1987, II, pp. 311-312, 472-473, n° 426, repr.

*D.28 Étude de détail de l'articulation du jarret d'un membre postérieur droit écorché, en vue latérale externe

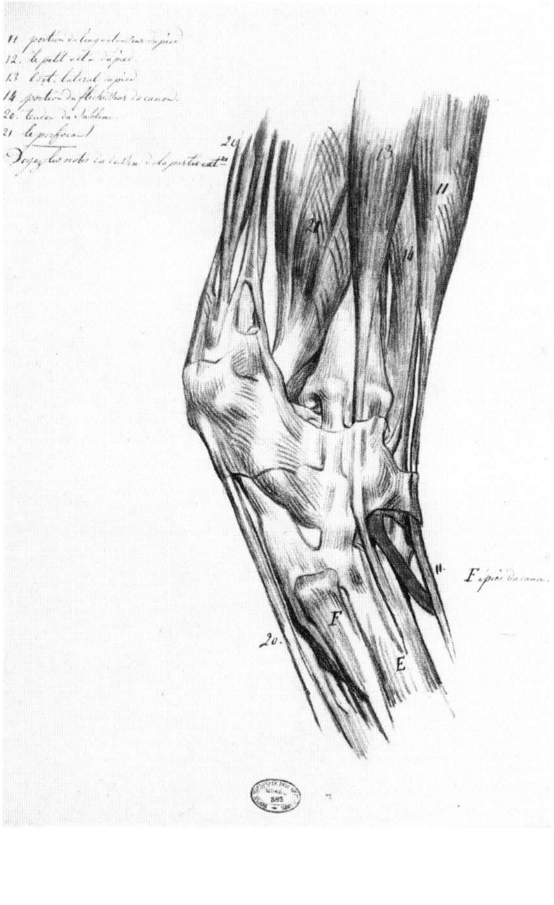

Pierre noire, fusain et sanguine | H. 0,422 ; L. 0,293 | Insriptions à la plume, encre brune, donnant la nomenclature des muscles et renvoyant aux numéros du dessin : en haut à droite : *11. portion du long extenseur du pied/ 12. le petit ext. du pied/ 13 l'ext. latéral du pied/ 14 portion du fléchisseur du canon/ 20. tendon du sublime./ 21 le perforant/ Voyez les notes du dessin de la partie ext^re*, en bas à droite : *F épine du canon* | Contremarque : *T Δ R*.

Provenance

Fait partie d'un ensemble de dessins d'anatomie du cheval, mentionné par Clément en 1867, 1868 et 1879 comme appartenant à E. de Varennes et donné par celui-ci à l'Ensba en 1883 | Inv. E.B.A. n° 1008 (12).

Bibliographie

G. Bazin, 1987, II, pp. 311-312, 472, n° 425, repr. | J. Fr. Debord, exp. Paris, 1993-1994, pp. 102-103, fig. 59.

Cette étude présente un détail agrandi de la feuille **cat. D.27**.

.29 Étude d'un membre postérieur droit écorché, en vue latérale interne

Pierre noire, fusain et sanguine | H. 0,446 ; L. 0,290 | Nombreuses insriptions à la plume, encre brune, donnant la nomenclature des muscles et renvoyant aux numéros du dessin : en haut à gauche : *17. l'adducteur son attache supérieure/à la symphise de l'os pubis, son att. inf/à la partie sup[re] interne du tibia, il/sert à rapprocher les cuisses/18. le biceps/20. le sublime/21. le perforant ou le profond/22. le petit fléchisseur du pied./24. ligament des os du canon/avec les os du paturon* (accolade du 18 au 24 avec la mention suivante : *voyez la/note de/la partie/externe*) ; au centre à droite : *H. rotule/B. Calcaneum/C. Poulie/D. Tibia* ; en bas à droite : *9 le droit antérieur/10. le vaste interne* (accolade de 9 à 10 avec la mention suivante : *voyez la note du dessin de la partie externe)/11. le long extenseur du pied/son attache sup. au condile/externe du femur./12 le petit extenseur du pied/* (accolade de 11 à 12 avec la mention suivante : *voyez la note du dessin de la/partie externe)/le flech. du canon son atta. sup à la tête du tibia et au/condile externe du femur, son att. inf. à la tête du canon/il sert a le flechir/15. le muscle iliaque s'att. à la face interne de l'ilium/son att. inf[re] à la partie moyenne du femur/16. le pectinum (dit le pectinée)* | Petite pliure en bas à droite.

Provenance

Fait partie d'un ensemble de dessins d'anatomie du cheval, mentionné par Clément en 1867, 1868 et 1879 comme appartenant à E. de Varennes et donné par celui-ci à l'Ensba en 1883 | Inv. E.B.A. n° 1008 (13).

Bibliographie

G. Bazin, 1987, II, pp. 311-312, 473, n° 429, repr.

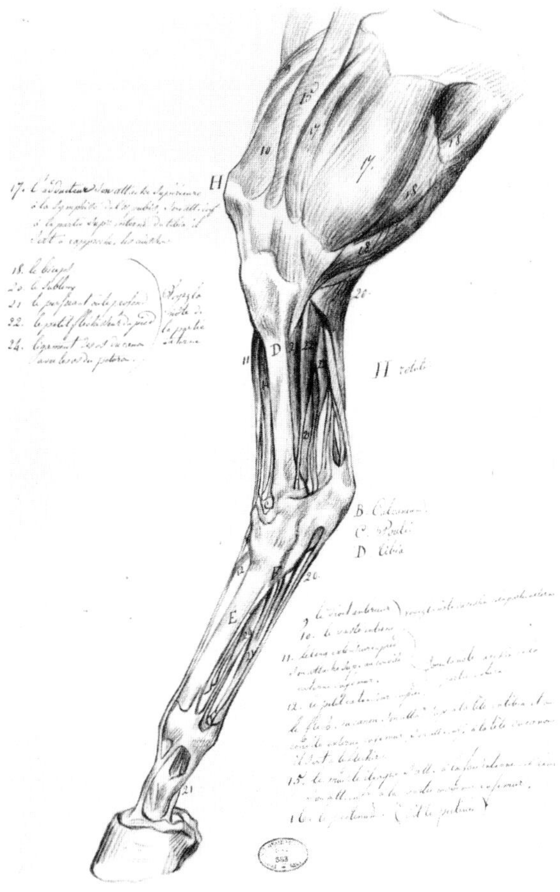

.30 Étude de détail de l'articulation du jarret d'un membre postérieur droit écorché, en vue latérale interne

Pierre noire grasse et sanguine grasse | H. 0,394 ; L. 0,286 | Annotations à la plume, encre brune, renvoyant aux chiffres et lettres du dessin : au centre à gauche : *11. long extens. du pied./12. petit ext. du pied./14. fléchisseur du canon/20. tendon du sublime/21. le perforant/22. le tendon du p. flechis. du/pied./voyez la note du dessin/de la partie externe* ; au centre à droite : *B. Calcanéum/C. la poulie/D tibia/E le canon/F épine du canon* | Quelques taches brunes | Contremarque : deux lettres *J* ou *G* et *B*.

Provenance

Fait partie d'un ensemble de dessins d'anatomie du cheval, mentionné par Clément en 1867, 1868 et 1879 comme appartenant à E. de Varennes et donné par celui-ci à l'Ensba en 1883 | Inv. E.B.A. n° 1008 (14).

Bibliographie

G. Bazin, 1987, II, pp. 311-312, 473-474, n° 430, repr.

Cette étude présente un détail agrandi de la feuille **cat. D.29**.

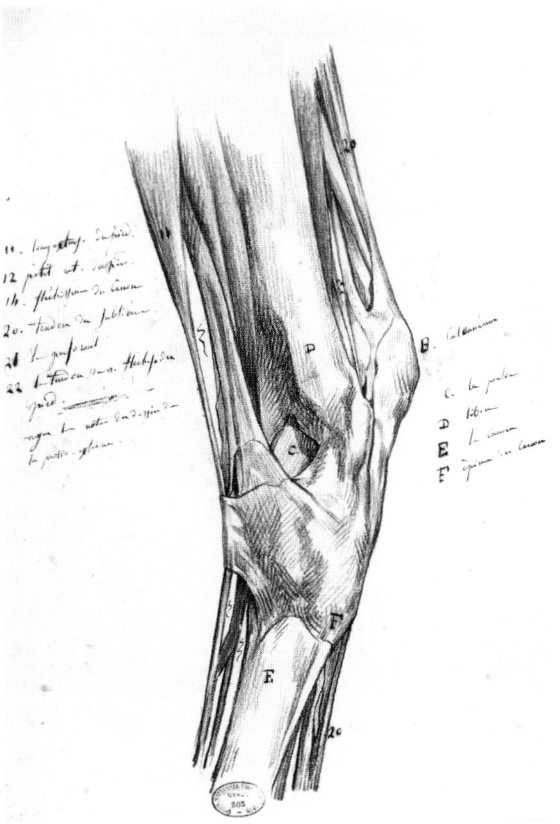

D.31 Étude d'un membre postérieur droit écorché, en vue antérieure

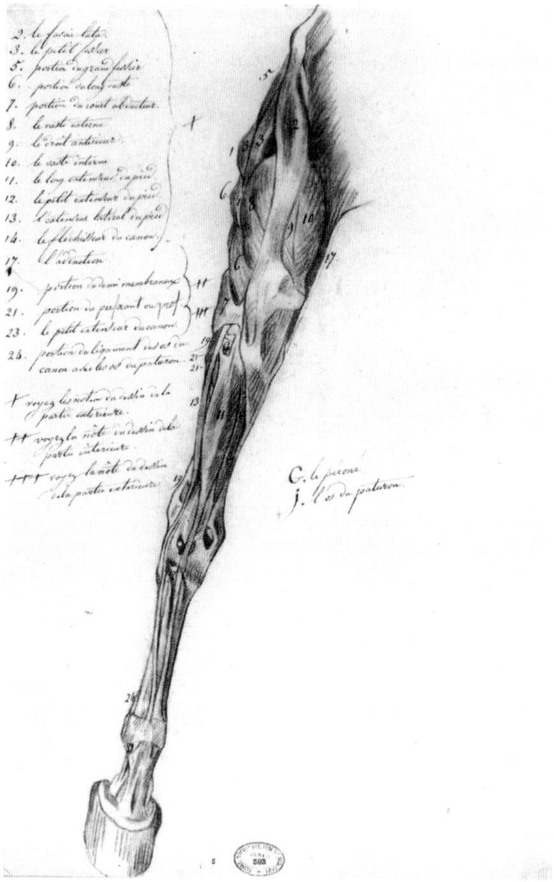

Pierre noire, fusain et sanguine | H. 0,448 ; L. 0,290 | Inscriptions à la plume, encre brune, donnant la nomenclature des muscles et renvoyant aux chiffres et lettres du dessin : en haut à gauche : _2. *le fascia-lata/3. le petit fessier/5. portion du grand fessier/6. portion du long vaste/7. portion du court abducteur./8. le vaste externe./9. le droit antérieur/10. le vaste interne/11. le long extenseur du pied./12. le petit extenseur du pied./13. l'extenseur latéral du pied./14. le fléchisseur du canon* (accolade de 2 à 14 avec le signe *)/*17. l'adduction./19. portion du demi membraneux/21. portion du perforant ou prof.* (accolade de 17 à 21 avec le signe **)/*23. le petit extenseur du canon* (accolade avec le signe ***)/*24. portion du ligament des os du/canon avec les os du paturon/* voyez les notes du dessin de la/partie exterieure./** voyez la nôte du dessin de la/partie interieure./*** voyez la nôte du dessin/de la partie extérieure.* ; au centre à droite : *G. le péroné/J. l'os du paturon.*

Provenance

Fait partie d'un ensemble de dessins d'anatomie du cheval, mentionné par Clément en 1867, 1868 et 1879 comme appartenant à E. de Varennes et donné par celui-ci à l'Ensba en 1883 | Inv. E.B.A. n° 1008 (15).

Bibliographie

G. Bazin, 1987, II, pp. 311-312, 474, n° 431, repr.

D.32 Étude d'un membre postérieur droit écorché, vu par l'arrière ; détail du même membre en flexion, en vue externe ; détail du sabot

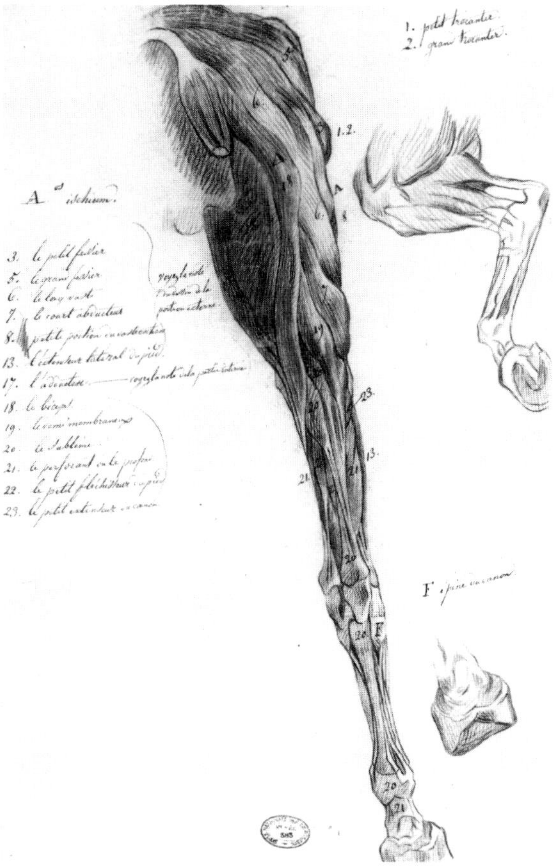

Pierre noire, fusain et sanguine | H. 0,447 ; L. 0,298 | Inscriptions à la plume, encre brune, donnant la nomenclature des muscles et renvoyant aux numéros du dessin : en haut à gauche : *A os ischium./3. le petit fessier/5. le grand fessier/6. le long vaste /7. le court abducteur/8. petite portion du vaste externe /13. l'extenseur latéral du pied* (accolade de 3 à 13 avec la mention suivante : *voyez la note/du dessin de la/portion externe*)/*17. l'adducteur* (suivi de la mention : *voyez la note de la partie interne*)/*18. le biceps./19. le demi membraneux/20. le sublime./21. le perforant ou le profond./22. le petit fléchisseur du pied/23. le petit extenseur du canon.* (accolade de 18 à 23) ; en haut à droite : *1. petit trocanter./2. grand trocanter.* ; en bas à droite : *F épine du canon* | Contremarque : *T.*

Provenance

Fait partie d'un ensemble de dessins d'anatomie du cheval, mentionné par Clément en 1867, 1868 et 1879 comme appartenant à E. de Varennes et donné par celui-ci à l'Ensba en 1883 | Inv. E.B.A. n° 1008 (16).

Bibliographie

G. Bazin, 1987, II, pp. 311-312, 472, n° 424, repr.

.33 Études d'une « jambe gauche » et d'une « jambe droite » écorchées

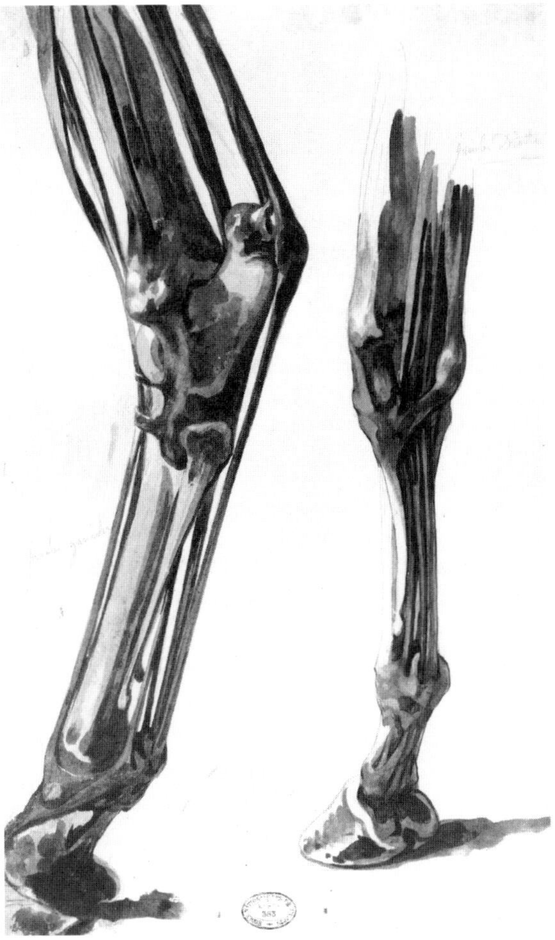

Mine de plomb, lavis brun et aquarelle | H. 0,435 ; L. 0,268 | Au centre, à gauche, annotation à la mine de plomb : *jambe gauche ;* en haut, à droite, annotation à la mine de plomb : *jambe Droite* | Contremarque : *VAN DER EY.*

Provenance

Fait partie d'un ensemble de dessins d'anatomie du cheval, mentionné par Clément en 1867, 1868 et 1879 comme appartenant à E. de Varennes et donné par celui-ci à l'Ensba en 1883 | Inv. E.B.A. n° 1008 (17).

Bibliographie

Ch. Clément, octobre 1867, p. 372 sous le n° 164 | Ch. Clément, 1868 et 1879, p. 367 sous le n° 180 | G. Bazin, 1987, II, pp. 311-312, 469-470, n° 415, repr.

Expositions

Paris, Hôtel Jean Charpentier, 1924, n° 139 | Winterthur, Kunstmuseum, 1953, n° 155.

À gauche, la grande étude annotée « jambe gauche » représente une vue postéro-externe d'un membre postérieur gauche, de la jambe au sabot (on aperçoit en haut la pointe inférieure du péroné, puis, plus bas, la saillie caractéristique de la malléole externe tibiale, ce qui prouve entre autres que nous avons bien là une vue « externe »).

À droite, la petite étude annotée « jambe Droite » représente une vue postéro-interne d'un membre antérieur droit, de l'avant-bras au sabot. Géricault a accentué la légère asymétrie des repères osseux.

Ces deux études ont été réalisées d'après des préparations anatomiques de jambes écorchées, relativement sèches. En effet, les corps charnus se resserrent sur eux-mêmes dès que l'on ouvre les aponévroses, et affectent peu à peu par dessication cet aspect de corde, perdant leur volume ; les tendons en perdent en revanche beaucoup moins. L'ensemble du muscle (corps charnu et tendon) devient plus homogène et prend cet aspect caractéristique, au point que muscles et ligaments pourraient être presque confondus. J.-Fr.D.

Seize dessins d'après le temple d'Apollon Epicourios à Bassæ

Géricault a calqué seize planches de l'album de G.M. Wagner et F. Ruschweyh, *Bassorilievi Antichi della Grecia…* (Rome, 1814), représentant le combat des Lapithes et des Centaures et le combat des Amazones. En règle générale, il a commencé par calquer les grandes lignes de la composition et les parties ombrées, puis il a terminé son dessin à main levée sans hésiter à rajouter des ombres ailleurs. En 1859, les calques figuraient sans doute dans la vente après décès d'Alexandre Colin, un ancien ami de Géricault, où ils étaient mentionnés comme « Bas-reliefs du Temple d'Egine. Quinze dessins à la plume ». Ils sont entrés plus tard dans la collection His de la Salle, qui a correctement identifié les bas-reliefs du temple d'Apollon d'Epicourios à Bassæ, près de Phigalie en Arcadie, aujourd'hui conservés au British Museum. Il semble avoir coupé en deux une feuille où Géricault avait dessiné des portions de deux scènes différentes, correspondant aux planches 14 et 20. Il a offert les dessins à l'École des Beaux-Arts en deux fois : d'abord les onze feuilles sur le thème du combat des Amazones, en 1867, puis les cinq calques du combat des Lapithes et des Centaures en 1876. J.P.L.

D.34 Fragment du Temple de Bassæ

Mine de plomb sur papier calque marouflé sur papier | H. 0,195 ; L. 0,352 | Annotatation à la mine de plomb en haut à droite : *23* | Sur le montage, en bas, annotations à la plume, encre noire : *Temple de Phigalie - suite (N°7) par Géricault - Collection His de la Salle* ; au dos à la plume, encre noire : *N°7 de la Suite du Combat des Amazones.*

Provenance

A pu faire partie du lot passé à la vente A. Colin, Paris, Hôtel des Commissaires-Priseurs, 22 décembre 1859, sous le n° 65 : *Bas-reliefs du Temple d'Egine, ...Quinze dessins à la plume. Seront divisés,* sans dimensions | His de la Salle, marque en bas à gauche (L. 1333) | don de ce dernier à l'Ensba en 1867 | Inv. E.B.A. n° 999 (1).

Bibliographie

L. Johnson, septembre 1971, pp. 546-548, note 1 | L. Eitner, exp. Los Angeles, Detroit, Philadelphie, 1971-1972, p. 73 sous le n° 34 | L. Eitner, 1983, pp. 106, 335, note 32 | Ph. Grunchec, exp. New York, San Diego, Houston, 1985-1986, p. 91 sous le n° 39 | G. Bazin, 1987, II, pp. 284-286, 420, n° 293, repr. | L. Eitner, 1991, pp. 134, 421, note 32.

Le dessin de Géricault reprend les parties gauche et centrale de la planche 23 de Wagner et Ruschweyh. Une Amazone affronte sur un cheval cabré un Athénien aux muscles hypertrophiés armé d'une massue. Géricault recopie fidèlement les contours, mais s'éloigne de l'original en modifiant l'orientation verticale des hachures sous la jambe de l'Athénien couché. Il reporte le numéro 23 dans l'angle supérieur droit du dessin. J.P.L.

D.35 Fragment du Temple de Bassæ

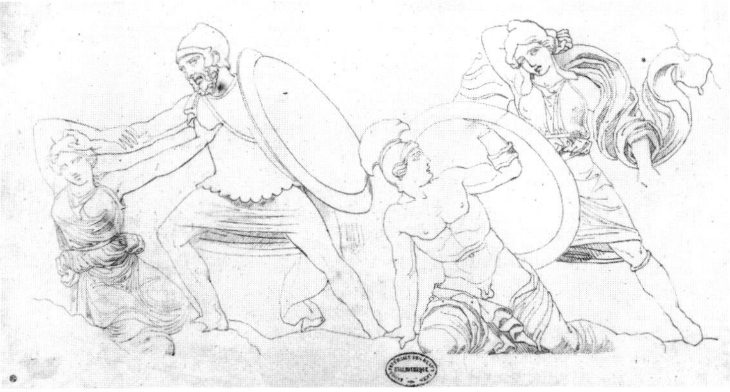

Mine de plomb sur papier calque marouflé sur papier | H. 0,205 ; L. 0,401 | Seuls les deux angles du côté gauche à la mine de plomb indiquent le trait de la composition gravée | Quelques taches brunes | Sur le montage, en bas, annotations à la plume, encre noire : *Suite du temple de Phigalie (N°8) - par Géricault - Collection de Mr His de la Salle* | au dos, à la plume, encre noire : *N°8 de la Suite du Combat des Amazones.*

Provenance

A pu faire partie du lot passé à la vente A. Colin, Paris, Hôtel des Commissaires-Priseurs, 22 décembre 1859, sous le n° 65 : *Bas-reliefs du Temple d'Egine, ... Quinze dessins à la plume. Seront divisés,* sans dimensions | His de la Salle, marque en bas à gauche (L. 1333) | don de ce dernier à l'Ensba en 1867 | Inv. E.B.A. n° 999 (2).

Bibliographie

L. Johnson, septembre 1971, pp. 546-548, note 1 | L. Eitner, exp. Los Angeles, Detroit, Philadelphie, 1971-1972, p. 73 sous le n° 34 | L. Eitner, 1983, pp. 106, 335, note 32 | Ph. Grunchec, exp. New York, San Diego, Houston, 1985-1986, p. 91 sous le n° 39 | G. Bazin, 1987, II, pp. 284-286, 419, n° 288, repr. | L. Eitner, 1991, pp. 134, 421, note 32.

Le dessin de Géricault reproduit la planche 17 de Wagner et Ruschweyh. L'issue du combat représenté reste incertaine, car nous avons à gauche un Athénien victorieux et à droite son compagnon tombé à genoux. Géricault supprime beaucoup d'ombres et modifie les hachures sous le sein de l'Amazone couchée. J.P.L.

D.36 Fragment du Temple de Bassæ

Mine de plomb sur papier calque marouflé sur papier | H. 0,206 ; L. 0,371 | Lacunes sur le bord gauche | Quelques taches brunes | Sur le montage, en bas, annotations à la plume, encre noire : *Suite du temple de Phigalie (N°9) - par Géricault - Collection His de la Salle* | au dos, à la plume, encre noire : *de la Suite du Combat des Amazones.*

Provenance

A pu faire partie du lot passé à la vente A. Colin, Paris, Hôtel des Commissaires-Priseurs, 22 décembre 1859, sous le n° 65 : *Bas-reliefs du Temple d'Egine, ... Quinze dessins à la plume. Seront divisés,* sans dimensions | His de la Salle, marque en bas à droite (L. 1333) | don de ce dernier à l'Ensba en 1867 | Inv. E.B.A. n° 999 (3).

Bibliographie

L. Johnson, septembre 1971, pp. 546-548, note 1 | L. Eitner, exp. Los Angeles, Detroit, Philadelphie, 1971-1972, p. 73 sous le n° 34 | L. Eitner, 1983, pp. 106, 335, note 32 | Ph. Grunchec, exp. New York, San Diego, Houston, 1985-1986, p. 91 sous le n° 39 | G. Bazin, 1987, II, pp. 284-286, 419, n° 289, repr. | L. Eitner, 1991, pp. 134, 421, note 32.

Géricault calque à la mine de plomb la planche 19 de Wagner et Ruschweyh. Au milieu, une Amazone supplie un Athénien de lui laisser la vie sauve. Encore une fois, Géricault élimine des ombres et reconstitue des parties abîmées, comme le bras de l'Athénien debout. J.P.L.

*D.37 Fragment du Temple de Bassæ

Plume, encre brune sur papier calque brun marouflé sur papier | H. 0,182 ; L. 0,234 | Taches brunes | Sur le montage, en bas, annotations à la plume, encre noire : *Suite du temple de Phigalie - par Géricault - Coll*tion *His de la Salle / N°10* ; au dos, à la plume, encre noire : *N°10 de la Suite du Combat des Amazones.*

Provenance

A pu faire partie du lot passé à la vente A. Colin, Paris, Hôtel des Commissaires-Priseurs, 22 décembre 1859, sous le n° 65 : *Bas-reliefs du Temple d'Egine, ...Quinze dessins à la plume. Seront divisés,* sans dimensions | His de la Salle, marque en bas à gauche (L. 1333) | don de ce dernier à l'Ensba en 1867 | Inv. E.B.A. n° 999 (4).

Bibliographie

L. Johnson, septembre 1971, pp. 546-548, note 1 | L. Eitner, exp. Los Angeles, Detroit, Philadelphie, 1971-1972, p. 73 sous le n° 34 | L. Eitner, 1983, pp. 106, 335, note 32 | Ph. Grunchec, exp. New York, San Diego, Houston, 1985-1986, p. 91 sous le n° 39 | G. Bazin, 1987, II, pp. 284-286, 419, n° 290, repr. | L. Eitner, 1991, pp. 134, 421, note 32.

Le calque à la plume, encre brune, reprend la moitié droite de la planche 20 de Wagner et Ruschweyh. Il devait se trouver à l'origine sur la même feuille que la copie de la planche 14 (**cat. D.42**). Une Amazone et un Athénien se battent derrière un bouclier qui cache leurs bras. Comme dans le calque de la planche 14, Géricault concentre son attention sur les contours. Il reconstitue le pied de l'Athénien à l'encre noire. Pour mieux mettre en valeur le tracé des contours, il supprime une grande partie des grisés de l'original, et indique certaines ombres avec des hachures en zigzag, notamment sur le vêtement de l'Amazone. J.P.L.

D.38 Fragment du Temple de Bassæ

Mine de plomb sur papier calque marouflé sur papier | H. 0,197 ; L. 0,348 | Sur le montage, annotations à la plume, encre noire : *N°11 et dernier - Temple de Phigalie - par Géricault - Coll*tion *His de la Salle* | au dos, à la plume, encre noire : *N°11 de la Suite du Combat des Amazones.*

Provenance

A pu faire partie du lot passé à la vente A. Colin, Paris, Hôtel des Commissaires-Priseurs, 22 décembre 1859, sous le n° 65 : *Bas-reliefs du Temple d'Egine, ...Quinze dessins à la plume. Seront divisés,* sans dimensions | His de la Salle, marque en bas à droite et à gauche (L. 1333) | don de ce dernier à l'Ensba en 1867 | Inv. E.B.A. n° 999 (5).

Bibliographie

L. Johnson, septembre 1971, pp. 546-548, note 1 | L. Eitner, exp. Los Angeles, Detroit, Philadelphie, 1971-1972, p. 73 sous le n° 34 | L. Eitner, 1983, pp. 106, 335, note 32 | Ph. Grunchec, exp. New York, San Diego, Houston, 1985-1986, p. 91 sous le n° 39 | G. Bazin, 1987, II, pp. 284-286, 419-420, n° 291, repr. | L. Eitner, 1991, pp. 134, 421, note 32.

Géricault calque à la mine de plomb la planche 21 de Wagner et Ruschweyh. Quatre Amazones, dont une mortellement blessée, entourent un Athénien tombé à terre au premier plan. Géricault a conservé les principaux contours de l'original et éliminé la plupart des ombres de la gravure, avant d'en introduire d'autres ailleurs. J.P.L.

D.39 Fragment du Temple de Bassæ

Mine de plomb sur papier calque marouflé sur papier | H. 0,196 ; L. 0,394 | La composition est encadrée par un trait à la mine de plomb : H. 0,170 ; L. 0,363 | Annotation en haut à gauche à la mine de plomb : *22* | Quelques taches brunes | Sur le montage, en bas, annotations à la plume, encre noire : *Temple de Phigalie (N°6) dessin de géricault - Coll^tion His de la Salle* | au dos, à la plume, encre noire : *N°6 de la Suite du Combat des Amazones.*

Provenance

A pu faire partie du lot passé à la vente A. Colin, Paris, Hôtel des Commissaires-Priseurs, 22 décembre 1859, sous le n°65 : *Bas-reliefs du Temple d'Egine, …Quinze dessins à la plume. Seront divisés,* sans dimensions | His de la Salle, marque en bas à gauche (L. 1333 | don de ce dernier à l'Ensba en 1867 | Inv. E.B.A. n° 999 (6).

Bibliographie

L. Johnson, septembre 1971, p. 546, fig. 68, 547-548, note 1 | L. Eitner, exp. Los Angeles, Detroit, Philadelphie, 1971-1972, p. 73 sous le n° 34 | L. Eitner, 1983, pp. 106, 335, note 32 | Ph. Grunchec, exp. New York, San Diego, Houston, 1985-1986, p. 91 sous le n° 39 | G. Bazin, 1987, II, pp. 284-286, 420, n° 292, repr. | L. Eitner, 1991, pp. 134, 421, note 32.

Le dessin à la mine de plomb correspond à la planche 22 de Wagner et Ruschweyh. Un Athénien fait tomber une Amazone de sa monture, tandis qu'une deuxième Amazone se jette sur l'agresseur. Le cheval cabré représenté dans le bas-relief antique s'apparente à un motif privilégié du jeune Géricault, que l'on retrouve dans un ensemble de dessins et peintures relatifs à *La Course de chevaux libres* à Rome. Pour mieux faire coïncider le calque et la gravure, Géricault a tracé le pourtour sur sa feuille. Il a également annoté en haut à gauche le numéro 22 qui figure en haut à droite de l'original. J.P.L.

D.40 Fragment du Temple de Bassæ

Plume, encre brune sur papier calque brun marouflé sur papier | H. 0,188 ; L.0, 363 | Sur le montage, en bas, annotations à la plume, encre noire : *Frise du temple de Phigalie - Combat des Centaures et des Lapithes - Dessin de Géricault (N°1)/ Collection His de la Salle.*

Provenance

A pu faire partie du lot passé à la vente A. Colin, Paris, Hôtel des Commissaires-Priseurs, 22 décembre 1859, sous le n°65 : *Bas-reliefs du Temple d'Egine, …Quinze dessins à la plume. Seront divisés,* sans dimensions | His de la Salle, marque en bas à droite (L. 1333) | don de ce dernier à l'Ensba en 1876 | Inv. E.B.A. n° 999 (7).

Bibliographie

L. Johnson, septembre 1971, pp. 546-548, note 1 | L. Eitner, exp. Los Angeles, Detroit, Philadelphie, 1971-1972, p. 73 sous le n° 34 | L. Eitner, 1983, pp. 106, 335, note 32 | R. Huyghe, 1976, p. 137, fig. 149 | Ph. Grunchec, exp. New York, San Diego, Houston, 1985-1986, p. 91 sous le n° 39 | G. Bazin, 1987, II, pp. 284-286, 417, n° 282, repr. | L. Eitner, 1991, pp. 134, 421, note 32.

Géricault calque à la plume, encre brune, la planche 11 de Wagner et Ruschweyh, figurant deux groupes d'adversaires. Il a reconstitué le pied gauche du personnage central et atténué le modelé de l'original. J.P.L.

D.41 Fragment du Temple de Bassæ

Mine de plomb sur papier calque marouflé sur papier | H. 0,220 ; L. 0,403 | Quelques taches brunes | Sur le montage, en bas, annotations à la plume, encre noire : *Suite du temple de Phigalie - dessin de Géricault - Coll^tion His de la Salle / N°5* | au dos, à la plume, encre noire : *N°5 de la Suite du combat des Amazones.*

Provenance

A pu faire partie du lot passé à la vente A. Colin, Paris, Hôtel des Commissaires-Priseurs, 22 décembre 1859, sous le n° 65 : *Bas-reliefs du Temple d'Egine, ...Quinze dessins à la plume. Seront divisés,* sans dimensions | His de la Salle, marque en bas à gauche (L. 1333) | don de ce dernier à l'Ensba en 1867 | Inv. E.B.A. n° 999 (8).

Bibliographie

L. Johnson, septembre 1971, pp. 546-548, note 1 | L. Eitner, exp. Los Angeles, Detroit, Philadelphie, 1971-1972, p. 73 sous le n° 34 | L. Eitner, 1983, pp. 106, 335, note 32 | Ph. Grunchec, exp. New York, San Diego, Houston, 1985-1986, p. 91 sous le n° 39 | G. Bazin, 1987, II, pp. 284-286, 418, n° 286, repr. | L. Eitner, 1991, pp. 134, 421, note 32.

Géricault calque à la mine de plomb la planche 15 de Wagner et Ruschweyh. Un soldat athénien soigne un frère d'armes blessé, tandis qu'un autre se bat contre une Amazone redoutable. Géricault copie attentivement les détails des corps, et reconstitue la silhouette de l'Athénien sur la gauche. J.P.L.

*D.42 Fragment du Temple de Bassæ

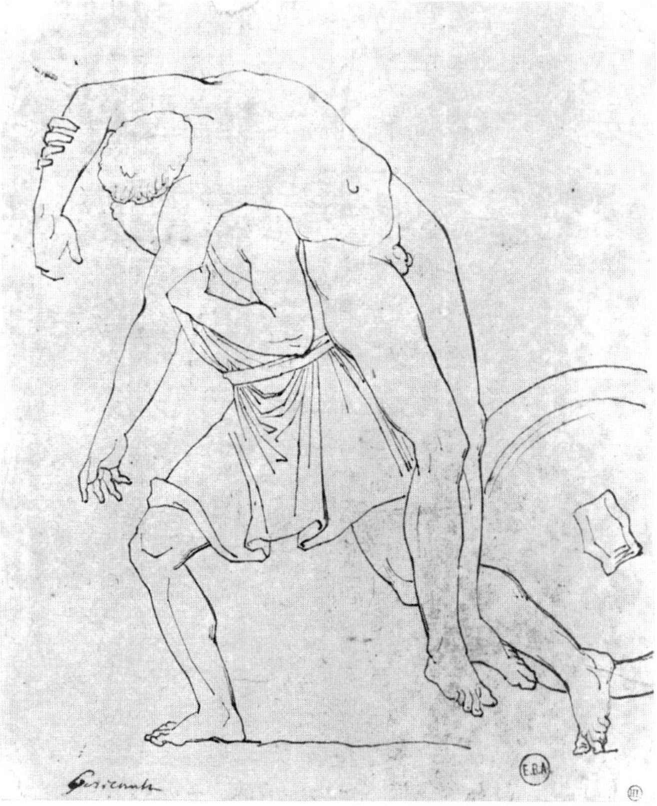

Plume, encre brune sur papier calque brun marouflé sur papier | H. 0,185 ; L. 0,155 | Annoté en bas à gauche : *Gericault* | Lacunes aux angles | Sur le montage, en bas, annotations à la plume, encre noire : *Suite - Temple de Phigalie - par Géricault/N°3* | au dos, à la plume, encre noire : *N°3 de la Suite du combat des Amazones.*

Provenance

A pu faire partie du lot passé à la vente A. Colin, Paris, Hôtel des Commissaires-Priseurs, 22 décembre 1859, sous le n°65 : *Bas-reliefs du Temple d'Egine, ...Quinze dessins à la plume. Seront divisés,* sans dimensions | His de la Salle, marque en bas à droite (L. 1333) | don de ce dernier à l'Ensba en 1867 | Inv. E.B.A. n° 999 (9).

Bibliographie

L. Johnson, septembre 1971, p. 546, fig. 70, pp. 547- 548, note 1 ; L. Eitner, exp. Los Angeles, Detroit, Philadelphie, 1971-1972, p. 73 sous le n° 34 | L. Eitner, 1983, pp. 106, 335, note 32 | Ph. Grunchec, exp. New York, San Diego, Houston, 1985- 1986, p. 91 sous le n° 39 | G. Bazin, 1987, II, pp. 284-286, 418, n° 285, repr. | L. Eitner, 1991, pp. 134, 421, note 32.

Le dessin à l'encre reprend la moitié gauche de la planche 14 de Wagner et Ruschweyh. Apparemment, Géricault avait copié la planche 20 (**cat. D.36**) sur la même feuille, car le format actuel de chacun de ces deux calques correspond à peu près à la moitié de celui des autres. Il a signé *Géricault* en bas à gauche. Le dessin représente un soldat qui porte sur son dos un Athénien blessé. La facture simplifiée accentue les contours en éliminant les hachures entre les personnages. Géricault a souligné d'un trait noir les mollets musclés du soldat debout. J.P.L.

.43 Fragment du Temple de Bassæ

Plume, encre brune sur papier brun calque marouflé sur papier | H. 0,187 ; L. 0,325 | Sur le montage, en bas, annotations à la plume, encre noire : *N°5 et dernier de la frise de Phigalie - dessin de Géricault/Collection His de la Salle.*

Provenance

A pu faire partie du lot passé à la vente A. Colin, Paris, Hôtel des Commissaires-Priseurs, 22 décembre 1859, sous le n° 65 : *Bas-reliefs du Temple d'Egine, ...Quinze dessins à la plume. Seront divisés,* sans dimensions | His de la Salle, marque en bas au centre (L. 1333) | don de ce dernier à l'Ensba en 1867 | Inv. E.B.A. n° 999 (10).

Bibliographie

L. Johnson, septembre 1971, pp. 546-548, note 1 | L. Eitner, exp. Los Angeles, Detroit, Philadelphie, 1971-1972, p. 73 sous le n° 34 | L. Eitner, 1983, pp. 106, 335, note 32 | Ph. Grunchec, exp. New York, San Diego, Houston, 1985-1986, p. 91 sous le n° 39 | G. Bazin, 1987, II, pp. 284-286, 418-419, n° 287, repr. | L. Eitner, 1991, pp. 134, 421, note 32.

Exposition

Vancouver, Morris and Helen Belkin Art Gallery, 1997, n° 2, repr.

Le calque à la mine de plomb correspond à la planche 16 de Wagner et Ruschweyh. Sur la gauche, un Athénien triomphe d'une Amazone et, sur la droite, une Amazone domine un Athénien. Géricault omet une partie des ombres de la gravure et ajoute une bouche sur le visage de l'Athénien debout. J.P.L.

.44 Fragment du Temple de Bassæ

Mine de plomb sur papier calque marouflé sur papier | H. 0,220 ; L. 0,407 | Large tache brune en haut à gauche et au centre | Déchirure dans la partie supérieure droite | Sur le montage, en bas, annotations à la plume, encre noire : *Suite du temple de Phigalie - par Géricault, Collection His de la Salle/N°4* | au dos, à la plume, encre noire : *N°4 de la Suite du Combat des Amazones.*

Provenance

A pu faire partie du lot passé à la vente A. Colin, Paris, Hôtel des Commissaires-Priseurs, 22 décembre 1859, sous le n° 65 : *Bas-reliefs du Temple d'Egine, ...Quinze dessins à la plume. Seront divisés,* sans dimensions | His de la Salle, marque en bas à gauche (L. 1333) | don de ce dernier à l'Ensba en 1876 | Inv. E.B.A. n° 999 (11).

Bibliographie

L. Johnson, septembre 1971, pp. 546-548, note 1 | L. Eitner, exp. Los Angeles, Detroit, Philadelphie, 1971-1972, p. 73 sous le n° 34 | L. Eitner, 1983, pp. 106, 109, fig. 94, p. 335, note 32 | Ph. Grunchec, exp. New York, San Diego, Houston, 1985-1986, p. 91 sous le n° 39 | G. Bazin, 1987, II, pp. 284-286, 416, n° 278, repr. | L. Eitner, 1991, pp. 134, 421, note 32.

Le calque de Géricault reprend la planche 2 de Wagner et Ruschweyh, où l'on voit un Lapithe lutter contre un Centaure, qui se défend de la main droite et, de la gauche, arrache le vêtement d'une jeune Lapithe presque nue. Dans son dessin à l'encre, Géricault accentue la tension dramatique de la scène en noircissant le contour du sabot du Centaure et les yeux de la jeune vierge. Il complète la représentation fragmentaire du bras droit du guerrier lapithe, mais supprime des détails sur la poitrine du Centaure et simplifie le modelé de certains personnages. J.P.L.

D.45 Fragment du Temple de Bassæ

Plume, encre noire sur papier calque brun marouflé sur papier | H. 0,199 ; L. 0,361 | Sur le montage, en bas, annotations à la plume, encre noire : *D'Après la frise de Phigalie - dessin de Gericault - Collection de Mr His de la Salle/N°4.*

Provenance

A pu faire partie du lot passé à la vente A. Colin, Paris, Hôtel des Commissaires-Priseurs, 22 décembre 1859, sous le n° 65 : *Bas-reliefs du Temple d'Egine, ... Quinze dessins à la plume. Seront divisés,* sans dimensions | His de la Salle, marque en bas au centre (L. 1333) | don de ce dernier à l'Ensba en 1867 | Inv. E.B.A. n°999 (12)

Bibliographie

L. Johnson, septembre 1971, pp. 546-548, note 1 | L. Eitner, exp. Los Angeles, Detroit, Philadelphie, 1971-1972, p. 73 sous le n° 34 | L. Eitner, 1983, pp. 106, 335, note 32 | Ph. Grunchec, exp. New York, San Diego, Houston, 1985-1986, p. 91 sous le n° 39 | G. Bazin, 1987, II, pp. 284-286, 417-418, n° 284, repr. | L. Eitner, 1991, pp. 134, 421, note 32.

Géricault calque, à la mine de plomb, la planche 13 de Wagner et Ruschweyh. Une Amazone, armée de son arc, affronte impétueusement un Athénien, qui se défend avec son bouclier et, selon toute évidence, une épée. Géricault a tracé des repères en bas et à gauche de la feuille pour la faire coïncider avec la gravure, puis calqué les grandes lignes de l'image. J.P.L.

*D.46 Fragment du Temple de Bassæ

Mine de plomb sur papier calque marouflé sur papier | H. 0,214 ; L. 0,376 | Seuls l'angle supérieur droit et deux traits inférieurs à la mine de plomb indiquent le trait de la composition gravée | Sur le montage, en bas, annotations à la plume, encre noire : *d'Après la frise de Phigalie -par Géricault- Collection His de la Salle/N°3.*

Provenance

A pu faire partie du lot passé à la vente A. Colin, Paris, Hôtel des Commissaires-Priseurs, 22 décembre 1859, sous le n° 65 : *Bas-reliefs du Temple d'Egine, ... Quinze dessins à la plume. Seront divisés,* sans dimensions | His de la Salle, marque en bas à gauche (L. 1333) | don de ce dernier à l'Ensba en 1876 | Inv. E.B.A. n° 999 (13).

Bibliographie

L. Johnson, septembre 1971, pp. 546-548, note 1 | L. Eitner, exp. Los Angeles, Detroit, Philadelphie, 1971-1972, p. 73 sous le n° 34 | L. Eitner, 1983, pp. 106, 335, note 32 | Ph. Grunchec, exp. New York, San Diego, Houston, 1985-1986, p. 91 sous le n° 39 | G. Bazin, 1987, II, pp. 284-286, 416-418, n° 280, repr. | L. Eitner, 1991, pp. 134, 421, note 32.

Géricault a copié à la mine de plomb et à la plume, encre brune, la planche 6 de l'album de Wagner et Ruschweyh. Contrairement à ce qui passe dans les planches 2 et 3, ici, les Centaures dominent les Lapithes, lapidant un ennemi à gauche et s'acharnant sur un autre tombé à terre à droite. Géricault a tracé des repères en bas et à droite de sa feuille pour la faire coïncider avec la gravure pendant qu'il calquait les principaux contours. Il a reconstitué au crayon la partie manquante du corps du Centaure de gauche, et ajouté des hachures sur le manteau de celui de droite. Enfin, il a éliminé les ombres sur le corps de la Lapithe effrayée à l'arrière-plan. J.P.L.

.47 Fragment du Temple de Bassæ

Mine de plomb sur papier calque marouflé sur papier | H. 0,218 ; L. 0,395 | Seuls trois angles à la mine de plomb indiquent le trait de la composition gravée | Sur le montage, en bas, annotations à la plume, encre noire : *Suite du temple de Phigalie - par Géricault - Coll^{tion} His de la Salle/N°2* | au dos, à la plume, encre noire : *N°2 de la Suite du combat des Amazones.*

Provenance

A pu faire partie du lot passé à la vente A. Colin, Paris, Hôtel des Commissaires-Priseurs, 22 décembre 1859, sous le n° 65 : *Bas-reliefs du Temple d'Egine, ... Quinze dessins à la plume. Seront divisés,* sans dimensions | His de la Salle, marque en bas à droite (L. 1333) | don de ce dernier à l'Ensba en 1876 | Inv. E.B.A. n° 999 (14).

Bibliographie

L. Johnson, septembre 1971, pp. 546-548, note 1 | L. Eitner, exp. Los Angeles, Detroit, Philadelphie, 1971-1972, p. 73 sous le n° 34 | L. Eitner, 1983, pp. 106, 335, note 32 | Ph. Grunchec, exp. New York, San Diego, Houston, 1985-1986, p. 91 sous le n° 39 | G. Bazin, 1987, II, pp. 284-286, 417, n° 281, repr. | L. Eitner, 1991, pp. 134, 421, note 32.

Le calque de Géricault reproduit la planche 7 de Wagner et Ruschweyh. Sur la gauche, un Lapithe et un Centaure disputent un combat à l'issue indécise, tandis qu'à droite, le Lapithe l'emporte sur le Centaure. Géricault a complété des éléments fragmentaires de l'original, tels que les pieds du personnage central, et introduit une ombre autour du pénis du Centaure debout. J.P.L.

.48 Fragment du Temple de Bassæ

Mine de plomb sur papier calque marouflé sur papier | H. 0,203 ; L. 0,403 | Quelques taches brunes | Sur le montage, en bas, annotations à la plume, encre noire : *Frise de Phigalie - dessin de Th^{re} Géricault (N°2) Collection de Mr His de la Salle.*

Provenance

A pu faire partie du lot passé à la vente A. Colin, Paris, Hôtel des Commissaires-Priseurs, 22 décembre 1859, sous le n° 65 : *Bas-reliefs du Temple d'Egine, ... Quinze dessins à la plume. Seront divisés,* sans dimensions | His de la Salle, marque en bas à gauche (L. 1333) | don de ce dernier à l'Ensba en 1876 | Inv. E.B.A. n° 999 (15).

Bibliographie : L. Johnson, septembre 1971, pp. 546-548, note 1 | L. Eitner, exp. Los Angeles, Detroit, Philadelphie, 1971-1972, p. 73 sous le n° 34 | L. Eitner, 1983, pp. 106, 335, note 32 | Ph. Grunchec, exp. New York, San Diego, Houston, 1985-1986, p. 91 sous le n° 39 | G. Bazin, 1987, II, pp. 284-286, 416, n° 279, repr. | L. Eitner, 1991, pp. 134, 421, note 32.

Géricault calque à la mine de plomb la planche 3 de Wagner et Ruschweyh, montrant deux groupes de combattants partiellement superposés. Il a éliminé certaines des ombres de l'estampe, par exemple entre le Centaure et la peau d'ours au centre, tandis qu'il en a renforcé d'autres, notamment sur le ventre du Centaure qui s'enfuit. J.P.L.

*D.49 Fragment du Temple de Bassæ

Mine de plomb sur papier calque marouflé sur papier | H. 0,199 ; L. 0,388 | Quelques taches brunes | Lacune à l'angle inférieur gauche | Sur le montage, en bas, annotations à la plume, encre noire : *Le combat des Amazones avec les Athéniens - temple de Phigalie - au British Museum - Londres - dessins de Théodore Géricault - Coll^tion His de la Salle/N°1* | au dos, à la plume, encre noire : *N°1 de la Suite du combat des Amazones./N°40. Ce dessin et les dix qui suivent ont été dessinés par Géricault, d'après les marbres antiques provenant du temple d'Apollon à Bassæ près de Phigalie en Arcadie/Ces marbres sont au British Museum à Londres.*

Provenance

A pu faire partie du lot passé à la vente A. Colin, Paris, Hôtel des Commissaires-Priseurs, 22 décembre 1859, sous le n° 65 : *Bas-reliefs du Temple d'Egine, …Quinze dessins à la plume. Seront divisés,* sans dimensions | His de la salle, marque en bas à gauche (L. 1333) | don de ce dernier à l'Ensba en 1867 | Inv. E.B.A. n° 999 (16).

Bibliographie

L. Johnson, septembre 1971, pp. 546-548, note 1 | L. Eitner, exp. Los Angeles, Detroit, Philadelphie, 1971-1972, p. 73 sous le n° 34 | L. Eitner, 1983, pp. 106, 335, note 32 | Ph. Grunchec, exp. New York, San Diego, Houston, 1985-1986, p. 91 sous le n° 39 | G. Bazin, 1987, II, pp. 284-286, 417, n° 283, repr. | L. Eitner, 1991, pp. 134, 421, note 32.

Le dessin de Géricault correspond à la planche 12 de Wagner et Ruschweyh, qui représente le combat des Amazones contre les Athéniens. À gauche, un Athénien fait reculer une Amazone, tandis que sur leur droite, deux autres Amazones se préparent à entrer dans la bataille. Géricault a dessiné des formes éminemment sculpturales qui se détachent de manière spectaculaire sur un fond simplifié. Il a reproduit fidèlement les fines hachures de la gravure, non sans reconstituer les parties abîmées de la sculpture, notamment le bras de l'Amazone debout. J.P.L.

*D.50 Officier désarçonné et traîné par ses étriers

Plume, encre brune sur papier marron clair | H. 0,154 ; L. 0,111 | Taches brunes sur l'ensemble de la feuille | Papier partiellement insolé | Lacunes à droite et en haut à gauche | Contrecollé.

Provenance

Vraisemblablement P. J. Mène, vente, Paris, Hôtel des Commissaires-Priseurs, 20-21 février 1899, lot n° 73 (selon G. Bazin) | A. Armand puis Pr. Valton | don de Mme Valton à l'Ensba en 1908 | Inv. E.B.A. n° 986.

Bibliographie

Ch. Martine , 1928, n° 46, repr. | E. Brugerolles, 1984, pp. 240-241, n° 331, repr. | G. Bazin, 1992, V, pp. 36, 166, n° 1530, repr.

Exposition

Paris, Ensba, 1934, n° 65.

Le dessin de Géricault s'organise autour de deux obliques spectaculaires. Le trait vigoureux accentue l'effet théâtral et anime d'un mouvement nerveux la tête et la croupe du cheval. Le sujet témoigne de l'attirance manifestée par Géricault pour les images de cheval et de scènes militaires. De fait, l'animal a une attitude quasiment identique à celle de la monture du *Chasseur de la Garde* (Paris, Musée du Louvre). J.P.L.

.51 Mameluk à cheval

Pierre noire et craie sur papier brun | H. 0,209 ; L. 0,180 |
Verso : *Etude de jambe d'homme,* à la pierre noire et à la craie.

Provenance

Vraisemblablement A. Colin, vente, Paris, Hôtel des Commissaires-Priseurs, 22 décembre 1859, n° 49 | J. Boilly, vente, Paris, Hôtel des Commissaires-Priseurs, 19-20 mars 1869, n° 121 | A. Armand puis Pr. Valton | don de Mme Valton à l' Ensba en 1908 | Inv. E.B.A. n° 976.

Bibliographie

L. Eitner, 1960, p. 31 sous le n° 35 | E. Brugerolles, 1984, pp. 240-241, n°330, repr. | G. Bazin, 1989, III, pp. 53, 61, 202-203, n°s 865 et 866, repr.

Expositions

Paris, Hôtel Jean Charpentier, 1924, n° 12 | Paris, Ensba, 1934, n° 63 | Vancouver, Morris and Helen Belkin Art Gallery, 1997, n° 49, repr.

Ce croquis d'un mameluk sur sa monture se distingue des autres par la vigueur dynamique du cheval cabré et de son cavalier. Le mameluk ne paraît pas avoir d'autre vêtement que sa cape flottante et son turban. C'est peut-être une étude de nu pour le personnage en question. L'hypothèse semble corroborée par le croquis aux deux crayons exécuté au dos du dessin, qui présente une jambe musclée dont la précision d'écorché rappelle les multiples études d'anatomie de Géricault. N.A.-K.

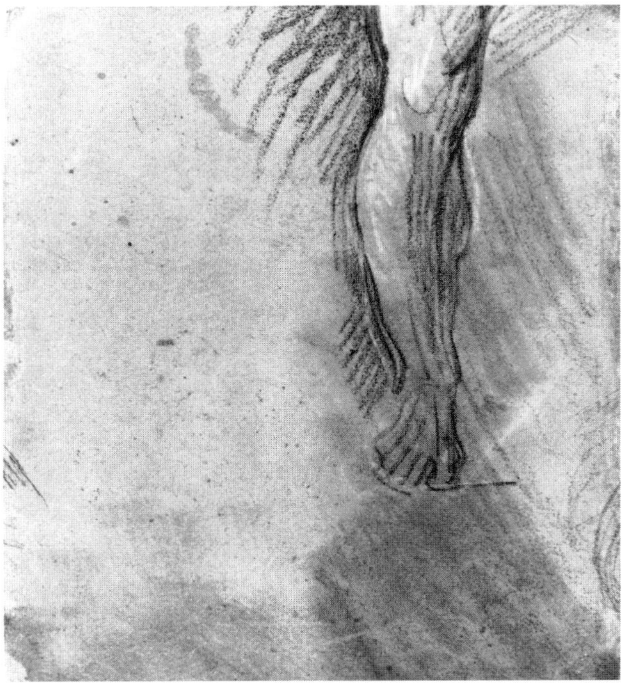

verso

*D.52 Trompette du 2e régiment de chevau-légers lanciers

Mine de plomb et sanguine | H. 0,395 ; L. 0,234 | Traits à la mine de plomb sur le côté gauche et la partie inférieure | Verso : Etude pour la même figure, à la mine de plomb | annotations à la mine de plomb en bas à gauche : *Equis*, et en bas au centre : *Gericault* | Taches brunes sur l'ensemble de la feuille | Angles coupés | Filigrane : grappe de raisin et lettres.

Provenance

P. J. Mène, vente, Paris, Hôtel des Commissaires-Priseurs, 20-21 février 1899, lot n° 73 | A. Armand puis Pr. Valton | don de Mme Valton à l'Ensba en 1908 | Inv. E.B.A. n° 991.

Bibliographie

J. Wiercinska, 1968, n° 1, p. 102, note 53 | K. Spencer, exp. New Haven, 1969, p. 12 | L. Johnson, 1970, pp. 796-797, fig. 14 et 15 | Ph. Grunchec, exp. Rome, 1979-1980, p. 296 sous le n°66 | Fr. Bergot, exp. Rouen, 1981-1982, p. 29 sous le n° 4 | Ph. Grunchec, 1982, pp. 70-71, repr. | E. Brugerolles, 1984, pp. 15, 247, n° 351, repr. | Fr. Bergot, exp. Kamakura, Kyoto, Fukuoka, 1987-1988, p. 184 sous le n° E-4 | S. Laveissière, exp. Paris, 1991-1992, p. 340 sous le n° 41 | G. Bazin, 1992, V, pp. 35, 157, nos 1506 et 1507, repr.

Expositions

Paris, Ensba, 1934, n° 72 | Rome, Villa Médicis, 1979-1980, n° 46, repr. | Rouen, Musée des Beaux-Arts, 1981-1982, n° 4bis, repr. | Vancouver, Morris and Helen Belkin Art Gallery, 1997, n° 21, repr.

Ce dessin est l'étude préparatoire, recto et verso, de la lithographie *Trompette du 2e régiment de chevau-légers lanciers* gravée vers 1818 (**ill. 63**) : au recto, Géricault étudie son personnage dans le même sens que la lithographie, en procédant à de nombreux repentirs ; il ne retient que la partie supérieure de la figure dont les contours sont repassés à la sanguine afin d'être calqués par transparence au verso. Le trompette qui y apparaît alors en sens inverse par rapport à la lithographie est fixé avec plus de précision, à l'exception de la position des jambes encore floue.

Géricault avait déjà représenté ce trompette de lanciers comme figure principale du tableau réalisé vers 1813-1814, *Trois trompettes du 2e régiment de chevau-légers en tenue de gala* conservé à la National Gallery of Art de Washington [1] (**ill. 62**), pour lequel il existe une étude au folio 57 recto de l'Album de Chicago [2] (**ill. 64**). Le régiment des chevau-légers lanciers fut actif sous Napoléon de 1810 à 1814. E.B.

—

1. Inv. n° 1972.25.1 (ancien 2628) ; exp. Paris, 1991-1992, p. 340, n° 41 et G. Bazin, 1989, III, p. 177, n° 801.
2. Inv. n° 1947.35 (folio 57 recto) ; G. Bazin, 1989, III, p. 177, n° 800.

verso

Attribué à Théodore Géricault

.53 Trompette du 2e régiment de chevau-légers lanciers

Plume, encre noire sur papier calque | H. 0,407 ; L. 0,223 (dimensions de l'ensemble de la feuille) | H. 0,389 ; L. 0,205 (dimensions correspondant au trait encadrant la composition) | Les initiales de Géricault *G T* figurent inversées en bas à gauche comme sur la lithographie.

Provenance

His de la Salle, sans marque, vente, Paris, Hôtel des Commissaires-Priseurs, 10-12 janvier 1881, n° 553 | A. Armand puis Pr. Valton | don de Mme Valton à l'Ensba en 1908 | Inv. E.B.A. n° Est 419.

De même dimension que la lithographie, ce calque a sans doute été réalisé d'après l'œuvre gravée.

*D.54 Feuille d'études : deux chevaux, l'un vu de face, l'autre de profil, études de tête et de sabot de cheval

verso

Mine de plomb | H. 0,107 ; L. 0,153 | Verso : *Etudes de postérieur vu de trois quarts dos en flexion*, à la mine de plomb | en bas à gauche, annotation à la mine de plomb : *n° 3* | Quelques légères taches brunes.

Provenance

Vraisemblablement J. P. Mène, vente, Paris, Hôtel des Commissaires-Priseurs, 20-21 février 1899, lot n° 73 ou 74 ou 75 | A. Armand puis Pr. Valton | don de Mme Valton à l'Ensba en 1908 | Inv. E.B.A. n° 958.

Bibliographie

Ch. Martine, 1928, n° 24, repr. | L. Eitner, 1960p. 41 sous le n° 57 | Ph. Grunchec, 1982, pp. 32-33, repr. | L. Eitner, 1983, pp. 45, 328, note 12 | E. Brugerolles, 1984, p. 247, n° 352, repr. | G. Bazin, 1989, III, pp. 94, 97, 260, n° 1021, repr., et 1992, V, pp. 46, 192-193, n° 1599, repr.

Expositions

Paris, Hôtel Jean Charpentier, 1924, n° 93 | Paris, Ensba, 1934, n° 93 | Vancouver, Morris and Helen Belkin Art Gallery, 1997, n° 82, repr.

Le cheval vu de face est à rapprocher de celui du personnage principal des *Trois trompettes du 2ᵉ régiment de chevau-légers en tenue de gala* – tableau exécuté vers 1813-1814 par Géricault et conservé à la National Gallery of Art de Washington[1] (**ill. 62**) – bien que l'attitude de l'animal, suivant la méthode habituelle de l'artiste, soit inversée. L'étude préparatoire pour cette peinture figurant au folio 57 recto de l'Album de Chicago[2] (**ill. 64**) représente à droite du trompette de lanciers un cheval dans une attitude très proche. Géricault prend vraisemblablement comme modèle pour ce motif le *Portrait équestre de Francisco de Moncada, Marqués d'Aytona* d'Anton van Dyck – conservé au Musée du Louvre[3] – dont il exécuta une copie peinte aujourd'hui au Stedelijk Museum d'Amsterdam[4].

Le verso représente des études de la croupe du cheval du *Cuirassier blessé quittant le feu* du Musée du Louvre – peint en 1814[5] – également en sens inverse : l'animal fléchit ses genoux et se cramponne au sol pour ne pas être entraîné par la pente raide.

Il existe au Musée des Beaux-Arts de Rouen une étude fort semblable du recto que Bazin attribue à Léon Cogniet[6]. E.B.

—

1. Inv. n° 1972.25.1 (ancien 2628) ; exp. Paris, 1991-1992, p. 340, n° 41 et G. Bazin, 1989, III, p. 177, n° 801.
2. Inv. n° 1947.35 (folio 57 recto) ; G. Bazin, 1989, III, p. 177, n° 800.
3. L. Johnson, 1970, p. 793, fig. 1.
4. Ph. Grunchec, 1991, p. 88, n° 16.
5. Inv. n° 4886 (G. Bazin, 1989, III, pp. 241-243, n° 966).
6. Inv. n° 880.16.2 (G. Bazin, 1992, V, p. 193, n° 1600).

D.55 Officier de lanciers à cheval

Mine de plomb | H. 0,240 ; L. 0,178 | Annotation en haut à droite à la plume, encre brune : *Géricault.*
Provenance
A. Armand puis Pr. Valton | don de Mme Valton à l'Ensba en 1908 | Inv. E.B.A. n° 992.
Bibliographie
E. Brugerolles, 1984, p. 241, n° 334, repr. | G. Bazin, 1989, III, pp. 46, 172, n° 790, repr.

Géricault montra un vif intérêt pour le corps des chevau-légers lanciers, dont il représenta un officier en tenue de gala dans un tableau conservé à la National Gallery of Art de Washington [1] (**ill. 62**). Ces militaires étaient vêtus d'un habit-veste très ajusté avec des basques courtes de couleur bleue et une coiffure évasée, appelée *Chapska*. Créé en 1810, ce régiment, sorte d'élite de la cavalerie légère, fut dirigé par le comte de Krasinski, colonel du 1er régiment de chevau-légers lanciers, dits lanciers polonais, et par le comte de Colbert, colonel du 2e régiment de chevau-légers lanciers de la Garde, dits lanciers hollandais, que Géricault portraitura l'un et l'autre [2]. Mais l'artiste fit également de nombreux croquis, comme celui-ci, de ces soldats, observés sans doute lors d'un défilé aux Champs-de-Mars entre 1810 et 1814 [3]. E.B.

—

1. G. Bazin, 1989, III, p. 177, n° 801.
2. Museum Narodowe de Varsovie : Inv. n° 183 103, et The Denver Art Museum : Inv. n° E-1292 (G. Bazin, 1989, III, pp. 173-174, nos 794 et 795).
3. The Saint Louis Museum : Inv. Acc. n° 23-44, Musée des Beaux-Arts de Rouen : Inv. n° 149 verso, Art Institute de Chicago : Inv. n° 1947.15 (folio 57 recto), et collections particulières (G. Bazin, 1989, III, pp. 172-173, nos 791 à 793, p. 177, n° 800, p. 234, n° 945, pp. 237-238, nos 953 et 955).

D.56 Soldat de la Garde peignant, vu de profil

Mine de plomb | H. 0,281 ; L. 0,210 | En bas à gauche, annotation à la mine de plomb : *20* | Filigrane coupé.
Provenance
A. Armand puis Pr. Valton | don de Mme Valton à l'Ensba en 1908 | Inv. E.B.A. n° 988.
Bibliographie
E. Brugerolles, 1984, p. 241, n° 333, repr. | G. Bazin, 1989, III, pp. 60, 200, n° 858, repr.
Expositions
Paris, Hôtel Jean Charpentier, 1924, n° 37 | Paris, Ensba, 1934, n° 71.

Ce dessin est à rapprocher de celui conservé au Musée des Beaux-Arts de Besançon [1] où figure l'annotation suivante *Colonel Langlois, auteur des panoramas* : l'artiste représente en effet le même modèle sous un angle de vue différent. Contrairement à l'inscription, il ne s'agit pas d'un colonel, mais d'un simple soldat, puisqu'il porte sur l'épaule gauche un chevron d'ancienneté [2]. E.B.

—

1. Inv. n° D 2198.
2. Communication orale de J.-P. Reverseau.

*D.57 Bacchanale

Mine de plomb, plume, encre noire, lavis de sanguine et aquarelle | H. 0,185 ; L. 0,257 | Verso : *Scène antique*, à la mine de plomb, sur papier préparé en indigo et sanguine | Taches brunes sur l'ensemble de la feuille.

Provenance

His de la Salle, marque en bas à droite (L 1333) | don de ce dernier à l'Ensba en 1867 | Inv. E.B.A. n° 953.

Bibliographie

L. Eitner, juin 1954, p. 136, note 24 | E. Brugerolles, exp. Paris, Malibu, Hambourg, 1981-1982, p. 222 sous le n° 109 | E. Brugerolles, 1984, p. 242 sous le n° 336 | Ph. Grunchec, exp. New York, San Diego, Houston, 1985-1986, p. 99 sous le n° 43 | G. Bazin, 1990, IV, pp. 27, 161, n°s 1259 et 1260, repr. | R. Michel, exp. Paris, 1991-1992, pp. 72, 80, ill. 137 | R. Michel, 1992, p. 60, repr., p. 169, n° 60hg | M. Dumett, S. Guibaut, exp. Vancouver, 1997, p. 180 sous le n° 4 | Wh. Whitney, 1997, p. 179, fig. 231.

Expositions

Paris, Ensba, 1934, n° 113 bis | Rome, Villa Médicis, 1979-1980, n° 45, repr. | New York, Pierpont Morgan Library, San Diego, Museum of Art, Houston, Museum of Fine Arts, 1985-1986, n° 6, repr., et p. 193 | Paris, Grand Palais, 1991-1992, n° 80, ill. 137 | Vancouver, Morris and Helen Belkin Art Gallery, 1997, n° 3, repr.

verso

Comme S. Laveissière l'a identifié en 1991, il s'agit ici d'une copie d'après une des planches de l'ouvrage de Wicar et Mongez, *Tableaux, statues, bas-reliefs, et camées de la Galerie de Florence et du Palais Pitti*, d'après lequel Géricault exécuta neuf autres copies[1]. Toutes ont en commun cette dureté graphique qui caractérise certains dessins réalisés vers 1815-16, ce qui incite à les dater également avant le voyage en Italie de l'artiste[2].
On a souvent souligné le caractère très sculptural de ces feuilles, en l'attribuant à la facture de l'artiste alors qu'il relève du modèle choisi[3].

Le cadre de la scène du verso est sommairement indiqué et son sujet n'est pas identifiable avec certitude. L'artiste s'inspire peut-être de *La Conspiration de Catilina* (1792) de Jean-Guillaume Moitte, composition connue par une gravure de Jean-François Janinet[4]. On peut noter le caractère très esquissé du dessin entièrement recouvert de lavis brun. Cette même technique se retrouve sur deux autres feuilles, conservées dans une collection privée et au Musée Bonnat de Bayonne[5]. M.F.

—

1. J.B. Wicar et Mongez, 1789, I, pl. 15 ; S. Laveissière, exp. Paris, 1991-1992, p. 351, n° 80, d'après les indications successives de L. Johnson en 1958 et en 1970. Les feuilles (G. Bazin, 1987, II, p. 403, n° 239, pp. 405-406, n°s 244 et 246, p. 407, n°s 249 et 250, et 1990, IV, p. 164, n° 1266, pp. 166-168, n°s 1275 et 1279), et *Bacchus et Ariane* (vente Christie's, 2 juillet 1991, lot 168) ont à peu près toutes le même format : 18,5 x 25,7 cm.
2. G. Bazin, 1987, II, pp. 281, 402, n° 235 ; L. Eitner, 1983, pp. 80-82.
3. Ph. Grunchec, exp. Rome, 1979-1980, pp. 269-270, n° 45, et exp. New York, San Diego, Houston, 1985-1986, pp. 42-43, n° 6.
4. Eau-forte et aquatinte (Ecole polytechnique de Zurich, legs Schulthess-v. Meiss, Inv. n° 351). De composition comparable, deux croquis du Carnet Zoubaloff sur les pages 43 et 44 (G. Bazin, 1987, II, p. 397, n°s 218 et 219).
5. G. Bazin, 1990, IV, p. 96, n° 1067 : *Scène antique*, et pp. 85-86, n° 1033 : *Œnone repousse Pâris*.

*D.58 Vierge à l'Enfant, d'après Michel-Ange

Mine de plomb | H. 0,252; L. 0,202 | Taches d'humidité sur la feuille | Usures aux angles gauches de la feuille | Filigrane: figure tenant une banderole.

Provenance

His de la Salle, marque en bas à droite (L. 1333) | don de ce dernier à l'Ensba en 1876 | Inv. E.B.A. n° 981 a.

Bibliographie

Ch. Clément, mars 1867, p. 238 et note 2 | Ch. Clément, 1868 et 1879, p. 81 et note 2 | L. Eitner, juin 1954, p. 138, note 32 | F.H. Lem, décembre 1962, p. 191 | L. Eitner, exp. Los Angeles, Detroit, Philadelphie, 1971-1972, p. 19 | L. Eitner, 1983, pp. 99, 334, note 7 | G. Bazin, 1987, I, p. 37, doc. 89, et 1990, IV, pp. 16, 111, n° 1118, repr. | L. Eitner, 1991, pp. 125-126, 420, note 7 | R. Michel, exp. Paris, 1991-1992, pp. 66, 69, ill. 121 | Br. Chenique, exp. Paris, 1991-1992, p. 277 | M. Guédron, 1997, p. 70 | Wh. Whitney, 1997, pp. 29-30, fig. 17.

Expositions

Prague, Narodni Galerie, 1956, n° 9 | Paris, Grand Palais, 1991-1992, n° 84, ill. 121.

Les quatre études réalisées d'après des sculptures de Michel-Ange de la sacristie de San Lorenzo ont été exécutées sur papier Van der Ley, comme le Carnet de croquis de Zurich, mais le format choisi ici est un peu plus grand[1]. *La Vierge à l'Enfant* ainsi que *Le Jour* sont parmi les meilleures copies réalisées par Géricault en Italie: l'artiste cherche à rendre avec évidence l'effet tridimensionnel de ses modèles; il indique le relief des sculptures par un fin réseau de hachures qu'il complète de traits plus accentués et précis pour donner plus de modelé à l'ensemble. On peut comparer cette approche à celle que Géricault adopte pour l'étude des deux *Balbi* et de la *Testa Caraffa* du Carnet de croquis de Zurich[2]. M.F.

—

1. M. Fehlmann, 1995, p. 102: papiers Van Der Ley pour les feuilles 23-42, toutes env. 21 x 27 cm.
2. G. Bazin, 1992, V, pp. 130-131, n°s 1443 et 1444 | 1990, IV, pp. 107-108 n°s 1104 à 1108; sur la qualité en général des dessins d'après des sculptures, voir G. Bazin, 1990, IV, pp. 104-105, n° 1094 et p. 109, n° 1110.

*D.59 La Nuit, d'après Michel-Ange

Mine de plomb et plume, encre brune sur papier beige | H.0,230; L.0,282.

Provenance

His de la Salle, marque en bas à droite (L. 1333) | don de ce dernier à l'Ensba en 1876 | Inv. E.B.A. n° 981 b.

Bibliographie

Ch. Clément, mars 1867, p. 238 et note 2 | Ch. Clément, 1868 et 1879, p. 81 et note 2 | G. Oprescu, s.d. [1927], p. 53, note 2 | R. Bouyer, mai 1934, p. 198 | L. Eitner, juin 1954, p. 138, note 32 | L. Johnson, 1958, pp. 231, 233, fig. 15 | K. Maison, 1960, p. 46, fig. 14, p. 214 | F.H. Lem, décembre 1962, p. 191 | S. Lodge, décembre 1965, p. 626, note 57 | L. Eitner, exp. Los Angeles, Detroit, Philadelphie, 1971-1972, p. 19 | L. Eitner, 1983, pp. 99-100, fig. 84, pp. 105, 334, note 7 | G. Bazin, 1987, I, p. 37, doc. 89, et 1990, IV, pp. 16, 112, n° 1120, repr. | L. Eitner, 1991, pp. 125-126, fig. 66, pp. 132, 420, note 7 | R. Michel, exp. Paris, 1991-1992, pp. 66, 68, ill. 119 | Br. Chenique, exp. Paris, 1991-1992, p. 277 | St. Germer, 1996, I, pp. 441, 483, fig. 232 | M. Guédron, 1997, p. 70 | Wh. Whitney, 1997, pp. 29-30, fig. 18.

Expositions

Paris, Ensba, 1934, n° 73 | Paris, Grand Palais, 1991-1992, n° 82, ill. 119.

La Nuit est un bon exemple de l'interprétation magistrale que donne Géricault de l'œuvre de Michel-Ange. Contrairement au caractère très linéaire du dessin précédent, la mine de plomb n'est ici utilisée que pour la mise en place sommaire des motifs, la plume cernant les formes par des traits sûrs et rapides. Elle donne au dessin une dureté graphique qui témoigne ainsi de la confrontation intense de l'artiste devant l'original. Géricault adopte ici les corps musclés des femmes de Michel-Ange et bon nombre des corps féminins qu'il traite à cette époque rappelle celui de *La Nuit*[1]. M.F.

—

1. Par exemple dans la célèbre *Léda* souvent citée du Musée du Louvre (G. Bazin, 1990, IV, pp. 150-151, n° 1232).

*D.60 Aurore, crépuscule, jour, enfant,

d'après Michel-Ange

Mine de plomb et plume, encre brune sur papier beige | H. 0,230; L. 0,281 | En haut à droite, annotation à la mine de plomb: *10* | Taches claires sur l'ensemble de la feuille.

Provenance

His de la Salle, marque en bas à gauche (L.1333) | don de ce dernier à l'Ensba en 1876 | Inv. E.B.A. n°981c.

Bibliographie

Ch. Clément, mars 1867, p. 238 et note 2 | Ch. Clément, 1868 et 1879, p. 81 et note 2 | G. Oprescu, s.d. [1927], p. 53, note 2 | R. Bouyer, mai 1934, p. 198 | L. Eitner, juin 1954, p. 138, note 32 | F.H. Lem, décembre 1962, p. 191 | L. Eitner, exp. Los Angeles, Detroit, Philadelphie, 1971-1972, p. 19 | L. Eitner, 1983, pp. 99, 105, 334, note 7 | G. Bazin, 1987, I, p. 37, doc. 89, et 1990, IV, pp. 16, 112, n° 1121, repr. | L. Eitner, 1991, pp. 125-126, 132, 420, note 7 | R. Michel, exp. Paris, 1991-1992, pp. 66, 68, ill. 118 | Br.Chenique, exp. Paris, 1991-1992, p. 277 | M. Guédron, 1997, p.70 | Wh. Whitney, 1997, pp. 29-30, fig. 20.

Expositions

Paris, Ensba, 1934, n° 74 | Vienne, Albertina, 1950, n° 157 | Prague, Narodni Galerie, 1956, n° 7 | Paris, Grand Palais, 1991-1992, n° 83, ill. 118.

Cette feuille, comme la précédente, révèle les talents d'interprète de Géricault qui cherche à imiter la facture graphique de l'artiste florentin. Les figures disposées dans une mise en page rythmée ainsi que la facture nerveuse de la plume rappellent les études de Michel-Ange. Là également, la confrontation avec ce maître de la Renaissance éclate avec une telle violence, qu'il est évident que cette lutte face au modèle le conduit vers sa propre création. M.F.

*D.61 Le Jour, d'après Michel-Ange

Mine de plomb | H. 0,203 ; L. 0,274 | Trait à la mine de plomb au bord gauche de la feuille | Taches d'humidité dans la partie inférieure | Légère déchirure en bas à droite.

Provenance

His de la Salle, marque en bas à droite (L.1333) | don de ce dernier à l'Ensba en 1876 | Inv. E.B.A. n°981 d.

Bibliographie

Ch. Clément, mars 1867, p. 238 et note 2 | Ch. Clément, 1868 et 1879, p. 81 et note 2 | G. Oprescu, s.d. [1927], p. 53, note 2 | L. Eitner, juin 1954, p. 138, note 32 | F.H. Lem, décembre 1962, p. 191 | L. Eitner, exp. Los Angeles, Detroit, Philadelphie, 1971-1972, p. 19 | R. Huyghe, 1976, p. 137, fig. 150 | L. Eitner, 1983, pp. 99, 334, note 7 | G. Bazin, 1987, I, p. 37, doc. 89, et 1990, IV, p. 16, 111-112, n° 1119, repr.| L. Eitner, 1991, pp. 125-126, 420, note 7| R. Michel, exp. Paris, 1991-1992, p. 66 | Br. Chenique, exp. Paris, 1991-1992, p. 277 | M. Guédron, 1997, p.70 | Wh. Whitney, 1997, pp. 29-30, fig. 19.

Géricault étudie *Le Jour* de façon plus sommaire, concentrée et appliquée. Seuls les contours du personnage sont indiqués et le modelé n'est qu'esquissé. Le *non finito* du motif michelangesque fait ici partie du dessin, comme on peut le voir dans les traits du visage, des orbites et des jambes. M.F.

).62 Moïse, d'après Michel-Ange et deux lutteurs

Mine de plomb pour Moïse | Plume, encre brune pour les deux lutteurs | H. 0,198 ; L. 0,139 | Filigrane : soleil.

Provenance

His de la Salle, marque en bas à droite (L.1333) | don de ce dernier à l'Ensba en 1876 | Inv. E.B.A. n° 981 e.

Bibliographie

Ch. Martine, 1928, n° 47, repr. | L. Eitner, juin 1954, p. 138, note 32 | A. del Guercio, 1963, p. 144, n° 41, repr. | V. Golzio, septembre-octobre 1963, p. 12 | G. Bazin, 1990, IV, pp. 16-17, 111, n° 1117, repr. | R. Michel, exp. Paris, 1991-1992, pp. 66, 69, ill. 122.

Expositions

Paris, Ensba, 1934, n° 75 | Vienne, Albertina, 1950, n° 157 | Vancouver, Morris and Helen Belkin Art Gallery, 1997, n° 1, repr.

Cette feuille témoigne de l'attrait superficiel de Géricault pour le *Moïse* de Michel-Ange. Contrairement aux dessins précédents, son intérêt semble ici assez extérieur et réservé, sans réel désir de confrontation. Le personnage est rapidement ébauché et guère expressif. Géricault ajoute quelques années plus tard dans la partie inférieure une étude de lutteurs, à la plume, encre brune. M.F.

).63 Statue équestre antique de Balbus

Mine de plomb | H. 0,171 ; L. 0,190 | Verso, inscriptions au crayon : *Gericault 552 Balbus Musée de Naples.*

Provenance

E. Desperet, sans marque, vente après décès, Paris, Hôtel des Commissaires-Priseurs, 7-10 juin 1865, lot n° 552 | A. Armand puis Pr. Valton | don de Mme Valton à l' Ensba en 1908 | Inv. E.B.A. n° 1010 bis.

Bibliographie

Ph. Grunchec, 1982, p. 58, repr. | E. Brugerolles, 1984, pp. 244-245, n° 345, repr. | G. Bazin, 1987, II, pp. 283, 413-414, n° 270, repr.

Ce dessin appartient à une série réalisée d'après la statue équestre du *Balbus* du Museo Archeologico Nazionale de Naples. Bazin pense cependant qu'il pourrait avoir été exécuté par le jeune Géricault d'après la gravure de Le Normand [1]. Le caractère assez faible de cette feuille, comparé aux dessins du Carnet de croquis de Zurich, semble confirmer une telle supposition [2]. Mais le fait que cet ouvrage de Le Normand reproduise également la *Vénus de Milo* qui ne fut découverte qu'en 1820 exclut cette hypothèse de datation [3] et confirme la réalisation du dessin pendant le séjour de l'artiste en Italie. M.F.

—

1. G. Bazin, 1987, II, p. 283.
2. G. Bazin, 1990, IV, pp. 107-108, nos 1104, 1106 et 1108.
3. Le Normand, *Gravures d'après l'Antiquité*, exemplaire conservé à la Bibliothèque nationale de France (cote Ef 144b, pl. 55). La *Vénus de Milo* fut exposée en 1821 au Musée du Louvre (Fr. Haskell et N. Penny, 1988, p. 329).

*D.64 La Marche de Silène

verso

Mine de plomb | H. 0,181 ; L. 0,255 | Verso : *Draperie à une fenêtre,* à la pierre noire | Quelques taches brunes à droite.

Provenance

A. Armand puis Pr. Valton | don de Mme Valton à l'Ensba en 1908 | Inv. E.B.A. n° 954.

Bibliographie

Ch. Blanc, 1845, p. 440 | P. Lavallée, octobre- décembre 1917, p. 432 | L. Rosenthal, juin 1924, p. 204 | Ch. Martine, 1928, n° 31, repr. | P. Lavallée, 1930, p. 219 | Kl. Berger, 1952, p. 67 sous le n° 22 | A. del Guercio, 1963, p. 151, n° 93, repr. | L. Eitner, exp. Los Angeles, Detroit, Philadelphie, 1971-1972, p. 72 sous le n° 33 | Ph. Grunchec, exp. Rome, 1979-1980, p. 270 sous le n° 45 | L. Eitner, 1983, pp. 101-102, 105, 335, notes 23 et 28 | Ph. Grunchec, exp. New York, San Diego, Houston, 1985-1986, p. 99 sous le n° 43, fig. 43a | E. Brugerolles, 1984, pp. 15, 242, n° 336, repr. | G. Bazin, 1990, IV, pp. 27, 158-159, n°s 1252 et 1253, repr. | S. Laveissière, exp. Paris, 1991-1992, p. 54 sous le n° 93 | Wh. Whitney, 1997, pp. 177-179, fig. 220.

Expositions

Paris, Hôtel Jean Charpentier, 1924, n° 80 | Paris, Ensba, 1934, n° 82 | Paris, Ensba, Malibu, J. Paul Getty Museum, Hambourg, Kunsthalle, 1981-1982, n° 109, repr. | Mexico, Centro cultural arte contemporeano, 1994, n°s 46 et 46A, repr., et p. 241 | Vancouver, Morris and Helen Belkin Art Gallery, 1997, n° 4, repr.

Il s'agit d'une esquisse préparatoire pour les dessins plus élaborés à la pierre noire et à la gouache du Musée des Beaux-Arts d'Orléans[1], que l'on peut vraisemblablement dater du séjour à Rome de Géricault, en raison des similitudes stylistiques avec les études datées de 1817, conservées à l'Art Museum de Princeton[2] ainsi qu'au Musée du Louvre[3]. Géricault s'inspire vraisemblablement pour sa composition d'un sarcophage dionysien de Rome repris par Annibal Carrache dans ses fresques du palais Farnèse[4]. Isolé du cortège, Silène ivre sur son mulet qui s'écroule témoigne de quelle manière Géricault associe à son étude de l'antique la joie de vivre et l'ironie[5].
Au verso, la représentation d'une fenêtre en plein cintre où pend un linge est un des rares exemples de motifs architecturaux qui soit conservé et dont le style correspond au Carnet de croquis de Zurich[6]. M.F.

—

1. G. Bazin, 1990, IV, pp. 159-160, n°s 1254 et 1255.
2. G. Bazin, 1990, IV, p. 175, n° 1301.
3. G. Bazin, 1990, IV, p. 148, n° 1226.
4. **cat. p. 75**, note 44.
5. R. Michel, exp. Paris, 1991-1992, p. 72.
6. Feuilles 27r, 28r, 30r, 55r (G. Bazin, 1990, IV, pp. 124-125, n°s 1162 et 1163, et M. Fehlmann, 1995, pp. 94-95, fig. 11 et 12).

-68 Léda et le cygne

Ces quatre croquis découpés qui faisaient partie d'une même feuille représentent, comme un autre dessin conservé dans une collection particulière[1], Léda et le cygne dans différentes scènes réparties sur deux registres[2]. Géricault connaissait le recueil de gravures de *L'Antiquité expliquée* de Montfaucon[3] ainsi que d'autres ouvrages sur l'Antiquité qui lui offrait ce genre de répertoire thématique ; c'est cependant au séjour italien qu'il faut rattacher ces études liées à ses expériences érotiques, comme la plupart des représentations de Léda[4].

Le verso, récemment redécouvert lors de sa restauration, représente divers croquis sur des thèmes érotiques. Dans la partie supérieure, quatre couples se répondent harmonieusement, tandis que le personnage barbu plus isolé par sa stature, a une pose et une massivité qui rappellent celles de l'*Hercule* peint par Annibal Carrache au palais Farnèse. À droite, le couple est proche de celui des *Amoureux* du Musée du Louvre[5] tandis que l'enlèvement de femme[6] en bas ainsi que les nus fragmentés[7] sont d'une facture plus exacerbée. Le style de ce dessin, très rapidement esquissé avec un jeu de traits de plume courbes, est caractéristique de la période italienne de Géricault[8]. M.F.

—

1. G. Bazin, 1990, IV, p. 153, n° 1239.
2. Ce principe de composition a déjà été utilisé par Géricault dans le Carnet Zoubaloff et par la suite dans les feuilles exécutées à la même époque (G. Bazin, 1990, IV, p. 149, n° 1228, pp. 153-154, n° 1240, p. 162, n° 1262), ainsi que dans le Carnet de croquis de Zurich (G. Bazin, 1990, IV, pp. 104-105, n° 1094, p. 109, n° 1110, p. 172, n° 1291).
3. Bien que le livre de Montfaucon, *L'Antiquité expliquée*, ne figure pas dans le catalogue de la vente après décès de Géricault (G. Bazin, 1987, I, pp. 97-100), l'artiste l'a cependant utilisé pour plusieurs feuilles (G. Bazin, 1987, II, pp. 405-406, n°s 246 et 247).
4. L. Eitner, Winter 1996, p. 378 et R. Michel, 1992, pp. 59-61.
5. G. Bazin, 1990, IV, p. 90, n° 1048.
6. Peut-on identifier dans cet enlèvement un *Enlèvement des filles de Leucippe* ?
7. Comparables aux deux têtes de *Léda* du recto ainsi que des croquis d'un dessin d'une collection particulière (G. Bazin, 1990, IV, p. 153, n° 1239) et de celui du Nationalmuseum de Stockholm (G. Bazin, 1990, IV, pp. 153-154, n° 1240).
8. G. Bazin, 1990, IV, p. 90, n° 1047, pp. 113-114, n° 1126, p. 118, n° 1140, p. 135, n° 1195, p. 136, n° 1199, p. 149, n°1228, p. 166, n° 1274 et pp. 185-186, n° 1330.

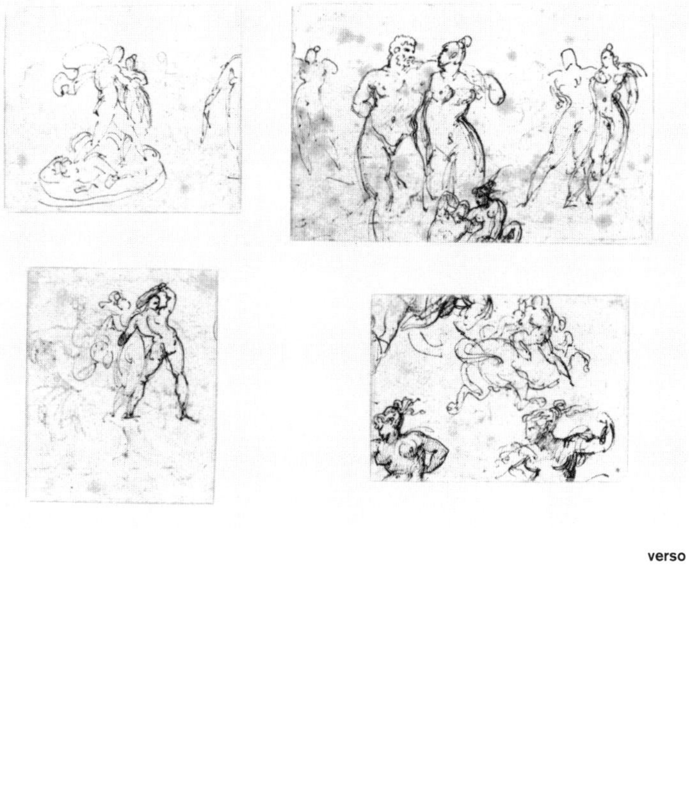

verso

*D.65 Léda et le cygne

verso

Plume, encre brune | H. 0,093 ; L. 0,147 | Quelques taches brunes| Verso: *Groupe fragmentaire de deux figures: Hercule et Déjanire*, à la plume, encre brune | Filigrane: ancre dans un cercle.

Provenance

F. M. Marcille, vente, Paris, Hôtel des Commissaires- Priseurs, 4-7 mars 1857, lot n° 103 | His de la Salle, marque en bas à gauche (L. 1333) | A. Armand puis Pr. Valton | don de Mme Valton à l'Ensba en 1908 | Inv. E.B.A. n° 956 a.

Bibliographie

G. Oprescu, s.d. [1927], p. 57, note 2 | Ch. Martine, 1928, n° 17, repr. | A. de Hevesy, décembre 1931, p. 479, fig. 24 | Kl. Berger, 1946, p. 25 sous le n° 15 | J. Thomé, n° 2, 1947, p. 70 | P. Éluard, 1949, repr. | A. del Guercio, 1963, p. 143 n° 32, repr. | L.A. Prat, exp. Alençon, 1981, sous le n° 62 | E. Brugerolles, exp. Paris, Malibu, Hambourg, 1981-1982, p. 222 sous le n° 109 | L. Eitner, 1983, pp. 104, 335, note 22 | E. Brugerolles, 1984, pp. 15, 242 sous le n° 336, pp. 242-243, n° 337, repr. | G. Bazin, 1990, IV, pp. 25, 151-152, n° 1234, repr. | L. Eitner, 1991, pp. 129, 421, note 21 | S. Laveissière, exp. Paris, 1991-1992, p. 353 sous le n° 87 | St. Germer, 1996, I, pp. 434-435, 441-442, 482, fig. 229 | L. Ruscheinsky, S. Guibaut, exp. Vancouver, 1997, p. 184 sous le n° 10 | Wh. Whitney, 1997, pp. 165-171, fig. 200, p. 211, note 13.

Expositions

Paris, Hôtel Jean Charpentier, 1924, n° 88 | Paris, Ensba, 1934, n° 83 | Zurich, Kunsthaus, 1937, n° 126 | Vancouver, Morris and Helen Belkin Art Gallery, 1997, n° 11, repr.

*D.66 Léda et le cygne

verso

Plume, encre brune | H. 0,082 ; L. 0,096 | Quelques taches brunes| Verso: *Groupe fragmentaire de deux figures: Hercule et Déjanire*, à la plume, encre brune | Filigrane: ancre dans un cercle.

Provenance

F. M. Marcille, vente, Paris, Hôtel des Commissaires-Priseurs, 4-7 mars 1857, lot n° 103 | His de la Salle, marque en bas à gauche (L. 1333) | A. Armand puis Pr. Valton | don de Mme Valton à l'Ensba en 1908 | Inv. E.B.A. n° 956 b.

Bibliographie

G. Oprescu, s.d. [1927], p. 57 note 2 | Ch. Martine, 1928, n° 18, repr. | A. de Hevesy, décembre 1931, p. 479, fig. 20 | Kl. Berger, 1946, p. 25 sous le n° 15 | J. Thomé, n° 2, 1947, p. 70 | P. Éluard, 1949, repr. | L.A. Prat, exp. Alençon, 1981, sous le n° 62 | E. Brugerolles, exp. Paris, Malibu, Hambourg, 1981-1982, p. 222 sous le n° 109 | L. Eitner, 1983, pp. 104, 335, note 22 | E. Brugerolles, 1984, pp. 15, 242 sous le n° 336, p. 243, n° 338, fig. 339 | G. Bazin, 1990, IV, pp. 25, 151-152, n° 1235, repr. | L. Eitner, 1991, pp. 129, 421, note 21 | S. Laveissière, exp. Paris, 1991-1992, p. 353 sous le n° 87 | L. Ruscheinsky, S. Guibaut, exp. Vancouver, 1997, p. 184 sous le n° 10 | Wh. Whitney, 1997, pp. 165-171, fig. 199, p. 211, note 13.

Expositions

Paris, Hôtel Jean Charpentier, 1924, n° 87 | Paris, Ensba, 1934, n° 86 | Zurich, Kunsthaus, 1937, n° 127 | Vancouver, Morris and Helen Belkin Art Gallery, 1997, n° 13, repr.

.67 Léda et le cygne

Plume, encre brune | H. 0,073 ; L. 0,105 | Quelques taches brunes | Verso : *Groupe fragmentaire de deux figures : Hercule et Déjanire*, à la plume, encre brune | Filigrane : ancre dans un cercle.

Provenance

F. M. Marcille, vente, Paris, Hôtel des Commissaires-Priseurs, 4-7 mars 1857, lot n° 103 | His de la Salle, marque en bas à droite (L. 1333) | A. Armand puis Pr. Valton | don de Mme Valton à l'Ensba en 1908 | Inv. E.B.A. n° 956 c.

Bibliographie

G. Oprescu, s.d. [1927], p. 57, note 2 | Ch. Martine, 1928, n° 19, repr. | A. de Hevesy, décembre 1931, p. 479, fig. 21 | Kl. Berger, 1946, p. 25 sous le n° 15 | J. Thomé, n° 2, 1947, p. 70 | P. Éluard, 1949, repr. | L.A. Prat, exp. Alençon, 1981, sous le n° 62 | E. Brugerolles, exp. Paris, Malibu, Hambourg, 1981-1982, p. 222 sous le n° 109 | L. Eitner, 1983, pp. 104, 335, note 22 | E. Brugerolles, 1984, pp. 15, 242 sous le n° 336, p. 243, n° 339, fig. 340 | Ph. Grunchec, exp. New York, San Diego, Houston, 1985-1986, p. 95 sous le n° 41, fig. 41c | G. Bazin, 1990, IV, pp. 25, 151-152, n° 1236, repr. | L. Eitner, 1991, pp. 129, 421, note 21 | S. Laveissière, exp. Paris, 1991-1992, p. 353 sous le n° 87 | L. Ruscheinsky, S. Guibaut, exp. Vancouver, 1997, p. 184 sous le n° 10 | Wh. Whitney, 1997, pp. 165-171, fig. 203, p. 211, note 13.

Expositions

Paris, Hôtel Jean Charpentier, 1924, n° 87 | Paris, Ensba, 1934, n° 84 | Zurich, Kunsthaus, 1937, n° 128 | Vancouver, Morris and Helen Belkin Art Gallery, 1997, n° 12, repr.

verso

.68 Léda et le cygne

Plume, encre brune | H. 0,093 ; L. 0,077 | Quelques taches brunes | Verso : *Groupe fragmentaire de deux figures : Hercule et Déjanire*, à la plume, encre brune | Filigrane : ancre dans un cercle.

Provenance

F. M. Marcille, vente, Paris, Hôtel des Commissaires-Priseurs, 4-7 mars 1857, lot n° 103 | His de la Salle, marque en bas à gauche (L. 1333) | A. Armand puis Pr. Valton | don de Mme Valton à l'Ensba en 1908 | Inv. E.B.A. n° 956 d.

Bibliographie

G. Oprescu, s.d. [1927], p. 57 note 2 | Ch. Martine, 1928, n° 20, repr. | A. de Hevesy, décembre 1931, p. 479, fig. 23 | Kl. Berger, 1946, p. 25 sous le n° 15 | J. Thomé, n° 2, 1947, p. 70 | P. Éluard, 1949, repr. | A del Guercio, 1963, p. 143, n° 33, repr. | L.A. Prat, exp. Alençon, 1981, sous le n° 62 | E. Brugerolles, exp. Paris, Malibu, Hambourg, 1981-1982, p. 222 sous le n° 109 | L. Eitner, 1983, pp. 104, 335, note 22 | E. Brugerolles, 1984, pp. 15, 242 sous le n° 33, p. 243, n° 340, fig. 338 | G. Bazin, 1990, IV, pp. 25, 151-152, n° 1233, repr. | L. Eitner, 1991, pp. 129, 421, note 21 | S. Laveissière, exp. Paris, 1991-1992, p. 353 sous le n° 87 | L. Ruscheinsky, S. Guibaut, exp. Vancouver, 1997, p. 184 sous le n° 10 | Wh. Whitney, 1997, pp. 165-171, fig. 201, p. 211, note 13.

Expositions

Paris, Hôtel Jean Charpentier, 1924, n° 88 | Paris, Ensba, 1934, n° 85 | Zurich, Kunsthaus, 1937, n° 125 | Vancouver, Morris and Helen Belkin Art Gallery, 1997, n° 14, repr.

verso

*D.69 Feuille d'études : ronde de ménades autour d'un faune, griffon, faune dansant

Mine de plomb, plume, encre noire | H .0,148 ; L. 0,130 | Verso : en bas à gauche, annotation à la mine de plomb : *n°3* | Taches brunes.

Provenance

A. Armand puis Pr. Valton | don de Mme Valton à l'Ensba en 1908 | Inv. E.B.A. n° 957.

Bibliographie

L. Rosenthal, janvier 1924, pp. 13-14, repr. | R. Rey, n° 46, avril 1924, p. 264, repr. | R. Régamey, 1926, p. 62, pl. 16, repr. | G. Oprescu, s.d. [1927], p. 62 | Ch. Martine, 1928, n° 21, repr. | A. del Guercio, 1963, p. 142, n° 28, repr. | E. Brugerolles, 1984, p. 252, n° 372, repr. | G. Bazin, 1990, IV, pp. 27, 161-162, n° 1261, repr. | Wh. Whitney, 1997, pp. 180-181, fig. 226.

Expositions

Paris, Hôtel Jean Charpentier, 1924, n° 92 | Paris, Ensba, 1934, n° 92 | Paris, Petit Palais, 1936, n° 599 | Vancouver, Morris and Helen Belkin Art Gallery, 1997, n° 5, repr.

Cette feuille qui, comme les quatre précédentes, semble coupée[1], représente en haut à gauche un griffon et un faune dansant, et en bas un groupe de Ménades charmant un faune. On y retrouve des motifs familiers de l'artiste, qui correspondent à ceux du croquis appartenant à une collection particulière[2] ainsi qu'à ceux d'une feuille aujourd'hui perdue[3]. Ces figures apparaissent parfois accompagnées de centaures et leur mise en page laisse supposer qu'ils ont pour modèle les figures dites « en suspension » du IIIe style pompéien, comme celles de la villa cicéronienne devant la Porte d'Hercule à Pompéi[4]. M.F.

—

1. Il est frappant que plusieurs croquis d'un style comparable mesurent tous 18 x 26 cm et qu'ils soient sur un papier à la cuve (G. Bazin, 1990, IV, pp. 123-124, nos 1158 et 1160 (peut-être coupé), pp. 127-128, n° 1174, p. 135, nos 1195 et 1196, pp. 153-154, nos 1239 et 1240, p. 162, n° 1262, p. 166, n° 1274, et **cat. D.72**), ce qui laisse supposer que toutes ces feuilles faisaient partie à l'origine d'un même ensemble, peut-être d'un carnet de croquis.
2. G. Bazin, 1990, IV, p. 162, n° 1262 (au milieu à droite).
3. G. Bazin, 1990, IV, pp. 89-90, n° 1046. Une bacchanale et des satyres dansant se trouvent également sur des feuilles conservées dans des collections particulières (G. Bazin, 1990, IV, p. 83, n° 1025 et p. 94, n° 1060).
4. E. Pozzi, 1989, I, 1, pp. 140-141, nos 123 à 129. La Villa di Cicerone fut mise à jour dès le XVIIIe siècle et ses fresques sont en partie reproduites dans l'ouvrage de T. Piroli (**cat. p. 75**, note 47).

D.70 Étude pour Horatius Coclès : trois figures

Mine de plomb et pierre noire | H. 0,182 ; L. 0,252 | Figure dessinée à l'estompe au centre de la feuille | Taches noires dans la partie inférieure.

Provenance

A. Armand puis Pr. Valton | don de Mme Valton à l'Ensba en 1908 | Inv. E.B.A. n° 959.

Bibliographie

F.H. Lem, janvier 1963, pp. 66-67 | L. Eitner, exp. Los Angeles, Detroit, Philadelphie, 1971-1972, p. 19 | E. Brugerolles, 1984, p. 245, n° 347, repr. | Ph. Grunchec, exp. New York, San Diego, Houston, 1985-1986, p. 51 sous le n° 11 | G. Bazin, 1990, IV, pp. 11, 93, n° 1058, repr. | S. Laveissière, exp. Paris, 1991-1992, p. 350 sous le n° 78.

Expositions

Paris, Hôtel Jean Charpentier, 1924, n °72 | Paris, Ensba, 1934, n° 81.

E. Brugerolles identifie les deux archers comme étant des esquisses pour *Horatius Coclès défendant seul le pont Sublicius contre Porsenna et ses Troupes* appartenant à une collection particulière et cité également par Clément[1]. La facture se caractérise par des courbures typiques, déjà présentes dans les représentations de Léda et de faunes (**cat. D.65** à **D.69**), ainsi que partiellement dans le Carnet de croquis de Zurich[2]. La figure d'un nu masculin dessiné au crayon s'est superposée à la composition. M.F.

—

1. G. Bazin, 1990, IV, p. 188, n° 1336 ; E. Brugerolles, 1984, p. 245, n° 347.
2. Par exemple, feuille 43r (M. Fehlmann, 1995, p. 97, fig. 14).

D.71 Hercule combattant le dragon du jardin des Hespérides

Plume, encre noire et gouache sur papier huilé brun-rouge | H. 0,095 ; L. 0,151 | Grandes lacunes et déchirures | angles supérieurs coupés | Sur le montage, à la plume, encre brune : *Gericault Hercule combattant le dragon des Hespérides Collection de Mr His de la Salle.*

Provenance

His de la Salle, marque en bas au centre (L. 1333) | don de ce dernier à l'Ensba en 1867 | Inv. E.B.A. n° 955.

Bibliographie

L. Eitner, 1973, II, pp. 3, 9, note 2 | L. Eitner, 1983, pp. 104, 335, note 26 | G. Bazin, 1990, IV, pp. 28, 169, n° 1283, repr. | L. Eitner, 1991, pp. 130, 421, note 26 | Wh. Whitney, 1997, pp. 188-189, fig. 246, p. 211, note 20.

Il s'agit d'un des rares papiers huilés conservés de Géricault[1]. La scène est traditionnellement identifiée à celle d'*Hercule combattant le dragon*, mais ne semble se référer à aucun modèle particulier. On peut cependant supposer que Géricault se soit inspiré d'une composition gravée ou d'une œuvre antique conservée à Rome[2]. M.F.

—

1. *Sacrifice Antique* et *Centaure enlevant une femme* du Département des arts graphiques du Musée du Louvre (G. Bazin, 1990, IV, p. 149, n° 1227 et p. 156, n° 1247). Clément raconte que Géricault aurait rapporté plus de 20 papiers huilés sur les *Courses de chevaux libres* (Ch. Clément, 1879, p. 100). À propos des papiers huilés, voir P. Jan et H. Richir, 1989.
2. Géricault pourrait avoir vu des représentations d'Héraclès avec l'hydre de Lerne sur des bas-reliefs de Campana au Museo Gregoriano (A.H. Borbein, 1968, pp. 172-175 et pl. 31).

*D.72 Paysan romain assis tenant un enfant dans ses bras à gauche, paysan assis à droite et tête de profil au centre

verso

Pierre noire, plume, encre brune et aquarelle | H. 0,185 ; L. 0,257 | Verso : *Paysan romain debout, de profil à gauche,* à la pierre noire | Filigrane : oiseau posé sur trois monts dans un cercle (Briquet, filigrane proche du n° 1226, Rome).

Provenance

A. Armand puis Pr. Valton | don de Mme Valton à l'Ensba en 1908 | Inv. E.B.A. n° 964.

Bibliographie

E. Rey, n° 46, avril 1924, p. 264, repr. | Ch. Martine, 1928, nos 34 et 49, repr. | A del Guercio, 1963, p. 142, n° 21, repr. | F.H. Lem, janvier-juin 1963, p. 73 (erreur sur le dessin) | V. Golzio, septembre-octobre 1963, p. 11, fig. 3 et p. 12 | L. Eitner, 1983, pp. 114-115, 336, note 55 | E. Brugerolles, 1984, pp. 15, 243, n° 341, repr. | G. Bazin, 1990, IV, pp. 19, 32, 130-131, nos 1183 et 1184, repr. | L. Eitner, 1991, pp. 143, 422, note 55 | R. Michel, exp. Paris, 1991-1992, pp. 88, 90, ill. 149 | Wh. Whitney, 1997, pp. 43-45, fig. 38 et 39, p. 59.

Expositions

Paris, Hôtel Jean Charpentier, 1924, n° 98 | Paris, Ensba, 1934, n° 76 | Rome, Palazzo delle Esposizioni, 1961 n° 165 | Turin, Galleria civica d'arte moderne, 1961, n° 158 | Los Angeles, County Museum of Art, Detroit, Institute of Art, Philadelphie, Museum of Art, 1971-1972, n° 36, repr., et p. 178 | Rome, Villa Médicis, 1979-1980, n° 43, repr. | New York, Pierpont Morgan Library, San Diego, Museum of Art, Houston, Museum of Fine Arts, 1985-1986, n° 35, repr., et p. 196 | Paris, Grand Palais, 1991-1992, n° 101, ill. 149 | Vancouver, Morris and Helen Belkin Art Gallery, 1997, n° 63, repr.

Géricault a été l'un des premiers artistes français à traiter des thèmes populaires « modernes »[1]. Jusque-là en effet, seuls les artistes nordiques représentaient la population locale comme des figures anecdotiques dans leurs paysages romains, tel que celui du *Campo Vaccino*. L'intérêt pour les paysans et les brigands de la campagne romaine apparaît avec le goût des amateurs étrangers pour ce sujet, auxquels Bartolomeo Pinelli par exemple proposait ses nombreuses *raccolte*[2]. D'autre part et contrairement à la plupart de ses contemporains, Géricault s'intéresse moins aux costumes typiques locaux, qu'à la misère sociale et politique du peuple italien. M.F.

—

1. E. Brugerolles, 1984, p. 243, n° 341.
2. À propos des nombreuses œuvres gravées de Pinelli, voir B. Rossetti, 1981.

.73 Préparatifs d'une exécution capitale en Italie

verso

Mine de plomb et plume, encre noire | H. 0,188 ; L. 0,263 | Verso : *Etude pour la Famille italienne* dite aussi la *Pauvre famille*, à la pierre noire | traits à la pierre noire délimitant la composition | Filigrane : oiseau dans un cercle (filigrane proche de ceux relevés par Briquet, III, p. 608) | Quelques taches brunes.

Provenance

Vraisemblablement P. J. Mène, vente, Paris, Hôtel des Commissaires-Priseurs, 20-21 février 1899, lot n° 74 (selon G. Bazin) | A. Armand puis Pr. Valton | don de Mme Valton à l'Ensba en 1908 | Inv. E.B.A. n° 961.

Bibliographie

L. Eitner, exp. Los Angeles, Detroit, Philadelphie, 1971-1972, pp. 19, 64 sous le n° 27, p. 76 sous le n° 37, p. 138 sous le n° 95 | Ph. Grunchec, 1976, p. 410 | Ph. Grunchec, 1978, pp. 101-102 sous les n°s 97 et 100 | L. Eitner, 1983, pp. 116-117, 336-337, notes 61 et 66 | E. Brugerolles, 1984, pp. 15, 244, n° 342, repr., p. 253 sous le n° 375 | Ph. Grunchec, exp. New York, San Diego, Houston, 1985-1986, p. 71 sous le n° 24 | L. Eitner, Winter 1986, p. 565 | G. Bazin, 1990, IV, pp. 21, 32, 135, n° 1196, repr., p. 184, n° 1324, repr. | Ph. Grunchec, 1991, pp. 101-102, sous les n°s 97 et 100 | L. Eitner, 1991, pp. 144-147, 422, note 66 | R. Michel, exp. Paris, 1991-1992, pp. 88, 91-92, ill. 152 et 155 | S. Laveissière, exp. Paris, 1991-1992, p. 357 sous le n° 103, p. 388 sous le n° 226 | R. Michel, 1992, p. 149, repr., p. 172, n° 149h | R. Michel, 1996, I, pp. 17, 34, note 125, p. 200, fig. 49 | N. Athanassoglou-Kallmyer, 1996, I, pp. 124, 200, fig. 49 | Wh. Whitney, 1997, pp. 54-58, fig. 62, pp. 64-70, fig. 82, p. 206, note 17.

Expositions

Paris, Ensba, 1934, n° 80 | Hambourg, Kunst-halle, 1980-1981, n° 518, repr. | New York, Pierpont Morgan Library, San Diego, Museum of Art, Houston, Museum of Fine Arts, 1985-1986, n° 25, repr., et p. 195 | Paris, Grand Palais, 1991-1992, n° 105, ill. 152 et 155 | Vancouver, Morris and Helen Belkin Art Gallery, 1997, n° 59, repr.

Cette feuille et la suivante traitent du même sujet et se situent avant celle du Nationalmuseum de Stockholm représentant la décapitation[1]. Géricault choisit ce thème hors du commun, connu à travers les illustrations de Thomas et de Pinelli, mais rarement représenté et peu cité apparemment dans les récits de voyage[2]. Trois moines gesticulant avec véhémence entourent un condamné qui affronte son sort. L'artiste réduit la scène à ses principaux protagonistes, les bourreaux restant anonymes, seul le supplicié est traité comme un individu.

Le verso est une étude préparatoire pour la *Famille italienne* de la Staatsgalerie de Stuttgart[3] où l'agencement de la composition et des personnages est déjà en grande partie fixé. Géricault a traité cette scène à plusieurs reprises dans ses dessins, notamment sur une feuille conservée au Courtauld Institute of Arts de Londres, où sont associés des sujets militaires[4]. M.F.

—

1. G. Bazin, 1990, IV, p. 182, n° 1322. Selon Ch. Clément (1879, p. 208, n° 92), il existait une peinture à l'huile sur le même sujet dont Bazin parvient à retracer l'histoire jusqu'en 1857 (G. Bazin, 1990, IV, p. 32).
2. Ni les importants récits de Goethe ou de Schinkel sur le carnaval, ni les *Voyages en Italie* de Stendhal, ni encore le *Spaziergang nach Syrakus* (de 1802) de Johann Gottfried Seume, ne mentionnent les exécutions. Le fait de ne pas évoquer lors du voyage italien certains épisodes peu réjouissants se retrouve également dans l'œuvre de certains artistes allemands (**cat. p. 74**, note 24). Notons également qu'il est significatif que les premiers biographes de Géricault ne se soient pas particulièrement attardés sur cet aspect de son œuvre.
3. G. Bazin, 1990, IV, p. 134, n° 1193.
4. G. Bazin, 1992, V, p. 170, n° 1540.

Attribué à Théodore Géricault

*D.74 Une exécution à mort à Rome

Plume, encre brune sur papier calque | H. 0,225 ; L. 0,314 | Traits de plume, encre brune encadrant la composition. En bas à gauche, inscription à la plume, encre brune : *Gericault* | Contrecollé | déchirures dans les parties supérieure gauche et inférieure droite | lacunes dans les angles inférieurs | Quelques taches brunes.

Provenance

Vraisemblablement P. J. Mène, vente, Paris, Hôtel des Commissaires-Priseurs, 20-21 février 1899, lot n° 74 (selon G. Bazin) | A. Armand puis Pr. Valton | don de Mme Valton à l'Ensba en 1908 | Inv. E.B.A. n° 960.

Bibliographie

A. Colin, 1824, repr. [n° 7] | Ch. Clément, juillet 1866, p. 75 sous le n° 7 | Ch. Clément, 1868 et 1879, pp. 416-417 sous le n° 7 | J. Szczepinska- Tramer, 1973, p. 303, note 6, p. 306 | L. Eitner, 1983, pp. 116-117, 337, note 66 | E. Brugerolles, 1984, p. 253, n° 375, repr. | Ph. Grunchec, exp. New York, San Diego, Houston, 1985-1986, p. 71 sous le n° 25, fig. 25c | G. Bazin, 1990, IV, pp. 32, 183, n° 1323C, repr. | N. Athanassoglou-Kallmyer, 1996, I, pp. 124, 200, fig. 48 | M. Guédron, 1997, p. 83, 87 note 10 | M. Dumett, exp. Vancouver, 1997, p. 219 sous le n° 59.

Expositions

Paris, Hôtel Jean Charpentier, 1924, n° 100, repr. | Paris, Musée du Petit Palais, 1936, n° 601 | Hambourg, Kunsthalle, 1980-1981, n° 519, repr. | Vancouver, Morris and Helen Belkin Art Gallery, 1997, n° 60, repr.

Cette feuille est le calque d'une lithographie d'Alexandre Colin réalisée d'après un dessin de Géricault conservé dans une collection particulière[1]. Elle représente un condamné à mort, les yeux bandés, guidé vers l'échafaud par des moines pénitents. L'un d'entre eux sermonne de son doigt levé le condamné tandis qu'un autre posté derrière lui le pousse vers le haut des marches. Contrairement à ses contemporains, Géricault choisit ici de représenter la scène d'exécution telle qu'elles étaient autrefois pratiquées à Rome comme un spectacle populaire de début de carnaval[2]. M.F.

—

1. Lithographie et dessin (G. Bazin, 1990, IV, p. 183, n°s 1323B et 1323).
2. N. Athanassoglou-Kallmyer, 1996, I, p. 124.

*D.75 Boucher de Rome, vu de face

Plume, encre brune | H. 0,167 ; L. 0,104 | Filigrane.

Provenance

A. David, vente, Paris, Hôtel des Commissaires-Priseurs, 28 novembre-5 décembre 1859, n° 2511 | Binder (Ch. Martine, 1928) | A. Armand puis Pr. Valton | don de Mme Valton à l'Ensba en 1908 | Inv. E.B.A. n° 962.

Bibliographie

Ch. Martine, 1928, n° 48, repr. | A. del Guercio, 1963, p. 144, fig. 39 | V. Golzio, septembre-octobre 1963, p. 13 | L. Eitner, 1983, pp. 140, 339, note 19 | E. Brugerolles, 1984, p. 246, n° 349, fig. 348 | Ph. Grunchec, exp. New York, San Diego, Houston, 1985-1986, p. 91 sous le n° 37 | G. Bazin, 1990, IV, pp. 21, 142, n° 1215, repr. | L. Eitner, 1991, pp. 184, 425, note 19 | Wh. Whitney, 1997, pp. 76, fig. 99.

Expositions

Paris, Hôtel Jean Charpentier, 1924, n° 101, repr. | Paris, Ensba, 1934, n° 77 | Zurich, Kunsthaus, 1937, n° 129 | Paris, Ensba, Malibu, J. Paul Getty Museum, Hambourg, Kunst-halle, 1981-1982, n° 112, ill. 111 | Vancouver, Morris and Helen Belkin Art Gallery, 1997, n° 61, repr.

.76 Boucher de Rome, vu de dos

Plume, encre brune | H. 0,165 ; L. 0,124 | Tache brune en haut à droite | Filigrane.

Provenance

A. David, vente, Paris, Hôtel des Commissaires-Priseurs, 28 novembre-5 décembre 1859, n° 2511 | Binder (Ch. Martine, 1928) | A. Armand puis Pr. Valton | don de Mme Valton à l'Ensba en 1908 | Inv. E.B.A. n° 963.

Bibliographie

Ch. Martine, 1928, n° 48, repr. | A. del Guercio, 1963, p. 144, fig. 40 | V. Golzio, septembre-octobre 1963, p. 13 | L. Eitner, 1983, pp. 40, 339, note 19 | E. Brugerolles, 1984, pp. 245- 246, n° 348, fig. 349. | Ph. Grunchec, exp. New York, San Diego, Houston, 1985-1986, p. 91 sous le n° 37 | G. Bazin, 1990, IV, pp. 21, 142, n° 1215, repr. | L. Eitner, 1991, pp. 184, 425, note 19 | Wh. Whitney, 1997, pp. 76-77, fig. 100.

Expositions

Paris, Hôtel Jean Charpentier, 1924, n° 101, repr. | Paris, Ensba, 1934, n° 78 | Zurich, Kunsthaus, 1937, n° 130 | Paris, Ensba, Malibu, J. Paul Getty Museum, Hambourg, Kunst-halle, 1981-1982, n° 111, ill. 112 | Vancouver, Morris and Helen Belkin Art Gallery, 1997, n° 62, repr.

Ce dessin et le précédent – qui faisaient partie de la même feuille de papier – représentent deux bouchers romains qui portent chacun un veau, l'un vu de face, l'autre de dos. L'artiste n'a pas seulement traité le thème des *Butteri* en Italie mais aussi après son retour à Paris : c'est le cas de la lithographie intitulée *Bouchers de Rome* réalisée de mémoire (**cat. E.1**) qui fait appel à un imaginaire des faits en opposition avec l' expression plus immédiate et spontanée de ces dessins. Le thème des porteurs de veau est toutefois isolé dans l'œuvre de l'artiste qui développe par la suite des sujets plus intemporels dans un style antiquisant[1]. M.F.

—

1. G. Bazin, 1990, IV, pp. 143-145, n°s 1218 et 1220, pp. 147-149, n°s 1223 et 1227.

.77 Prière à la Madone

Mine de plomb, plume, encre brune sur papier brun | H. 0,265 ; L. 0,398.

Provenance

Vraisemblablement F. M. Marcille, vente, Paris, Hôtel des Commissaires-Priseurs, 4-7 mars 1857, lot n° 72 | His de la Salle (en 1866, selon Clément), marque en bas à droite et à gauche (L. 1333) | don de ce dernier à l'Ensba en 1867 | Inv. E.B.A. n° 965.

Bibliographie

A. Colin, 1866, n° 5, repr. | Ch. Clément, juillet 1866, p. 77 sous le n° 5 | Ch. Clément, octobre 1867, p. 364, n° 95 | Ch. Clément, 1868 et 1879, p. 343, n° 76, p. 421 sous le n° 5 | E. Müntz, s.d. [1889], pp. 170-171 | E. Müntz, janvier 1891, p. 52 | L. Rosenthal, s.d. [1905], pp. 67-68 | E. de Trévise, mai 1924, p. 298 | R. Régamey, 1926, p. 26 | G. Oprescu, s.d. [1927], pp. 82, 193 | Ch. Martine, 1928, n° 35, repr. | W. George, 1929, p. XLIV | Kl. Berger, 1952, pp. 48, 67, n° 21, repr. | P. Gaudibert, octobre 1954, p. 82 | F.H. Lem, juillet-décembre 1962, p. 192 | F.H. Lem, décembre 1962, p. 18 | A. del Guercio, 1963, p. 143, n° 31, repr. | V. Prokofiev, 1963, p. 102, repr. | R. Jullian, 1966, pp. 899, 901 | Kl. Berger, 1968, p. 43, n° 25, repr., pp. 76, 118, 120, 169 | L. Eitner, exp. Los Angeles, Detroit, Philadelphie, 1971-1972, p. 19 | L. Eitner, 1973, pp. 363-364, n° 76 | J. Szczepinska-Tramer, 1973, p. 303 | L.R. Matteson, 1980, pp. 74-75, n° 3, repr. | L. Eitner, 1983, pp. 114-115, fig. 102, p. 336, note 59 | G. Bazin, 1990, IV, p. 33, fig. 12, pp. 185-186, n° 1330, repr. | L. Eitner, 1991, pp. 143-144, fig. 76, p. 422, note 59 | R. Michel, exp. Paris, 1991-1992, pp. 88, 94, ill. 157 | R. Michel, 1992, p. 56, repr., p. 169, n° 56g | Wh. Whitney, 1997, pp. 54, 58-63, fig. 76.

Expositions

Paris, Hôtel Jean Charpentier, 1924, n° 99 | Paris, Ensba, 1934, n° 79 | Zurich, Kunsthaus, 1937, n° 131 | Los Angeles, County Museum of Art, Detroit, Institute of Art, Philadelphie, Museum of Art, 1971-1972, n° 37, repr., et p. 178 | Rome, Villa Médicis, 1979-1980, n° 44, repr. | New York, Pierpont Morgan Library, San Diego, Museum of Art, Houston, Museum of Fine Arts, 1985-1986, n° 23, repr., et p. 195 | Paris, Grand Palais, 1991-1992, n° 9, ill. 157 | Paris, Ensba, 1992, sans n° | Mexico, Centro cultural arte contemporeano, 1994, n° 47, repr., et p. 241 | Vancouver, Morris and Helen Belkin Art Gallery, 1997, n° 65, repr.

Un groupe de paysans romains, de femmes et d'enfants ainsi qu'un ecclésiastique sont agenouillés en prière devant l'entrée d'une église dont l'intérieur est en grande partie occulté par un rideau. À l'extérieur sur la gauche, deux jeunes *contadins* à cheval soulèvent respectueusement leur chapeau. Clément cite ce dessin dont Alexandre Colin réalisa une lithographie[1].
Le sujet et la composition rappellent des œuvres de Pinelli[2]. Ph. Grunchec suppose en raison du format de la feuille ainsi que du support utilisé – papier calque – que ce dessin pourrait avoir servi à une peinture[3]. M.F.

—

1. Ch. Clément, 1879, p. 342, n° 76.
2. L.R. Matteson, 1980, p. 75.
3. Ph. Grunchec, exp. New York, San Diego, Houston, 1985-1986, p. 67, n° 23.

*D.78 Étude de deux femmes

Plume, encre brune | H. 0,223 ; L. 0,200.

Provenance

A. Colin, vente, Paris, Hôtel des Commissaires-Priseurs, 22 décembre 1859, n° 52 | His de la Salle, marque en bas à gauche (L. 1333) | A. Armand puis Pr. Valton | don de Mme Valton à l'Ensba en 1908 | Inv. E.B.A. n° 970.

Bibliographie

Ch. Clément, mai 1867, p. 461, repr., p. 463, note 1 | Ch. Clément, 1868 et 1879, p. 218, note 1 | R. Rey, n° 46, avril 1924, p. 264, repr. | L. Rosenthal, juin 1924, p. 57, repr., p. 62 | Ch. Martine, 1928, n° 28, repr. | R. Bouyer, mai 1934, pp. 197-198, repr. | A. del Guercio, 1963, p. 143, n° 37, repr. | E. Brugerolles, 1984, p. 244, n° 344, repr. | Ph. Grunchec, exp. New York, San Diego, Houston, 1985-1986, p. 16 | G. Bazin, 1987, II, pp. 276, 381-382, n° 172, repr. | L. Eitner, Winter 1996, pp. 387, 389, note 29.

Expositions

Paris, Hôtel Jean Charpentier, 1924, n° 95 | Bucarest, Museul Toma Stelian, 1931, n° 156 | Paris, Ensba, 1934, n° 111, repr. | Zurich, Kunsthaus, 1937, n° 133 | Vienne, Albertina, 1950, n° 163 | Genève, Musée d'Art et d'Histoire, 1951, n° 134 | Vancouver, Morris and Helen Belkin Art Gallery, 1997, n° 64, repr.

Il s'agit d'une des plus belles représentations de femme de l'artiste, où le modèle, les cheveux relevés en chignon et le regard baissé, est adossé à un mur tantôt les seins dénudés, tantôt entièrement vêtue. Son attitude, quoique inversée, rappelle celle des *Jeunes Romaines près de la fontaine*[1], tandis que la facture s'apparente à celle du Carnet de croquis de Zurich et du dessin suivant[2]. M.F.

—

1. Collection particulière (G. Bazin, 1990, IV, pp. 127-128, n° 1174).
2. Feuille 33r (M. Fehlmann, 1995, p. 105) et **cat. D.79.**

*D.79 Études de femme nue, vue de dos ; étude de jambe

Plume, encre brune sur papier gris | H. 0,214 ; L. 0,306 | Taches brunes sur l'ensemble de la feuille.

Provenance

A. Colin, vente, Paris, Hôtel des Commissaires-Priseurs, 22 décembre 1859, n° 41 | H. Destailleur (L. 740), vente, Paris, Hôtel des Commissaires-Priseurs, 27-28 avril 1866, n° 80 | A. Armand puis Pr. Valton | don de Mme Valton à l'Ensba en 1908 | Inv. E.B.A. n° 971.

Bibliographie

R. Régamey, 1926, p. 63, pl. 37 | Ch. Martine, 1928, n° 41, repr. | L. Eitner, août 1954, p. 259 | A. del Guercio, 1963, p. 145, n° 49, repr. | E. Brugerolles, 1984, p. 244, n° 343, repr. | G. Bazin, 1987, II, pp. 276, 380, n° 168, repr. | L. Eitner, 1991, pp. 196-197, fig. 99 | R. Michel, exp. Paris, 1991-1992, pp. 60, 62, ill. 111 | L. Eitner, Winter 1996, p. 386, fig. 15, pp. 387, 389, note 28.

Expositions

Paris, Hôtel Jean Charpentier, 1924, n° 94 | Paris, Ensba, 1934, n° 94 | Paris, Musée du Petit Palais, 1936, n° 600 | Winthertur, Kunstmuseum, 1953, n° 116 | Los Angeles, County Museum of Art, Detroit, Institute of Art, Philadelphie, Museum of Art, 1971-1972, n° 50, repr., et p.179 | New York, Pierpont Morgan Library, San Diego, Museum of Art, Houston, Museum of Fine Arts, 1985-1986, pp. 16-17, n° 16, repr., et p. 194 | Paris, Grand Palais, 1991-1992, n° 76, ill. 111.

On ne conserve que quelques nus féminins de Géricault et la plupart semblent avoir été réalisés pendant son séjour en Italie. En raison du modelé du corps et de la facture très hachurée de la plume, cette feuille est à rapprocher de la copie d'après la *Léda* de Léonard de Vinci de la Galerie Borghèse également exécutée en Italie[1]. Ph. Grunchec situe ce dessin de la période d'apprentissage de Géricault chez Guérin[2] et L. Eitner établit des correspondances entre le modèle et la maîtresse de l'artiste, Alexandrine-Modeste Caruel[3]. Il existe au Musée Bonnat de Bayonne une autre feuille très proche de celle-ci[4]. M.F.

—

1. G. Bazin, 1990, IV, p. 107, n° 1103 ; Carnet de croquis de Zurich, feuille 45 verso (M. Fehlmann, 1995, pp. 101 et 105).
2. Ph. Grunchec, exp. New York, San Diego, Houston, 1985-1986, p. 55, n° 16.
3. L. Eitner, Winter 1996, pp. 387-388.
4. Datée également par G. Bazin de la période italienne de l'artiste (1990, IV, pp. 29, 175, n° 1300).

.80 Homme étendu, en haut deux hommes luttant

Mine de plomb, plume, encre brune et lavis d'encre de Chine | H. 0,102 ; L. 0,160 | Annotation en haut à la mine de plomb : *418*, et un croquis (couple luttant ou scène d'enlèvement) | Verso : Croquis à demi effacé d'une figure d'homme et de trois arbres avec l'annotation *Michel Ange 1/2/6 volumes* à la mine de plomb et au lavis brun | Annotations illisibles à la pierre noire avec des chiffres *16* [barré] *21 couleurs 20 sols/10 8* [barré] */6 3*.

Provenance

A. Armand puis Pr. Valton | don de Mme Valton à l'Ensba en 1908 | Inv. E.B.A. n° 969.

Bibliographie

Ch. Martine, 1928, n° 51, repr. | A. del Guercio, 1963, p. 147, n° 59, repr. | E. Brugerolles, 1984, p. 245, fig. 347 verso, et p. 251, n° 367, repr. | G. Bazin, 1990, IV, pp. 11, 98, n°s 1073 et 1074, repr.

Exposition

Paris, Ensba, 1934, n° 91.

verso

Cette feuille est difficile à rattacher à un projet précis de l'artiste : la position couchée de l'homme rappelle légèrement certaines figures des études consacrées à l'affaire Fualdès[1], tandis que le paysage indiqué sommairement au verso évoque certaines feuilles du Musée Bonnat de Bayonne[2]. Aucune note de Géricault ne fournit d'élément plus concluant. M.F.

—

1. G. Bazin, 1992, V, pp. 200-201, n°s 1622 et 1624.
2. G. Bazin, 1989, III, p. 151, n°s 732 et 733.

*D.81 Portrait d'Auguste Brunet, vu de profil

Mine de plomb et plume, encre brune | H. 0,200 ; L. 0,160 | Au verso, annotations au crayon noir en haut à gauche : *Brunet*, en haut à droite : *1807* (?), en bas à droite : *425* | Angles gauches déchirés | Filigrane coupé.

Provenance

A. Armand puis Pr. Valton | don de Mme Valton à l'Ensba en 1908 | Inv. E.B.A. n° 1003.

Bibliographie

Ch. Martine, 1928, n° 42, repr. | Kl. Berger, 1946, p. 28, n° 29, repr. | L. Eitner, 1960, p. 27 sous le folio 22 | A. del Guercio, 1963, p. 146, n° 52, repr. | F.H. Lem, janvier-juin 1963, pp. 71-72, 74 | Fr. Bergot, exp. Rouen, 1981-1982, p. 28 sous le n° 2 | E. Brugerolles, 1984, pp. 249-250, n° 360, repr. | Fr. Bergot, exp. Kamakura, Kyoto, Fukuoka, 1987-1988, p. 182, sous le n° E-2 | R. Michel, exp. Paris, 1991-1992, pp. 108, 119, ill. 193 | G. Bazin, 1992, V, pp. 106, 283, n° 1838, repr. | H. Zerner, 1996, I, pp. 328, 393, fig. 187 | Br. Chenique, 1996, I, pp. 349-350, 360, note 75, p. 393, fig. 187 | J. Sagne, 1996, I, p. 393, fig. 187, et II, p. 605.

Expositions

Paris, Hôtel Jean Charpentier, 1924, n° 232, repr. p. 75 (par erreur sous le n° 242) | Paris, Ensba, 1934, n° 101 | Paris, Ensba, Malibu, J. Paul Getty Museum, Hambourg, Kunst-halle, 1981-1982, n° 116, repr. | Paris, Grand Palais, 1991-1992, n° 135, ill. 193 | Mexico, Centro cultural arte contemporeano, 1994, n° 55, repr., et p. 242.

Un des rares amis intimes de Géricault, Auguste Brunet, né en 1787 à Saint-Paterne, fut l'élève, comme l'artiste, de René Castel au lycée impérial (Louis-le-Grand) de 1802 à 1805. Engagé dans la première compagnie des mousquetaires du Roi puis des chevau-légers de la Garde, il fut frappé d'interdiction de séjour à Paris au retour de Napoléon en 1815 et donna sa démission de la Compagnie. Grand libéral, il est l'auteur en 1819 d'une brochure intitulée *De l'aristocratie et de la démocratie ; de l'importance du travail et de la richesse mobilière*[1]. Brunet fut fidèle à son ami toute sa vie, l'accompagna notamment en mai 1820 à Londres et accepta en 1824 avec Dedreux-Dorcy d'être l'exécuteur testamentaire de son fils[2].

On connaît en dehors de cette feuille, deux portraits de Brunet par Géricault : l'un dessiné à la mine de plomb, conservé dans une collection particulière[3] et l'autre lithographié (**cat. E.2**). Contrairement à ces deux œuvres, le modèle est vu ici la tête et le torse de profil : le front large, le nez long, le sourcil épais et le menton fort, il apparaît d'un caractère plutôt volontaire. La technique aux traits très épais à la plume utilisée ici se retrouve de manière similaire pour les études de lions qui accompagnent la *Vue de Montmartre* (**cat. D.82**) et permet peut-être de situer cette feuille avant le départ pour l'Angleterre. E.B.

—

1. Pour la biographie de Brunet, voir Br. Chenique, 1996, I, pp. 344-350.
2. Br. Chenique, 1996, I, p. 349.
3. G. Bazin, 1992, V, pp. 282-283, n° 1836, et Br. Chenique, 1996, I, pp. 350 et 360, note 77, p. 393, fig. 188.

.82 Vue de Montmartre et études de lions

Pour le paysage : mine de plomb, plume, encre brune, lavis brun d'encre de Chine et aquarelle | Pour les lions : plume, encre brune, recouvrant des croquis militaires, à la mine de plomb | H. 0,215 ; L. 0,267 | En bas à droite, annotation à la mine de plomb : *Géricault* | Verso : *Dépouille et postérieur écorché de félin*, à la plume, encre brune, recouvrant des croquis militaires, à la mine de plomb (groupe de cavaliers, blessé porté sur un brancard, cavalier faisant cabrer son cheval, cheval paissant, personnage avec les jambes écartées, personnage à cheval) | Deux feuilles collées.

Provenance

Vraisemblablement P. J. Mène, vente, Paris, Hôtel des Commissaires-Priseurs, 20-21 février 1899, lot n° 76 | A. Armand puis Pr. Valton | don de Mme Valton à l'Ensba en 1908 | Inv. E.B.A. n° 973.

Bibliographie

L. Rosenthal, juin 1924, pp. 61-62, repr. | Ch. Martine, 1928, n°s 26 et 40, repr. | A. del Guercio, 1963, p. 143, n°s 35 et 38, repr. | L. Eitner, 1983, pp. 234, 352, note 97 | E. Brugerolles, 1984, p. 245, n° 346, repr. | G. Bazin, 1989, III, pp. 38, 159-160, n°s 755 et 756, repr. | G. Tinterow, 1990-1991, pp. 41-42 sous le n° 4, fig. 4a, et p. 68 | S. Laveissière, exp. Paris, 1991-1992, p. 369 sous le n° 155 | M. Guédron, 1997, p. 26.

Expositions

Paris, Hôtel Jean Charpentier, 1924, n° 221 | Paris, Ensba, 1934, n° 98 | Paris, Ensba, Malibu, J. Paul Getty Museum, Hambourg, Kunsthalle, 1981-1982, n° 110 | Mexico, Centro cultural arte contemporeano, 1994, n°s 48 et 48A, repr., et pp. 241-242.

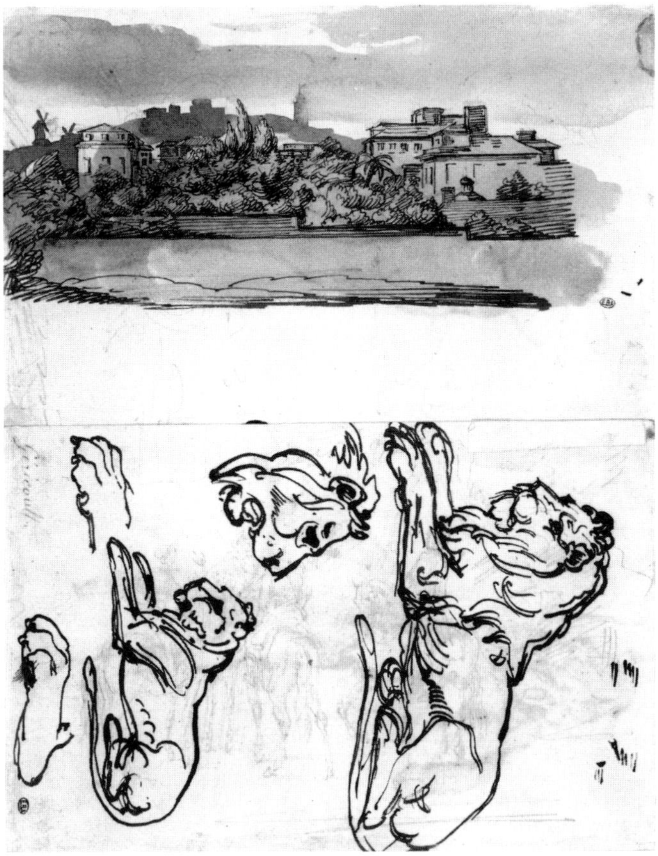

Il s'agit de deux feuilles collées. La vue de Montmartre a sans doute été réalisée au retour d'Italie de Géricault[1]. Selon L. Eitner, des lions apparaissent dès 1812 dans un carnet de croquis qui n'a été que partiellement publié jusqu'à ce jour[2] : en effet, sur le feuillet 30, un lion est représenté dans une attitude très proche de celle choisie pour notre étude, même si la plume semble ici plus libre et sûre. La présence de sujets militaires tracés à la mine de plomb vraisemblablement avant le lion et la dépouille de félin exécutés au verso à la plume rendent la datation de ce dessin plus difficile[3]. Faut-il ainsi considérer, comme le propose Chr. Sells, une date ultérieure pour certaines parties de l'Album de Chicago[4] ? M.F.

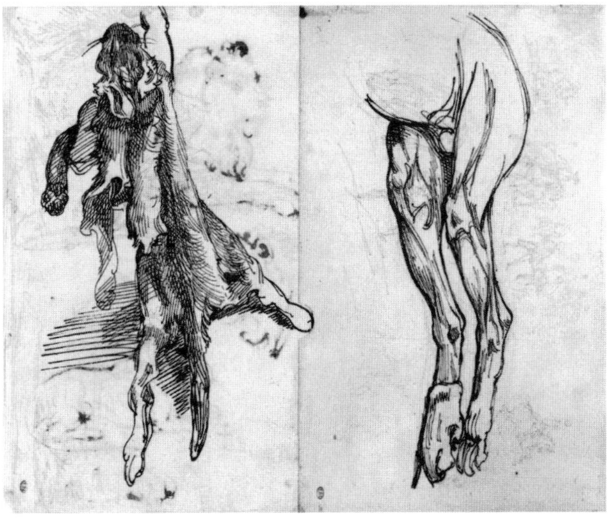

verso

—

1. **cat. p. 74** et note 16.
2. Vente Christie's, Monaco, 22 juin 1991, p. 32, lot 41 : « It seems possible, that Gericault used the sketchbook over a period of time, but probably not later than 1814. [...] The majority of the sketchbook at any rate date, in my opinion, from around 1812. »
3. S. Laveissière, exp. Paris, 1991-1992, p. 369, n° 155 (l'identifie comme la peau d'un lapin).
4. **cat. p. 74** et note 16.

*D.83 Épisode de bataille

Mine de plomb | H. 0,157 ; L. 0,274 | Verso : *Quatre études de membres antérieurs de cheval*, à la plume, encre brune | en bas au centre, annotation à la plume, encre brune : *de Villeneuve / rue Guénégaud n° 7* | Filigrane.

Provenance

A. Armand puis Pr. Valton | don de Mme Valton à l'Ensba en 1908 | Inv. E.B.A. n° 983.

Bibliographie

Ch. Martine, 1928, n° 32, repr. | L. Eitner, 1960, pp. 19, 48, note 44 | F.H. Lem, janvier 1963, pp. 68-69, repr. | L. Eitner, exp. Los Angeles, Detroit, Philadelphie, 1971-1972, pp. 21, 90, sous le n° 49 | G. Hopp, novembre 1973, pp. 314, 320, note 14 | L. Eitner, 1983, pp. 69 et 331, note 77, pp. 156 et 342, note 65 | E. Brugerolles, 1984, pp. 245-246, n° 350, repr. | G. Bazin,1992, V, pp. 36, 166, n° 1531, repr., et pp. 45, 187 n° 1583, repr.

Expositions

Paris, Ensba, 1934, n° 70 | Vancouver, Morris and Helen Belkin Art Gallery, 1997, n° 16, repr.

verso

C'est vraisemblablement à son retour d'Italie que Géricault réalise ce dessin de bataille où l'on aperçoit un combat entre artilleurs et cavaliers. D'autres projets conservés au Musée Bonnat de Bayonne[1] rendent compte du même type de sujet militaire traité à l'antique : la présence d'hommes nus représentés en pleine action – que l'on retrouve un peu plus tard dans les dessins préparatoires de l'affaire Fualdès[2] – relève de la scène classique héroïque que Géricault cherche ici à reprendre avec une vision moderne.

Deux autres œuvres mettent en scène un train d'artillerie, la célèbre lithographie *Artillerie à cheval de la Garde impériale changeant de position* datée de 1818 (**cat. E.13**) et le *Train d'artillerie* de la Nouvelle Pinacothèque de Munich, tableau inachevé et vraisemblablement à mettre en relation avec *Exercice à feu à la plaine de Grenelle* exposé au salon de 1814[3]. L'annotation du verso *de Villeneuve* fait peut-être référence à Félix Champion de Villeneuve, qui veilla avec Dedreux-Dorcy à la destinée du fils de Géricault après la mort de ce dernier[4]. E.B.

—

1. Inv. n° 704 et 705 (G. Bazin, 1992, V, pp. 166-167, n° 1532).
2. Collections particulières, Musées des Beaux-Arts de Dijon, d'Alençon, de Lille et de Rouen (G. Bazin, 1992, V, pp. 197-202, n°s 1615 à 1627).
3. G. Hopp, novembre 1973, p. 312, fig. 1.
4. Br. Chenique, 1996, I, p. 349.

.84 Combat de cavalerie

Mine de plomb, plume, encre brune, lavis brun et rehauts de blanc | H. 0,104 ; L. 0,140 | Taches brunes sur l'ensemble de la feuille | Traces de pliure au centre | Contrecollé | Sur le montage, inscriptions à la plume, encre noire : *Géricault - Combat de cavalerie - Collection de Mr His de la Salle.*

Provenance

His de la Salle, marque en bas à droite (L. 1333) | don de ce dernier à l'Ensba en 1867 | Inv. E.B.A. n° 987.

Bibliographie

E. Müntz, s.d. [1889], p. 179 | Ch. Martine, 1928, n° 45, repr. | L. Eitner, 1960, p. 36 sous le folio 46 | L. Eitner, exp. Los Angeles, Detroit, Philadelphie, 1971-1972, p. 49 sous le n° 14 | Ph. Grunchec, 1982, p. 79, repr. | L. Eitner, 1983, pp. 46, 328, note 17 | G. Bazin, 1989, III, pp. 62, 211, n° 891, repr. | S. Laveissière, exp. Paris, 1991-1992, p. 397 sous le n° 263.

Expositions

Paris, Hôtel Jean Charpentier, 1924, n° 36 | Paris, Ensba, 1934, n° 66 | New York, Pierpont Morgan Library, San Diego, Museum of Art, Houston, Museum of Fine Arts, 1985-1986, n° 49, repr., et p. 198 | Vancouver, Morris and Helen Belkin Art Gallery, 1997, n° 18, repr.

Ce dessin fait partie d'une série d'études représentant des combats entre soldats français et cosaques, que Géricault réalisa vraisemblablement à son retour d'Italie en 1818[1]. Le projet le plus abouti est incontestablement la gouache conservée au Département des Arts Graphiques du Musée du Louvre – ayant également appartenu au collectionneur His de la Salle – très proche par sa mise en page de notre dessin[2] : composition pyramidale où un officier français à cheval domine la mêlée et répond à l'attaque d'un cosaque. On y relève néanmoins des différences, l'officier tenant un pistolet et non la bride de son cheval et le cosaque brandissant une masse d'armes plutôt qu'une épée. E.B.

—

1. Art Institute de Chicago, Musée Bonnat de Bayonne, Département des Arts Graphiques du Louvre (G. Bazin, 1989, III, pp. 205-208, nos 873 à 893).
2. Inv. n° R.F. 834 (G. Bazin, 1989, III, p. 210, n° 890 ; S. Laveissière, exp. Paris, 1991-1992, pp. 396-397, n° 263).

*D.85 Cuirassier blessé à cheval

Mine de plomb et plume, encre brune | H. 0,191 ; L. 0,145.

Provenance

His de la Salle, marque en bas à droite (L. 1333) | A. Armand puis Pr. Valton | don de Mme Valton à l'Ensba en 1908 | Inv. E.B.A. n° 979.

Bibliographie

Ch. Clément, juin 1966, p. 526 sous le n° 42 | Ch. Clément, mars 1867, p. 233, repr., p. 462 | Ch. Clément, 1868 et 1879, pp. 213, 377 sous le n° 12 | P. Lavallée, octobre-décembre 1917, p. 431, repr. | Ch. Martine, 1928, n° 43, repr. | P. Lavallée, 1930, p. 224 | R. Escholier et E. de Trévise, exp. Paris,1936, p. 298 sous le n° 721 | L. Dimier, 19-26 septembre 1941, p. 9, repr.| P. Courthion, 1947, repr. face p. 65, et p. 350, n° 7 | L. Eitner, 1960, p. 24 sous le folio 7 | A. del Guercio, 1963, p. 141, n° 20, repr. | H. Keller, 1966, pp. 136, 143, note 10 | L. Eitner, 1973, p. 377 | Ph. Grunchec, exp. Rome, 1979-1980, p. 303 sous le n° 74 | Fr. Bergot, exp. Rouen, 1981-1982, p. 38 sous le n° 12bis | Ph. Grunchec, 1982, pp. 80-81, repr. | E. Brugerolles, 1984, pp. 15, 247, n° 353, repr. | Ph. Grunchec, exp. New York, San Diego, Houston, 1985-1986, p. 35 sous le n° 2, p. 115 sous les n°s 54 et 55 verso, p. 119 sous les n°s 56 et 57, fig. 56a | Y. Ota, exp. Kamakura, Kyoto, Fukuoka, 1987-1988, pp. 152-153 sous le n° D-22, fig. 2 et Fr. Bergot, exp. Kamakura, Kyoto, Fukuoka, 1987-1988, p. 189 sous le n° E-12 | R. Michel, exp. Paris, 1991-1992, pp. 172, 176, ill. 285 | G. Bazin, 1992, V, pp. 28, 140 sous le n° 1461, pp. 144-145, n° 1470, repr., et sous le n° 1471.

Expositions

Paris, Hôtel Jean Charpentier, 1924, n° 47, repr. | Bucarest, 1931, n° 159 | Paris, Ensba, 1934, n° 69 | Paris, Musée des Arts Décoratifs, 1935, n° 108 | Vienne, Albertina, 1950, n° 156 | Londres, The Tate Gallery and The Arts Council Gallery, 1959, n° 702 | Paris, Ensba, Malibu, J. Paul Getty Museum, Hambourg, Kunsthalle, 1981-1982, n° 113, repr. | Paris, Grand Palais, 1991-1992, n° 62, ill. 285 | Mexico, Centro cultural arte contemporeano, 1994, n° 51, repr., et p. 242 | Vancouver, Morris and Helen Belkin Art Gallery, 1997, n° 23, repr.

Ce dessin est une étude pour la lithographie *Retour de Russie* réalisée vers 1818 (**cat. E.10**). Dans un premier projet aquarellé conservé au Musée des Beaux-Arts de Rouen[1], Géricault choisit pour illustrer cet épisode de la retraite de Russie une scène à quatre personnages : un grenadier qui boite, un soldat qui s'écroule, un cavalier le bras en écharpe et un cuirassier s'accrochant à son cheval. Il réduit, dans sa version lithographiée, sa composition à un groupe de deux soldats, un fantassin et un cavalier. Le dessin de l'Ensba ne représente que le cavalier blessé dans une attitude assez différente de celle adoptée par la suite : l'homme apparaît de trois-quarts, pieds nus, la tête bandée, le bras droit en écharpe, son manteau jeté négligemment sur l'épaule droite. Deux croquis figurant sur une feuille conservée dans une collection particulière représentent cette même figure isolée[2]. E.B.

—

1. Inv. n° 908.5.1 (G. Bazin, 1992, V, p. 141, n° 1462).
2. Collection particulière (G. Bazin, 1992, V, p. 145, n° 1471).

.86 Mameluk au bord de la mer

Mine de plomb, plume, encre brune et lavis brun | H. 0,116 ; L. 0,167 | Verso : *Tête de soldat*, à la mine de plomb et au lavis brun | En haut à droite, annotation à la mine de plomb : *430*, en bas : *Reprise du tricorne*, à la mine de plomb, et *Etude fragmentaire de cheval*, à la mine de plomb et au lavis brun | Trace de pliure au centre.

Provenance

A. Armand puis Pr. Valton | don de Mme Valton à l'Ensba en 1908 | Inv. E.B.A. n° 975.

Bibliographie

Ch. Martine, 1928, n° 52, repr. | Kl. Berger, 1946, p. 23, n° 6, repr. | L. Eitner, 1960, p. 37 sous le folio 48 | Ph. Grunchec, 1982, pp. 18-19, repr. | L. Eitner, 1983, pp. 22, 24, fig. 12 | E. Brugerolles, 1984, p. 241, n° 332, repr. | S. Laveissière, exp. Paris, 1991-1992, p. 346 sous le n° 60, p. 370 sous le n° 156, p. 397 sous le n° 263 | G. Bazin, 1992, V, pp. 38, 171, n° 1541, repr., et pp. 117, 299, n° 1885, repr.

Expositions

Paris, Hôtel Jean Charpentier, 1924, n° 271 | Paris, Bibliothèque nationale, 1927, n° 49 bis | Paris, Ensba, 1934, n° 96 | Beyrouth, 1948 | New York, Pierpont Morgan Library, San Diego, Museum of Art, Houston, Museum of Fine Arts, 1985-1986, n° 3, repr., et p. 193 | Beaune, Musée Marey, 1991, n° 9, et p. 69, repr. | Mexico, Centro cultural arte contemporeano, 1994, n°s 49 et 49A, repr., et p. 242 | Vancouver, Morris and Helen Belkin Art Gallery, 1997, n° 47, repr.

verso

Ce dessin à la sépia figurant un mameluk, sabre au clair, pourrait être une première pensée pour un tableau, voire une estampe. Le soldat oriental, dont le cheval s'avance dans la mer, semble s'apprêter à affronter un autre cavalier qui vient du fond à gauche. La feuille porte au verso un croquis d'homme coiffé d'un tricorne, qui rappelle étrangement Napoléon.

Les carnets de Géricault, notamment celui qui se trouve à présent à l'Art Institute de Chicago, contiennent diverses études de mameluks enturbannés et splendidement costumés. Pour Géricault, qui affichait des sympathies libérales sous la Restauration, ces images relevaient tout à la fois de la propagande politique et d'un exotisme romantique teinté de nostalgie. N.A.-K.

*D.87 Ugolin assis

Pierre noire, plume, encre brune et lavis brun | H. 0,319 ; L. 0,256 | Au verso, inscriptions au crayon : *Gericault partie de 552* | Contrecollé | manque de la partie gauche de la feuille | Large tache brune sur la partie droite | Filigrane : lettres *P. M.*

Provenance

E. Desperet, sans marque, vente après décès, Paris, Hôtel des Commissaires-Priseurs, 7-10 juin 1865, lot n° 552 | A. Armand puis Pr. Valton | don de Mme Valton à l'Ensba en 1908 | Inv. E.B.A. n° 1004.

Bibliographie

R. Rey, n° 46, avril 1924, p. 261, repr. | Ch. Martine, 1928, n° 38, repr. | P. Courthion, 1947, repr. face p. 129 et p. 351, n° 11 | L. Johnson, juillet 1958, pp. 228-231, fig. 4 | F. Garnaud, décembre 1961, p. 47, repr. | E. Brugerolles, 1984, p. 298, n° 509, repr. | G. Bazin, 1990, IV, pp. 34, 188, n° 1335, repr.

Expositions

Paris, Ensba, 1934, n° 89, repr. | Zurich, Kunsthaus, 1937, n° 132, pl. VII | Buenos Aires, Museo Nacional de Bellas Artes, 1939, n° 237 | Vienne, Albertina, 1950, n° 159 | Vancouver, Morris and Helen Belkin Art Gallery, 1997, n° 52, repr.

Devant l'horreur et le désespoir qu'illustre *Le Radeau de la Méduse*, de nombreux critiques établirent des liens entre cette œuvre et l'histoire racontée par Dante du comte Ugolin qui voit ses enfants mourir de faim et, affamé lui-même, commet peut-être sur eux un acte de cannibalisme. Ils reconnurent même Ugolin – peint par Joshua Reynolds – dans la figure du « père » penché sur le corps de son fils mourant ou déjà mort, et située sur la gauche du radeau[1]. En dehors de ces problèmes d'identification de l'image de ce héros, les critiques ont clairement tenté de situer ce fait divers contemporain dans un contexte plus littéraire pour évoquer, peut-être, la question du cannibalisme. Mais il est difficile de penser que Géricault ait lui-même voulu introduire une référence si précise dans sa toile.

Vers 1817, le peintre a représenté *Ugolin et ses enfants en prison* dans un dessin au lavis et à l'huile très contrasté[2] ; le personnage figurant sur la feuille de l'Ensba, exécuté à la plume et au lavis, a toujours été traditionnellement considéré comme un *Ugolin*[3] : assis de profil, les cheveux en désordre, les yeux sombres enfoncés dans leur orbite et rongeant son pouce avec intensité, il semble tombé dans un état d'immense désespoir, voire même de folie ; il ne présente cependant aucun des éléments traditionnels – notamment la présence des fils – qui pourraient confirmer une telle identification. Le caractère spécifique du personnage et sa mise en page qui rappelle celle de l'illustration, suggère bien toutefois une référence ou même une citation précise. Alors Ugolin, *faute de mieux*[4].

Y a-t-il un lien entre cet homme désespéré – quel qu'il soit – et la figure du père du *Radeau de la Méduse* ? La relation n'est pas évidente ou du moins pas directement : les nombreuses études, aujourd'hui conservées, du père du *Radeau de la Méduse* représentent une figure plongée dans une sombre méditation, se lamentant, ou en partie absente, ce qui ne correspond pas à l'intensité quasi dramatique et à l'agitation du personnage de l'Ensba[5]. On peut cependant relever un désespoir plus profond dans certaines autres figures du *Radeau de la Méduse* comme celle, en particulier, de l'homme accroupi derrière le père dans l'ombre du mât[6]. Il n'est alors peut-être pas exclu que cet « *Ugolin* » torturé, vêtu d'une toge – costume d'époque ou légère référence à l'antique[7] – ait eu une place dans le projet du *Radeau de la Méduse* ou date d'une période légèrement antérieure ou postérieure, témoignant ainsi des préoccupations de l'artiste pour les désordres psychologiques de l'homme (voir à ce sujet *Les Portraits de fous*). R.S.

—

1. Cette question est évoquée par L. Eitner 1972, pp. 45 et 64 ; 1983, pp. 190-191 et 1991, pp. 259-260.
2. Musée Bonnat de Bayonne (G. Bazin, 1990, IV, pp. 187-188, n° 1334).
3. Bazin émet quelques doutes sur l'attribution de ce dessin à Géricault mais les arguments stylistiques sur lesquels il s'appuie ne semblent pas fondés (G. Bazin, 1990, IV, p. 34 et 188, n° 1335).
4. En français dans le texte (note du traducteur). Pour une analyse de ce thème chez Géricault, sans mention toutefois du dessin de l'Ensba (S. Symmons, octobre 1973, pp. 671-672).
5. L. Eitner, 1972, pp. 155-158, pl. 31-44 ; exp. Paris, 1991-1992, p. 156, ill. 255-256 ; Ph. Grunchec, exp. New York, San Diego, Houston, 1985-1986, pp. 145-149, n°s 75 à 77.
6. L. Eitner, 1972, p. 162, et exp. Los Angeles, Detroit, Philadelphie, 1971-1972, pp. 116-117, n° 75 et pl. 74.
7. Dans la série des dessins Fualdès, inspirée d'un événement contemporain et datée de 1818, Géricault a mêlé costumes contemporains et costumes à l'antique dans la même scène, par exemple dans *Le Cadavre de Fualdès porté dans l'Aveyron*, conservé au Musée des Beaux-Arts de Lille (exp. Paris, 1991-1992, p. 132, ill. 211).

88 La Traite des nègres

Pierre noire et sanguine sur papier brun | H. 0,306 ; L. 0,437 | Trace de pliure en diagonale | Petite lacune en bas à gauche | Quelques taches brunes sur l'ensemble de la feuille | Filigrane : lettres.

Provenance

Vraisemblablement F. M. Marcille, vente, Paris, Hôtel des Commissaires-Priseurs, 4 mars 1857, n° 79 | His de la Salle, marque en bas au centre (L. 1333) | don de ce dernier à l'Ensba en 1867 | Inv. E.B.A. n° 982.

Bibliographie

Cl. Vieilh de Boisjoslin, 1830, p. 1862 | de la Garenne, 1838, p. 299 | Ch. Blanc, 1865, III, pp. 10, 12 | A. Colin, 1866, pl. 3 | Ch. Clément, juillet 1866, p. 77 sous le n° 3 | Ch. Clément, mai 1867, p. 463, note 1, p. 470 et note 1, p. 480 | Ch. Clément, octobre 1867, p. 370, n° 146 | Ch. Clément, 1868 et 1879, pp. 161, 218, note 1, pp. 219, 232-233, note 1, pp. 261, 330, note 2, pp. 362-363, n° 159, p. 421 sous le n° 3 | A. Michel, avril 1884, p. 315 | E. Müntz, s.d. [1889], p. 171 | E. Müntz, janvier 1891, p. 52 | L. Rosenthal, 1900, p. 139, note 5 | L. Rosenthal, s.d. [1905], pp. 106, 136, 141, 147, repr. face p. 160 | L. Rosenthal, octobre 1905, p. 297, repr. et novembre 1905, pp. 356, 360, 362, 368 | A. Michel, s.d., pp. 57-58 | L. Rosenthal, avril 1924, pp. 233-234 | L. Rosenthal, juin 1924, p. 206 | R. Régamey, 1926, p. 51 | G. Oprescu, s.d. [1927], pp. 93, 159, 200-201 | Ch. Martine, 1928, n° 36, repr. | P. Lavallée, 1930, p. 226 | M. Gauthier, 1935, pl. 60 | F. Antal, janvier 1941, pp. 20-21, repr. | Kl. Berger, 1946, p. 33, n° 48, repr. | P. Courthion, 1947, repr. face pp. 320, 353, n° 22 | Kl. Berger, 1952 (1954, 1955), pp. 56, 77, n° 87, repr. | F. Daulte, 1953, p. xii, 12, 54, n° 12, repr. | G. Seligman, décembre 1953, p. 324 | P. Gaudibert, octobre 1954, pp. 97, 101 | D. Aimé-Azam, 1956, pp. 271, 281, 345 | F.H. Lem, janvier-juin 1962, pp. 28, 30-31, 32, 36-37, 40, fig. 5 | A. del Guercio, 1963, pp. 86-87, 151, fig. 91 | V. Prokofiev, 1963, p. 203, repr. | G. Testori, janvier 1963, p. 58 | F. Antal, 1966, p. 43, pl. 32b | M. Sérullaz, 1966, n° 44, repr. | R. Jullian, 1966, p. 901 | Kl. Berger, 1968, pp. 9, 66, 144, fig. 102, pp. 146, 189 | Kl. Berger et D. Chalmers Johnson, 1969, fig. 24 | D. Aimé-Azam, 1970, pp. 292, 303, 366 | L. Eitner, 1973, p. 469, n° 159 | K. Clark, 1973, p. 193, fig. 146, pp. 195-196 | R. Huyghe, 1976, pp. 178, 180, fig. 196 | M. Le Pesant, 1976, pp. 76, 79, fig. 7 | Br. Foucart, octobre 1978, p. 47, fig. 13 | L. Eitner, mars 1980, p. 222 |S. Holsten, exp. Hambourg, 1980-1981, pp. 355-356, fig. 179 | D.A. Rosenthal, juin 1982, pp. 13-14 | L. Eitner, 1983, p. 272, fig. 220, pp. 274-276, 360, notes 151 et 163 | Fr. Haskell, 1983, p. 743 | Chr. Sells, 1985, p. 214, note 4 | Ph. Grunchec, exp. New York, San Diego, Houston, 1985-1986, pp. 12-13, 107 sous le n° 48 | L. Eitner, janvier 1986, p. 59 | Chr. Sells, août 1986, pp. 563-567, fig. 16 | H.A. Lüthy, Winter 1986, pp. 564-565 | M. Jeune, exp. Kamakura, Kyoto, Fukuoka, 1987-1988, pp. 174-175, sous le n° D-42 | H. Honour, 1989, pp. 125-127, fig. 70 | A. Boime, 1990, p. 51, fig. 3 et 4 | N. Athanassoglou-Kallmyer, 1990, p. 238 | L. Eitner, 1991, pp. 380, 382-385, fig. 168, pp. 438-439, notes 151 et 163 | R. Fohr, octobre 1991, pp. 68-69, repr. | R. Michel, décembre 1991, pp. 8, 10 | R. Michel, exp. Paris, 1991-1992, pp. 236-242, ill. 375, et S. Laveissière, p. 404 sous les n°s 296 et 297 | R. Michel, 1992, pp. 115-117, repr., p. 171, n°s 116 et 117hg | L. Nochlin, Winter 1994, p. 55 | Th. Crow, 1995, pp. 294-295, fig. 200 | L. Eitner, 1996, p. 354 | R. Michel, 1996, I, pp. 13-14, 32, note 95, et II, p. 626, fig. 269, p. 628, fig. 275 à 277 | M. Marrinan, 1996, I, p. 62 | L. Nochlin, 1996, I, p. 413, et II, p. 626, fig. 269 | J. de Caso, 1996, II, pp. 537-538 | A. Boime, 1996, II, pp. 561-593, 626, fig. 269, p. 628, fig. 275 à 277 | J. Sagne, 1996, II, pp. 601, 607, 613, 616 note 10, p. 626, fig. 269 | M. Guédron, 1997, p. 130 | G. Bazin, 1997, VII, p. 59, 265-266, n° 2669, repr. | S. Guibaut, exp. Vancouver, 1997, p. 12 | M. Ryan, exp. Vancouver, 1997, pp. 18, 20-24, fig. 4, pp. 30, 40-42, 43, note 5 | Br. Chenique, exp. Vancouver, 1997, pp. 69 et 88, note 102 | N. Athanassoglou-Kallmyer, exp. Vancouver, 1997, p. 143.

Expositions

Paris, Hôtel Jean Charpentier, 1924, n° 291 | Paris, Ensba, 1934, n° 112 | Paris, Bibliothèque nationale de France, 1948, n° 257 | Winthertur, Kunstmuseum, 1953, n° 222 | Los Angeles, County Museum of Art, Detroit, Institute of Art, Philadelphie, Museum of Art, 1971-1972, n° 120, repr., et p. 185 | Paris, Grand Palais, 1976-1977, n° 313a, repr. | Rome, Villa Medicis, 1979-1980, n° 62, repr. | New York, Pierpont Morgan Library, San Diego, Museum of Art, Houston, Museum of Fine Arts, 1985-1986, n° 60, repr., et p. 199 | Paris, Grand Palais, 1991-1992, n° 302, ill. 375 | Paris, Ensba, 1992, sans n° | Mexico, Centro cultural arte contemporeano, 1994, n° 52, repr., et p. 242 | Vancouver, Morris and Helen Belkin Art Gallery, 1997, n° 56, repr.

L'ouvrage d'Alexandre Corréard et de J.-B. Henri Savigny *Naufrage de la frégate la Méduse*, publié pour la première fois en novembre 1817 et suivi d'une deuxième édition plus complète fin février 1818[1], fut une source importante pour Géricault. Selon son premier biographe Batissier, l'artiste à son retour d'Italie à la fin de l'année 1817, « songea bientôt à exécuter une grande page qui devait asseoir sa réputation de peintre sur une base inébranlable[2] ». Le livre contient une quantité considérable d'informations matérielles très précises pour le projet du *Radeau de la Méduse* et certains thèmes et récits qui y sont évoqués semblent aussi l'avoir inspiré pour les *Portraits des fous*[3] et *La Traite des nègres* en particulier.

Les hypothèses les plus convaincantes aujourd'hui retenues sur la datation et le thème de *La Traite des nègres* permettent de situer ce dessin autour de 1820, date que confirment certains rapprochements avec des œuvres réalisées par Géricault entre les années 1817 et 1820. Au cours de cette période, l'artiste entre en contact avec les cercles politiques d'opposition et son œuvre témoigne de ses préoccupations libérales. Le milieu de l'année 1820 est marqué en particulier par une vive polémique sur le commerce des esclaves, à laquelle Corréard – avec qui Géricault est apparement en relation – prend part lui-même comme pamphlétaire et imprimeur de tracts abolitionnistes[4]. Le récit de Corréard et Savigny, *Naufrage de la frégate de la Méduse*, illustre ainsi quelques-uns des aspects du thème de l'esclavage développés dans l'opinion publique à l'époque. Une partie importante de l'ouvrage relate les efforts de deux survivants après le naufrage de la *Méduse* qui, une fois parvenus à terre grâce à l'un des rares canots de sauvetage, ont ensuite parcouru le désert accompagnés de guides mauresques avant d'arriver en lieu sûr au Sénégal. Dans un petit village, ils entendent le récit d'une femme du pays : « Cette bonne négresse avait été faite esclave par les Maures qui l'avaient arrachée des bras de sa mère ; aussi elle les détestait et les nommait les brigands du désert... nous vîmes dans cette triste journée des familles entières qui furent enlevées, et nous fûmes tous conduits à cet horrible marché de Saint-Louis où les Blancs exercent l'exécrable métier de marchands d'hommes. Le sort voulut bien me favoriser, et m'éviter d'aller chercher la mort en Amérique[5]... »

Sur le dessin de Géricault, les propriétaires d'esclaves ressemblent plutôt à des Européens blancs que des « Maures », tandis que le lieu de l'action, un village ou un marché, n'est pas représenté. La scène prend place dans un arc de cercle au premier plan de la composition, autour duquel s'articulent les différents moments-clés du drame : à droite, un homme réconforte un de ses camarades d'infortune ; au centre, un autre homme, les mains liées derrière le dos est sur le point d'être roué de coups, tandis qu'à gauche une femme – la sœur, la fille ou la femme de l'infortuné – lève le bras pour tenter de suspendre le coup. La composition soigneusement organisée par séquences successives – la scène principale au centre avec, de part et d'autre, les moments qui la précèdent ou lui succèdent immédiatement – témoigne des anciennes préoccupations du peintre pour la narration visuelle de l'image[6].

Comme l'a fait remarquer L. Eitner, la source de *La Traite des nègres* est très certainement l'une des estampes réalisée d'après une peinture *La Traite des esclaves* exécutée autour de 1789 par l'artiste anglais George Morland et très largement diffusée. À gauche de ce tableau, un homme noir suppliant est d'un côté retenu par un propriétaire d'esclaves et de l'autre s'apprête à recevoir une volée de coups ; au même moment à droite une femme et son enfant, vraisemblablement les siens, sont courtoisement invités à monter sur un bateau[7]. Image sentimentale et anecdotique que ce chien frisotté et ces gentlemen propriétaires d'esclaves, sans rien de l'extrême brutalité du drame dépeint par Géricault. L. Eitner relève très justement l'intérêt de l'artiste pour une scène épurée, plus monumentale, s'appuyant dans cet esprit sur des « sources classiques » comme *Le Massacre des Innocents* gravé par Marc-Antoine Raimondi d'après Raphaël. Mais *La Traite des nègres* est avant tout proche du *Marché aux bœufs* (Fogg Art Museum, Cambridge) – peint par l'artiste en 1817 ou au tout début 1818[8]. Comme dans *Le Marché aux bœufs*, Géricault dispose ses personnages en frise, même si la mise en page paraît moins dense et serrée. On y retrouve également la figure de l'homme à la trique ainsi que la disposition en deux groupes de la scène : celui des tortionnaires brutaux et impassibles (les bouchers, les propriétaires d'esclaves) et celui des victimes sans ressources (le bétail, les esclaves). *La Traite des nègres* s'en distingue toutefois par son absence de sauvagerie et de lutte : sur le point d'être frappé, l'attitude de l'homme noir rappelle par sa monumentalité contorsionnée celle de l'un des *Esclaves* de Michel-Ange.

Par analogie, l'artiste semble rapprocher à travers cette œuvre la traite des nègres du commerce et de l'abattage du bétail, où des bêtes stupides sont plus humaines que les humains : on passe ici du pathétique au grotesque et par son abstraction, la scène glisse au clacissisme et à l'Antiquité. Les figures, les attitudes et la composition du dessin sont proches de celles de nombreuses aquarelles et lithographies exécutées par Géricault, représentant des marchés aux chevaux et des scènes d'écurie ou des études liées au projet de *La Course de chevaux libres*, daté de 1817[9].

La tension qui domine le centre du dessin, l'action éternellement suspendue et menaçante, et l'instant précédant le coup, tout ceci permet de resituer cette scène de violence dans l'ensemble de l'œuvre de l'artiste[10]. R.S.

—

1. A. Corréard et J.B.H. Savigny, 1817, 1818, etc., réédité en 1969. Pour les différentes éditions, voir G. Bazin, 1994, VI, pp. 89-91.
2. L. Batissier [1841], dans P. Courthion, 1947, p. 42.
3. Les commentaires et les descriptions de la folie sont des éléments essentiels du texte, puisqu'elle est reconnue comme responsable des comportements « non-civilisés » – meurtre, cannibalisme – ayant régné sur le radeau. Peu après le drame, Savigny rédige d'ailleurs une thèse sur le sujet pour l'obtention de son diplôme à la Faculté de Médecine de Paris (J.B.H. Savigny, 1818).
4. Les discussions récentes les plus importantes sur le sujet et la date de *La Traite des nègres* sont les suivantes : L. Eitner, 1983, pp. 275-277 et 1991, pp. 382-386 ; Chr. Sells, août 1986, pp. 563-564 ; R. Michel, décembre 1991, pp. 8-11 ; A. Boime, 1996, II, pp. 561-593, et **cat. pp. 131-135**.
5. A. Corréard et J.B.H. Savigny, ed. 1969, p. 154.
6. Voir **cat. E.7**, et surtout H. Zerner, 1997, pp. 47-66.
7. L. Eitner, 1983, p. 273, fig. 221, pp. 275-276, et 1991, pp. 384-385.
8. L. Eitner, 1983, pp. 139-142 et 305, pl. 24 et 1991, pp. 182-188, fig. 94.
9. L'homme à la trique à droite, à l'arrière-plan de *La Traite des nègres* correspond de manière quasi identique au garçon-palefrenier de l'aquarelle *Chevaux se battant dans un corral* (Cleveland Museum of Art) réalisée entre 1818 et 1820 et à celui de la lithographie *Deux chevaux gris-pommelé se battant dans une écurie* réalisée en 1818 (exp. Paris, 1991-1992, p. 224, ill. 353 p. 393, n° 248). On peut encore rapprocher *La Traite des nègres* de toutes les études réalisées en relation avec le projet de *La Course de chevaux libres*. (Ph. Grunchec, 1982, pp. 54-57).
10. Sur la scène de violence de *La Traite des nègres* et d'autres thèmes en rapport, voir R. Michel, 1996, I, pp. 1-37

.89 Portrait équestre d'un jeune homme

Mine de plomb, lavis brun et d'encre de Chine sur papier brun | H. 0,256 ; L. 0,233 | Inscriptions en bas à gauche au crayon noir : *Gericault*, et à droite à la plume, encre brune : *Gericault* | Papier insolé.

Provenance

His de la Salle, marque en bas à gauche (L.1333) | don de ce dernier à l'Ensba en 1867 | Inv. E.B.A. n° 996.

Bibliographie

Ch. Clément, octobre 1867, p. 356, n° 22 | Ch. Clément, 1868 et 1879, p. 330, n° 21 et note 2 | E. Müntz, s.d. [1889], p. 156, n° 32 | E. Müntz, janvier 1891, p. 52 | Ch. Martine, 1928, n° 29, repr. | M. Sérullaz, 1966, n° 43, repr. | Eitner, 1973, p. 461, n° 21 | L. Eitner, 1983, pp. 15, 323, note 27 | Ph. Grunchec, exp. New York, San Diego, Houston, 1985-1986, p. 157 sous le n° 82, fig. 82b | L. Eitner, 1991, pp. 20, 411, note 27 | G. Bazin, 1997, VII, pp. 21-22, 111-112, n° 2247, repr.

Expositions

Paris, Hôtel Jean Charpentier, 1924, n° 252 | Paris, Ensba, 1934, n° 64.

Clément date ce dessin – qu'il décrit comme un « Portrait équestre d'un jeune homme » qui « monte un cheval à courte queue et sellé à l'anglaise[1] » – des années 1810-1812, en raison des liens que Géricault noua au début de sa carrière avec le peintre de chevaux Carle Vernet ; il appartient plus vraisemblablement au groupe de la période anglaise représentant des scènes élégantes d'équitation et réalisées en 1821, comme *Cavaliers et amazones* du Musée Bonnat de Bayonne[2]. Pour des raisons à la fois stylistiques et thématiques, Ph. Grunchec a rapproché cette feuille de l'aquarelle *Amazone sur un cheval gris pommelé* du Musée Boymans van Beuningen de Rotterdam[3]. Cette figure de bourgeois élégant, impassible, soigneusement coiffé et vêtu sur son cheval cabré permet à Géricault de redéfinir dans un format plus approprié au nouvel héroïsme de la vie moderne, sa grande toile épique du *Chasseur de la Garde* (1812, Musée du Louvre, Paris) et ainsi – au-delà de cette œuvre – toute la tradition post-révolutionnaire du portrait équestre à la manière héroïque dont le *Bonaparte franchissant les Alpes au Grand-Saint-Bernard* (1801) demeure le meilleur exemple. Il n'est pas très difficile non plus de reconnaître dans ce *Portrait équestre d'un jeune homme* le dandy baudelairien avec « cette légèreté d'allure, cette certitude de manières, cette simplicité dans l'air de domination, cette façon de porter un habit et de diriger un cheval, ces attitudes calmes mais révélant la force[4] ».

Par ailleurs, l'absence de modelé du cheval et du cavalier ainsi que, comme cela a déjà été souligné, « une certaine géométrisation des formes[5] » permettent de rapprocher ce dessin du *Cavalier à cheval* conservé au Musée des Beaux-Arts de Rouen[6]. Clément situe de manière erronnée cette dernière œuvre dans le cadre du projet de *La Course de chevaux libres* de 1817, indiquant que « le cheval rappelle par son style les bas-reliefs antiques[7] ». Mais l'activité de Géricault pendant la période anglaise est alors essentiellement consacrée à la lithographie, et le *Portrait équestre d'un jeune homme* comme le *Cavalier à cheval* peuvent être rapprochés du *Cheval de carrosse* (**cat. E.37**) ou des *Horses Exercising* (**cat. E.33**) de la suite anglaise, comme de nouvelles sources des bas-reliefs d'une antiquité moderne. R.S.

—

1. Ch. Clément, 1879, p. 330.
2. Deux des dessins du Musée Bonnat de Bayonne sont reproduits dans Ph. Grunchec, 1982, p. 104.
3. Ph. Grunchec, exp. New York, San Diego, Houston, 1985-1986, p. 156, n° 82 ; exp. Paris, 1991-1992, p. 227, ill. 357, pp. 394-395, n° 256.
4. Ch. Baudelaire, éd. 1976.
5. Noté par Ph. Grunchec, 1982, p. 105, à propos du *Cavaliers et amazones* de l'Ensba, comme d'autres œuvres de cette période.
6. Ph. Grunchec, 1982, p. 106 ; Fr. Bergot, exp. Rouen, 1981-1982, pp. 64-65.
7. Ch. Clément, 1879, p. 342.

*D.90 Physionomies londoniennes

Mine de plomb | H. 0,223 ; L. 0,287 | Verso : *Physionomies londoniennes*, à la mine de plomb | Quelques taches brunes sur l'ensemble de la feuille | Traces d'anciens encadrements.

Provenance

A. Armand puis Pr. Valton | don de Mme Valton à l'Ensba en 1908 | Inv. E.B.A. n° 1007.

Bibliographie

Kl. Berger, 1952 (1953, 1955), pp. 53, 73, n° 64, repr. | L. Eitner, 1960, p. 29 sous le folio 29 | F.H. Lem, janvier-juin 1962, p. 28 | Kl. Berger, 1968, p. 100, n° 68, 180 | Kl. Berger et D. Chalmers Johnson, Spring 1969, fig. 16 | R. Huyghe, 1976, p. 133, fig. 144 | E. Brugerolles, 1984, pp. 15, 248, n° 355, repr. | G. Bazin, 1987, I, p. 54, fig. 24, p. 213, fig. 154 | R. Michel, exp. Paris, 1991-1992, pp. 202, 213, ill. 339 | L. Eitner, janvier 1992, p. 51, note 2 (Charlet) | G. Bazin, 1997, VII, pp. 20, 109-110, n°s 2242 et 2243, repr. | S. Guibaut, exp. Vancouver, 1997, p. 225 sous le n° 68.

Expositions

Paris, Hôtel Jean Charpentier, 1924, n° 140 | Paris, Ensba, 1934, n° 104 | Paris, Ensba, Malibu, J. Paul Getty Museum, Hambourg, Kunsthalle, 1981-1982, n° 114, repr. | Paris, Grand Palais, 1991-1992, n° 223, ill. 339 | Vancouver, Morris and Helen Belkin Art Gallery, 1997, n° 67, repr.

Selon Kl. Berger, cette feuille où se mêle en rang serré des têtes de « caractère » et de « caricature » « rend presque irréfutable l'hypothèse selon laquelle Géricault a dû voir le bulletin de souscription pour la série d'estampes de Hogarth : *Mariage à la mode*, de 1748[1] ». Si cette hypothèse est fort probable, on ne peut toutefois réduire l'inspiration de ce dessin à une seule source. Tout d'abord, les recherches de Géricault dans le domaine de la caricature ont débuté bien avant la période anglaise[2]. Ensuite, la mise en page des têtes en groupes serrés sur une même feuille apparaît déjà vers 1815, dans les études d'après l'antique du Carnet Zoubaloff (Musée du Louvre) par exemple, qui témoignent d'une partie des exercices que Géricault s'est lui-même imposé suivant la tradition classique lors de son apprentissage[3]. Ces séries de têtes correspondent peut-être à une démarche similaire d'autodidacte où l'artiste étudie des têtes contemporaines saisies sur le vif dans les rues de Londres ou d'après des gravures très largement diffusées et déjà bien largement ancrées dans la tradition anglaise représentée par Hogarth et d'autres.

Si la rangée de têtes orientales situées dans la partie supérieure du dessin ne peut être rattachée à aucun modèle anglais précis ou typique, le reste des croquis rassemble une grande variété de professions, de classes, d'expressions, de personnalités et de costumes londoniens. Le personnage à la pipe, vu successivement de face et de profil au recto et au verso de la feuille, est à rapprocher de la femme, un panier posé sur la tête, située au premier plan droit du *Marchand de poissons endormi*, mais il est difficile de dire si ce croquis a précédé ou suivi la lithographie. Au verso de la feuille apparaissent deux profils considérés comme des autoportraits de Géricault : celui de la partie supérieure montre l'artiste barbu, un mouchoir noué sur sa tête, tel qu'il était lorsqu'il peignit *Le Radeau de la Méduse* ; dans la partie inférieure, il est représenté rasé, coiffé, portant un haut col, métamorphosé ainsi en dandy parisien, tandis que son œil grand-ouvert et sa mèche de cheveux décoiffée par le vent lui confèrent une allure légèrement tourmentée[4]. R.S.

—

1. Kl. Berger, 1968, p. 180, n° 68.
2. Voir les feuilles de caricatures de l'Album de Chicago, daté de 1818 environ (exp. Paris, 1991-1992, pp. 114-115, ill. 183 et 185 ; pp. 364-365, n°s 131 et 132 ; G. Bazin, 1992, V, pp. 290-292, n°s 1859, 1860, 1863, 1864 et 1865).
3. Exp. Paris, 1991-1992, p. 3, ill. 2 et pp. 329-331, n° 9 ; G. Bazin, 1987, II, pp. 392-394, n°s 202, 204 et 208.
4. Exp. Paris, 1991-1992, p. 167, ill. 273 et 274 ; p. 252, ill. 384, p. 367, n° 143, p. 380, n°s 192 et 193.

D.91 Types londoniens

Mine de plomb | H. 0,224 ; L. 0,158 | Verso : *Cheval tirant un chariot chargé de tonneaux,* à la mine de plomb | en bas à droite, composition sur le même sujet, à la mine de plomb | Annotation en haut à droite au crayon : *425* | Contremarque : lettres et chiffres coupés : *J WHA/TURKE/18.*

Provenance

A. Armand puis Pr. Valton | don de Mme Valton à l'Ensba en 1908 | Inv. E.B.A. n° 998.

Bibliographie

E. Brugerolles, 1984, p. 249, n° 358, repr. | G. Bazin, 1997, VII, pp. 13, 19, 82, n° 2165, repr., et p. 103, n° 2225, repr.

Expositions

Paris, Hôtel Jean Charpentier, 1924, n° 141 | Paris, Ensba, 1934, n° 103 | Vancouver, Morris and Helen Belkin Art Gallery, 1997, n° 66, repr.

Deux hommes sont attentivement observés dans un moment de tranquillité. Comme à son habitude, qu'il s'agisse de l'uniforme ou du vêtement du travailleur, Géricault se montre particulièrement attentif aux détails du costume – aux chapeaux et couvre-chefs en particulier – ainsi qu'au sens général de la composition. Les personnages rappellent les *Paysans romains* (**cat. D.72**), bien que dans la ville de Londres, ce type de scène quotidienne revête un caractère plus industriel et urbain. R.S.

verso

*D.92 Études de singes et d'une tête de lion

Mine de plomb | H. 0,219 ; L. 0,157 | Papier jauni.

Provenance

A. Armand puis Pr. Valton | don de Mme Valton à l'Ensba en 1908 | Inv. E.B.A. n° 1001.

Bibliographie

Ch. Martine, 1928, n° 30 | A. del Guercio, 1963, p. 148, n° 68, repr. | Kl. Berger, 1968, n° 40 | E. Brugerolles, exp. Paris, Malibu, Hambourg, 1981-1982, p. 224 sous le n° 110 | E. Brugerolles, 1984, p. 245 sous le n° 346, p. 247, n° 354, repr. | Ph. Grunchec, exp. New York, San Diego, Houston, 1985-1986, p. 173 sous le n° 93.

Expositions

Paris, Ensba, 1934, n° 97 | Vancouver, Morris and Helen Belkin Art Gallery, 1997, n° 68, repr.

Tout au long de sa carrière, Géricault a réalisé des études d'animaux – de chevaux, en particulier – saisis sur le vif et en plein mouvement. Cette feuille où figurent associés deux animaux plutôt exotiques, un singe et un lion, laisse supposer qu'elle fut réalisée au zoo, vraisemblablement celui de Londres ; rapidement esquissée d'après nature, elle correspond parfaitement à la technique utilisée par Géricault pendant son séjour en Angleterre[1]. C'est aussi au cours de cette période, et peu après, que le lion devient une figure emblématique dans son œuvre (**cat. E.41, E.65 et E.97**). R.S.

—

1. L. Eitner, 1983, p. 352, note 97.

*D.93 Factionnaire et Life-Guard

Mine de plomb | H. 0,280 ; L. 0,208 | En haut à droite, annotation à la mine de plomb : *8* | Taches brunes sur l'ensemble de la feuille | Contrecollé.

Provenance

Coll. Bender (selon une annotation manuscrite au dos du montage) | A. Armand puis Pr. Valton | don de Mme Valton à l'Ensba en 1908 | Inv. E.B.A. n° 990.

Bibliographie

E. Brugerolles, 1984, pp. 15, 248-249, n° 357, repr. | G. Bazin, 1997, VII, pp. 19, 108, n° 2239, repr.

Expositions

Paris, Hôtel Jean Charpentier, 1924, n° 146 | Paris, Ensba, 1934, n° 105 | Zurich, Kunsthaus, 1937, n° 135.

Voir **cat. D.94**.

.94 Officier de Life-Guard ; étude de mameluk à cheval

verso

Sanguine pour l'officier, mine de plomb pour le mameluk | H. 0,302 ; L. 0,229 | Verso : *Figure de mameluk à cheval*, à la mine de plomb.

Provenance

Anc. Coll. Binder (selon une inscription manuscrite sur l'ancien montage) | A. Armand puis Pr. Valton | don de Mme Valton à l'Ensba en 1908 | Inv. E.B.A. n° 989.

Bibliographie

Ph. Grunchec, 1982, pp. 96-97, repr. | E. Brugerolles, 1984, pp. 15, 242, n° 335, repr. | L. Eitner, janvier 1986, p. 59 | G. Bazin, 1989, III, pp. 55, 188-189, n° 831, repr. et 1997, VII, pp. 55, 258-259, nos 2649 et 2649 bis, repr.

Expositions

Paris, Ensba, 1934, n° 107 | New York, Pierpont Morgan Library, San Diego, Museum of Art, Houston, Museum of Fine Arts, 1985-1986, n° 86, repr., et p. 202.

Ce dessin et le précédent peuvent être rapprochés de *A Party of Life-Guards*, lithographie de la suite anglaise, datée du 1er février 1821 (**cat. E.26**) : l' *Officier de Life-Guard*, au trait libre et élégant, et sa réplique vue de dos dans le *Factionnaire et Life-Guard* sont peut-être des études pour – ou d'après – le cavalier gravé à la droite de la lithographie. Par ailleurs, la position de sa jambe gauche posée légèrement en avant et l'allure raide, figée et bien campée du factionnaire, que souligne son mousquet, sont empruntées – pour une nouvelle réinterprétation – à la figure du garde suisse surpris de la lithographie *Le Factionnaire suisse au Louvre* (**cat. E.12**), réalisée à Paris en 1819.

Les militaires figurant sur les planches de la suite anglaise et sur ces deux feuilles sont très différents des vétérans épuisés et mutilés des armées napoléoniennes qui animaient les compositions lithographiées et dessinées par Géricault quelques années auparavant (**cat. D.85, E.8, E.10** et **E.11**). Ils refusent les drames et les polémiques du bonapartisme et sont décrits par N. Bryson comme les acteurs de « la virilité défaite et blessée » des images guerrières peintes et dessinées de l'artiste, et « des êtres blindés dans leur armure, dont les corps vulnérables, enfermés sous des épaisseurs protectrices (bottes, gantelets, casque et cape) » révèlent des signes d' « instabilité », de « fatigue » et d'« épuisement »[1]. Ils sont baudelairiens, héros de la mode et du dandysme, vêtus d'« étincelants costumes », dotés d'un « mélange singulier de placidité et d'audace », d'« une désinvolture agile et gaie », en somme, d'une « beauté particulière »[2]. R.S.

Le verso représentant un mameluk sur son cheval au galop appartient au groupe thématique des dessins de cavaliers orientaux, dont fait partie également le dessin à la sépia *Mameluk au bord de la mer* (**cat. D.86**). Il pourrait d'ailleurs se rattacher à un même projet. La figure n'est pas sans rappeler également le cavalier représenté en sens inverse dans un dessin du *Giaour* (v. 1823) à la mine de plomb et aquarelle, actuellement dans une collection particulière de Winterthur[3]. N.A.-K.

—

1. N. Bryson, 1994, pp. 239-244.
2. Ch. Baudelaire, ed. 1976, pp. 707-709.
3. Ph. Grunchec, 1982, pp.138-139.

*D.95 Le Joueur de cornemuse

Mine de plomb et lavis d'encre de Chine | H. 0,219 ; L. 0,152 | Verso : *Cavaliers et amazones,* à la mine de plomb | Inscriptions à la mine de plomb en haut à gauche : *20* [barré], et en bas à droite : *37-28* | Usure dans la partie supérieure de la feuille.

Provenance

A. Armand puis Pr. Valton | don de Mme Valton à l'Ensba en 1908 | Inv. E.B.A. n° 1005.

Bibliographie

Ch. Martine, 1928, n°s 25 et 44, repr. | Kl. Berger, 1946, p. 31, n° 40, repr. | L. Eitner, exp. Los Angeles, Detroit, Philadelphie, 1971-1972, p. 140 sous le n° 96 | Ph. Grunchec, exp. Rome, 1979-1980, p. 317 sous le n° 93 | Fr. Bergot, exp. Rouen, 1981-1982, p. 55 sous le n° 26 | Ph. Grunchec, 1982, p. 105, repr. | L. Eitner, 1983, pp. 225, 229, 351-352, notes 66 et 79 | E. Brugerolles, 1984, pp. 15, 248, n° 356, repr. | Ph. Grunchec, exp. New York, San Diego, Houston, 1985-1986, p. 157 sous le n° 82, p. 173 sous le n° 94, fig. 94b | Fr. Bergot, exp. Kamakura, Kyoto, Fukuoka, 1987-1988, p. 202 sous le n° E-26 | C. Fox, mars 1988, pp. 65-66, repr. | R. Michel, exp. Paris, 1991-1992, pp. 202, 206, ill. 328 | G. Bazin, 1997, VII, pp. 17, 97, n° 2207, repr., et pp. 28, 130, n° 2293, repr.

Expositions

Paris, Hôtel Jean Charpentier, 1924, n° 150 | Paris, Ensba, 1934, n° 108 | Los Angeles, County Museum of Art, Detroit, Institute of Art, Philadelphie, Museum of Art, 1971-1972, n° 96 | Rome, Villa Médicis, 1979-1980, n° 60, repr. | Rouen, Musée des Beaux-Arts, 1981-1982, n° 26 bis, repr. | Paris, Grand Palais, 1991-1992, n° 219, ill. 328 | Paris, Ensba, 1992, sans n° | Mexico, Centro cultural arte contemporeano, 1994, n°s 56 et 56 A, repr., et p. 242 | Vancouver, Morris and Helen Belkin Art Gallery, 1997, n° 71, repr.

Cette feuille, par son recto et son verso, est une étude particulièrement saisissante des différentes classes sociales. Au recto, figure en effet un musicien ambulant, pauvre et aveugle qui peut être rapproché d'une des lithographies de la suite anglaise, *The Piper* (**cat. E.24**). Toute la mélancolie et l'aspect granuleux et charbonneux de l'estampe sont déjà contenus dans ce dessin où le joueur de cornemuse apparaît toutefois isolé dans l'angle d'un espace vague et indéfini, complètement seul, sans le chien qui donne à la planche tout son aspect pathétique. Le contraste avec le verso ne peut pas être plus saisissant et brutal : des jeunes femmes et des jeunes gens à cheval, élégamment vêtus, profitent de leur loisir et goûtent le plaisir d'être ensemble. Exécutée très finement à la mine de plomb, cette composition à caractère mondain, pleine d'élégance et de mouvement, demeure séparée ou correspond peut-être simplement à l'autre côté d'une scène de misère et de dur labeur. R.S.

verso

D.96 Les Charbonniers

Mine de plomb sur papier brun | H. 0,293 ; L. 0,401 | En bas à droite, le chiffre *125* à la mine de plomb | en haut à gauche *COR*... à la mine de plomb | Traces d'anciens encadrements.

Provenance

A. Armand puis Pr. Valton | don de Mme Valton à l'Ensba en 1908 | Inv. E.B.A. n° 997.

Bibliographie

Ch. Martine, 1928, n° 33, repr. | A del Guercio, 1963, p. 150, n° 79, repr. | A del Guercio, 1964, [p.5], fig. 4 | Ph. Grunchec, exp. Rome, 1979-1980, p. 359 sous le n° 155 | Fr. Bergot, exp. Rouen, 1981-1982, pp. 100-101 sous le n° 89 | Ph. Grunchec, 1982, pp. 112-113, repr. | E. Brugerolles, 1984, pp. 15, 249, n° 359, repr. | G. Bazin, 1997, VII, pp. 13, 80, n° 2161, repr.

Expositions

Paris, Hôtel Jean Charpentier, 1924, n° 222 | Paris, Ensba, 1934, n° 110, repr. | Vienne, Albertina, 1950, n° 165 | Londres, The Arts Council Gallery, 1952, n° 78, pl. XIV | Washington, National Gallery of Art, Cleveland, Museum of Art, Saint-Louis, City Art Museum, New York, Metropolitan Museum, 1952-1953, n° 124 | Prague, Narodni Galerie, 1956, n° 9 | Rome, Villa Médicis, 1979-1980, n° 59, repr. | Rouen, Musée des Beaux-Arts, 1981-1982, n° 89bis, repr. | Paris, Ensba, 1992, sans n° | Mexico, Centro cultural arte contemporeano, 1994, n° 54, repr., et p. 242 | Vancouver, Morris and Helen Belkin Art Gallery, 1997, n° 90, repr.

Au début du XIXe siècle, l'éboueur est un personnage quotidien des rues de Londres, que l'on l'aperçoit en bottes, haut-de-chausses et chemise, la tête couverte d'un chapeau à queue caractéristique, occupé à pelleter et charger, sur sa haute carriole tirée par un cheval, les cendres, scories et autres espèces de détritus ménagers. On peut rapprocher *Les Charbonniers* des figures de l'éboueur, du cheval et de la carriole qui apparaissent à l'arrière-plan droit de *Pity the Sorrows*... (**cat. E.25**) de la suite anglaise, ainsi que des *Boueux* (**cat. E.86**) de la série *Quatre sujets divers* publiée à Paris en 1823, et indirectement, de toute scène dessinée ou gravée illustrant des hommes de peine, des chariots et des chevaux[1]. La représentation des classes laborieuses londoniennes était par ailleurs largement diffusée par les gravures contemporaines et les livres illustrés « cataloguant les vêtements et uniformes propres à diverses professions, des pairs du royaume, évêques et échevins aux brasseurs, rémouleurs et musiciens des rues[2] ». De manière évidente, Géricault tire ce réalisme non seulement d'une observation directe du réel, mais aussi de l'étude de sources imprimées très répandues qu'une grande partie de son éventuel public pouvait aisément identifier.

Les Charbonniers met en scène, en les juxtaposant, la force de l'homme et du cheval au travail, le caractère impassible et résolu de leur attitude. L'intérêt de Géricault oscille cependant par ce rapprochement des deux figures et cet anonymat réducteur entre le respect, l'observation anthropologique et une critique sociale plus aiguë. R. S.

—

1. L.R. Matteson, octobre 1977, pp. 304-306 et Ph. Grunchec, 1982, pp. 112-121.
2. L.R. Matteson, octobre 1977, p. 306.

*D.97 Course de chevaux anglais

Mine de plomb | H. 0,196 ; L. 0,275 | *Étude de tête de cheval*, à la mine de plomb, dans la partie inférieure | Taches brunes sur la feuille.

Provenance

A. Armand puis Pr. Valton | don de Mme Valton à l'Ensba en 1908 | Inv. E.B.A. n° 995.

Bibliographie

L. Rosenthal, 1905, pp. 108, 112-113, pl. CIX | P. Lavallée, octobre-décembre 1917, p. 432 | Ch. Martine, 1928, n° 27, repr. | A. del Guercio, 1963, p. 149, n° 77, repr. | S. Lodge, décembre 1965, p. 616 | L. Eitner, 1973, pp. 310-311 | Ph. Grunchec, 1982, pp. 134-135, repr. | L. Eitner, 1983, pp. 234-235, fig. 199, p. 353, note 103 | E. Brugerolles, 1984, pp. 15, 248 sous le n° 356, p. 250, n° 361, repr. | Ph. Grunchec, exp. New York, San Diego, Houston, 1985-1986, p. 79 sous le n° 29, fig. 29b | L. Eitner, 1991, pp. 319-320, 434, note 103 | G. Bazin, 1997, VII, pp. 26, 122, n° 2272, repr.

Expositions

Paris, Hôtel Jean Charpentier, 1924, n° 142 | Paris, Ensba, 1934, n° 106 | Bruxelles, Palais des Beaux-Arts, Rotterdam, Paris, 1949-1950, n° 127 | Londres, The Tate Gallery and The Arts Council Gallery, 1959, n° 703 | Los Angeles, County Museum of Art, Detroit, Institute of Art, Philadelphie, Museum of Art, 1971-1972, n° 97, repr., et p. 183 | Paris, Ensba, Malibu, J. Paul Getty Museum, Hambourg, Kunsthalle, 1981-1982, n° 115, repr. | Beaune, Musée Marey, 1991, n° 8, repr., et p. 28 | Paris, Ensba, 1992, sans n° | Mexico, Centro cultural arte contem-poreano, 1994, n° 53, repr., et p. 242 | Vancouver, Morris and Helen Belkin Art Gallery, 1997, n° 81, repr.

En raison de la modernité du sujet et des tenues contemporaines des jockeys, ce dessin est à rapprocher du *Derby d'Epsom* (Paris, Musée du Louvre) : il ne s'agit pas toutefois d'une étude préparatoire, mais plutôt d'une recherche approfondie ou plus exactement d'une variation sur ce thème. Le dynamisme et la variété des mouvements – à l'inverse de la représentation des chevaux du *Derby d'Epsom* saisis en un vol suspendu, identique pour tous – donnent à la scène un caractère de sauvagerie équine, qui apparaît fréquemment dans l'œuvre de Géricault, notamment dans *La Course de Chevaux libres* (Lille, Musée des Beaux-Arts) pour laquelle l'artiste multiplie les études préparatoires et les esquisses peintes. Cependant ici, nulle équivoque complexe entre l'antiquité et la modernité, l'image est entièrement contemporaine : la rapidité du trait, le rendu immédiat du mouvement et le recours à un cadrage coupé de la scène donnent l'impression d'un moment fugace, intense, arraché à un ensemble plus vaste et rendent la conception et l'exécution de cette œuvre proches de l'art d'Edgar Degas[1]. R.S.

—

1. L'hypothèse de Ph. Grunchec selon laquelle cette œuvre représenterait une scène française et aurait été réalisée avant le voyage en Angleterre – il s'appuie pour ce raisonnement sur les similitudes évidentes entre ce dessin et des études de têtes de chevaux figurant au verso d'un dessin du Musée Bonnat de Bayonne, et préparatoire à la lithographie datée de 1819, *Le Factionnaire suisse au Louvre* – n'est guère convaincante en raison de l'appartenance très nette du thème, du costume et de la modernité de la mise en page du motif à la période anglaise. Son rapprochement met cependant l'accent sur la permanence de figures et de motifs dans l'œuvre de Géricault (Ph. Grunchec, exp. New York, San Diego, Houston, 1985-1986, p. 79, fig. 29c).

*D.98 Mameluk pleurant son cheval mort

Mine de plomb | H. 0,340 ; L. 0,245 | Reprise du sujet dans la partie supérieure de la feuille | Au milieu, annotation à la mine de plomb : *anatomical/Studi of the/arabian/horse* | Verso : *Étude de la partie supérieure d'un fourgon*, à la mine de plomb | Deux feuilles juxtaposées collées.

Provenance

Vraisemblablement P. J. Mène, vente, Paris, Hôtel des Commissaires-Priseurs, 20-21 février 1899, lot n° 74 ou 75 | A. Armand puis Pr. Valton | don de Mme Valton à l'Ensba en 1908 | Inv. E.B.A. n° 977.

Bibliographie

L. Rosenthal, juin 1924, p. 60, repr. | G. Oprescu, s.d. [1927], pp. 178-179 | Ch. Martine, 1928, n° 37, repr. | A. del Guercio, 1963, p. 149, n° 75, repr. | L. Eitner, 1971-1972, p. 147 sous le n° 103 | L. Eitner, 1973 p. 417, n° 8 | Ph. Grunchec, 1982, pp. 100-101, repr. | L. Eitner, 1983, pp. 230-231, fig. 194, p. 352, note 86, pp. 264 et 359, note 114 | E. Brugerolles, 1984, p. 250, n° 363, repr. | Ph. Grunchec, exp. New York, San Diego, Houston, 1985-1986, p. 161 sous le n° 86 | G. Bazin, 1987, II, p. 313 | L. Eitner, 1991, pp. 315, 317, 433, note 86, p. 368 et 437, note 114 | S. Laveissière, exp. Paris, 1991-1992, p. 386 sous le n° 218 | M. Guédron, 1997, p. 110 | G. Bazin, 1997, VII, pp. 30, 140-141, n°s 2322 et 2323, repr.

Expositions

Paris, Hôtel Jean Charpentier, 1924, n° 270 | Paris, Ensba, 1934, n° 109 | Zurich, Kunsthaus, 1937, n° 134 | Beyrouth, 1948 | Bruxelles, Palais des Beaux-Arts, 1949, n° 125 | Londres, The Tate Gallery and The Arts Council Gallery, 1959, n° 704 | Rome, Villa Médicis, 1979-1980, n° 52, repr. | New York, Pierpont Morgan Library, San Diego, Museum of Art, Houston, Museum of Fine Arts, 1985-1986, n° 87, repr., et p. 202 | Mexico, Centro cultural arte contemporeano, 1994, n° 50, repr., et p. 242 | Vancouver, Morris and Helen Belkin Art Gallery, 1997, n° 44, repr.

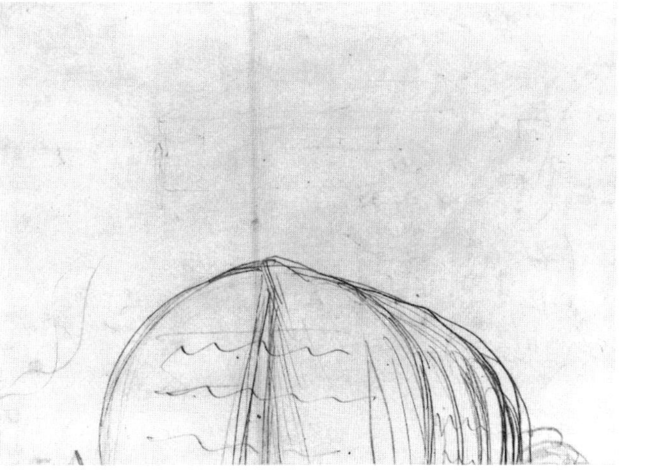

verso

L'intérêt de Géricault pour les chevaux, hérité de son maître Carle Vernet et qu'il partageait avec son ami Horace Vernet, trouve ici son expression la plus moderne, en associant deux passions à la mode : l'anglomanie et la vogue exotique.

Avant son voyage à Londres en 1820, Géricault connaissait bien les images équestres de George Stubbs, et avait copié des planches de son *Anatomy of the Horse* (1766). Cette feuille correspond peut-être à un projet de frontispice destiné à un recueil de lithographies consacré à l'anatomie du cheval, qui devait s'intituler *Anatomical studi* [sic] *of the Arabian Horse,* comme l'indique l'inscription manuscrite derrière le mameluk et son cheval mort. Un croquis très sommaire du même sujet figure sur une feuille d'études, conservée à la Yale University Art Gallery[1], où le verso présente une esquisse de la partie inférieure du chariot ouvert de suite anglaise. L. Eitner a proposé d'identifier la lithographie de *An Arabian Horse* **(ill. E.27)** – assez isolée dans la série de la suite anglaise – comme faisant partie de ce projet « anatomique ».

L'atmosphère orientalisante de la scène, présente notamment par le motif des chevaux arabes, semble particulièrement opportune en ce début des années 1820, où les conflits politiques au Moyen-Orient enflamment les imaginations en Occident. La forme pyramidale visible à l'arrière-plan est peut-être là pour évoquer le désert d'Égypte et pour symboliser la présence de la mort. D'autres peintres orientalistes, comme Alfred Dehodencq et Jean-Léon Gérôme, ont traité le thème du cavalier arabe pleurant son cheval mort.

Au verso de la feuille, Géricault a dessiné la partie supérieure d'un chariot, probablement pour préparer la page de titre de la suite anglaise, *Various Subjects Drawn from Life and on Stone*, parue en 1821 **(cat. E.23)**. N.A.-K.

—

1. Ph. Grunchec, exp. New-York, San Diego, Houston, 1985-1986, pp. 108-109 ; Br. Chenique, exp. Paris, 1991-1992, p. 386, n° 218.

Attribué à Géricault

D.99 Arabe auprès de son cheval mort

Attribué à Théodore Géricault | Plume, encre brune sur papier calque | H. 0,212 ; L. 0,313 | Annotation en bas à gauche à la plume, encre brune : *Géricault* | Forme irrégulière de la feuille avec déchirure dans la partie inférieure | Taches brunes et d'humidité | Contrecollé.

Provenance

Vraisemblablement P. J. Mène, vente, Paris, Hôtel des Commissaires-Priseurs, 20-21 février 1899, lot n° 74 ou 75 | A. Armand puis Pr. Valton | don de Mme Valton à l'Ensba en 1908 | Inv. E.B.A. n° 978.

Bibliographie

A. Colin, 1824, repr. [n° 8] | Ch. Clément, juillet 1866, p. 75 sous le n° 8 | Ch. Clément, 1868 et 1879, p. 417 sous le n° 8 | L. Eitner, exp. Los Angeles, Detroit, Philadelphie, 1971-1972, p. 147 sous le n° 103 | L. Eitner, 1983, p. 352, note 86 | E. Brugerolles, 1984, p. 251, n° 364, repr. | Ph. Grunchec, exp. New York, San Diego, Houston, 1985-1986, p. 165 sous le n° 87 | G. Bazin, 1997, VII, pp. 30, 142, n° 2324B, repr.

Ce dessin sur papier calque reproduit en sens inverse les grandes lignes du *Mameluk pleurant son cheval mort* **(cat. D.98)**. Les contours précis et la composition simplifiée semblent indiquer que l'artiste l'a décalqué sur une reproduction gravée du dessin précédent, peut-être celle qu'a exécutée Alexandre Colin. N.A.-K.

*D.100 Turc endormi

Mine de plomb | H. 0,213 ; L. 0,177 | Quelques taches brunes sur la feuille | Filigrane : lettres coupées.

Provenance

A. Armand puis Pr. Valton | don de Mme Valton à l'Ensba en 1908 | Inv. E.B.A. n° 980.

Bibliographie

E. Brugerolles, 1984, p. 251, n° 365, repr. | G. Bazin, 1997, VII, pp. 56, 261-262, n° 2656, repr.

Expositions

Paris, Ensba, 1934, n° 95 | New York, Pierpont Morgan Library, San Diego, Museum of Art, Houston, Museum of Fine Arts, 1985-1986, n° 101, repr., et p. 101 | Vancouver, Morris and Helen Belkin Art Gallery, 1997, n° 43, repr.

Ce dessin d'homme en costume oriental s'apparente, par l'attitude « mélancolique » conventionnelle du personnage, à la gravure de Géricault pour la romance d'Amédée de Beauplan, *Je rêve d'elle au bruit des flots* **(cat. E.5)** et à sa peinture d'un *Oriental assis sur un rocher* (1823 ; Aix-en-Provence, Musée Granet), pour laquelle il pourrait avoir joué le rôle d'une première pensée. Géricault a peut-être fait poser son domestique turc, le marin Moustapha entré à son service en 1819, que l'on reconnaît dans plusieurs de ses œuvres orientalisantes, notamment les deux tableaux de 1822-1823 représentant une *Tête d'Oriental*, conservés au Musée du Louvre et au Musée des Beaux-Arts de Besançon. N.A.-K.

01 Marche dans le désert

Mine de plomb | H. 0,287 ; L. 0,408 | Verso : composition sur le même sujet, à la mine de plomb | Le dessin est encadré par des traits à la mine de plomb | Traces de pliure au centre | Sur le montage, inscriptions à la plume, encre noire : *Géricault Marche dans le désert - Collection de Mr His de la Salle.*

Provenance

His de la Salle, marque en bas au centre et à gauche (L. 1333) | don de ce dernier à l'Ensba en 1867 | Inv. E.B.A. n° 984.

Bibliographie

A. Colin, 1866, n° 6, repr. | Ch. Clément, juin 1866, pp. 528-529 sous le n° 21 | Ch. Clément, juillet 1866, p. 77 sous le n° 6 | Ch. Clément, octobre 1867, p. 358, n° 40 | Ch. Clément, 1868 et 1879, p. 330 note 2, p. 335, n° 42, p. 382 sous le n° 21, p. 422 sous le n° 6 | E. Müntz, s.d. [1889], pp. 178-179 | E. Müntz, janvier 1891, p. 52 | L. Eitner, 1973, p. 335, n° 42, p. 463 | Ph. Grunchec, exp. Rome, 1979-1980, p. 313 sous le n° 88 | Fr. Bergot, exp. Rouen, 1981-1982, p. 47 sous le n° 21 | L. Eitner, 1983, pp. 251, 356, note 65 | Fr. Bergot, exp. Kamakura, Kyoto, Fukuoka, 1987-1988, p. 197 sous le n° E-21 | S. Laveissière, exp. Paris, 1991-1992, p. 399 sous le n° 275 | G. Bazin, 1997, VII, pp. 44-45, 219-220, nos 2540 et 2541, repr.

Expositions

Paris, Hôtel Jean Charpentier, 1924, n° 33 | Paris, Ensba, 1934, n° 68 | Kaunas, 1937, n° 143 | Beyrouth, 1948 | Rome, Villa Medicis, 1979-1980, n° 48, repr. | Rouen, Musée des Beaux-Arts, 1981-1982, n° 21bis, repr. | Vancouver, Morris and Helen Belkin Art Gallery, 1997, n° 30, repr.

verso

Cette feuille présente au recto et au verso des projets pour la *Marche dans le désert* (**cat. E.19**), lithographie destinée à illustrer l'ouvrage d'A.-V. Arnault, *Vie politique et militaire de Napoléon* paru de 1822 à 1826.

Au recto, Géricault met l'accent sur des détails très réalistes de cette marche difficile et épuisante dans le désert : à gauche un attelage tiré par quatre chevaux dont l'un vient de s'écrouler au sol, à droite un chameau au repos qui tente de se redresser ; Bonaparte n'apparaît qu'à l'arrière-plan, au milieu de ses troupes. Cette version peu flatteuse de l'épisode dut déplaire au commanditaire et Géricault, suivant les termes assez amusants de Clément, « refit cette composition sur le verso de son papier pour réparer la faute qu'il avait commise en plaçant au second plan le personnage principal [1] ». Cette deuxième mise en page qui fut adoptée fidèlement dans la lithographie, donne en effet une image plus glorieuse de Bonaparte désormais au premier plan et haranguant ses soldats afin qu'ils poursuivent leur marche infernale. A. Colin lithographia le recto de ce dessin pour sa suite de fac-similés [2]. E.B.

—

1. Ch. Clément, 1879, p. 335, n° 42.
2. Ch. Clément, 1879, p. 422.

*D.102 Le Passage du Mont Saint-Bernard

Mine de plomb sur papier huilé | H. 0,319 ; L. 0,427 | Contrecollé.

Provenance

His de la Salle, marque en bas à gauche et à droite (L. 1333) | don de ce dernier à l'Ensba en 1867 | Inv. E.B.A. n° 985.

Bibliographie

Ch. Clément, juin 1866, p. 529 sous le n° 22 | Ch. Clément, 1868 et 1879, p. 335 sous le n° 43, note 1, pp. 382-383 sous le n° 22 | E. Müntz, s.d. [1889], p. 169 | E. Müntz, janvier 1891, p. 52 | G. Oprescu, s.d.[1927], p. 205, note 1 | L. Eitner, 1973, p. 335, note 1, p. 463 | Ph. Grunchec, exp. Rome, 1979-1980, p. 314 sous le n° 89 | Fr. Bergot, exp. Rouen, 1981-1982, p. 49 sous le n° 22 | L. Eitner, 1983, pp. 251, 356, note 66 | Fr. Bergot, exp. Kamakura, Kyoto, Fukuoka, 1987-1988, p. 199 sous le n° E-22 | S. Laveissière, exp. Paris, 1991-1992, p. 399 sous le n° 274 | G. Bazin, 1997, VII, pp. 45, 221-222, n° 2545, repr.

Expositions

Paris, Hôtel Jean Charpentier, 1924, n° 35 | Paris, Ensba, 1934, n° 67 | Kaunas, 1937, n° 142 | Rome, Villa Médicis, 1979-1980, n° 49, repr. | Rouen, Musée des Beaux-Arts 1981-1982, n° 22bis, repr. | Vancouver, Morris and Helen Belkin Art Gallery, 1997, n° 32, repr.

Ce dessin est préparatoire pour *Le Passage du Mont Saint-Bernard* (**cat. E.20**), lithographie destinée à illustrer l'ouvrage d'A.-V. Arnault, *Vie politique et militaire de Napoléon* paru de 1822 à 1826 ; il existe au Musée des Beaux-Arts de Lille une autre étude à la mine de plomb pour cette composition[1]. L'artiste n'a apporté dans sa version définitive que de légers changements, notamment au premier plan. E.B.

—

1. Ancienne collection Lehoux ; Ch. Clément, 1879, p. 335, n° 43 ; le *Napoléon au Saint-Bernard* de la vente Musigny du 7-8 mars 1845, sous le n° 62, correspond vraisemblablement à l'un de ces deux dessins.

D'après Géricault

D.103 Jeune femme et ses trois enfants

Mine de plomb et estompe | H. 0,251 ; L. 0,200 | Inscription en bas à droite à la mine de plomb : *Géricault* | Contrecollé.

Provenance

Vraisemblablement A. L. Moignon, sans marque, vente après décès, Paris, Hôtel des Commissaires-Priseurs, 6 mars 1891, lot n° 144 | A. Armand puis Pr. Valton | don de Mme Valton à l'Ensba en 1908 | Inv. E.B.A. n° 1011.

Bibliographie

E. Brugerolles, 1984, p. 253, n° 376, repr. | G. Bazin, 1992, V, pp. 106, 280, n° 1828, repr.

Ce dessin a été réalisé d'après la lithographie (**cat. E.40**). E.B.

D'après Géricault

D.104 Les Scieurs de bois

Plume, encre noire sur papier calque | H. 0,310 ; L. 0,405 | Contrecollé | Cinq feuilles de papier calque collées ensemble.

Provenance

A. Armand puis Pr. Valton | don de Mme Valton à l'Ensba en 1908 | Inv. E.B.A. n° 1006.

Bibliographie

L. Eitner, 1960, p. 23 sous le folio 3 | Fr. Bergot, exp. Rouen, 1981-1982, p. 71 sous le n° 42 | L. Eitner, 1983, p. 350, note 47 (8) | E. Brugerolles, 1984, p. 253, n° 377, repr. | Fr. Bergot, exp. Kamakura, Kyoto, Fukuoka, 1987-1988, p. 212 sous le n° E-42 | S. Laveissière, exp. Paris, 1991-1992, pp. 387-388 sous le n° 225 | G. Bazin, 1997, VII, pp. 11, 67, n° 2127, repr.

Ce dessin a été réalisé d'après la lithographie[1]. E.B.

—

1. L. Delteil,1924, n° 28.

D'après Géricault

D.105 Cuirassier à cheval chargeant

Plume, encre brune et lavis d'encre de Chine sur papier calque | H. 0,280 ; L. 0,219 | Taches brunes | Contrecollé.

Provenance

Vraisemblablement A. Colin, vente, Paris, Hôtel des Commissaires-Priseurs, 14-15 janvier 1845, n° 188 | A. Armand puis Pr. Valton | don de Mme Valton à l'Ensba en 1908 | Inv. E.B.A. n° 1010.

Bibliographie

E. Brugerolles, 1984, p. 253, n° 374, repr. | G. Bazin, 1989, III, pp. 55, 186, n° 824, repr.

Exposition

Vancouver, Morris and Helen Belkin Art Gallery, 1997, n° 22, repr.

Vraisemblablement une copie d'après un dessin à la sanguine conservé dans une collection particulière[1] et lithographié par Alexandre Colin[2]. E.B.

—

1. G. Bazin, 1989, III, p. 186, n° 825.
2. G. Bazin, 1989, III, p. 186, n° 824 A.

D'après Géricault

D.106 Guerrier blessé : Lara

Mine de plomb sur papier calque | H. 0,181 ; L. 0,157 | Contrecollé.

Provenance

Vraisemblablement vente Musigny, Paris, Hôtel des Commissaires-Priseurs, 7-8 mars 1845, n° 67 (communication orale de Ph. Grunchec) | Selon G. Bazin, vraisemblablement A. Colin, vente, Paris, Hôtel des Commissaires-Priseurs, 22 décembre 1859, n° 6, puis acheté par His de la Salle (Bazin identifie en effet notre feuille à celle mentionnée par Clément en 1868 p. 383 sous le n° 23) | A. Armand puis Pr. Valton | don de Mme Valton à l'Ensba en 1908 | Inv. E.B.A. n° 974.

Bibliographie

Ph. Grunchec, exp. Rome, 1979-1980, p. 315 sous le n° 90 | Fr. Bergot, exp. Rouen, 1981-1982, p. 50 sous le n° 23 | E. Brugerolles, 1984, p. 251, n° 366, repr. | Fr. Bergot, exp. Kamakura, Kyoto, Fukuoka, 1987-1988, p. 199 sous le n° E-23 | G. Bazin, 1997, VII, pp. 43, 215-216, n° 2530, repr.

Exposition

Paris, Musée Renan-Scheffer, 1988, n° 68, repr.

Ce dessin est à mettre en relation avec la lithographie *Lara blessé* (**cat. E.21**). Il s'agit d'une copie en sens inverse non pas d'après l'œuvre gravée mais d'après un calque d'Alexandre Colin, qui témoigne d'une recherche de mise en page différente du motif par Géricault[1]. E.B.

—

1. G. Bazin, 1997, VII, p. 215, n° 2528.

Dessin rejeté

D.107 Hussard et son cheval

Mine de plomb | H. 0,090 ; L. 0,077.

Provenance

A. Armand puis Pr. Valton | don de Mme Valton à l'Ensba en 1908 | Inv. E.B.A. n° 993.

Bibliographie

E. Brugerolles, 1984, p. 252, n° 370, repr. | G. Bazin, 1989, III, pp. 51, 178-179, n° 804, repr.

Exposition

Paris, Ensba, 1934, n° 99.

Dessin rejeté

D.108 Lions et chevaux

Plume, encre noire sur papier calque teinté de brun | H. 0,162 ; L. 0,250 | Lacunes dans la partie supérieure gauche et sur le ventre du cheval couché | Contrecollé.

Provenance

Vraisemblablement P.J. Mène, vente, Paris, Hôtel des Commissaires-Priseurs, 20-21 février 1899, lot n°75 | A. Armand puis Pr. Valton | don de Mme Valton à l'Ensba en 1908 | Inv. E.B.A. n° 1000.

Bibliographie

E. de Trévise, J. Guiffrey, P. Dubaut, exp. Paris, 1924, p. 71 sous le n° 217 | L. Eitner, exp. Los Angeles, Detroit, Philadelphie, 1971-1972, p. 24 | E. Brugerolles, 1984, p. 250, n° 362, repr. | G. Bazin, 1997, VII, pp. 40, 197, n° 2478, repr.

Ce dessin reprend en sens inverse la même composition qu'un autre calque réalisé par Alexandre Colin et aujourd'hui non localisé[1]. E.B.

—

1. G. Bazin, 1997, VII, p. 197, n° 2477.

Dessin rejeté

D.109 Cheval arabe sellé

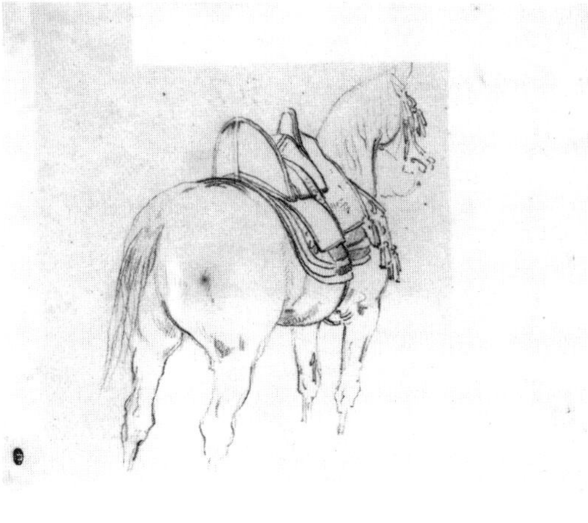

Mine de plomb | H. 0,158 ; L. 0,195 | Verso : *Étude d'un motif architectural*, à la mine de plomb | Papier très insolé.

Provenance

A. Armand puis Pr. Valton | don de Mme Valton à l'Ensba en 1908 | Inv. E.B.A. n° 994.

Bibliographie

E. Brugerolles, 1984, p. 251, n° 368, repr. | G. Bazin, 1992, V, pp. 116, 295, n° 1874, repr.

Exposition

Paris, Ensba, 1934, n° 100.

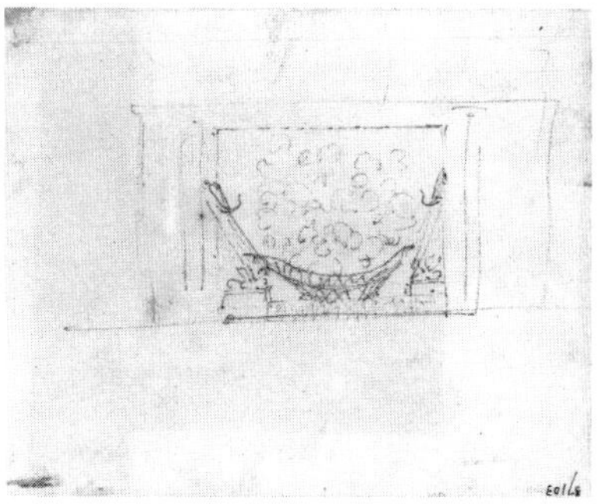

verso

Dessin rejeté

110 Cheval bai

Mine de plomb, aquarelle et gouache sur papier brun | H. 0,186 ; L. 0,270 | Verso : *Étude de carriole*, à la mine de plomb et aquarelle | en haut à droite, inscription à la mine de plomb : *Géricault* | Taches dans la partie inférieure.

Provenance

E. Desperet, marque en bas à gauche (L 721), vente après décès, Paris, Hôtel des Commissaires-Priseurs, 7-10 juin 1865, n° 549bis (selon G. Bazin) | A. Armand puis Pr. Valton | don de Mme Valton à l'Ensba en 1908 | Inv. E.B.A. n° 1002.

Bibliographie

L. Eitner, exp. Los Angeles, Detroit, Philadelphie, 1971-1972, p. 142 sous le n° 98 | E. Brugerolles, 1984, pp. 251-252, n° 369, repr. | G. Bazin, 1997, VII, pp. 30, 138, n° 2315, repr.

Exposition

Paris, Ensba, 1934, n° 102.

verso

Dessin rejeté

111 Études de nu

Plume, encre brune | H. 0,220 ; L. 0,232 | En bas à gauche, annotation au crayon : *Gericault* | Quelques taches brunes.

Provenance

A. Armand puis Pr. Valton | don de Mme Valton à l'Ensba en 1908 | Inv. E.B.A. n° 968.

Bibliographie

Ch. Martine , 1928, n° 39, repr. | E. Brugerolles, 1984, p. 252, n° 371, repr. | G. Bazin, 1990, IV, pp. 16, 114, n° 1129, repr.

Exposition

Paris, Ensba, 1934, n° 113.

L'attribution de cette feuille a fait l'objet de nombreuses controverses : elle est mise en doute par Dubaut en 1928 et E. Brugerolles, en 1984, classe ce dessin pour d'évidentes raisons dans l'entourage de Delacroix ; Bazin maintient cependant sans argument convaincant l'attribution à Géricault[1]. M.F.

—

1. Ch. Martine, 1928, n° 39 ; E. Brugerolles, 1984, p. 252, n° 371 : « [...] cette étude évoque plutôt – par la forme de la tête de la figure gauche, indiquée par un simple cerne noir – l'art de Delacroix. » ; G. Bazin, 1989, IV, pp. 16 et 114, n° 1129.

Dessin rejeté

D.112 Groupes de figures nues

Plume, encre brune | H. 0,139 ; L. 0,208 | Quelques taches brunes | Verso : *Étude de main*, à la mine de plomb | Annotations dans la partie inférieure : *bleuté artque 4*, à la mine de plomb, *Gericault*, à la plume.

Provenance

A. Armand puis Pr. Valton | don de Mme Valton à l'Ensba en 1908 | Inv. E.B.A. n° 972.

Bibliographie

R. Rey, n° 46, avril 1924, p. 261 | Ch. Martine, 1928, n° 50, repr. | J.R. Thomé, n° 2, 1947, repr. en couverture | A. del Guercio, 1963, p. 145, fig. 48 | R. Huyghe, 1976, p. 138, fig. 151 (erreur d'ill. avec la fig. 152) | E. Brugerolles, 1984, p. 252, n° 373, repr. | G. Bazin, 1989, III, pp. 79, 231-232, n° 940, repr.

Exposition

Paris, Ensba, 1934, n° 90.

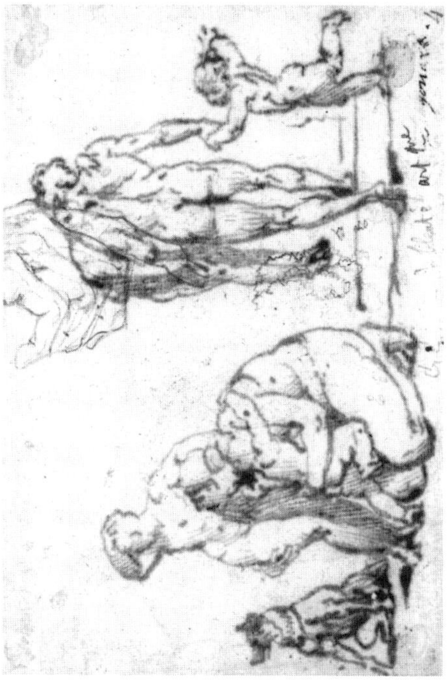

verso

La partie gauche représente un homme qui tient d'un côté un jeune enfant par la main et de l'autre un personnage, tandis qu'à droite figure un groupe de personnages composé de deux femmes, un jeune enfant et un chien. L'attribution à Géricault a d'abord été mise en doute par Dubaut, puis refusée par E. Brugerolles et G. Bazin [1]. M.F.

—

1. Ch. Martine, 1928, n° 50 ; E. Brugerolles, 1984, p. 252, n° 373 ; G. Bazin, 1989, III, p. 79.

Dessin rejeté

113 Figure d'homme lisant

Plume, encre brune | H. 0,059 ; L. 0,089 | En haut à droite : chiffre illisible à la sanguine | *Verso* : annotation à la mine de plomb : *Gericault.*

Provenance

E. de Queux de Saint-Hilaire | don de ce dernier à l'Ensba en 1892 | Inv. E.B.A. n° 966.

Bibliographie

Ch. Martine, 1928, n° 23, repr.

Exposition

Paris, Ensba, 1934, n° 87.

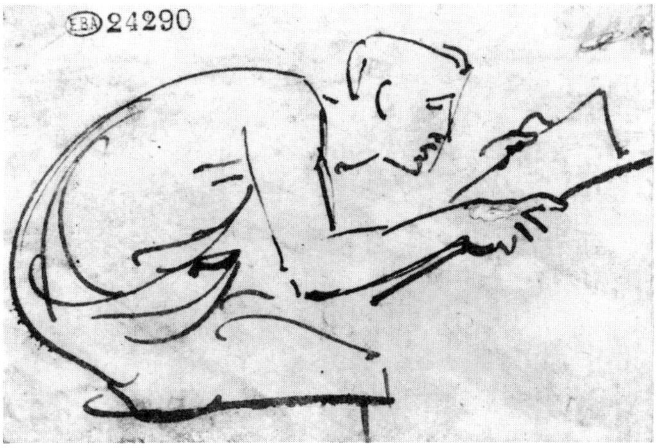

Dessin rejeté

114 Médée : femme penchée sur les cadavres de ses deux enfants

Plume, encre noire, lavis brun et de sanguine | H. 0,105 ; L. 0,157 | Angles coupés.

Provenance

E. de Queux de Saint-Hilaire | don de ce dernier à l'Ensba en 1892 | Inv. E.B.A. n° 967.

Bibliographie

Ch. Martine, 1928, n° 22, repr. | G. Bazin, 1987, II, pp. 282 et 412, n° 267, repr.

Exposition

Paris, Ensba, 1934, n° 88.

Ce croquis et le précédent à la plume provenant de la collection Queux de Saint-Hilaire ne sont vraisemblablement pas de la main de Géricault[1]. Ils furent exécutés par un dessinateur moins talentueux et fortement influencé par l'art néo-classique[2]. M.F.

—

1. La première attribution a été faite en 1928 par Martine ; elle est acceptée par Bazin pour *Médée* (G. Bazin, 1989, III, pp. 79 et 231-232, n° 940).
2. Certains dessins de figures du baron Gros dans son carnet de croquis italien du Musée du Louvre (Département des Arts Graphiques, Inv. n° RF. 29956, feuilles 9 recto, 17 recto et 22 recto, 39 verso, 40 verso et 43 verso) semblent proches de notre *Médée*. On pourrait aussi penser à Charles Meynier ou Jean-Germain Drouais (voir les esquisses de ces deux artistes dans E. Haverkamp-Begemann et C. Logan, 1988, pp. 168-170).

Inventaire des estampes

Avertissement

L'abréviation **E.B.A.** figurant dans les notices du catalogue correspond à la marque de l'École nationale supérieure des Beaux-Arts apposée sur les dessins lors de leur prise en inventaire.

L'abréviation **Ensba** désigne l'École nationale supérieure des Beaux-arts.

Les dimensions des dessins et des lithographies sont données en mètres ; pour les feuilles à bords irréguliers, les dimensions maximales ont été indiquées ; pour les lithographies, les dimensions ont été relevées deux fois, sans marge et avec marge. Les différentes épreuves d'une même estampe, conservées à l'Ensba, sont mentionnées sous le même numéro de catalogue. La lettre **L.** renvoie à l'ouvrage de Frits Lugt, 1921 (voir bibliographie).

Les notices des dessins et estampes précédées d'un astérisque correspondent aux œuvres exposées.

L'ordre choisi pour l'inventaire des dessins est chronologique. La bibliographie et la liste des expositions mentionnées dans les notices sont exhaustives.

L'ordre retenu pour l'inventaire des estampes est celui de Charles Clément : ce choix répond aux commodités du lecteur habitué à ce classement, mais les nouvelles datations proposées ces dernières années ont été prises en compte. La bibliographie mentionnée n'est pas exhaustive : les ouvrages retenus sont ceux de Charles Clément, Loys Delteil, Philippe Grunchec, François Bergot et Germain Bazin. La liste des expositions où les lithographies de l'Ensba ont été présentées est en revanche exhaustive.

Les notices documentaires ont été établies par Joëlla de Couëssin et Emmanuelle Brugerolles.

Les commentaires sont rédigés par les auteurs suivants : Nina Athanassoglou-Kallmyer, Emmanuelle Brugerolles, Marc Fehlmann, John Paul Lambertson, Alexander Mishory, Robert Simon, mentionnés par les initiales de leurs prénoms et leurs noms à la fin des textes.

Les traductions ont été assurées par Jeanne Bouniort, François Grunbacher et Stéphanie Wapler et ont été revues par Emmanuelle Brugerolles.

Les mentions **cat. D** ou **cat. E** renvoient aux notices des dessins ou des estampes, celle de **ill.** renvoie aux reproductions figurant dans les textes introductifs.

L'inventaire a été établi par

- Notices documentaires
  Emmanuelle Brugerolles
- Commentaires
  Nina Athanassoglou-Kallmyer (N.A.-K.) : E.5, E.6, E.14 à E.17, E.21, E.66 et E.89 à E.92.
  Emmanuelle Brugerolles (E.B.) : E.2 à E.4, E.8 à E.11, E.13, E.19 et E.20.
  Marc Fehlmann (M.F.) : E.1.
  Alexander Mishory (A.M.) : E.23 à E.35, E.71 et E.72.
  Robert Simon (R.S.) : E.7, E.12, E.22, E.36 et E.39 à E.41.

E.1 Bouchers de Rome

Lithographie | Fin 1817 | H. 0,172 ; L. 0,247 sans marge | H. 0,267 ; L. 0,348 avec marge | 2e état | Lithographie encadrée | Trois inscriptions sous le trait en bas à gauche : *Géricault* presque effacé, au milieu : *Bouchers de Rome* et à droite : *lithog. de C. de Last* | Taches brunes sur l'ensemble de la feuillle.

Provenance

His de la Salle, vente, Paris, 10-12 janvier 1881, n° 351 | A. Armand puis Pr. Valton | don de Mme Valton à l'Ensba en 1908 | Inv. E.B.A. Est. n° 415.

Bibliographie

Ch. Clément, juin 1866, n° 1 | Ch. Clément, 1868 et 1879, n° 1 | L. Delteil, 1924, n° 2 | Ph. Grunchec, 1978, n° 1 | Fr. Bergot, exp. Rouen, 1981-1982, n° 1 | G. Bazin, 1990, IV, pp. 141-142, n° 1214 A.

Expositions

Paris, Ensba, 1934, n° 180 | Rome, Villa Médicis, 1979-1980, n° 63 | Montargis, Musée Girodet, 1981, n° 1 | Boulogne-Billancourt, Centre culturel, 1984, n° 1.

Réalisée après le voyage en Italie de Géricault[1], cette lithographie représente une scène du marché aux bestiaux de Rome appelé *capate*. On y voit trois cavaliers qui mènent les taureaux vers le *Campo Vaccino* à l'aide de piques de fer. Contrairement à Bartolomeo Pinelli (**ill. 54**), Thomas et Ducros qui ont traité des scènes analogues dans de nombreuses œuvres, et contrairement aussi au dessin de Géricault conservé au Fogg Art Museum de Cambridge[2], l'action est ici isolée de son contexte topographique romain et par conséquent aussi de son cadre anecdotique. M.F.

—

1. Ch. Clément, 1879, p. 371, n° 1 : « C'est la première lithographie. Il la fit en 1817, peu de temps après son retour de Rome. »
2. Inv. n° Acc. n1943-831 ; G. Bazin, 1990, IV, p. 141, n° 1214.

E.2 Portrait d'Auguste Brunet, ami de l'artiste

Lithographie | 1818 (?) | H. 0,175 ; L. 0,150 sans marge | H. 0,289 ; L. 0,216 avec marge | 2e état | Lithographie, trait d'encadrement complet | Inscriptions en bas à gauche : *Géricault* delt et à droite : *Litho. de C. Motte* | Papier jauni.

Provenance

P.J. Mène, vente, Paris, 22-25 février 1899, lot n° 270 (avec le *Porte étendard n°3*) | Pr. Valton | don de Mme Valton à l'Ensba en 1908 | Inv. E.B.A. Est. n° 418.

Bibliographie

Ch. Clément, juin 1866, n° 2 | Ch. Clément, 1868 et 1879, n° 2 | L. Delteil, 1924, n° 4 | Ph. Grunchec, 1978, n° 2 | Fr. Bergot, exp. Rouen, 1981-1982, n° 2 | G. Bazin, 1992, V, p. 282, n° 1835.

Exposition

Rome, Villa Médicis, 1979-1980, n° 64.

Clément qui considérait cette lithographie comme « l'une des moins bonnes œuvres du maître » supposait qu'elle n'avait pas été mise dans le commerce ni « tiré du vivant de Géricault, qui probablement n'en était pas satisfait[1] ». C'est Bruzard, grand collectionneur de lithographies, qui aurait acquis la pierre, tiré quelques exemplaires avant d'en effacer le portrait. Br. Chenique[2] est récemment revenu sur cette hypothèse, en rappelant qu'A. Darcel proposait déjà en 1876[3] une autre lecture du caractère inachevé de l'œuvre : « Géricault, après avoir terminé ce portrait, trouva qu'il ne lui avait pas donné assez de buste et, d'une plume fébrile, il l'allongea au moyen de quelques gros traits, qui ne s'accordent pas avec ceux des parties voisines. Le tirage lui montra ce défaut, et il laissa la pierre de côté ».

Pour la biographie d'Auguste Brunet, voir **cat. D.81**. Le modèle apparaît de face, en buste, vêtu d'un manteau à larges col et revers, la main droite glissée sous le gilet. E.B.

—

1. Ch. Clément, 1879, p. 372, n° 2.
2. Br. Chenique, 1996, p. 350.
3. A. Darcel, avril 1876, p. 3

* E.3 Le Porte-étendard

Lithographie | 1817 (?) | H. 0,168 ; L. 0,141 sans marge | H. 0,301 ; L. 0,228 avec marge | Un seul état connu. Lithographie au crayon et au lavis | encadrée | Inscription sous le trait en bas à gauche : *Géricault* | Sur le montage le n° 270.

Provenance

P.J. Mène, vente, Paris, 22-25 février 1899, lot n° 270 (avec le *Portrait d'Auguste Brunet* n° 2) | Pr. Valton | don de Mme Valton à l'Ensba en 1908 | Inv. E.B.A. Est n° 416.

Autre épreuve

H. 0,168 ; L. 0,142 sans marge | H. 0,297 ; L. 0,224 avec marge | Inscription en bas à gauche : *Géricault* | Sur le montage le n° 352 | Taches brunes sur l'ensemble de la feuille.

Provenance

His de la Salle, vente, Paris, 10-12 janvier 1881, n° 352 | A. Moignon, vente, Paris, 6 mars 1891, n° 124 | Pr. Valton | don de Mme Valton à l'Ensba en 1908 | Inv. E.B.A. Est n° 417.

Bibliographie

Ch. Clément, juin 1866, n° 3 | Ch. Clément, 1868 et 1879, n° 3 | L. Delteil, 1924, n° 3 | Ph. Grunchec, 1978, n° 3 | Fr. Bergot, exp. Rouen, 1981-1982, n° 3 | G. Bazin, 1987, t. II, p. 432, n° 315.

Exposition

Rome, Villa Médicis, 1979-1980, n° 65.

D'après Ch. Clément[1], cette pièce ne fut sans doute « tirée qu'après la mort de l'auteur, et on n'en a imprimé que quelques épreuves ». Ph. Grunchec suppose que Géricault s'est inspiré d'un portrait de l'école flamande du XVIIe siècle alors conservé chez sa tante Caruel de Saint-Martin[2]. E.B.

—

1. Ch. Clément, 1868 et 1879, pp. 372-373.
2. Ph. Grunchec, 1977, p. 406.

E.4 La Laitière et le vétéran

Lithographie | 1818 (?) | H. 0,078 ; L. 0,126 sans marge | H. 0,157 ; L. 0,210 avec marge | Un seul état connu | Lithographie à la plume, sans encadrement | Épreuve coupée sans le titre de la romance | En haut à droite à la plume le n° 695 | Taches brunes sur l'ensemble de la feuille.

Provenance

P.J. Mène, vente, Paris, 22-25 février 1899, lot n° 271 | Pr. Valton | don de Mme Valton à l'Ensba en 1908 | Inv. E.B.A. Est. n° 420.

Bibliographie

Ch. Clément, juin 1866, n° 6 | Ch. Clément, 1868 et 1879, n° 6 | L. Delteil, 1924, n° 7 | Ph. Grunchec, 1978, n° 6 | Fr. Bergot, exp. Rouen, 1981-1982, n° 6 | G. Bazin, 1992, V, p. 140, n° 1460.

Exposition

Rome, Villa Médicis, 1979-1980, n° 68.

Il s'agit de la vignette d'une romance composée par F. Berton (1727-1780), qui traite sur un mode mignard et anecdotique le thème du blessé que reprend quelques mois plus tard Géricault dans le *Retour de Russie* **(cat. E.10)** : on y voit une femme agenouillée qui panse la jambe d'un fantassin assis à l'arrière d'une charrette. C'est à la demande du fils du compositeur, Pierre Berton, élève de Pierre Narcisse Guérin, que Géricault réalisa cette estampe. E.B.

* E.5 Je rêve d'elle au bruit des flots

Lithographie | 1822 | H. 0,165 ; L. 0,180 sans marge | H. 0,268 ; L. 0,356 avec marge | 1er état | Lithographie sans encadrement | Inscriptions en bas à droite : *Lith. de G. Engelmann*, très effacées, avant le titre.

Provenance

His de la Salle, vente, Paris, 10-12 janvier 1881, n° 355 | A. Armand puis Pr. Valton | don de Mme Valton à l'Ensba en 1908 | Inv. E.B.A. Est. n° 421.

Bibliographie

Ch. Clément, juin 1866, n° 7 | Ch. Clément, 1868 et 1879, n° 7 | L. Delteil, 1924, n° 8 | Ph. Grunchec, 1978, n° 7 | Fr. Bergot, exp. Rouen, 1981-1982, n° 7 | G. Bazin, 1997, VII, n° 2516.

Exposition

Rome, Villa Médicis, 1979-1980, n° 69.

Engelmann a publié cette gravure en 1822, pour illustrer une romance d'Amédée de Beauplan, un auteur de chansons à la mode qui comptait parmi les habitués de l'atelier d'Horace Vernet à Montmartre.
Les illustrations de chansons populaires constituaient assurément une activité fort lucrative. Horace Vernet a lui-même réalisé plusieurs gravures pour des partitions d'Amédée de Beauplan. De Géricault, on connaît au moins une autre œuvre du même genre, destinée à un rondeau de F. Berton fils, *La Laitière et le vétéran* (v. 1818) **(cat. E.4)**. Géricault a réuni plusieurs ingrédients du répertoire orientaliste romantique, susceptibles de plaire à un large public : le magnifique costume oriental du rêveur solitaire, son attitude « mélancolique » et le paysage de tempête, que l'on retrouve dans sa peinture d'un *Oriental assis sur un rocher* (1823 ; Aix-en-Provence, Musée Granet). N.A.-K.

* E.6 Mameluk de la Garde impériale défendant un trompette blessé contre un cosaque

Lithographie | 1818 | H. 0,341 ; L. 0,279 sans marge | H. 0,481 ; L. 0,325 avec marge | Un seul état connu | Lithographie encadrée, sans la lettre | Taches brunes sur l'ensemble de la feuille.

Provenance

His de la Salle, vente, Paris, 10-12 janvier 1881, n° 356 | A. Moignon, vente, Paris, 6 mars 1891, n° 125 | Pr. Valton | don de Mme Valton à l'Ensba en 1908 | Inv. E.B.A. Est. n° 423.

Autre épreuve

H. 0,345 ; L. 0,279 sans marge | H. 0,381 ; L. 0,311 avec marge |Taches brunes sur l'ensemble de la feuille.

Provenance

P.J. Mène, vente, Paris, 22-25 février 1899, lot n° 271 | Pr. Valton | don de Mme Valton en 1908 | Inv. E.B.A. Est. n° 422.

Bibliographie

Ch. Clément, juin 1866, n° 8 | Ch. Clément, 1868 et 1879, n° 8 | L. Delteil, 1924, n° 9 | Ph. Grunchec, 1978, n° 8 | Fr. Bergot, exp. Rouen, 1981-1982, n° 8 | G. Bazin, 1992, V, p. 158, n° 1510.

Expositions

Rome, Villa Médicis, 1979-1980, n° 70 | Montargis, Musée Girodet, 1981, n° 2 | Boulogne-Billancourt, Centre culturel, n° 2.

Cette lithographie de 1818, et son dessin préparatoire actuellement au Musée des Beaux-Arts de Rouen, datent de la période la plus libérale de la Restauration, où la censure relativement clémente pouvait laisser passer des estampes commémorant les exploits et les tribulations des armées napoléoniennes. Ces scènes anecdotiques, empreintes de nostalgie sentimentale, étaient destinées à réhabiliter les anciens soldats de Bonaparte auprès d'une opinion hostile et à rappeler le passé glorieux. Les personnages et les aventures de la Grande Armée constituaient des thèmes en faveur dans les milieux d'opposition libérale-bonapartiste, dont Géricault partageait les idéaux, ainsi que ses amis Nicolas-Toussaint Charlet et Horace Vernet.Parmi les anciens de la Grande Armée, les mameluks ont subi les pires avanies. Ces cavaliers égyptiens de la garde impériale, destitués après la chute de l'Empire, ont péri en grand nombre dans les massacres de la Terreur blanche qui a balayé la France, et plus particulièrement le Midi. En montrant un superbe mameluk qui protège un trompette de l'armée française contre l'attaque des cosaques à Waterloo, Géricault a manifestement voulu saluer le courage et l'abnégation patriotique de ces Orientaux persécutés. N.A.-K.

E.7 Les Boxeurs

Lithographie | 1818 | H. 0,351 ; L. 0,412 sans marge | H. 0,424 ; L. 0,590 avec marge | 2e état | Lithographie sans encadrement, à la plume et au crayon | Deux inscriptions en bas à gauche : *Lithog. de C. Motte Rue des Marais Fg S. Gn.* et au milieu : *Boxeurs* | Taches brunes sur l'ensemble de la feuille.

Provenance

His de la Salle, vente, Paris, 10-12 janvier 1881, n° 357 | A. Moignon, vente, Paris, 6 mars 1891, n° 126 | P.J. Mène, vente, Paris, 22-25 février 1899, n° 272 | Pr. Valton | don de Mme Valton à l'Ensba en 1908 | Inv. E.B.A. Est n° 424.

Bibliographie

Ch. Clément, juin 1866, n° 9 | Ch. Clément, 1868 et 1879, n° 9 | L. Delteil, 1924, n° 10 | Ph. Grunchec, 1978, n° 9 | Fr. Bergot, exp. Rouen, 1981-1982, n° 9 | G. Bazin, 1992, V, p. 224, n° 1690.

Exposition

Rome, Villa Médicis, 1979-1980, n° 73.

En raison de son sujet, cette lithographie datée de 1818 est à mettre en relation de manières multiples et significatives – quoiqu'indirectes – à la période anglaise de Géricault. La boxe était considérée au début du XIXe siècle comme une activité « anglaise » par excellence. Ce type de scène de genre contemporaine était par ailleurs le sujet principal des gravures de sport anglaises que Géricault connaissait bien avant son départ pour Londres. Enfin l'artiste a peut-être été directement spectateur de combats de boxe en France : il se rendait en effet souvent dans l'atelier d'Horace Vernet où des combats d'amateurs faisaient partie intégrante de l'univers de camaraderie masculine du peintre (si l'on s'appuie sur la célèbre représentation de son atelier vers 1820, où l'on voit Antoine Montfort, le jeune associé de Géricault en gants de combat[1]). À cet égard, les nombreux dessins réalisés sur le thème de la boxe et préparatoires pour la lithographie sont plus révélateurs encore de la recherche du rendu du mouvement obtenu par une observation précise sur le vif[2].

La plus importante de ces études figure sur une feuille de l'Album de Chicago où un combat de boxe est réprésenté par des scènes successives, selon les différents moments de son déroulement[3]. La lithographie des *Boxeurs*, inspirée de l'une de ces séquences, s'inscrit dans un processus de création similaire à celui suivi par l'artiste pour *Le Radeau de la Méduse* où un instant unique est isolé d'une suite narrative développée au cours de nombreuses études préalables[4].

Mais il existe encore un autre lien entre *Les Boxeurs* et *Le Radeau de la Méduse*, celui de l'intérêt de l'artiste pour le thème de la race, même si le boxeur noir n'occupe pas la place héroïque dévolue au marin noir naufragé, au sommet de la pyramide de corps du *Radeau de la Méduse*. Sa position d'égal, face à son adversaire blanc, paraît assimiler cette lithographie à une sorte de déclaration politique libérale, bonapartiste et républicaine. La représentation identique de l'attitude des deux boxeurs suivant l'effet réfléchi d'un miroir trouve son équivalent dans la technique utilisée par Géricault pour réaliser sa planche : le corps du noir est dessiné pour sa partie supérieure à la plume et pour la partie inférieure au crayon, tandis que le corps du blanc est traité inversement[5]. Géricault souligne ainsi la différence qui sépare les deux figures, absolus opposés, mais aussi le caractère réversible de leur image, en miroir. En faisant de ces questions formelles une partie intégrante de la thématique de l'image, Géricault traite ici encore avec un sujet aussi ludique d'une des caractéristiques essentielles du processus d'impression mécanique qui inverse l'image dessinée sur la pierre en la transférant sur le papier, phénomène que doit anticiper l'artiste lors de l'exécution de son dessin sur ce support. R.S.

—

1. Br. Chenique, exp. Paris, 1991-1992, p. 252, ill. 386, p. 367, n° 145.
2. G. Bazin, 1992, V, pp. 224-229, n° 1690-1703.
3. Br. Chenique, exp. Paris, 1991-1992, p. 238, ill. 371, p. 405, n° 300 ; L. Eitner, 1983, p. 153 (1991, pp. 208-209, ill. 110 et 111).
4. Quoiqu'on ne puisse parler de narration au sens d'un récit ou d'une évocation d'un événement particulier, la lithographie et les études – conçues comme un ensemble, un projet (d'une envergure modeste) – soulèvent la question de la temporalité et de l'image. Un autre projet daté de 1818 – et plus élaboré – sur lequel Géricault a travaillé de manière continue (pour ensuite l'abandonner) concerne l'ensemble de dessins liés à l'assassinat de Fualdès : R. Simon, 1996, t. I, pp. 161-178. La problèmatique plus générale de la peinture d'histoire est étudiée, dans cette perspective, par H. Zerner, 1997, pp. 47-66.
5. Noté par Ch. Clément, 1879, pp. 374-375.

* E.8 Chariot chargé de soldats blessés

Lithographie | 1818 | H. 0,300 ; L. 0,295 sans marge | H. 0,363 ; L. 0,526 avec marge | 2e état | Lithographie sans encadrement | Dans la composition inscription en bas à gauche : *Géricault* et à droite sous le trait : *lithogie de C. Motte* | Au dos de la lithographie le n° *358*.

Provenance

His de la Salle, vente, Paris, 10-12 janvier 1881, n° 358 | J.P. Mène, vente, Paris, 22-25 février 1899, n° 273 | Pr. Valton | don de Mme Valton à l'Ensba en 1908 | Inv. E.B.A. Est. n° 426.

Autre épreuve

H. 0,300 ; L. 0,289 sans marge | H. 0,335 ; L. 0,500 avec marge | 1er état | Lithographie sans encadrement, avant toute lettre | Taches brunes sur l'ensemble de la feuille.

Provenance

A. Moignon, vente, Paris, 6 mars 1891, n° 127 | Pr. Valton | don de Mme Valton à l'Ensba en 1908 | Inv. E.B.A. Est. n° 425.

Bibliographie

Ch. Clément, juin 1866, n° 10 | Ch. Clément, 1868 et 1879, n° 10 | L. Delteil, 1924, n° 11 | Ph. Grunchec, 1978, n° 10 | Fr. Bergot, exp. Rouen, 1981-1982, n° 10 | G. Bazin, 1992, V, p. 143, n° 1467.

Expositions

Rome, Villa Médicis, 1979-1980, n° 72 | Montargis, Musée Girodet, 1981, n° 3 | Boulogne-Billancourt, Centre culturel, 1984, n° 3 | Saint-Lô, Conseil général, maison du département, 1990, n° 6.

Le sujet est à rapprocher de celui du tableau du Fitzwilliam Museum de Cambridge, *Charrette de soldats blessés*[1] daté de la même année. Comme pour le *Retour de Russie* (**cat. E.10**), Géricault traite ici des misères des campagnes napoléoniennes : il y décrit le monde sans gloire des militaires de divers corps et grades épuisés, blessés et éclopés qui ont quitté le champ de bataille et s'entassent pêle-mêle dans cette charrette brinquebalante conduite par un paysan. E.B.

—

1. Ph. Grunchec, 1978, n° 141.

* E.9 Deux chevaux gris-pommelé se battant dans une écurie

Lithographie avec teinte | 1818 | H. 0,271 ; L. 0,350 sans marge | Épreuve tirée à deux teintes | Traits d'encadrement sur la largeur | Épreuve coupée.

Provenance

Parguez, vente, Paris, 22-24 avril 1861 | His de la Salle, vente, Paris, 10-12 janvier 1881, n° 359 | A. Moignon, vente, Paris, 6 mars 1891, n° 129 | Pr. Valton | don de Mme Valton à l'Ensba en 1908 | Inv. E.B.A. Est. n° 427.

Bibliographie

Ch. Clément, juin 1866, n° 11 | Ch. Clément, 1868 et 1879, n° 11 | L. Delteil, 1924, n° 12 | Ph. Grunchec, 1978, n° 11 | Fr. Bergot, exp. Rouen, 1981-1982, n° 11 bis | G. Bazin, 1992, V, p. 215, n° 1661.

Expositions

Rome, Villa Médicis, 1979-1980, n° 73 | Montargis, Musée Girodet, 1981, n° 4 | Rouen, Musée des Beaux-Arts, 1981- 1982, n° 11 bis | Boulogne-Billancourt, Centre culturel, 1984, n° 4 | Saint-Lô, Conseil général, maison du département, 1990, n° 5.

Bazin classe cette scène parmi les sujets de genre ; il semble qu'à son retour d'Italie, Géricault ait représenté plusieurs fois des batailles de chevaux, l'œuvre la plus célèbre étant l'aquarelle du Cleveland Museum of Art, *Bataille de chevaux dans un enclos*[1]. Ici, on aperçoit deux chevaux qui « se mordent au cou en se cabrant. Le garde-écurie, en manches de chemise et coiffé d'un bonnet de police, les frappe d'un balai pour arrêter le combat. Un second hussard, couché sur la paille au premier plan, dans l'ombre, se réveille au bruit et les regarde[2] ».

Il n'existe que cinq épreuves de cette pièce dans trois conditions différentes : une sur papier blanc conservée au Musée des Beaux-Arts de Rouen[3], deux sur papier jaunâtre, deux à deux teintes. L'imprimeur Motte avait essayé l'impression à deux teintes sans consulter Géricault, mais la pierre se brisa dès le tirage des premières épreuves. Clément précise donc que « les épreuves à deux teintes dues à l'impression de deux pierres forment réellement une condition d'épreuve particulière, un véritable état ». E.B.

—

1. Inv. n° Acc. n° 29-13 ; G. Bazin, V, p. 214, n° 1657.
2. Ch. Clément, 1868, n° 11.
3. Exp. Rouen, 1981-1982, n° 11.

* E.10 Retour de Russie

Lithographie avec teinte | 1818 | H. 0,444 ; L. 0,364 sans marge | H. 0,562 ; L. 0,362 avec marge | 1er état | Lithographie encadrée | Signé en bas à droite : *Géricault* et sous le trait à gauche : *Lithogie de C. Motte Rue des Marais fg. St. Germain* | Verso : *il existe des épreuves postérieures avec ce titre : Retour de Russie. Sur ces épreuves l'adresse de l'imprimeur a été effacée et on lit à droite : au dépot général de lithographie quai Voltaire* | Épreuve très piquée.

Provenance

His de la Salle, vente, Paris, 10-12 janvier 1881, n° 360 | A. Moignon, vente, Paris, 6 mars 1891, n° 131 | Pr. Valton | don de Mme Valton à l'Ensba en 1908 | Inv. E.B.A. Est. n° 430.

Bibliographie

Ch. Clément, juin 1866, n° 12 | Ch. Clément, 1868 et 1879, n° 12 | L. Delteil, 1924, n° 13 | Ph. Grunchec, 1978, n° 12 | Fr. Bergot, exp. Rouen, 1981-1982, n° 12 | G. Bazin, 1992, V, p. 141, n° 1461.

Expositions

Paris, Musée du Petit Palais, 1936, n° 721 | Rome, Villa Médicis, 1979-1980, n° 75 | Boulogne-Billancourt, Centre culturel, 1984, n° 5 bis.

Autre épreuve avec teinte

H. 0,444 ; L. 0,364 sans marge | H. 0,590 ; L. 0,425 avec marge | 1er état | Sur le montage le n° *191* | Taches d'humidité sur les marges.

Provenance

A. Armand puis Pr. Valton | don de Mme Valton à l'Ensba en 1908 | Inv. E.B.A. Est. n° 429.

Autre épreuve sans teinte

H. 0,444 ; L. 0,364 sans marge | H. 0,574 ; L. 0,423 avec marge | 1er état | Sur le montage le n° *130* | Feuille très piquée.

Provenance

A. Moignon, vente, Paris, le 6 mars 1891, n° 130 | Pr. Valton | don de Mme Valton à l'Ensba en 1908 | Inv. E.B.A. Est. n° 428.

Expositions

Rome, Villa Médicis, 1979-1980, n° 74 | Montargis, Musée Girodet, 1981, n° 5 | Boulogne-Billancourt, Centre culturel, 1984, n° 5.

Deux études, l'une au Musée des Beaux-Arts de Rouen et l'autre à l'Ensba (**cat. D.85**) ainsi que plusieurs croquis de l'Album de Chicago (folio 7 recto et folio 8 recto) sont à mettre en relation avec cette lithographie qui fut tirée sur papier blanc et à deux teintes[1]. Elle appartient aux premières lithographies réalisées par Géricault en 1818, qui traitent toutes, comme le *Chariot chargés de soldats blessés* de l'épopée napoléonienne (**cat. E.8**) : on n'y voit guère les victoires remportées par l'Empereur, mais plutôt les misères de la guerre et plus particulièrement celles de la retraite de Russie, racontée par les soldats à leur retour en France. « Au milieu d'une plaine glacée s'avance un grenadier manchot qui mène par la bride le cheval harassé d'un cuirassé aveugle et qui porte le bras gauche en écharpe. Un chien à demi-mort les suit. » À l'arrière-plan on aperçoit « un soldat d'infanterie qui porte son camarade sur le dos[2] ». « Ni Callot, ni Goya n'ont mieux peint l'absurde barbarie de la chose militaire.
Ou le malheur à l'état brut. Les troupiers moribonds de cet hôpital ambulant s'égalent, dans leurs panoplies infirmières, aux héros mythiques – héros maudits – de l'Antiquité, que frappent l'exil ou la cécité : Laocoon, Œdipe, Bélisaire[3] ». E.B.

—

1. Inv. n° 908.2.2., exp. Rouen, 1981-1982, n° 12 ter ; Inv. n° 1947.35 ; exp. Paris, 1991-1992, n° 64 et 65.
2. Ch. Clément, 1879, pp. 213-214.
3. R. Michel, 1992, p. 71.

* E.11 Caisson d'artillerie

Lithographie | 1818 | H. 0,414 ; L. 0,526 sans marge | H. 0,511 ; L. 0,681 avec marge | Un seul état connu | Lithographie encadrée, sans la lettre | Papier jauni, deux traces de pliures et taches brunes.

Provenance

His de la Salle, vente, Paris 10-12 janvier 1881, n° 361 | A. Moignon, vente, Paris, 6 mars 1891, n° 132 | Pr. Valton | don de Mme Valton à l'Ensba en 1908 | Inv. E.B.A. Est. n° 431.

Bibliographie

Ch. Clément, juin 1866, n° 13 | Ch. Clément, 1868 et 1879, n° 13 | L. Delteil, 1924, n° 14 | Ph. Grunchec, 1978, n° 13 | Fr. Bergot, exp. Rouen, 1981-1982, n° 13 | G. Bazin, 1992, V, p. 152, n° 1493.

Expositions

Rome, Villa Médicis, 1979-1980, n° 76 | Montargis, Musée Girodet, 1981, n° 6 | Boulogne-Billancourt, Centre culturel, 1984, n° 6 | Kamakura, Kyoto et Fukuoka, Musée d'art moderne, Musée national d'art moderne et Musée des Beaux-Arts, 1987-1988, n° E.13.

Autre épreuve

Lithographie | 1818 | H. 0,414 ; L. 0,523 sans marge | H. 0,418 ; L. 0,528 avec marge | Épreuve coupée, marges très étroites | Au verso de la lithographie : *Ve M* ; plus bas : *est. a 12 f* et n° *1565*.

Provenance

A. Armand puis Pr. Valton | don de Mme Valton à l'Ensba en 1908 | Inv. n° E.B.A. Est. n° 432.

Image de la défaite et de l'héroïsme inutile, cette estampe représente un « simple soldat juché sur un caisson désarticulé, dont le cheval gît à terre, qui tient à la main une mêche allumée et menace de mettre le feu ; sur la gauche un officier ennemi, l'épée à la main, mène une troupe à l'assaut[1] ». Géricault réalisa plusieurs études préparatoires pour la figure principale conservées dans l'Album de Chicago[2].

Clément[3] souligne le peu de succès que remportèrent les premières lithographies de Géricault. C'est à l'occasion de la réalisation des épreuves de cette composition que l'imprimeur, Mme Delpech, dit à Jamar, ami de l'artiste : « Puisque Géricault n'a pas besoin de travailler pour vivre, il ferait bien mieux de renoncer à ce métier. » E.B.

—

1. G. Bazin, 1992, V, p. 29.
2. Folio 2r. et v., folio 5r et v et folio 6r et v ; G. Bazin, 1992, V, n° 1494 à 1498.
3. Ch. Clément, 1879, pp. 211-212.

* E.12 Le Factionnaire suisse au Louvre

Lithographie | 1819 | H. 0,393 ; L. 0,327 sans marge | H. 0,415 ; L. 0,528 avec marge | 2e état | Lithographie encadrée | Trois inscriptions sous le trait en bas à gauche : *Géricault 1819*, au centre : *LE FACTIONNAIRE SUISSE AU LOUVRE* et à droite : *Imp. lithog. de F. Delpech* | Au dos de la lithographie : *10 f* et n° *1562*.

Provenance

A. Armand puis Pr. Valton | don de Mme Valton à l'Ensba en 1908 | Inv. E.B.A. Est. n° 433.

Bibliographie

Ch. Clément, juin 1866, n° 14 | Ch. Clément, 1868 et 1879, n° 14 | L. Delteil, 1924, n° 15 | Ph. Grunchec, 1978, 14 | Fr. Bergot, exp. Rouen, 1981-1982, n° 14 | G. Bazin, 1992, V, p. 204, n° 1631.

Expositions

Rome, Villa Médicis, 1979-1980, n° 77 | Kamakura, Kyoto et Fukuoka, Musée d'art moderne, Musée national d'art moderne et Musée des Beaux-Arts, 1987-1988, n° E.14.

La publication de la lithographie de Géricault *Le Factionnaire suisse au Louvre* fut annoncée dans le n° 432 de la *Bibliographie de la France* du 10 juillet 1819. Son sujet s'inspire d'un récit rapporté par *Le Constitutionnel*, journal de tendance libérale et bonapartiste, le 6 juin 1819 : « Un ancien militaire, dont une jambe de bois et une capote extrêmement modeste attestaient à la fois les services et leur trop faible récompense, s'est vu il y a deux jours refuser l'entrée du Louvre par un factionnaire suisse qui obéissait probablement à une consigne quelconque. Quelle est cette consigne ? Regarde-t-elle les jambes de bois ? Détermine-t-elle quelle doit être précisément la forme d'un habit, ou quel degré de maturité son étoffe peut présenter pour rendre libre ou illicite aux passants la traversée du Louvre ? C'est sur quoi nous manquons de renseignements. Tout ce que nous pouvons dire, c'est que le passage était inflexiblement fermé, et que les allants et venants ne voyaient pas sans quelqu'humeur l'étranger refuser au soldat français l'entrée du palais de Henri IV. Ce soldat, ouvrant alors sa vieille capote fait voir au factionnaire suisse l'étoile des braves placée sur sa poitrine, et lui prescrit d'un ton ferme de lui porter les armes, ce qu'il s'est empressé de faire aux applaudissements des témoins de cette scène, qui prouve qu'il est au moins un cas où l'honneur n'est point méconnu, même sous les livrées de l'indigence. »

Ce genre d'histoire, un fait divers qui dénonce les mauvais traitements infligés aux anciens soldats de la Grande Armée, était courant dans la presse d'opposition à l'époque de la Restauration. Mais pour les contemporains, la portée du sens, multiple, d'une pareille œuvre touche un public plus large encore car elle recouvre en ce cas précis des discussions semi-publiques, souterraines et codées, sous-tendues de violentes controverses concernant la composition des troupes militaires, la nature et les voies ouvertes au nationalisme, la liberté de la presse ainsi que la légitimité même d'un gouvernement monarchique à l'époque post-révolutionnaire et post-napoléonienne.

Mais la tentative de Géricault de créer une image d'histoire moderne, une histoire dégagée de la soumission déférente à l'autorité du récit princier ou à d'autres sources littéraires canoniques, par le renoncement au support iconographique de la grande tradition, est ici plus intéressante encore. Destinée à un très vaste public, cette image empruntée à l'histoire contemporaine a pour support le papier lithographique voué lui-même à une très large diffusion, de manière parfaitement appropriée au caractère à la fois transitoire et contingent du fait divers et de la presse d'information écrite. *Le Radeau de la Méduse*, enraciné de même manière dans le mélodrame journalistique et les débats politiques contemporains, résulte d'une tentative semblable de l'artiste de donner forme à l'histoire contemporaine : le fait divers y est toutefois là, au contraire, élevé à la dignité *du tableau d'histoire*[1].

De manière significative, *Le Radeau de la Méduse* marque l'apogée de la relation entre peinture et lithographie chez Géricault. Comme l'a souligné K. Spencer, Géricault affronte dans *Le Factionnaire suisse au Louvre* la lithographie avec son format et sa mise en page spécifiques, à l'inverse de ses premières estampes où les recherches de monumentalité visaient à retrouver les modèles des peintures exposées au Salon : « Nous n'avons plus désormais de groupe sculptural qui s'organise sur les principes baroques généraux de la spirale, de la courbe et de rythmes intercroisés. Nous sommes au contraire plus proches d'une composition qui suit une sorte de grille constituée d'horizontales sous-entendues et de verticales très marquées auxquelles l'artiste a recours pour étendre les dimensions de l'œuvre au-delà des limites apparentes de la page. Il nous faut considérer cette lithographie comme une œuvre transitoire entre les premières lithographies très sculpturales de Géricault et celles, plus planes, de la suite anglaise[2]. » R.S.

—

1. R. Simon, 1996, pp. 257-269.
2. K. Spencer, 1969, pp. 14-15. D'après Clément, c'est Horace Vernet qui a dessiné les bâtiments figurant à l'arrière-plan de la composition (Ch. Clément, 1879, p. 211) argument qui « montre que Géricault n'était pas encore tout à fait sûr de ce qu'il faisait » pour K. Spencer.

* E.13 Artillerie à cheval de la Garde impériale changeant de position

Lithographie rehaussée d'aquarelle | 1819 | H. 0,283 ; L. 0,358 | Un seul état connu | Lithographie sans encadrement | Signé au grattoir en bas à droite : *T. Gericault.*

Provenance

Gihaut le jeune | A. Moignon, vente, Paris, 6 mars 1891, n° 134 | Pr. Valton | don de Mme Valton à l'Ensba en 1908 | Inv. E.B.A. Est. n° 434.

Bibliographie

Ch. Clément, juin 1866, n° 15 | Ch. Clément, 1868 et 1879, n° 15 | L. Delteil, 1924, n° 16 | R. Régamey, 1926, pl. 21 | Opreschu, 1927, pp. 174, 180 | Kl. Berger, 1952, pl. 62 | J. Adhémar et Lethève, 1955, p. 55, n° 16 | Del Guercio, 1963, p. 148, pl. 67 | Kl. Berger, 1968, pp. 38, 89, 96, fig. 66 | Ph. Grunchec, 1978, p. 151, n° inc.15 | Fr. Bergot, exp. Rouen, 1981-1982, n° 15 bis | Ph. Grunchec, 1982, pp. 68-69 | Fr. Bergot, 1982, p. 31, n° 7 | Ph. Grunchec, exp. 1985-1986, New York, San Diego et Houston, p. 111, sous le n° 53, fig. 53 A | G. Bazin, 1992, V, n° 1534 | A. Jacques, 1995, pp. 138-139.

Expositions

Paris, Hôtel Jean Charpentier, 1924, n° 270 | Paris, Ensba, 1934, n° 183 | Rome, Villa Médicis, 1979-1980, n° 79 | Montargis, Musée Girodet, 1981, n° 8 | Rouen, Musée des Beaux-Arts, 1981-1982, n° 15 bis | Paris, Fondation nationale des arts graphiques et plastiques, 1982, n° 15 | Saint-Lô, Conseil général, maison du département, 1990, page de couverture | Paris, Grand Palais, 1991-1992, n° 270 | Paris, Ensba, 1992, sans numéro de catalogue | Mexico, Centro cultural arte contemporoano, 1994, n° 45 | Vancouver, Morris and Helen Belkin Art Gallery, 1997, n° 20, repr.

<u>Autre épreuve</u>

Lithographie non aquarellée | H. 0,300 ; L. 0,384 sans marge | H. 0,426 ; L. 0,586 avec marge | Un seul état connu | Lithographie sans encadrement | Signé au grattoir en bas à droite : *T. Gericault* | Taches brunes sur l'ensemble de la feuille.

Provenance

His de la Salle, vente, Paris, 10-12 janvier 1881, n° 363 | A. Moignon, vente, Paris, 6 mars, Paris, 1891, n° 135 | Pr. Valton | don de Mme Valton à l'Ensba en 1908 | Inv. E.B.A. Est. n° 435.

Expositions

Rome, Villa Médicis, 1979-1980, n° 78 | Montargis, Musée Girodet, 1981, n° 7 | Boulogne-Billancourt, Centre culturel, 1984, n° 7 | Beaune, Musée Marey, 1991, n° 10.

Clément[1] raconte que Géricault exécuta cette lithographie en quelques heures alors qu'il travaillait au *Radeau de la Méduse* : « Le jour où il la fit, au moment où M. Jamar quitta l'atelier, vers cinq ou six heures du soir, elle n'était pas commencée. Lorsqu'il revint à onze heures, elle était terminée. » Il nous indique également qu'elle fut « coloriée à l'aquarelle par Géricault lui-même, qui lui a fait subir des changements notables et très heureux. La lumière est beaucoup moins disséminée que dans la lithographie, et l'effet est d'une grande puissance. Le peintre a modifié les coiffures des deux soldats du train, en y ajoutant des plumets. Il a accusé la visière et agrandi la plaque du shako du premier, auquel il a aussi mis des épaulettes. Il a relevé le fourniment, mis la jambe droite dans l'ombre, ce qui donne de la valeur à la tête du cheval, dont il a dégagé le poitrail en remplaçant la bricole par un collier. Cette planche, qui est un véritable tableau a appartenu jusqu'à ces derniers temps, à M. Gihaut jeune[2] ».

Géricault a traité le thème du train d'artillerie en action dans deux peintures, l'une conservée à la nouvelle Pinacothèque de Munich et l'autre à la Municipal Art Gallery de Johannesburg ainsi que dans un dessin conservé au Département des Arts Graphiques au Musée du Louvre[3]. E.B.

—

1. Ch. Clément, 1879, p. 212.
2. Ch. Clément, 1879, pp. 379-380.
3. Ph. Grunchec, 1991, n° 137 et 137 A et R. Michel, 1992, p. 165.

* E.14 « Batalla de Chacabuco » La Bataille de Chacabuco, 12 février 1817

Lithographie rehaussée d'aquarelle | 1819 (?) | H. 0,387 ; L. 0,494 | Seul état connu | Lithographie encadrée | Au dos du montage, partie inférieure de la lithographie collée : *Batalla de Chacabuco /ganada sobre les Espanoles el 12 de febrero 1817/por las tropas de Buenos-Aires/mandadas por/el capitan Général Dn Jose S. Martin./Dedicado a los heroes/de Chacabuco y Maïpu* | Au centre deux médaillons entourés de lauriers reliés par un nœud, sur l'un l'inscription *La Patria a los vencad de los Andes* et sur l'autre deux mains serrées tenant une pique avec le bonnet phrygien (insigne de la franc-maçonnerie) | Taches brunes et déchirures dans la partie supérieure | Sur le montage le n° *364*.

Provenance

Alexandre Corréard, vente après décès 1857 | His de la Salle, vente, Paris, 10-12 janvier 1881, n° 364 | A. Armand puis Pr. Valton | don de Mme Valton à l'Ensba en 1908 | Inv. E.B.A. Est. n° 437.

Bibliographie

Ch. Clément, juin 1866, n° 16 | Ch. Clément, 1868 et 1879, n° 16 | L. Delteil, 1924, n° 18 | Ph. Grunchec, 1978, n° 16 | Fr. Bergot, exp. Rouen, 1981-1982, n° 16 bis | G. Bazin, 1992, V, pp. 208-209, n° 1644.

Expositions

Nancy, Musée des Beaux-Arts, 1978-1979 | Rome, Villa Médicis, 1979-1980, n° 81 | Montargis, Musée Girodet, 1981, n° 11 | Rouen, Musée des Beaux-Arts, 1981-1982, n° 16 bis | Paris, Grand Palais, 1991-1992, n° 273, ill. 302 | Vancouver, Morris and Helen Belkin Art Gallery, 1997, n° 34, repr.

<u>Autre épreuve non aquarellée</u>

H. 0,387 ; L. 0,492 sans marge | H. 0,448 ; L. 0,493 avec marge | Taches brunes sur l'ensemble de la feuille, contrecollée | Même inscriptions en bas de la composition.

Provenance

His de la Salle, vente, Paris, 10-12 janvier 1881, n° 364 bis | A. Armand puis Pr. Valton | don de Mme Valton à l'Ensba en 1908 | Inv. E.B.A. Est. n° 439.

Bibliographie

Ch. Clément, juin 1866, n° 16 | Ch. Clément, 1868 et 1879, n° 16 | L. Delteil, 1924, n° 18 | Fr. Bergot, exp. Rouen, 1981-1982, n° 16.

Expositions

Rome, Villa Médicis, 1979-1980, n° 80 | Montargis, Musée Girodet, 1981, n° 10 | Rouen, Musée des Beaux-Arts, 1981-1982, n° 16 | Budapest, Musée des Beaux-Arts, 1982, n° 15 | Kamakura, Kyoto et Fukuoka, Musée d'art moderne, Musée national d'art moderne et Musée des Beaux-Arts, 1987-1988, n° E.16.

<u>Autre épreuve non aquarellée</u>

H. 0,383 ; L. 0,489 sans marge | H. 0,451 ; L. 0,517 avec marge | Contrecollée, déchirure en haut de la composition | Mêmes inscriptions en bas de la composition.

Provenance

P.J. Mène, vente, Paris, 22-25 février 1899, lot n° 277 | Pr. Valton | don de Mme Valton à l'Ensba en 1908 | Inv. E.B.A. Est. n° 438.

Géricault a représenté ici une bataille livrée en 1817 dans la plaine de Chacabuco, au pied des Andes colombiennes. L'affrontement s'est soldé par la défaite de l'armée royaliste espagnole face aux soldats rebelles menés par le général San Martin, que l'on voit au centre de l'image, sur son cheval. Cette estampe, comme la suivante (**cat. E.15**), fait partie d'une suite de quatre lithographies sur le thème des guerres d'indépendance en Amérique latine, que le lieutenant Cramer avait commandée à Géricault. La composition rappelle les scènes de batailles napoléoniennes du baron Gros et de Carle Vernet, avec ses éléments inscrits dans le même plan et la répartition symétrique des groupes de soldats autour du général et de son état-major. N. A.-K.

.15 « Batalla de Maïpu »
La Bataille de Maïpu, 5 mars 1818

Lithographie rehaussée d'aquarelle | 1819 (?) | H. 0,377 ; L. 0,537 | Seul état connu | En bas à gauche de la composition signé : *Gericault* | Au dos du montage partie inférieure de la lithographie avec les inscriptions suivantes : *Batalla de Maïpu/ganada sobre los Espanoles el 5 de abril* (date corrigée) *1818/por las tropas aliadas de Buenos ayres y Chile/ mandadas por el Capitan Général Dn Jose de Sn Martin/Dedicado a los heroes/de Chacabuco y Maïpu* | Au centre deux médaillons entourés de lauriers reliés par un nœud, avec pour l'un, un obélisque surmonté d'une étoile et pour l'autre deux mains serrées tenant une pique avec le bonnet phrygien (insignes de la franc-maçonnerie) | Sur le montage le n° *365*.

Provenance

Alexandre Corréard, sa vente après décès, 1857 | His de la Salle, vente, Paris, 10-12 janvier 1881, n° 365 | A. Armand puis Pr. Valton | don de Mme Valton à l'Ensba en 1908 | Inv. E.B.A. Est. n° 440.

Bibliographie

Ch. Clément, juin 1866, n° 17 | Ch. Clément, 1868 et 1879, n° 17 | L. Delteil, 1924, n° 19 | Ph. Grunchec, 1978, n° 17 | Fr. Bergot, exp. Rouen, 1981-1982, n° 17 bis | G. Bazin, 1992, V, p. 208, n° 1643.

Expositions

Rome, Villa Médicis, 1979-1980, n° 83 | Montargis, Musée Girodet, 1981, n° 13 | Rouen, Musée des Beaux-Arts, 1981-1982, n° 17 bis | Paris, Grand Palais, 1991-1992, n° 272, ill. 303 | Vancouver, Morris and Helen Belkin Art Gallery, 1997, n° 35, repr.

Autre épreuve non aquarellée

H. 0,377 ; L. 0,532 | H. 0,448 ; L. 0,548 | En bas à gauche signé : *Gericault* | Mêmes inscriptions en bas de la lithographie.

Provenance

P.J. Mène, vente, Paris, 22-25 février 1899, lot n° 277 | Pr. Valton | don de Mme Valton à l'Ensba en 1908 | Inv. E.B.A. Est. n° 442.

Expositions

Rome, Villa Médicis, 1979-1980, n° 82 | Montargis, Musée Girodet, 1981, n° 12 | Boulogne-Billancourt, Centre culturel, 1984, n° 9.

Autre épreuve non aquarellée

H. 0,377 ; L. 0,516 | H. 0,437 ; L. 0,519 | En bas à gauche signé : *Gericault* | Mêmes inscriptions en bas de la composition | Déchirures et manques dans l'angle inférieur droit et dans la partie supérieure de la feuille.

Provenance

His de la Salle, vente, Paris, 10-12 janvier 1881, n° 365 bis | A. Armand puis Pr. Valton | don de Mme Valton à l'Ensba en 1908 | Inv. E.B.A. Est. n° 441.

La scène est une reconstitution imaginaire d'un épisode de la guerre d'indépendance du Chili, où les soldats rebelles nationalistes conduits par le général San Martin ont battu l'armée royaliste espagnole, en 1818. L'inscription dédie la gravure aux héros de Chacabuco et de Maïpu. Elle comporte deux médaillons ovales ornés de symboles maçonniques et révolutionnaires.

Cette estampe fait partie d'une suite de quatre lithographies (**cat. E.14, E.16 et E.17**) commandée à Géricault par le lieutenant Cramer, un ancien officier de la Grande Armée engagé volontaire en Amérique du Sud, que l'artiste a peut-être connu dans l'atelier d'Horace Vernet. Cramer comptait retourner là-bas avec les lithographies, où il espérait les vendre pour son compte. Cramer appartenait probablement à la franc-maçonnerie, comme la plupart des opposants républicains dans l'Europe post-napoléonienne, et peut-être Géricault et Vernet eux-mêmes. En tout cas, la suite lithographique possédait une valeur emblématique aux yeux des républicains. À ce titre, elle était en vente à la librairie *Au naufragé de la Méduse*, ouverte par Alexandre Corréard au Palais-Royal, qui servait de rendez-vous aux dissidents de la Restauration et de centre de diffusion des tracts et brochures contestataires. N. A.-K.

* E.16 D[n] Jose de S[n] Martin / General en Xefe de los exercitos de Buenos ayres y chile

Lithographie | 1819 (?) | H. 0,340 ; L. 0,270 sans marge | H. 0,372 ; L. 0,269 avec marge | Un seul état connu | Lithographie encadrée | Titre inscrit sur deux lignes au centre : *Dn Jose de Sn Martin/General en Xefe de los exercitos aliados de Buenos ayres y chile* | Sur le montage le n° *366*.

Provenance

His de la Salle, vente, Paris, 10-12 janvier 1881, n° 366 | A. Armand puis Pr. Valton | don de Mme Valton à l'Ensba en 1908 | Inv. E.B.A. Est. n° 443.

Bibliographie

Ch. Clément, juin 1866, n° 18 | Ch. Clément, 1868 et 1879, n° 18 | L. Delteil, 1924, n° 20 | Ph. Grunchec, 1978, n° 18 | Fr. Bergot, exp. Rouen, 1981-1982, n° 18 | G. Bazin, 1992, V, p. 1653.

Expositions

Rome, Villa Médicis, 1979-1980, n° 84 | Montargis, Musée Girodet, 1981, n° 14 | Boulogne-Billancourt, Centre culturel, 1984, n° 10.

José de San Martin (1778-1850), surnommé le héros des Andes, fut, avec Simon Bolívar, l'un des deux artisans de la libération de l'Amérique du Sud. Né en Argentine, il est entré dans l'armée espagnole et s'est battu contre les troupes d'invasion de Napoléon en Espagne. Il est devenu franc-maçon à l'occasion d'un séjour à Londres, puis il est rentré en 1812 à Buenos Aires, où il a pris le commandement des patriotes argentins insurgés contre la domination espagnole.

Le portrait équestre fait partie de la suite de quatre lithographies sur le thème des guerres d'indépendance en Amérique latine, commandée par le lieutenant Cramer vers 1819-1820 (**cat. E.14, E.15** et **E.17**). Géricault a représenté San Martin à cheval, dans la pose traditionnelle du condottiere, de sorte que l'image renvoie à la statue de Marc Aurèle du Capitole et aussi au célèbre *Napoléon passant le col du Grand-Saint-Bernard* de David (1800). N.A.-K.

E.17 D[n] Manuel Belgrano, General en xefe del exercito auxillar del peru

Lithographie aquarellée | 1819 (?) | H. 0,343 ; L. 0,267 | Épreuve coupée au cou du modèle. La tête a été remplacée par un dessin au crayon noir collé sur la planche représentant la tête du général J. de San Martin | Sous le dessin, figure une gravure de tête de cosaque à bonnet | Un seul état connu | En bas à droite le n° *277*.

Provenance

P.J. Mène, vente, Paris, 22-25 février 1899, n° 277 | Pr. Valton | don de Mme Valton à l'Ensba en 1908 | Inv. E.B.A. Est. n° 444.

Bibliographie

Ch. Clément, juin 1866, n° 19 | Ch. Clément, 1868 et 1879, n° 19 | L. Delteil, 1924, n° 21 | Ph. Grunchec, 1978, n° 19 | Fr. Bergot, exp. Rouen, 1981-1982, n° 19 | G. Bazin, 1992, V, p. 212, n° 1654.

Expositions

Nancy, Musée des Beaux-Arts, 1978-1979 | Rome, Villa Médicis, 1979-1980, n° 86 | Montargis, Musée Girodet, 1981, n° 15.

Manuel Belgrano (1770-1820), originaire de Buenos Aires, a consacré toute sa vie à la lutte pour libérer l'Argentine de la domination espagnole. Il a remporté plusieurs victoires importantes contre les royalistes espagnols au Paraguay, en Bolivie et au Chili. Le portrait équestre de Belgrano, comme celui de San Martin (**cat. E.16**), fait partie de la suite de quatre lithographies sur le thème des guerres d'indépendance en Amérique latine commandée vers 1819-1820 par le lieutenant Cramer (**cat. E.14 et E.15**).

Géricault a conçu son estampe de manière à faciliter une exploitation commerciale ultérieure. En haut, la feuille s'arrête à hauteur des épaules du cavalier, permettant ainsi d'adapter différentes têtes sur la même silhouette de cavalier. Ainsi, le portrait de Belgrano pourrait se transformer aisément en image de cosaque à bonnet pointu. N. A.-K.

* E.18 À cheval

Lithographie | 1819 (?) | H. 0,318 ; L. 0,426 sans marge | H. 0,418 ; L. 0,528 avec marge | 1er état | Lithographie encadrée | Deux inscriptions sous le trait en bas au milieu : *a Cheval* et à droite : *Imp. lithog. de F. Delpech* | Au verso de la lithographie : *16 l* et n° *1565* | Papier jauni.

Provenance

A. Armand puis Pr. Valton | don de Mme Valton à l'Ensba en 1908 | Inv. E.B.A. Est. n° 436.

Bibliographie

Ch. Clément, juin 1866, n° 20 | Ch. Clément, 1868 et 1879, n° 20 | L. Delteil, 1924, n° 17 | Ph. Grunchec, 1978, n° 20 | Fr. Bergot, exp. Rouen, 1981-1982, n° 20 | G. Bazin, 1992, V, p. 158, n° 1509.

Expositions

Rome, Villa Médicis, 1979-1980, n° 87 | Montargis, Musée Girodet, 1981, n° 9 | Boulogne-Billancourt, Centre culturel, 1984, n° 11 | Saint-Lô, Conseil général, maison du département, 1990, n° 7.

Cette scène de la vie militaire représente un bivouac de cuirassiers.

* E.19 Marche dans le désert

Lithographie | 1822 ou 1823 | H. 0,290 ; L. 0,397 sans marge | H. 0,413 ; L. 0,546 avec marge | 1er état | Lithographie encadrée, avant le titre | Signé en bas dans la composition : *Gericault,* deux inscriptions sous le trait en bas à gauche : *Gericault del* et à droite : *Litho de C. Motte* | Papier jauni.

Provenance

His de la Salle, vente, Paris, 10-12 janvier 1881, n° 368 | A. Moignon, vente, Paris, 6 mars 1891, n° 137 | Pr. Valton | don de Mme Valton à l'Ensba en 1908 | Inv. E.B.A. Est. n° 466.

Bibliographie

Ch. Clément, juin 1866, n° 21 | Ch. Clément, 1868 et 1879, n° 21 | L. Delteil, 1924, n° 43 | Ph. Grunchec, 1978, n° 21 | Fr. Bergot, exp. Rouen, 1981-1982, n° 21 | G. Bazin, 1997, VII, n° 2539.

Expositions

Rome, Villa Médicis, 1979-1980, n° 88 | Nancy, Musée des Beaux-Arts, 1978-1979 | Montargis, Musée Girodet, 1981, n° 30 | Boulogne-Billancourt, Centre culturel, 1984, n° 12.

Cette lithographie était destinée à illustrer le trente-deuxième tableau du premier volume de l'ouvrage d'Antoine-Vincent Arnault (1766-1834), *Vie politique et militaire de Napoléon* paru de 1822 à 1826 : Marche à travers le désert ; combats de Damanhour, de Rahmaniéh, de Cheibreifs ; bataille des Pyramides ; entrée au Caire (pp. 63-64). Elle faisait partie de la 10e livraison dont la parution fut annoncée dans la *Bibliographie de la France* le 6 septembre 1823[1]. L'Ensba conserve l'étude préparatoire pour cette planche (**cat. D.101**). E.B.

—

1. P. Joannides, 1973, p. 668.

E.20 Le Passage du mont Saint-Bernard

Lithographie | 1824 ou 1822 | H. 0,361 ; L. 0,410 sans marge | H. 0,432 ; L. 0,558 avec marge | 1er état | Lithographie encadrée, avant le titre et les montagnes teintées | Deux inscriptions sous le trait : en bas sous le trait : *Géricault del* et à droite : *litho. de C. Motte R. des marais* | Déchirure dans la partie supérieure de la marge.

Provenance

His de la Salle, vente, Paris, 10-12 janvier 1881, n° 369 | A. Moignon, vente, Paris, 6 mars 1891, n° 138 | Pr. Valton | don de Mme Valton en 1908 | Inv. E.B.A. Est. n° 467.

Bibliographie

Ch. Clément, juin 1866, n° 22 | Ch. Clément, 1868 et 1879, n° 22 | L. Delteil, 1924, n° 44 | Ph. Grunchec, 1978, n° 22 | Fr. Bergot, exp. Rouen, 1981-1982, n° 22 | G. Bazin, 1997, VII, n° 2544.

Expositions

Rome, Villa Médicis, 1979-1980, n° 89 | Montargis, Musée Girodet, 1981, n° 31 | Boulogne-Billancourt, Centre culturel, 1984, n° 13 | Paris, Galeries nationales du Grand Palais, 1991-1992, n° 274 | Vancouver, Morris and Helen Belkin Art Gallery, 1997, n° 32, repr.

Autre épreuve

2e état | Épreuve jaunie et taches brunes | Sur le montage le n° *370*.

Provenance

His de la Salle, vente, Paris, 10-12 janvier 1881, n° 370 | A. Armand puis Pr. Valton | don de Mme Valton à l'Ensba en 1908 | Inv. E.B.A. Est. n° 468.

Cette lithographie était destinée à illustrer le cinquante-deuxième tableau du premier volume de l'ouvrage d'Antoine Vincent Arnault (1766-1834) : *Vie politique et militaire de Napoléon*, paru de 1822 à 1826 : Ouverture de la campagne des trente jours ; l'armée de réserve passe les Alpes ; le St. Bernard ; le fort de Bard ; Bonaparte rentre dans Milan (pp. 103-104). Elle faisait partie de la 13e livraison, dont la parution fut annoncée dans la *Bibliographie de la France* le 28 février 1824[1] : on y aperçoit Bonaparte sur une pente enneigée, une main dans son gilet, accueillir des moines apportant des corbeilles de pains aux soldats rassemblés autour de lui. La réussite de la lithographie, particulièrement le 1er état, réside dans la blancheur des sommets enneigés de l'arrière-plan, obtenue par de grandes réserves de papier. Le Musée des Beaux-Arts de Lille et l'Ensba conservent deux études préparatoires pour cette composition[2] (**cat. D.102**). E.B.

—

1. P. Joannides, 1973, p. 668.
2. Inv. n° Pl. 1396.

* E.21 Lara blessé

Lithographie | 1820 (?) | H. 0,158 ; L. 0,232 sans marge | H. 0,269 ; L. 0,366 avec marge | 2e état | Lithographie encadrée | Trois inscriptions en bas, au centre : *LARA BLESSE*, à gauche : *Géricault* et à droite : *I. Lith. de Delpech* | Taches brunes sur la feuille et papier jauni.

Provenance

A. Armand puis Pr. Valton | don de Mme Valton à l'Ensba en 1908 | Inv. E.B.A. Est. n° 470.

Bibliographie

Ch. Clément, juin 1866, n° 23 | Ch. Clément, 1868 et 1879, n° 23 | L. Delteil, 1924, n° 45 | Ph. Grunchec, 1978, n° 23 | Fr. Bergot, exp. Rouen, 1981-1982, n° 23 | G. Bazin, 1997, VII, n° 2526.

Expositions

Rome, Villa Médicis, 1979-1980, n° 90 | Montargis, Musée Girodet, 1981, n° 32 | Boulogne-Billancourt, Centre culturel, 1984, n° 14 | Paris, Musée Renan-Scheffer, 1988, n° 67.

Autre épreuve

H. 0,158 ; L. 0,232 sans marge | H. 0,275 ; L. 0,368 avec marge | 2e état | Mêmes inscriptions | Taches brunes sur la feuille | Sur le montage le n° *139*.

Provenance

A. Moignon, vente, Paris, 6 mars 1891, n° 139 | Pr. Valton | don de Mme Valton à l'Ensba en 1908 | Inv. E.B.A. Est. n° 471.

Autre épreuve

H. 0,158 ; L. 0,232 sans marge | H. 0,263 ; L. 0,330 avec marge | 1er état | Inscriptions en bas de la composition, à gauche : *Géricault* et à droite : *I. Lith. de Delpech* | Papier jauni | Sur le montage le n° *139*.

Provenance

A. Moignon, vente, Paris, 6 mars 1891, n° 139 | Pr. Valton | don de Mme Valton à l'Ensba en 1908 | Inv. E.B.A. Est. n° 469.

Cette lithographie, publiée en 1820 chez Delpech, illustre le poème *Lara* de Byron, paru en 1814. C'est une suite du *Corsaire*, qui narre les aventures de Lara, chef des pirates. Le héros finit par se faire tuer à la tête de la rébellion contre le sultan, sous les yeux de son page Kaled qui n'est autre que la jeune Gulnare déguisée en homme. Géricault suggère subtilement le véritable sexe de Gulnare-Kaled en accentuant les rondeurs de sa silhouette, l'élégance de sa pose et la grâce de ses gestes. Le conte poétique de Byron a également inspiré plusieurs lithographies d'Horace Vernet, l'ami de Géricault. N. A.-K.

E.22 Schipwreck of the Meduse

Lithographie | 1819 | H. 0,178 ; L. 0,248 sans marge | Un seul état connu | Lithographie sans encadrement | Une inscription en bas au milieu : *SHIPWRECK OF THE MEDUSE/C. Hullmandel's Lithography.*

Provenance

A. Armand puis Pr. Valton | don de Mme Valton à l'Ensba en 1908 | Inv. E.B.A. Est. n° 538.

Bibliographie

Ch. Clément, juin 1866, n° 25 | Ch. Clément, 1868 et 1879, n° 24 | L. Delteil, 1924, n° 79 | Ph. Grunchec, 1978, n°24 | Fr. Bergot, exp. Rouen, 1981-1982, n° 24 | G. Bazin, 1994, VI, p. 88.

Expositions

Rome, Villa Médicis, 1979-1980, n° 91 | Cologne, Zurich, Lyon, Wallraf-Richartz Museum, Kunsthaus, Musée des Beaux-Arts, 1987-1988, n° 128 | Saint-Lô, Conseil régional, maison du département, 1990, n° 9.

Autre épreuve

H. 0,166 ; L. 0,222 sans marge.

Provenance

A.-Fr. Wasset, don à l'Ensba en 1896 | Inv. E.B.A. Est n° 537.

Cette lithographie fut apparemment conçue pour servir de billet d'entrée ou de souvenir à l'exposition du *Radeau de la Méduse* à l'Egyptian Hall à Londres, en 1820. Le projet a successivement été attribué à Charlet alors dans la capitale londonienne avec Géricault, à ce dernier lui-même, aux deux artistes réunis qui l'auraient réalisé ensemble, mais il n'est toutefois pas exclu qu'un autre graveur l'ait exécuté[1]. Quoi qu'il en soit, elle constitue la première trace directe, aujourd'hui connue, entre l'œuvre de Géricault et l'imprimeur Charles Hullmandel qui assure en 1821 l'impression de la suite anglaise.

L. Eitner a émis l'hypothèse que la lithographie correspondait peut-être à une version « corrigée » de l'œuvre peinte avec « une ligne d'horizon légèrement surélevée, qui donne l'illusion d'une plus grande étendue d'eau autour du radeau. Cet élément correspond soit à une modification du projet initial due à l'artiste, soit à une concession de ce dernier face aux critiques qui estimaient que l'océan n'était pas assez représenté[2] ». L. Eitner se réfère sans doute à certaines critiques comme celles de Landon par exemple : « En resserrant son sujet dans de moindres proportions, M. Géricault se serait ménagé les moyens de lui donner plus de développement. Au lieu de couper par la bordure, comme il a été obligé de le faire, les deux extémités du radeau, il aurait pu le représenter en entier, l'isoler de toutes parts au milieu d'une vaste étendue de mer, agrandir l'horizon, et montrer par l'éloignement des secours humains, toute la grandeur d'un péril inévitable[3]. »

En supposant que Géricault ait participé à la réalisation de cette lithographie, il est en effet difficile de penser qu'une telle « interprétation » de son œuvre ne soit pas une « concession » faite aux critiques, concession qui sous cet aspect et à ce format donne à ce geste un caractère quasi moqueur. Peut-être s'agit-il également d'une adaptation inconsciente, ou bien d'un « embellissement » du *Radeau*, conscient ou non, d'un autre lithographe.

Il est plus intéressant de noter cependant que Géricault semble avoir pris pour modèle non pas cette lithographie mais l'œuvre peinte du *Radeau de la Méduse* pour l'aquarelle destinée à l'une des illustrations lithographiées du livre de Corréard et de Savigny sur l'histoire de la Méduse édité en 1821[4]. Selon Bazin, lorsque Géricault réalise son aquarelle du *Radeau de la Méduse* (vraisemblablement juste avant ou au cours de son second voyage en Angleterre), « l'artiste a déjà subi fortement l'imprégnation de l'atmosphère anglaise. On s'explique ainsi comment la composition grandiose du tableau du Salon de 1819 – au surplus réduit à la dimension d'une vignette – n'est plus dans l'aquarelle qu'un simple ‹ fait divers ›. Géricault est devenu et restera jusqu'à sa mort un peintre de genre[5] ».

Bazin fait remarquer qu'en raison de la ligne d'horizon surélevée et du changement de perspective qui en résulte, « le spectateur n'est plus situé au plan du radeau avec les naufragés ; son œil domine la scène en quelque sorte à vue d'oiseau[6] ». Bien que cela soit encore plus évident avec l'aquarelle que la lithographie anglaise – la composition de l'aquarelle laisse en effet d'avantage apparaître la partie inférieure du radeau et renforce ainsi un sentiment de distance par rapport à la scène – la miniaturisation de cette toile monumentale en une feuille de papier qui peut être tenue au creux de la main entraîne paradoxalement une perte d'intimité de l'œuvre. R.S.

—

1. M. de la Combe, 1865, pp. 18 et 274 ; Ch. Clément, 1879, p. 384. La Combe a catalogué *La Nymphe de la Tamise*, lithographie imprimée par Ch. Hullmandel comme dessinée par Charlet en 1820, c'est-à-dire pendant son séjour à Londres. Voir également le *Marchand de poissons endormi* (**cat. E.38**).
2. L. Eitner, 1972, p. 151.
3. C. P. Landon, 1819, p. 66.
4. G. Bazin, 1994, VI, p. 181, n° 2118 et pp. 88-91. Il est intéressant de noter que, dans l'aquarelle et la lithographie, le détail de la hache qui figure en bas à droite dans la toile a été coupé. J'étudierai dans un prochain ouvrage les relations qui existent entre les œuvres de Géricault et le récit de la Méduse, la hache occupant notamment un rôle controversé et problématique.
5. G. Bazin, 1994, VI, p. 89.
6. G. Bazin, 1994, VI, p. 88.

Suite de douze lithographies précédées d'un frontispice. Publiées chez Hullmandel, le meilleur imprimeur-lithographe de Londres, avec les éditeurs Rodwell & Martin, ces douze pièces (treize en comptant le titre) forment la suite des grandes lithographies anglaises.

* E.23 Un fourgon attelé

Various Subjects/Drawn from Life/and on Stone by/J. (sic) *Gericault* | Frontispice | Lithographie | 1821 | H. 0,368 ; L. 0,334 sans marge | H. 0,0,562 ; L. 0,390 avec marge | 1er état | Deux inscriptions: à gauche: *J.* (sic) *Gericault invt* et au milieu et à droite n° *3 12s / London* | *Published and sold by Rodwell & Martin. New Bond St. 1821 / Printed at C. Hullmandel's Lithographic Establishment 51 Gt Marlboro'st* | Papier très insolé.

Provenance

A. Armand puis Pr. Valton | don de Mme Valton à l'Ensba en 1908 | Inv. E.B.A. Est. n° 451.

Bibliographie

Ch. Clément, juin 1866, n° 26 | Ch. Clément, 1868 et 1879, n° 25 | L. Delteil, 1924, n° 29 | Ph. Grunchec, 1978, n° 25 | Fr. Bergot, exp. Rouen, 1981-1982, n° 25 | G. Bazin, 1997, VII, n° 2158.

Expositions

Rome, Villa Médicis, 1979-1980, n° 92 | Montargis, Musée Girodet, 1981, n° 19 | Boulogne-Billancourt, Centre culturel, 1984, n° 15.

Planche de titre du portefeuille contenant la suite des douze grandes lithographies anglaises | L'inscription du titre est portée sur la toile qui ferme l'arrière du fourgon attelé: *VARIOUS SUBJECTS/DRAWN FROM LIFE/AND ON STONE BY/J. GERICAULT*; un homme le suit, portant sur l'épaule droite une pancarte où on lit : *Shipwreck/ of the/ Meduse.*

Le titre de la suite anglaise de Géricault *Various Subjects drawn from Life and on Stone* – qui joue spirituellement de l'ambiguïté du verbe *to draw*: dessiner ou tirer – évoque un aspect de l'œuvre de l'artiste caractérisé simultanément par son intérêt pour les sujets réalistes (« tirés de la vie ») et par sa fascination pour la technique de la lithographie. Il semble que Charles Hullmandel, son imprimeur à Londres, a proposé le libellé au peintre qui ne maîtrisait pas l'anglais –comme l'attestent ses nombreuses fautes de grammaire et d'orthographe[1].

En représentant ce chariot incommode et très ordinaire qui abrite *Le Radeau de la Méduse*, Géricault a-t-il souhaité rappeler, ironiquement, le mode de convoiement « irrespectueux » de sa plus célèbre toile, acheminée l'année précédente entre Paris et Londres par un fourgon identique ? S'est-il identifié au bateleur-baladin, harangueur de foule qui cherche à séduire le public auquel il présente ces scènes tirées du « théâtre de la vie », encore dérobées à leur regard ? A.M.

—

1. En 1820, Hullmandel avait déjà publié une suite de lithographies en couleurs de l'artiste romain Bartolomeo Pinelli extraites de la suite *Nuova raccolta di cinquanta mottivi pittoreschi e costumi di Roma*, sous un titre usant du même calembour : *Roman Costumes Drawn from Nature by Pinelli and C. Hullmandel, on Stone by C. Hullmandel, London* (1820). Pour les reproductions de la série dans son entier, voir M. Faggioli, et M. Marini, mars 1983, 49 planches numérotées avec frontispice, coll. part.

* E.24 The Piper

Lithographie | 1er février 1820 | H. 0,314 ; L. 0,232 sans marge | H. 0,555 ; L. 0,379 avec marge | 2e état | Lithographie encadrée | Trois inscriptions sous le trait, à gauche : *J.* (sic) *Gericault inv.t* au milieu : *THE PIPER/London/Published by Rodwell & Martin, New Bond St. Feb. 1. 1821* et à droite : *C. Hullmandel's lithography* | Quelques taches brunes sur la feuille.

Provenance

A. Armand puis Pr. Valton | don de Mme Valton à l'Ensba en 1908 | Inv. E.B.A. Est. n° 453.

Épreuve du premier état avant toute lettre

H. 0,314 ; L. 0,232 sans marge | H. 0,488 ; L. 0,344 avec marge | Sur les marges à droite le n° 5 | Épreuve couverte de taches brunes.

Provenance

A. Armand puis Pr. Valton | don de Mme Valton à l'Ensba en 1908 | Inv. E.B.A. Est. n° 452.

Bibliographie

Ch. Clément, juin 1866, n° 27 | Ch. Clément, 1868 et 1879, n° 26 | L. Delteil, 1924, n° 30 | Ph. Grunchec, 1978, n° 26 | Fr. Bergot, exp. Rouen, 1981-1982, n° 26 | G. Bazin, 1997, VII, n° 2205.

Expositions

Paris, Ensba, 1934, n° 184 | Rome, Villa Médicis, 1979-1980, n° 93.

« S'il est pour nous sur terre quelque chose de certain, ce sont nos peines. La souffrance est réelle, les plaisirs ne sont qu'imaginaires. »
Théodore Géricault, lettre à Dedreux-Dorcy, 1816[1].

On connaît deux dessins préparatoires pour cette lithographie, l'un à l'Ensba (**cat. D.95**) et l'autre dans une collection privée qui est la plus proche de la version définitive[2] : la silhouette du personnage au petit chien est gravée strictement en sens inverse tandis que le décor a subi quelques changements mineurs.

Il est intéressant de comparer *The Piper* à deux eaux-fortes plus anciennes de Bartolomeo Pinelli : *Li piferari* (Les Joueurs de cornemuse) **(ill. 57)** et *Pifferari presso il teatro di Marcello* (Joueurs de cornemuse près du théâtre de Marcello) **(ill. 58)**[3] représentant des joueurs de cornemuse, à Rome, au moment de Noël. Selon la tradition, ils descendaient des villages de la région des Abruzzes dans les rues romaines pour jouer des airs de musique en souvenir des bergers venus adorer le Christ nouveau-né à Bethléem[4]. Les Romains les considéraient comme des transpositions irréelles, mythiques et religieuses de personnages bibliques.

Le joueur de cornemuse de Géricault quant à lui symbolise la misère, nue, des malheureux de Londres ayant subi, peut-être, d'importants revers de fortune[5]. A.M.

—

1. Ch. Clément, 1879, pp. 89-90.
2. Coll. part., Zurich ; Ph. Grunchec, exp. New York, San Diego et Houston, 1985-1986, p. 175, n° 94 recto.
3. Géricault a eu connaissance des gravures de Pinelli dès 1816, lorsqu'il séjourna à Rome. L. Eitner, 1991, p. 140 ; L. Matteson, janvier-mars 1980, p. 84. Quelques gravures de la série de Pinelli : *Nuova Raccolta...* furent imprimées par Charles Hullmandel, l'imprimeur de Géricault à Londres. Géricault a très bien pu les voir lors de son séjour londonnien. Voir également D.W. Miller, 1970, p. 30.
4. B. Rossetti, 1981, p. 93 et 95.
5. P. Quennel, 1969.

* E.25 « Pity the Sorrows of a poor old Man » / « Whose trembling limbs have borne him to your door »

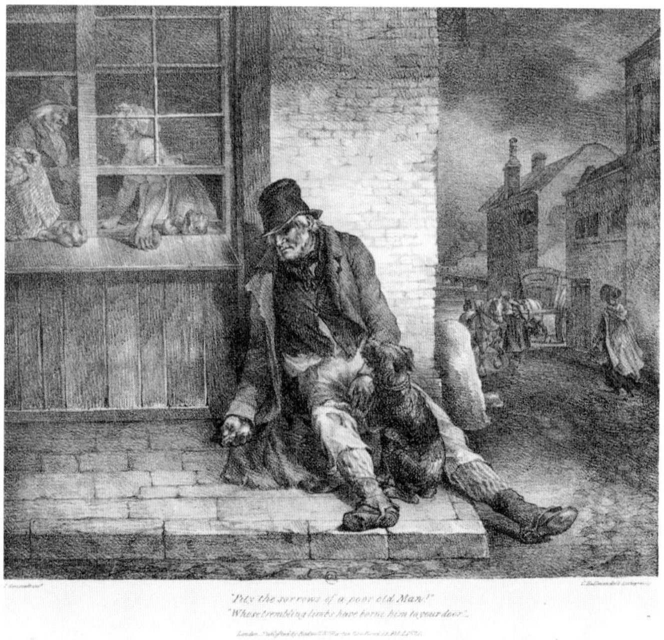

Lithographie | 1er février 1821 | H. 0,315 ; L. 0,375 sans marge | H. 0,384 ; L. 0,551 avec marge | 2e état | Lithographie encadrée | Trois inscriptions sous le trait, à gauche : J. (sic) *Gericault invt*, au milieu : *« PITY THE SORROWS OF A POOR OLD MAN »/« WHOSE TREMBLING LIMBS HAVE BORNE HIM TO YOUR DOOR »/ London. Published by Rodwell & Martin. New Bond St. Feb. 1.1821* et à droite : *C. Hullmandel's Lithography* | Taches brunes sur l'ensemble de la feuille.

Provenance

A. Armand puis Pr. Valton | don de Mme Valton à l'Ensba en 1908 | Inv. E.B.A. Est. n° 454.

Bibliographie

Ch. Clément, juin 1866, n° 28 | Ch. Clément, 1868 et 1879, n° 27 | L. Delteil, 1924, n° 31 | Ph. Grunchec, 1978, n° 27 | Fr. Bergot, exp. Rouen, 1981-1982, n° 27 | G. Bazin, 1997, VII, n° 2199.

Exposition

Rome, Villa Médicis, 1979-1980, n° 94.

Pour Clément, les deux vers donnés en titre à la lithographie étaient empruntés à une *nursery rhyme*, ces poésies pour enfants ou chansons de nourrice très populaires en Angleterre[1]. Tous les historiens de l'art ont depuis accepté cette suggestion[2]. Elle est toutefois erronée : un poème intitulé *The Beggar* (Le Mendiant), publié en 1769 par Thomas Moss[3], poète anglais mineur et ministre anglican de l'Eglise d'Angleterre dans le Staffordshire, en est la source. Il débute par ces vers :

Pity the sorrows of a poor old Man !
Whose trembling limbs have borne him to your door,
Whose days are dwindled to the shortest span.
Oh ! give relief – and heaven will bless your store.
« Ayez pitié des souffrances d'un pauvre vieil homme !
Ses membres tremblants l'ont conduit à votre porte,
Les jours qui lui restent sont tout prêts d'être écoulés.
Oh ! portez lui secours – et le ciel bénira votre échoppe. »

The Beggar narre l'histoire d'un fermier parti à la ville après avoir tout perdu : son bétail est mort, ses récoltes ont pourri, sa fille, qui s'est laissée attirée en ville, y vit en misérable, sa femme en est morte de chagrin. Ce paysan a quitté son village à la suite de l'effondrement désastreux de l'économie rurale provoqué par la révolution industrielle : sans un sou, le voilà contraint de mener la vie des mendiants.

De nombreuses années après sa première publication à la fin du XVIIIe siècle, le poème de Moss était encore bien connu en Angleterre en raison essentiellement de la source d'inspiration biblique très familière de son thème principal : l'histoire de Job (*Livre de Job*) et la parabole du pauvre Lazare (*Évangile de Luc*, 16, 19-31). Homme d'église, Moss a repris le ton des versets du *Livre de Job* dans *The Beggar* ; son « pauvre vieil homme » est une allégorie moderne de l'homme intègre mis à l'épreuve pour des crimes et des péchés qu'il n'a pas commis, synthèse contemporaine des figures de Job, de Lazare et du Christ.

On ne peut savoir si Géricault s'est référé de manière consciente au personnage du « pauvre vieil homme » du poème, à celui de Lazare ou bien à celui de Job ; même s'il ne fait aucun doute qu'il a connu le texte, la première hypothèse qui fait de l'estampe une simple illustration apparaît très réductrice. En introduisant dans la scène le personnage du boueux (l'homme à droite tirant un chariot), Géricault fait du mendiant un Job moderne : après que Satan ait frappé Job d'un ulcère « depuis la plante du pied jusqu'au sommet de la tête » (*Job*, 2, 7), « Job prit un tesson pour se gratter et s'assit sur la cendre » (*Job*, 2, 8).

Les éléments réunis par Géricault dans cette lithographie, la plus complexe de la suite anglaise, sont empruntés simultanément à la littérature et au quotidien : le fait divers est ainsi élevé au rang de métaphore artistique. C'est l'annonce d'une des tendances les plus fortes du réalisme. Voir également **cat. D.9.** A.M.

—

1. Ch. Clément, 1879, p. 385 : « Ces deux vers sont tirés de ces poésies populaires en Angleterre, nommées *nursery rhymes.* »
2. L. Eitner, 1991, p. 229 ; Fr. Bergot, 1981-1982, p. 57 : « ces deux vers d'une romance populaire, titre de la lithographie... » ; Sagne, 1991, p. 246.
3. Thomas Moss fit ses études à Cambridge, à l'Emmanuel College, où il obtint son diplôme en 1761. Entré dans les ordres, il s'établit dans la paroisse de Trentham, Staffordshire. Il fit publier de manière anonyme *Poems on Several Occasions* à Wolverhampton en 1769. Une note présentant ce petit recueil précise que Moss en écrivit la plupart des poèmes vers l'âge de vingt ans. Moss publia aussi certains sermons ainsi que *The Imperfection of Human Enjoyments*, poème en vers libres, à Londres en 1783. L. Stephen, 1937, pp. 1080-1081.

E.26 A Party of Life-Guards

Lithographie | 1er février 1821 | H. 0,274 ; L. 0,342 sans marge | H. 0,384 ; L. 0,554 avec marge | 2e état | Lithographie encadrée | trois inscriptions : en bas sous le trait à gauche : *J.* (sic) *Gericault inv^t* ; au milieu : *A PARTY OF LIFE GUARDS/London. Published by Rodwell & Martin. New Bond St. Feb. 1.1821* et à droite : *C. Hullmandel's Lithography* | Taches brunes sur l'ensemble de la feuille, trace de pliure dans la partie supérieure.

Provenance

A. Armand puis Pr. Valton | don de Mme Valton en 1908 | Inv. E.B.A. Est. n° 457.

Bibliographie

Ch. Clément, juin 1866, n° 29 | Ch. Clément, 1868 et 1879, n° 28 | L. Delteil, 1924, n° 34 | Ph. Grunchec, 1978, n° 28 | Fr. Bergot, exp. Rouen, 1981-1982, n° 28 | G. Bazin, 1997, VII, n° 2237.

Expositions

Rome, Villa Médicis, 1979-1980, n° 95 | Montargis, Musée Girodet, 1981, n° 22 | Boulogne-Billancourt, Centre culturel, 1984, n° 16 | Saint-Lô, Conseil général, maison du département, 1990, n° 10.

Les gardes représentés appartiennent à la cavalerie royale anglaise, l'un des plus grands corps de cavalerie lourde du XIXe siècle. L'uniforme de ces soldats se composait alors d'un casque à plumet et d'une cuirasse d'acier, d'une casaque bleue, de culottes de cuir et de bottes hautes ; la robe des chevaux était noire[1]. Il semble que cette gravure soit la seule de la suite anglaise restée inachevée : le cadre, le contexte ne sont pas précisés et sept silhouettes de cavaliers, sur la gauche, sont demeurées à l'état d'ébauche.

La scène, très animée, ne permet guère de savoir si les gardes rassemblés ont déjà défilé ou s'apprêtent à le faire.

L'Officier de *Life-Guards* (**cat. D.94**) est peut-être préparatoire pour l'un des deux gardes à droite de la composition. A.M.

—

1. « Cavaliers de la garde, Bleu d'Oxford ou Royal », dans : *Chamber's Encyclopedia, a Dictionary of Universal Knowledge for the People*, vol. V, p. 426.

E.27 An Arabian Horse

Lithographie | 1er mars 1821 | H. 0,170 ; L. 0,335 sans marge | H. 0,382 ; L. 0,555 avec marge | Seul état connu | Lithographie non encadrée | Trois inscriptions (celle de droite et celle de gauche suivant la forme arrondie de la composition) | *J.* (sic) *Gericault inv^t* ; au milieu : *AN ARABIAN HORSE/London. Published by Rodwell & Martin. New Bond St. Mar. 1.1821* et à droite : *C. Hullmandel's Lithography* | Taches brunes sur l'ensemble de la feuille, traces de trous de punaises dans la partie supérieure.

Provenance

A. Armand puis Pr. Valton | don de Mme Valton à l'Ensba en 1908 | Inv. E.B.A. Est. n° 460.

Bibliographie

Ch. Clément, juin 1866, n° 30 | Ch. Clément, 1868 et 1879, n° 29 | L. Delteil, 1924, n° 37 | Ph. Grunchec, 1978, n° 29 | Fr. Bergot, exp. Rouen, 1981-1982, n° 29 | G. Bazin, 1997, VII, n° 2265.

Expositions

Rome, Villa Médicis, 1979-1980, n° 96 | Montargis, Musée Girodet, 1981, n° 25 | Boulogne-Billancourt, Centre culturel, 1984, n° 17.

Quoique le titre de la lithographie s'accorde à une classification de chevaux par pays d'origine, son sujet est sans relation avec les estampes mentionnées ultérieurement (**cat. E.30, E.31 et E.32**). Elle témoigne de l'intérêt de Géricault pour l'orientalisme ainsi que du goût des Anglais pour les chevaux arabes et occupe par ailleurs un statut particulier dans la suite anglaise : très racé et bien soigné, l'animal contraste avec les chevaux de trait gravés dans les lithographies suivantes (**cat. E.29, E.30, E.31 et E.32**). A.M.

* E.28 A Paraleytic (*sic*) Woman

Lithographie | 1er avril 1821 | H. 0,224 ; L. 0,316 sans marge | H. 0,384 ; L. 0,524 avec marge | Seul état connu | Lithographie encadrée | Trois inscriptions : sous le trait, en bas à gauche : *J.* (sic) *Gericault invt* ; au milieu : *A PARALEYTIC* (sic) *WOMAN/ London. Published by Rodwell & Martin. New Bond St. Apl 1.1821.* et à droite : *C. Hullmandel's Lithography* | Sur les marges à droite le n° *4* et *30f* | Taches brunes sur l'ensemble de la feuille.

Provenance

A. Armand puis Pr. Valton | don de Mme Valton à l'Ensba en 1908 | Inv. E.B.A. Est. n° 461.

Bibliographie

Ch. Clément, juin 1866, n° 31 | Ch. Clément, 1868 et 1879, n° 30 | L. Delteil, 1924, n° 38 | Ph. Grunchec, 1978, n° 30 | Fr. Bergot, exp. Rouen, 1981-1982, n° 30 | G. Bazin, 1997, VII, n° 2197.

Exposition

Rome, Villa Médicis, 1979-1980, n° 97.

Divers auteurs ont attribué une valeur symbolique aux personnages représentés sur cette estampe après avoir précisément identifié le fiacre de droite comme un corbillard[1], recréant d'hypothétiques relations entre les différents éléments composant cette image. Si Fr. Bergot identifie la femme à une « pauvre grand-mère[2] », L. Nochlin y voit une métaphore de « la chute de la femme », « une prostituée tombée en des jours misérables[3] » : la paralysie de la femme résulterait de la syphilis, symbole de punition naturelle à toute infraction d'ordre sexuel au code social[4]. C'est attribuer à la lithographie une vocation moralisatrice ou didactique, à l'égal des séries de gravures de William Hogarth, qui lui reste cependant étrangère. Géricault ne cherche pas à édifier mais seulement à témoigner ; ses gravures répertorient ainsi des « choses vues » dans les rues de Londres afin seulement de donner un tableau d'ensemble de la réalité contemporaine observée.

L'étude attentive du personnage principal nous révèle néanmoins d'importants éléments d'interprétation restés jusqu'alors occultés par une lecture moralisante. La position assise de la femme paraît souligner sa paralysie : affaissé, placé en diagonale dans la chaise, son corps semble y être maintenu par des liens l'empêchant d'en glisser. Un détail très frappant dans son habillement l'éclaire d'un jour nouveau. Loin d'envelopper soigneusement le corps affalé de la paralytique, le manteau en découvre toute la partie inférieure : les manches en particulier, elles-mêmes enveloppées et serrées dans les pans inférieurs du vêtement – rabattu donc à cet effet – maintiennent croisées et immobilisées les mains de la femme comme le ferait une camisole de force. Est-elle seulement paralysée ? Ou folle aussi ? On songe à l'opinion d'A. Boime selon qui les *Portraits de fous* de Géricault ne trahissent aucun signe évident de folie[5]. Au premier regard, la femme semble endormie et rien dans son visage ne trahit son terrible état mental.

Si l'on peut avoir de la compassion pour une paralysée, comme l'a montré Pinelli avec *Una povera stroppia* (sic) *in Roma* (**ill. 56**)[6], la femme paralysée de Géricault provoque bien plutôt rejet et horreur. L'aliénation ne fait naître ni la sympathie ni l'espoir et peut justifier l'affichette fixée au mur :

FOR AL N(?) T(?)
SICKNESS
AND
THE EX
E D[7]

Réclame pour des soins traitant de certaines infirmités humaines, déchirée, accompagnée d'une deuxième affiche, plus petite encore, couverte de gribouillis incompréhensibles et complètement illisible, elle est ici signe d'impuissance et son message reste indéchiffrable. A.M.

—

1. Ph. Grunchec, exp. New York, San Diego et Houston, 1985-1986, p. 167 ; L. Eitner, 1991, p. 311 ; J. Sagne, 1991, p. 245.
2. Fr. Bergot, exp. Rouen, 1981-1982, p. 59.
3. L. Nochlin, 1994, p. 57.
4. *Ibid.*
5. A. Boime, 1991, p. 89.
6. L'italien pour « estropié » est *storpia* et non *stroppia*.
7. Les lettres de l'affiche sont très effacées. M. Fried a proposé d'identifier les trois mots manquants par ALL et EVIL EYE, déchiffrant ainsi le message suivant : FOR ALL/ SICKNESS/AND/THE EVIL/EYE (pour toutes les maladies et le mauvais œil). Toutefois FOR, SICKNESS, AND ET THE sont les seuls mots clairs et lisibles de l'affiche, déchirée sur le côté droit. Aussi la lettre « V » que lit M. Fried, lui faisant identifier le mot EVIL, est en fait un « X » et à la première ligne, nous pensons lire un « N » puis un « T ». M. Fried, 1996, II, pp. 643-656.

29 Entrance to the Adelphi Wharf

Lithographie | Mai 1821 | H. 0,253 ; L. 0,307 sans marge | H. 0,382 ; L. 0,527 avec marge | 2e état | Lithographie encadrée | Trois inscriptions en bas à gauche : *J.* (sic) *Gericault del* ; au milieu : *ENTRANCE TO THE ADELPHI WHARF/London. Published by Rodwell & Martin New Bond Street. May 1.1821* et à droite : *C. Hullmandel's Lithography* | Sur le montage à droite le n° *13* et *31f* | Taches brunes sur l'ensemble de la feuille.

Provenance

A. Armand puis Pr. Valton | don de Mme Valton à l'Ensba en 1908 | Inv. E.B.A. Est. n° 463.

Bibliographie

Ch. Clément, juin 1866, n° 32 | Ch. Clément, 1868 et 1879, n° 31 | L. Delteil, 1924, n° 40 | Ph. Grunchec, 1978, n° 31 | Fr. Bergot, exp. Rouen, 1981-1982, n° 31 | G. Bazin, 1997, VII, n° 2131.

Expositions

Paris, Ensba, 1934, n° 47 | Rome, Villa Médicis, 1979-1980, n° 98 | Montargis, Musée Girodet, 1981, n° 27 | Boulogne-Billancourt, Centre culturel, 1984, n° 18.

Entrance to the Adelphi Wharf est l'une des plus merveilleuses gravures de Géricault. La composition repose sur une perspective claire où le point de fuite est situé à l'intérieur d'un vide noir, créant ainsi la forte illusion que chevaux et palefreniers sont engloutis par la sombre entrée voûtée. La scène décrit le travail au quotidien de l'un des quartiers industriels de Londres.

En lui donnant un titre précis, Géricault a permis de la situer géographiquement dans le quartier des Adelphi, du nom de l'audacieux projet architectural réalisé entre 1768 et 1774 par les frères Adam et situé entre le Savoy et le Pont de Westminster sur les bords de la Tamise[1].

Il y a tout lieu de penser que le choix de ce site n'est pas fortuit. En effet, l'hypothèse est communément admise que Géricault logea chez M. Elmore, marchand de chevaux qui possédait une étable près de Hyde Park[2]. Son adresse, jamais mentionnée dans les lettres de Géricault, est connue par une lettre de Delacroix qui séjourna chez lui quelques années plus tard, en 1825 : *3 John Street*[3].

Cette rue se trouve précisément derrière le quartier des Adelphi, en parallèle au Strand et à Picadilly : c'est sur Picadilly même par ailleurs, à l'*Egyptian Hall* de Bullock, que *Le Radeau de la Méduse* fut exposé, pas très loin non plus de Marlborough Street où Charles Hullmandel possédait une imprimerie au n° 51 (ou 52)[4].
En admettant que Géricault vécut avec la famille Elmore au *3 John Street*, on peut ainsi en conclure que le quai des Adelphi était situé à deux pas de chez lui, dans le quartier de la capitale qui lui était le plus familier. Cette scène quotidienne qu'il a lithographiée se déroulait pratiquement sous les fenêtres de l'artiste : il n'a pas eu à aller chercher un motif, il l'avait sous son nez.

Géricault aurait pu s'intéresser à la magnifique entrée voûtée face à la Tamise qui constituait l'accès principal aux quais. Il a préféré représenter l'une des entrées de service situées à l'arrière des quais, dont le mur de brique et le porche voûté créent un cadre sobre et industrieux adéquat pour l'accès des hommes de peine, affirmant par là son rejet d'un traitement héroïque ou mondain du motif. A.M.

—

1. C. Hibbert, 1979, p. 120.
2. L. Eitner, 1991, p. 432, note 35. L. Eitner cite la lettre de Géricault envoyée à Auguste le 27 décembre 1821 dans laquelle l'artiste transmet ses meilleures salutations à M. et Mme Elmore (L. Johnson, août 1954, p. 253).
3. Lettre de Delacroix à Pierret du 27 juin 1825 dans : A. Joubin, 1935, pp. 163 et 167, citée par L. Eitner, *ibid.*
4. L'adresse de Hullmandel figure sur chacune des lithographies de la suite : *London, Published & Sold by Rodwell & Martin. New Bond Street, 1821, Printed at C. Hullmandel's lithographic establishment*, 51, great Marlboro'st.

* **E.30** The Flemish Farrier

Lithographie | 1er février 1821 | H. 0,225 ; L. 0,314 sans marge | H. 0,384 ; L. 0,552 avec marge | Seul état connu | Lithographie encadrée | Trois inscriptions sous le trait à gauche : *Gericault invt*, au milieu *THE FLEMISH FARRIER/London. Published by Rodwell & Martin. New Bond St. feby. 1.1821* et à droite : *Hullmandel's Lithography* | Taches brunes sur l'ensemble de la feuille.

Provenance

A. Armand puis Pr. Valton | don de Mme Valton à l'Ensba en 1908 | Inv. E.B.A. Est. n° 456.

Bibliographie

Ch. Clément, juin 1866, n° 33 | Ch. Clément, 1868 et 1879, n° 32 | L. Delteil, 1924, n° 33 | Ph. Grunchec, 1978, n° 32 | Fr. Bergot, exp. Rouen, 1981-1982, n° 32 | G. Bazin, 1997, VII, n° 2185.

Expositions

Rome, Villa Médicis, 1979-1980, n° 99 | Montargis, Musée Girodet, 1981, n° 21 | Boulogne-Billancourt, Centre cultutrel, 1984, n° 19 | Saint-Lô, Conseil général, maison du département, 1990, n° 12.

* **E.31** A French Farrier

Lithographie | 1821 | H. 0,246 ; L. 0,355 sans marge | H. 0,385 ; L. 0,556 avec marge | 2e état | Lithographie encadrée | Trois inscriptions sous le trait à gauche : *J.* (sic) *Gericault invt* ; au milieu : *A FRENCH FARRIER* et à droite : *C. Hullmandel's Lithography.*

Provenance

A. Armand puis Pr. Valton | don de Mme Valton à l'Ensba en 1908 | Inv. E.B.A. Est. n° 464.

Bibliographie

Ch. Clément, juin 1866, n° 34 | Ch. Clément, 1868 et 1879, n° 33 | L. Delteil, 1924, n° 41 | Ph. Grunchec, 1978, n° 33 | Fr. Bergot, exp. Rouen, 1981-1982, n° 33 | G. Bazin, 1997, VII, n° 2184.

Expositions

Rome, Villa Médicis, 1979-1980, n° 100 | Montargis, Musée Girodet, 1981, n° 28 | Boulogne-Billancourt, Centre culturel, 1984, n° 20 | Saint-Lô, Conseil général, maison du département, 1990, n° 11.

E.32 The English Farrier

Lithographie | Mai 1821 | H. 0,281 ; L. 0,370 sans marge | H. 0,84 ; L. 0,559 avec marge | Un seul état connu | Lithographie encadrée | Trois inscriptions sous le trait : en bas à gauche : *J.* (sic) *Gericault del* ; au milieu : *THE ENGLISH FARRIER/ London. Published by Rodwell & Martin. New Bond St. May 1.1821* et à droite : *Hullmandel's Lithography* | Taches brunes sur l'ensemble de la feuille.

Provenance

A. Armand puis Pr. Valton | don de Mme Valton à l'Ensba en 1908 | Inv. E.B.A. Est. n° 462.

Bibliographie

Ch. Clément, juin 1866, n° 35 | Ch. Clément, 1868 et 1879, n° 34 | L. Delteil, 1924, n° 39 | Ph. Grunchec, 1978, n° 34 | Fr. Bergot, exp. Rouen, 1981-1982, n° 34 | G. Bazin, 1997, VII, n° 2181.

Expositions

Rome, Villa Médicis, 1979-1980, n° 101 | Montargis, Musée Girodet, 1981, n° 26 | Boulogne-Billancourt, Centre culturel, 1984, n° 21 | Saint-Lô, Conseil général, maison du département, 1990, n° 13.

Les trois lithographies consacrées à la forge d'un maréchal-ferrant décrivent chacune une étape de la fabrication des fers à cheval. Soins portés aux chevaux et « coulisses » de la vie des équidés intéressent Géricault plus encore que les attitudes héroïques ou élégantes si souvent retenues dans les portraits de chevaux.

Dans *A French Farrier* (**cat. E.31**), le forgeron tient le sabot du cheval et attend le fer chauffé préparé par son assistant dans une autre pièce à l'arrière-plan, à gauche. Dans *The Flemish Farrier* (**cat. E.30**), le forgeron ajuste avec soin le fer brûlant au sabot de l'animal tandis que *The English Farrier* représente le forgeron dans la dernière étape de son travail : muni d'un marteau, il fixe le fer au sabot par des clous.

Les gestes et les atmosphères sont ceux des forges contemporaines et les lithographies révèlent chacune une qualité d'observation et de restitution précises. La fumée brillante et spectaculaire de la forge flamande baignée d'une lumière théâtrale peut rappeler les forges de la mythologie, mais Géricault n'a cependant pas cherché à représenter le forgeron sous les traits d'un moderne Vulcain. A.M.

* E.33 Horses exercising

Lithographie | 1er février 1821 | H. 0,288 ; L. 0,411 sans marge | H. 0,380 ; L. 0,550 avec marge | 3e état | Lithographie encadrée | Trois inscriptions sous le trait à gauche : *J.* (sic) *Gericault inv^t*, au milieu : *HORSES EXERCISING/London. Published by Rodwell & Martin ; New Bond Street. Feb. 1.1821* et à droite : *C.Hullmandel's Lithography* | Quelques taches brunes sur la feuille.

Provenance

A. Armand puis Pr. Valton | don de Mme Valton à l'Ensba en 1908 | Inv. E.B.A. Est. n° 458.

Bibliographie

Ch. Clément, juin 1866, n° 36 | Ch. Clément, 1868 et 1879, n° 35 | L. Delteil, 1924, n° 35 | Ph. Grunchec, 1978, n° 35 | Fr. Bergot, exp. Rouen, 1981-1982, n° 35 | G. Bazin, 1997, VII, n° 2259.

Expositions

Rome, Villa Médicis, 1979-1980, n° 102 | Montargis, Musée Girodet, 1981, n° 23 | Boulogne-Billancourt, Centre culturel, 1984, n° 22 | Saint-Lô, Conseil général, maison du département, 1990, n° 14 | Beaune, Musée Marey, 1991, n° 114, repr. p. 63.

Cette lithographie correspond à l'une des premières tentatives de l'artiste de rendre le mouvement des chevaux, motif qui atteint sa pleine maturité dans *Le Derby d'Epsom*. La représentation est ici moins convaincante, Géricault s'étant sans doute inspiré en partie de conventions artistiques alors diffusées par la gravure de sport anglaise.

L'artiste a pu observer en Angleterre un intérêt très marqué pour le sport, attesté par une importante littérature, très populaire, et de nombreux périodiques diversement illustrés consacrés aux manifestations sportives de l'époque, matchs de boxe notamment, us et coutumes de la vie équestre à l'anglaise ; ainsi *The Sporting Magazine* paraissait mensuellement depuis 1793[1]. Par ailleurs, les aristocrates anglais commandaient aussi à des artistes des œuvres sans grandes ambitions esthétiques destinées à conserver la mémoire de leurs bêtes les plus prestigieuses et d'événements sportifs publics importants. La lithographie de Géricault, par sa composition, son décor, l'expression du cavalier et l'ombre subtile du clair-obscur apparaît déjà comme une œuvre aboutie.
A.M.

—

1. F. L. Wilder, 1947, p. 7.

E.34 The Coal Waggon

Lithographie | 1er février 1821 | H. 0,195 ; L. 0,311 sans marge | H. 0,381 ; L. 0,556 avec marge | Un seul état connu | Lithographie encadrée | Trois inscriptions sous le trait : en bas à gauche : *J.* (sic) *Gericault inv*t, au milieu : *THE COAL WAGGON/ London. Published by Rodwell & Martin, New Bond St. Feby. 1. 1821* et à droite : *C. Hullmandel's Lithography.*

Provenance

A. Armand puis Pr. Valton | don de Mme Valton à l'Ensba en 1908 | Inv. E.B.A. Est. n° 459.

Bibliographie

Ch. Clément, juin 1866, n° 37 | Ch. Clément, 1868 et 1879, n° 36 | L. Delteil, 1924, n° 36 | Ph. Grunchec, 1978, n° 36 | Fr. Bergot, 1981-1982, n° 36 | G. Bazin, 1997, VII, n° 2176.

Expositions

Rome, Villa Médicis, 1979-1980, n° 103 | Montargis, Musée Girodet, 1981, n° 24 | Boulogne-Billancourt, Centre culturel, 1984, n° 23.

The Coal Waggon n'évoque guère une scène pastorale « rustique ». Si on la rapproche de *La Charrette de foin* de John Constable (1821) qui lui est contemporaine, la lithographie de Géricault ne révèle rien de l'« harmonie entre l'homme, l'animal et la Nature » chère à la vision romantique souvent attribuée à l'œuvre du peintre anglais. Elle témoigne de préoccupations bien différentes : le sujet est résolument contemporain et traite du rude labeur des hommes de peine, rappelant les conditions de vie des porteurs de charbon qui n'ont pu échapper à un Géricault que l'on sait sensible aux abus sociaux [1].
A.M.

—

1. Système intégré, du travail à la mine au pelletage puis au transport, le charbonnage donnait lieu à une exploitation particulièrement dramatique et cruelle de la main d'œuvre ouvrière : les porteurs de charbon, en particulier, étaient employés et rémunérés par des patrons de tavernes, situées sur les bords de la rivière, qui servaient d'agents de recrutement aux propriétaires des mines comme à ceux des navires. Si les porteurs pouvaient gagner jusqu'à une livre, soit 20 shillings par jour, 27 shillings parfois pour une journée de quatorze heures, ils n'en rapportaient chez eux quasiment rien car, quotidiennement, les taverniers faisaient porter sur les bateaux pour au moins 12 shillings de gin et de porto par homme : refuser de les consommer faisait perdre toute chance d'être réembauché. (D.M. George, 1976, p. 286). Certaines de ces tavernes se trouvaient dans la zone des quais Adelphi où Géricault a ainsi pu les observer (**cat. E.29**).

* E.35 Horses going to a Fair

Lithographie | 1er février 1821 | H. 0,253 ; L. 0,355 sans marge | 0,380 ; L. 0,559 avec marge | 2e état | Lithographie encadrée | Trois inscriptions sous le trait : à gauche : *J.* (sic) *Gericault invt* ; au milieu *HORSES GOING TO A FAIR/London. Published by Rodwell & Martin, New Bond st. Feb. 1.1821* ; à droite : *C. Hullmandel's lithography* | Quelques taches brunes sur l'ensemble de la feuille.

Provenance

A. Armand puis Pr. Valton | don de Mme Valton à l'Ensba en 1908 | Inv. E.B.A. Est. n° 455.

Bibliographie

Ch. Clément, juin 1866, n° 38 | Ch. Clément, 1868 et 1879, n° 37 | L. Delteil, 1924, n° 32 | Ph. Grunchec, 1978, n° 37 | Fr. Bergot, exp. Rouen, 1981-1982, n° 37 | G. Bazin, 1997, VII, n° 2201.

Expositions

Rome, Villa Médicis, 1979-1980, n° 104 | Montargis, Musée Girodet, 1981, n° 20 | Boulogne-Billancourt, Centre culturel, 1984, n° 24 | Saint-Lô, Conseil général, maison du département, 1990, n° 15.

Dans cette lithographie, Géricault n'a cherché ni à créer une scène de genre spectaculaire – celle de la foire où une foule d'acheteurs et de vendeurs constituerait le décor idéal à un affrontement violent entre hommes et animaux – ni à décrire la vente même[1]. Il a au contraire choisi de mettre en avant des hommes ordinaires, les palefreniers, qui mènent d'un mouvement pesant et quasi-mécanique des chevaux lourds et éreintés au marché.

La scène précède donc le moment d'effervescence qui fait l'objet des habituelles représentations de foires, émaillées de motifs héroïques ou dramatiques ; elle illustre une procession lente et fatiguée qui peine à atteindre son but. A.M.

—

1. Dans *Le Marché aux chevaux*, un dessin aquarellé exécuté par Géricault après son retour d'Italie, il a montré le marché lui-même. (Département des Arts Graphiques, Musée du Louvre, Inv. nº RF 1457 ; cat. exp. New York, San Diego et Houston, 1985-1986, nº 44).

Série de sept lithographies exécutées en Angleterre, à la plume sur carton lithographique, plus léger et plus facile à transporter que la pierre, plus économique aussi. Mais ce procédé présentait de graves inconvénients et Géricault ne l'utilisa que pour cette série. Un désaccord existe entre Clément et Delteil pour le classement de ces feuilles. L'Ensba ne conserve aucune épreuve des *Scieurs de bois* mais seulement un calque (cat. D.104).

* E.36 Jockey anglais

Lithographie | 1820 | H. 0,196 ; L. 0,347 sans marge | H. 0,289 ; L. 0,423 avec marge | Un seul état connu | Plume sur carton lithographique | Sans encadrement, ni lettre.

Provenance

A. Armand puis Pr. Valton | don de Mme Valton à l'Ensba en 1908 | Inv. E.B.A. Est. n° 445.

Bibliographie

Ch. Clément, juin 1866, n° 39 | Ch. Clément, 1869 et 1879, n° 38 | L. Delteil, 1924, n° 22 | Ph. Grunchec, 1978, n° 38| Fr. Bergot, exp. Rouen, 1981-1982, n° 38 | G. Bazin, 1997, VII, n° 2317.

Expositions

Rome, Villa Médicis, 1979-1980, n° 105 | Montargis, Musée Girodet, 1981, n° 16 | Boulogne-Billancourt, Centre culturel, 1984, n° 25 | Saint-Lô, Conseil général, maison du Département, 1990, n° 16.

Plusieurs historiens de l'art ont identifié la raideur du cheval et de son cavalier ainsi que les proportions absurdes et « irréalistes » des figures de ce *Jockey anglais* aux difficultés évidentes auxquelles Géricault est confronté lors de ses premières réalisations à la plume sur carton lithographique ou à la recherche d'une caricature du modèle[1]. Ces deux hypothèses doivent être écartées. En premier lieu, la qualité d'exécution et les justes proportions du *Cheval de carosse*[2] (**cat. E.37**) plus ou moins contemporain du *Jockey anglais* révèlent avec évidence que la représentation d'un cheval et de son cavalier ne posait aucun problème technique pour l'artiste sur carton lithographique. Il est plus intéressant de noter que le caractère caricatural de la planche, qui relève d'un langage pictural naïf et maladroit, témoigne de l'attrait de Géricault pour les gravures populaires largement diffusées, dont il s'inspire pour certaines de ces compositions comme *Le Derby d'Epsom*[3]. R.S.

—

1. Notamment Fr. Bergot, exp. Rouen, 1981-1982, p. 67, n° 38.
2. Le dessin préparatoire pour la lithographie *Cheval de carrosse* est aujourd'hui conservé dans une collection particulière (Ph. Grunchec, exp. New York, San Diego et Houston, 1985-1986, p. 157 et 159, n° 84).
3. S. Lodge, 1965, pp. 616-627.

* **E.37** Cheval de carrosse monté par un palefrenier, dit aussi Cheval anglais avec une couverture à carreaux

Lithographie | 1820 | H. 0,200 ; L. 0,300 sans marge | H. 0,285 ; L. 0,422 avec marge | Plume sur carton lithographique | Un seul état connu | Sans encadrement, ni lettre.

Provenance

A. Armand puis Pr. Valton | don de Mme Valton à l'Ensba en 1908 | Inv. E.B.A. Est. n° 446.

Bibliographie

Ch. Clément, juin 1866, n° 40 | Ch. Clément, 1868 et 1879, n° 39 | L. Delteil, 1924, n° 23 | Ph. Grunchec, 1978, n° 39 | Fr. Bergot, exp. Rouen, 1981-1982, n° 39 | G. Bazin, 1997, VII, n° 2121.

Expositions

Rome, Villa Médicis, 1979-1980, n° 106 | Montargis, Musée Girodet, n° 17 | Boulogne-Billancourt, Centre culturel, 1984, n° 26 | Saint-Lô, Conseil régional, maison du département, 1990, n° 17.

* **E.38** Le Marchand de poissons endormi

Lithographie | 1820 | H. 0,233 ; L. 0,308 sans marge | H. 0,286 ; L. 0,418 avec marge | Plume sur carton lithographique | Un seul état connu | Sans encadrement ni lettre | Légères taches brunes sur la feuille.

Provenance

A. Armand puis Pr. Valton | don de Mme Valton à l'Ensba en 1908 | Inv. E.B.A. Est. n° 447.

Bibliographie

Ch. Clément, juin 1866, n° 41 | Ch. Clément, 1868 et 1879, n° 40 | L. Delteil, 1924, n° 24 | Ph. Grunchec, 1978, n° 40 | Fr. Bergot, exp. Rouen, 1981-1982, n° 40 | G. Bazin, 1997, VII, n° 2191.

Exposition

Rome, Villa Médicis, 1979-1980, n° 107.

E.39 Trois enfants jouant avec un âne

Lithographie | 1820 | H. 0,212 ; L. 0,343 sans marge | H. 0,285 ; L. 0,420 avec marge | Un seul état connu | Plume sur carton lithographique | Sans encadrement ni lettre.

Provenance

A. Armand puis Pr. Valton | don de Mme Valton à l'Ensba en 1908 | Inv. E.B.A. Est. n° 448.

Bibliographie

Ch. Clément, juin 1866, n° 42 | Ch. Clément, 1868 et 1879, n° 41 | L. Delteil, 1924 , n° 25 | Ph. Grunchec, 1978, n° 41 | Fr. Bergot, exp. Rouen, 1981-1982, n° 41 | G. Bazin, 1997, VII, n° 2195.

Exposition

Rome, Villa Médicis, 1979-1980, n° 108.

Clément regroupe en une suite de sept lithographies de Géricault « exécutées à la plume sur carton lithographique », c'est-à-dire sur un support de carton ou de papier rigide recouvert d'un mélange de divers produits lui donnant, en surface, une qualité relativement proche de celle de la pierre lithographique. Il explique qu'« en quittant Paris, Géricault avait emporté une provision de cartons lithographiques, beaucoup plus légers et plus faciles à transporter que les pierres, d'ailleurs encore rares et très-chères à cette époque… Ce procédé présentait de graves inconvénients (et fut) tout à fait abandonné[1] ».

Le carton lithographique présentait en réalité de nombreux avantages pour Géricault. Son transport en était facile et économique, à l'opposé de la pierre lithographique importée d'Allemagne, ce qui apparut évident à d'autres artistes, comme en témoigne le prix offert par la Société d'encouragement de Paris à l'inventeur d'une technique parfaitement identique[2]. À cet intérêt s'ajoute celui des perspectives commerciales que Géricault a sans doute l'idée d'exploiter pendant son séjour en Angleterre. Il acquiert en outre en 1821, sans doute immédiatement après son retour à Paris, le tiers des parts d'une « entreprise de pierres articielles[3] » dont il devient ainsi l'un des associés. Lors de son séjour londonien, il avait déjà étudié toutes les possibilités techniques et esthétiques de ce support avec notamment la suite anglaise réalisée avec Hullmandel. Toutefois, comme l'a fait remarquer K. Spencer – et comme Clément l'avait déjà suggéré – les cartons lithographiques de la période anglaise présentaient d'évidentes contraintes et des difficultés insurmontables : « Géricault ayant utilisé une matière produisant une surface très dense et extrêmement polie, les instruments les plus adéquats pour la réalisation des lithographies étaient l'encre et la plume qui donnèrent de simples dessins au trait posés en surface. Mais cela était déjà trop pour le papier qui se mit à craquer et à s'écailler[4]. »

La Combe, le biographe de Charlet, considère que deux des sept lithographies, *Le Marchand de poissons endormi* et *Trois enfants jouant avec un âne*, sont de la main de Charlet et datent de son séjour à Londres en 1820. Plusieurs études de figures relatives à ces compositions et dessinées par les deux artistes (**cat. D.90**) permettent d'entretenir le doute quant à l'attribution[5]. L. Eitner, qui reconnaît l'influence de Charlet dans cette suite, l'attribue cependant à Géricault[6], tandis que S. Laveissière émet l'hypothèse d'une participation de Charlet à l'« exécution matérielle » des planches[7], ce qui soulève de nouveau le problème de la collaboration de ce dernier dans la réalisation de la lithographie du *Radeau de la Méduse* en 1820 (**cat. E.22**). Ces lithographies sur carton sont vraisemblablement en grande partie de la main de Géricault. La simplicité étudiée, l'humour et le caractère anecdotique du *Marchand de poissons endormi* et des *Trois enfants jouant avec un âne* témoignent d'un esprit très différent de celui des lithographies parisiennes. La facture de hachures à la plume et la mise en page de la composition qui s'apparente à celle d'une vignette rappellent les illustrations des livres gravés et révèlent la volonté de Géricault d'expérimenter toutes les contraintes et les possibilités de cette technique. R.S.

—

1. Ch. Clément, 1879, p. 219.
2. K. Spencer, 1969, p. 25.
3. Br. Chenique, exp. Paris, 1991-1992, p. 297.
4. K. Spencer, *ibid.*
5. J.F. La Combe, 1856, p. 18 et G. Bazin, I, 1987, p. 54.
6. L. Eitner, 1991, pp. 349-350 ; L. Eitner y étudie une huitième lithographie sur carton.
7. Cat. exp. Paris, 1991-1992, p. 387, n° 225.

* E.40 Jeune femme avec ses trois enfants

Lithographie | 1821 | H. 0,244 ; L. 0,263 sans marge | H. 0,474 ; L. 0,600 avec marge | Un seul état connu | Plume sur carton lithographique | Sans encadrement | Sous le dessin, deux inscriptions, en bas à gauche : *Drawn on Stone paper* et à droite : *Printed by St. Marc, Gazeau à/10. Radcliffe Row. City Road* | Trace de pliure au centre et taches brunes sur les marges.

Provenance

A. Moignon, vente, Paris, 6 mars 1891, n° 143 | Pr. Valton | don de Mme Valton à l'Ensba en 1908 | Inv. E.B.A. Est. n° 450.

Bibliographie

Ch. Clément, juin 1866, n° 44 | Ch. Clément, 1868 et 1879, n° 43 | L. Delteil, 1924, n° 27 | Ph. Grunchec, 1978, n° 43 | Fr. Bergot, exp. Rouen, 1981-1982, n° 43 | G. Bazin, 1992, V, p. 277-278, n° 1823.

Exposition

Rome, Villa Médicis, 1979-1980, n° 109.

Les femmes sont peu représentées dans l'œuvre de Géricault et cette lithographie d'un caractère très féminin occupe une place particulière dans sa production graphique. Selon Clément, l'artiste s'installe quelque temps lors de son séjour à Londres dans la maison d'un bottier et réalise alors ce portrait de l'épouse avec ses trois enfants[1]. L'épreuve, aujourd'hui conservée au Musée des Beaux-Arts de Rouen[2] et datée de 1821 permet de situer son exécution lors du second voyage londonien. On peut supposer que cette maison correspond à celle que Géricault mentionne dans sa lettre du 12 février 1821, peu après son arrivée[3]. Le nom de l'imprimeur *St Marc, Gazeau* apposé en bas de la planche apparaît dans une lettre du 12 juin 1821 de l'artiste sous la forme *M. St Marc* et peut être identifié à l'« ancien militaire plein d'excellentes qualités » qui tient une distillerie à Londres où il fabrique une « eau de Cologne » particulièrement bonne[4]. Ces éléments confirment l'hypothèse que Géricault a utilisé les cartons lithographiques en 1820 – à son arrivée à Londres avec Charlet – et en 1821, lors de la réalisation de la suite anglaise avec Hullmandel ou peu après.

Ce portrait maladroit et sentimental de la femme d'un bottier entourée de ses trois enfants est bien évidemment à mettre en relation avec les préoccupations personnelles de l'artiste. Il est intéressant de rappeler dans ce contexte le rôle actif que jouaient les bottiers londoniens et leur corporation dans les mouvements radicaux de l'époque[5] ; cet aspect politique a pu séduire un Géricault, proche des tendances humanistes, libérales, radicales et républicaines ou n'est peut-être qu'une coïncidence qui met en évidence l'omniprésence de la vie politique dans tous les milieux sociaux du XIXe siècle – et sans aucun doute dans les cercles fréquentés par Géricault lui-même – plutôt qu'un véritable engagement politique de la part de l'artiste.

De nombreux dessins sont à mettre en relation avec cette lithographie, notamment celui de l'Ensba (**cat. D.103**) qui n'est pas de la main de Géricault et qui fut exécuté d'après la planche gravée[6]. R.S.

—

1. Ch. Clément, 1879, pp. 391-392.
2. Fr. Bergot, exp. Rouen, 1981-1982, p. 71, n° 43.
3. Br. Chenique, exp. Paris, 1991-1992, pp. 294 et 320.
4. *M. St Marc* est encore mentionné dans une lettre datée du 26 septembre ; Br. Chenique, exp. Paris, 1991-1992, p. 296 ; G. Bazin, 1987, I, pp. 63-65, doc. 197 et 201 ; Ch. Clément, 1879, pp. 203-204, n° 1.
5. Sur les bottiers et les questions touchant aux mouvements radicaux du début du XIXe siècle, voir E.P. Thompson, 1963, *passim*.
6. G. Bazin, 1992, V, pp. 277-280, n° 1823-1828.

E.41 Lion dévorant un cheval

Lithographie | 1820 (?) | H. 0,212 ; L. 0,311 sans marge | H. 0,285 ; L. 0,424 avec marge | Plume sur carton lithographique | Un seul état connu | Sans encadrement ni lettre | Taches brunes sur l'ensemble de la feuille.

Provenance

A. Armand puis Pr. Valton | don de Mme Valton à l'Ensba en 1908 | Inv. E.B.A. Est. n° 449.

Bibliographie

Ch. Clément, juin 1866, n° 45 | Ch. Clément, 1868 et 1879, n° 44 | L. Delteil, 1924, n° 26 | Ph. Grunchec, 1978, n° 44 | Fr. Bergot, exp. Rouen, 1981-1982, n° 44 | G. Bazin, 1997, VII, n° 2338.

Expositions

Rome, Villa Médicis, 1979-1980, n° 110 | Montargis, Musée Girodet, 1981, n° 18 | Boulogne-Billancourt, Centre culturel, 1984, n° 27.

Géricault éprouve une grande admiration pour les peintres animaliers anglais de l'époque romantique, notamment James Ward (1769-1855) et George Stubbs (1724-1806)[1]. Le thème sombre et fantastique du lion dévorant le cheval occupe une place particulière dans la série des cartons lithographiques et même dans l'ensemble de sa production graphique anglaise. Dès 1814, Géricault note dans un carnet d'esquisses comme sujet éventuel un « Xerxès se promenant entre la mer et un bois, ses chevaux sont attaqués par deux lions[2] ». C'est cependant – vraisemblablement – à son retour d'Angleterre et peut-être d'après des études réalisées à Londres, qu'il traite le thème du combat de l'animal sauvage avec le cheval attaqué par un lion dans le dessin du Musée Boymans van Beuningen de Rotterdam et la lithographie d'une grande rareté de l'Ensba (**cat. E.97**). Toutefois, le *Lion dévorant un cheval*, motif plusieurs fois repris par Géricault, ne présente aucun caractère de violence dramatique : il rappelle avec évidence par la représentation du cadavre de l'animal, l'impression de chaos et de vacuité qui émane du *Cheval mort* (**cat. E.88**) lithographié quelques années plus tard[4]. R.S.

—

1. Pour la copie de Géricault d'après *A lion Attacking a White Horse*, voir Ph. Grunchec, 1991, p. 117, n° 195 ; G. Bazin, 1987, II, p. 463, n° 365 ; L. Eitner, 1991, p. 352, n° 95 ; il semble que cette copie, aujourd'hui au Musée du Louvre, ait appartenu à Eugène Delacroix dès l'origine.
2. G. Bazin, 1987, II, p. 147, n° 720.
3. On peut aussi ajouter la lithographie intitulée *Cheval dévoré par un lion* (**cat. E.65**).
4. Ph. Grunchec, 1991, pp. 122-127 et exp. New York, San Diego et Houston, 1995-1996, pp. 172-173, n° 93, pp. 176-177, n° 95, pp. 180-181, n° 98.

Deux planches pour l'illustration du second des deux tomes consacrés à l'*Ancienne Normandie* dans les *Voyages pittoresques et romantiques dans l'ancienne France*, par Ch. Nodier, J. Taylor et Alph. de Cailleux, publié à Paris en 1825.

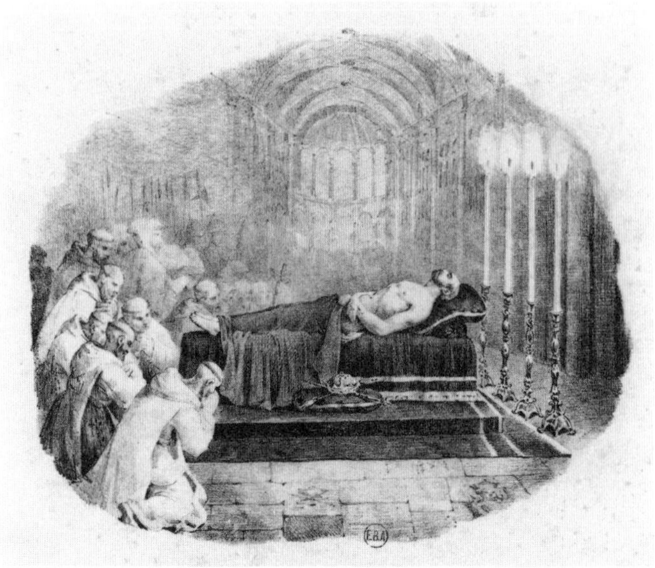

* E.42 Guillaume-le-Conquérant rapporté après sa mort à l'église Saint-Georges de Boscherville

Lithographie | 1823 | H. 0,149 ; L. 0,178 sans marge | 2e état | Lithographie sans encadrement | Sous le titre à droite : *Géricault.*

Provenance

A. Armand puis Pr. Valton | don de Mme Valton à l'Ensba en 1908 | Inv. E.B.A. Est. n° 536.

Bibliographie

Ch. Clément, juin 1866, n° 46 | Ch. Clément, 1868 et 1879, n° 45 | L. Delteil, 1924, n° 78 | Ph. Grunchec, 1978, n° 45 | Fr. Bergot, exp. Rouen, 1981-1982, n° 45 | G. Bazin, 1997, VII, n° 2519.

Expositions

Rome, Villa Médicis, 1979-1980, n° 111.

* E.43 Église Saint-Nicolas de Rouen

Lithographie | 1823 | H. 0,340 ; L. 0,237 sans marge | Un seul état connu | Lithographie encadrée | Quatre inscriptions : au dessus du trait : *p. 150* ; en bas à gauche : *Lesaint et Géricault 1823* et au milieu : *Église Saint Nicolas* et à droite : *Lith. de G. Engelmann.*

Provenance

A. Armand puis Pr. Valton | don de Mme Valton à l'Ensba en 1908 | Inv. E.B.A. Est. n° 553.

Bibliographie

Ch. Clément, juin 1866, n° 47 | Ch. Clément, 1869 et 1879, n° 46 | L. Delteil, 1924, n° 93 | Ph. Grunchec, 1978, n° 46 | Fr. Bergot, exp. Rouen, 1981-1982, n° 46 | G. Bazin, 1997, VII, n° 2518.

Exposition

Rome, Villa Médicis, 1979-1980, n° 112.

Suite de douze petites pièces publiées par Gihaut en 1822. Elles ont été exécutées par Géricault dans l'atelier de son ami Dedreux-Dorcy, rue Taitbout, et publiées en trois cahiers de quatre pièces chacun, dans l'ordre indiquée par les numéros. Clément fait remarquer que la classification des pièces publiées par les frères Gihaut est rigoureusement exacte, car elle lui a été donnée par l'un d'eux (Ch. Clément, 1879, p. 393).

* E.44 La Jument et son poulain

Frontispice | Lithographie sur Chine | 1822 | H. 0,153 ; L. 0,219 sans marge | H. 0,208 ; L. 0,251 avec marge | 2e état | Lithographie sans encadrement | Inscription sur la pierre dans le dessin : *ÉTUDES/DE/CHEVAUX/D'APRES NATURE ;* deux inscriptions sous le dessin, en bas au milieu : *chez GIHAUT. Boulevard des Italiens N°5* et en bas à droite : *Lith de G. Engelmann* | Quelques taches brunes sur l'ensemble de la feuille.

Provenance

A. Armand puis Pr. Valton | don de Mme Valton à l'Ensba en 1908 | Inv. E.B.A. Est. n° 472.

Bibliographie

Ch. Clément, juin 1866, n° 48 | Ch. Clément, 1868 et 1879, n° 47 | L. Delteil, 1924, n° 46 | Ph. Grunchec, 1978, n° 47 | Fr. Bergot, exp. Rouen, 1981-1982, n° 47 | G. Bazin, 1997, VII, n° 2439.

Expositions

Rome, Villa Médicis, 1979-1980, n° 113 | Montargis, Musée Girodet, 1981, n° 33 | Boulogne-Billancourt, Centre culturel, 1984, n° 29.

Autre épreuve

Lithographie | H. 0,153 ; L. 0,219 sans marge | H. 0,257 ; L. 0,324 avec marge | 2e état.

Provenance

A. Armand puis Pr. Valton | don de Mme Valton à l'Ensba en 1908 | Inv. E.B.A. Est. n° 473.

E.45 Cheval de Mecklembourg

Lithographie sur Chine | 1822 | H. 0,188 ; L. 0,234 sans marge | H. 0,208 ; L. 0,252 avec marge | 2e état | Lithographie sans encadrement | Trois inscriptions sous la composition, à gauche : *Géricault*, au milieu : *cheval de Mecklembourg* et à droite : *Lith. de G. Engelmann* | Taches brunes sur le montage.

Provenance

A. Armand puis Pr. Valton | don de Mme Valton à l'Ensba en 1908 | Inv. E.B.A. Est. n° 474.

Bibliographie

Ch. Clément, juin 1866, n° 56 | Ch. Clément, 1868 et 1879, n° 48 | L. Delteil, 1824, n° 47 | Ph. Grunchec, 1978, n° 48 | Fr. Bergot, exp. Rouen, 1981-1982, n° 48 | G. Bazin, 1997, VII, n° 2440.

Expositions

Rome, Villa Médicis, 1979-1980, n° 114 | Montargis, Musée Girodet, 1981, n° 34 | Boulogne-Billancourt, Centre culturel, 1984, n° 30.

E.46 Chevaux d'Auvergne

Lithographie sur Chine | 1822 | H. 0,190 ; L. 0,229 sans marge | H. 0,207 ; L. 0,249 avec marge | 2e état | Lithographie sans encadrement | Trois inscriptions sous la composition (celle de gauche et celle de droite suivant la forme arrondie du dessin) : à gauche : *Géricault*, au milieu : *Chevaux d'Auvergne* et à droite : *Lith de G. Engelman* | Trace d'une cassure de la pierre en biais, à gauche de la composition | Taches brunes sur la feuille.

Provenance

A. Armand puis Pr. Valton | don de Mme Valton à l'Ensba en 1908 | Inv. E.B.A. Est. n° 475.

Bibliographie

Ch. Clément, juin 1866, n° 50 | Ch. Clément, 1868 et 1879, n° 49 | L. Delteil, 1924, n° 48 | Ph. Grunchec, 1978, n° 49 | Fr. Bergot, exp. Rouen, 1981-1982, n° 49 | G. Bazin, 1997, VII, n° 2441.

Expositions

Rome, Villa Médicis, 1979-1980, n° 115 | Montargis, Musée Girodet, 1981, n° 35 | Boulogne-Billancourt, Centre culturel, 1984, n° 31.

E.47 Cheval Cauchois

Lithographie sur Chine | 1822 | H. 0,171 ; L. 0,219 sans marge | H. 0,205 ; L. 0,248 avec marge | 2e état | Lithographie sans encadrement | Trois inscriptions sous la composition (celle de gauche et celle de droite suivant la forme arrondie du dessin), en bas à gauche : *Géricault,* au milieu : *Cheval Cauchois* et à droite : *Lith. de G. Engelmann* | Taches brunes sur la feuille.

Provenance

A. Armand puis Pr. Valton | don de Mme Valton à l'Ensba en 1908 | Inv. E.B.A. Est. n° 476.

Bibliographie

Ch. Clément, juin 1866, n° 58 | Ch. Clément, 1868 et 1879, n° 50 | L. Delteil, 1924, n° 49 | Ph. Grunchec, 1978, n° 50 | Fr. Bergot, exp. Rouen, 1981-1982, n° 50 | G. Bazin, 1997, VII, n° 2442.

Expositions

Rome, Villa Médicis, 1979-1980, n° 116 | Montargis, Musée Girodet, 1981, n° 36 | Boulogne-Billancourt, Centre culturel, 1984, n° 32.

.48 Cheval Espagnol

Lithographie sur Chine | 1823 ou 1822 | H. 0,137 ; L. 0,157 sans marge | H. 0,201 ; L. 0,243 avec marge | 2e état | Lithographie sans encadrement | Trois inscriptions sous la composition, en bas à gauche : *Géricault*, au milieu : *Cheval Espagnol* et à droite : *Lith. de G. Engelmann* | Taches brunes sur la feuille.

Provenance

A. Armand puis Pr. Valton | don de Mme Valton à l'Ensba en 1908 | Inv. E.B.A. Est. n° 477.

Bibliographie

Ch. Clément, juin 1866, n° 53 | Ch. Clément, 1868 et 1879, n° 51 | L. Delteil, 1924, n° 50 | Ph. Grunchec, 1978, n° 51 | Fr. Bergot, exp. Rouen, 1981-1982, n° 51 | G. Bazin, 1997, VII, n° 2443.

Expositions

Rome, Villa Médicis, 1979-1980, n° 117 | Montargis, Musée Girodet, 1981, n° 37 | Boulogne-Billancourt, Centre culturel, 1984, n° 33.

.49 Cheveaux (*sic*) Ardennés (*sic*)

Lithographie | 1823 | H. 0,153 ; L. 0,205 sans marge | H. 0,215 ; L. 0,257 avec marge | 2e état | Lithographie sans encadrement | Trois inscriptions sous la composition (celle de gauche et celle de droite suivant la ligne arrondie du dessin), en bas à gauche : *Géricault*, au milieu : *Cheveaux Ardennés* (*sic*) et à droite : *Lith. de G. Engelmann* | Taches brunes sur la feuille.

Provenance

A. Armand puis Pr. Valton | don de Mme Valton à l'Ensba en 1908 | Inv. E.B.A. Est. n° 478.

Bibliographie

Ch. Clément, juin 1866, n° 49 | Ch. Clément, 1868 et 1879, n° 52 | L. Delteil, 1924, n° 51 | Ph. Grunchec, 1978, n° 52 | Fr. Bergot, exp. Rouen, 1981-1982, n° 52 | G. Bazin, 1997, VII, n° 2444.

Expositions

Rome, Villa Médicis, 1979-1980, n° 118 | Montargis, Musée Girodet, 1981, n° 38 | Boulogne-Billancourt, Centre culturel, 1984, n° 34.

E.50 Cheval de la plaine de Caen

Lithographie sur Chine | 1823 | H. 0,190 ; L. 0,225 sans marge | H. 0,207 ; L. 0,252 avec marge | 2e état | Lithographie sans encadrement | Trois inscriptions sous la composition (celle de gauche et celle de droite suivant la ligne arrondie du dessin), en bas à gauche : *Géricault*, au milieu : *Cheval de la plaine de Caen* et à droite : *Lith. de G. Engelmann* | Taches brunes sur la feuille.

Provenance

A. Armand puis Pr. Valton | don de Mme Valton à l'Ensba en 1908 | Inv. E.B.A. Est. n° 479.

Bibliographie

Ch. Clément, juin 1866, n° 57 | Ch. Clément, 1868 et 1879, n° 53 | L. Delteil, 1924, n° 52 | Ph. Grunchec, 1978, n° 53 | Fr. Bergot, exp. Rouen, 1981-1982, n° 5 | G. Bazin, 1997, VII, n° 2445.

Expositions

Rome, Villa Médicis, 1979-1980, n° 119 | Montargis, Musée Girodet, 1981, n° 39 | Boulogne-Billancourt, Centre culturel, 1984, n° 35.

E.51 Cheval d'Hanovre

Lithographie sur Chine | 1823 | H. 0,179 ; L. 0,237 sans marge | H. 0,206 ; L. 0,251 avec marge | 2e état | Lithographie sans encadrement | Trois inscriptions sous la composition, en bas à gauche : *Géricault*, au milieu : *Cheval d'Hanovre* et à droite : *Lith. de G. Engelmann* | Taches brunes sur la feuille.

Provenance

A. Armand puis Pr. Valton | don de Mme Valton à l'Ensba en 1908 | Inv. E.B.A. Est. n° 480.

Bibliographie

Ch. Clément, juin 1866, n° 55 | Ch. Clément, 1868 et 1879, n° 54 | L. Delteil, 1924, n° 53 | Ph. Grunchec, 1978, n° 54 | Fr. Bergot, exp. Rouen, 1981-1982, n° 53 | G. Bazin, 1997, VII, n° 2446.

Expositions

Rome, Villa Médicis, 1979-1980, n° 120 | Montargis, Musée Girodet, 1981, n° 40 | Boulogne-Billancourt, Centre culturel, 1984, n° 36.

E.52 Cheval anglais

Lithographie sur Chine | 1823 | H. 0,166 ; L. 0,221 sans marge | H. 0,208 ; L. 0,254 avec marge | 2e état | Lithographie sans encadrement | Trois inscriptions sous la composition (celle de gauche et celle de droite suivant la forme arrondie du dessin), en bas à gauche : *Géricault*, au milieu : *Cheval anglais* et à droite : *Lith. de G. Engelmann* | Taches brunes sur la feuille.

Provenance

A. Armand puis Pr. Valton | don de Mme Valton à l'Ensba en 1908 | Inv. E.B.A. Est. n° 481.

Bibliographie

Ch. Clément, juin 1866, n° 52 | Ch. Clément, 1868 et 1879, n° 55 | L. Delteil, 1924, n° 54 | Ph. Grunchec, 1978, n° 55 | Fr. Bergot, exp. Rouen, 1981-1982, n° 55 | G. Bazin, 1997, VII, n° 2447.

Expositions

Rome, Villa Médicis, 1979-1980, n° 121 | Montargis, Musée Girodet, 1981, n° 41 | Boulogne-Billancourt, Centre culturel, 1984, n° 37.

E.53 Chevaux flamands

Lithographie sur Chine | 1823 | H. 0,171 ; L. 0,213 sans marge | H. 0,210 ; L. 0,257 avec marge | 2e état | Lithographie sans encadrement | Trois inscriptions sous le dessin (celle de gauche et celle de droite suivant la forme du dessin), en bas à gauche : *Gericault*, au milieu : *Chevaux flamands* et à droite : *Lith. de G. Engelmann.*

Provenance

A. Armand puis Pr. Valton | don de Mme Valton à l'Ensba en 1908 | Inv. E.B.A. Est. n° 482.

Bibliographie

Ch. Clément, juin 1866, n° 53 | Ch. Clément, 1868 et 1879, n° 56 | L. Delteil, 1924, n° 55 | Ph. Grunchec, 1978, n° 56 | Fr. Bergot, exp. Rouen, 1981-1982, n° 56 | G. Bazin, 1997, VII, n° 2448.

Expositions

Rome, Villa Médicis, 1979-1980, n° 122 | Montargis, Musée Girodet, 1981, n° 42 | Boulogne-Billancourt, Centre culturel, 1984, n° 38.

E.54 Cheval Arabe

Lithographie sur Chine | 1823 | H. 0,205 ; L. 0,258 sans marge | H. 0,273 ; L. 0,355 avec marge | 2e état | Lithographie sans encadrement | Trois inscriptions, en bas à gauche : *Géricault,* au milieu : *Cheval Arabe* et à droite : *Lith. de G. Engelmann* | Taches brunes sur l'ensemble de la feuille.

Provenance

A. Armand puis Pr. Valton | don de Mme Valton à l'Ensba en 1908 | Inv. E.B.A. Est. n° 483.

Bibliographie

Ch. Clément, juin 1866, n° 56 | Ch. Clément, 1868 et 1879, n° 57 | L. Delteil, 1924, n° 56 | Ph. Grunchec, 1978, n° 57 | Fr. Bergot, exp. Rouen, 1981-1982, n° 57 | G. Bazin, 1997, VII, n° 2450.

Expositions

Rome, Villa Médicis, 1979-1980, n° 123 | Montargis, Musée Girodet, 1981, n° 43 | Boulogne-Billancourt, Centre culturel, 1984, n° 39.

* E.55 Jument égytienne (*sic*)

Lithographie sur Chine | 1823 | H. 0,210 ; L. 0,240 sans marge | H. 0,274 ; L. 0,356 avec marge | 2e état | Lithographie sans encadrement | Trois inscriptions sous le dessin (celle de gauche et celle de droite suivant la forme arrondie du dessin), en bas à gauche : *Géricault,* au milieu : *Jument égytienne* (*sic*) et à droite : *Lith de G. Engelmann* | Taches brunes sur la feuille.

Provenance

A. Armand puis Pr. Valton | don de Mme Valton à l'Ensba en 1908 | Inv. E.B.A. Est. n° 484.

Bibliographie

Ch. Clément, juin 1866, n° 59 | Ch. Clément, 1868 et 1879, n° 58 | L. Delteil, 1924, n° 57 | Ph. Grunchec, 1978, n° 58 | Fr. Bergot, exp. Rouen, 1981-1982, n° 58 | G. Bazin, 1997, VII, n° 2451.

Expositions

Rome, Villa Médicis, 1979-1980, n° 124 | Montargis, Musée Girodet, 1981, n° 44 | Boulogne-Billancourt, Centre culturel, 1984, n° 40.

E.56 Cheval que l'on promène avant la course

Lithographie | 1823 | H. 0,094 ; L. 0,165 sans marge | H. 0,262 ; L. 0,350 avec marge | 1er état | Lithographie sans encadrement | Au crayon sur l'épreuve : *1er état. cheval que l'on promène avant la course* | Papier jauni et nombreuses taches brunes.

Provenance

A. Armand puis Pr. Valton | don de Mme Valton à l'Ensba en 1908. | Inv. E.B.A. Est. n° 485.

Bibliographie

Ch. Clément, juin 1866, n° 61 | Ch. Clément, 1868 et 1879, n° 59 | L. Delteil, 1924, n° 58 | Ph. Grunchec, 1978, n° 59 | Fr. Bergot, exp. Rouen, 1981-1982, n° 59 | G. Bazin, 1997, VII, n° 2454.

Expositions

Rome, Villa Médicis, 1979-1980, n° 125 | Montargis, Musée Girodet, 1981, n° 52 | Boulogne-Billancourt, Centre culturel, 1984, n° 41.

Autre épreuve

Lithographie | H. 0,094 ; L. 0,165 sans marge | H. 0,235 ; L. 0,331 avec marge | 2e état | Lithographie sans encadrement | Deux inscriptions sous la composition suivant la forme arrondie de la composition, en bas *Géricault* et à droite : *Lith. de G. Engelmann* | Quelques taches brunes sur la feuille.

Provenance

A. Armand puis Pr. Valton | don de Mme Valton à l'Ensba en 1908 | Inv. E.B.A. Est. n° 486.

Autre épreuve

Lithographie | H. 0,094 ; L. 0,165 sans marge | H. 0,272 ; L.0, 361 avec marge | 2e état.

Provenance

A. Armand puis Pr. Valton | don de Mme Valton à l'Ensba en 1908 | Inv. E.B.A. Est. n° 487.

Autre épreuve

Lithographie sur Chine | H. 0,094 ; L. 0,165 sans marge | H. 0,267 ; L. 0,367 avec marge | 2e état | Quelques taches brunes sur la feuille.

Provenance

A. Armand puis Pr. Valton | don de Mme Valton à l'Ensba en 1908 | Inv. E.B.A. Est. n° 488.

Autre épreuve

Lithographie sur Chine | H. 0,094 ; L. 0,165 sans marge | H. 0,272 ; L. 0,358 avec marge | 2e état.

Provenance

A. Armand puis Pr. Valton | don de Mme Valton à l'Ensba en 1908 | Inv. E.B.A. Est. n° 489.

E.57 La Course

Lithographie sur Chine | 1823 | H. 0,139 ; L. 0,209 sans marge | H. 0,269 ; L. 0,364 avec marge | Quelques taches brunes sur la feuille | 2e état | Lithographie sans encadrement | Deux inscriptions sous le dessin (celle de gauche suivant la forme arrondie du dessin), en bas à gauche : *Géricault* et à droite : *Lith. de G. Engelmann.*

Provenance

A. Armand puis Pr. Valton | don de Mme Valton à l'Ensba en 1908 | Inv. E.B.A. Est. n° 490.

Expositions

Rome, Villa Médicis, 1979-1980, n° 126 | Montargis, Musée Girodet, 1981, n° 53 | Boulogne-Billancourt, Centre culturel, 1984, n° 42.

Autre épreuve

Lithographie sur Chine | H. 0,139 ; L. 0,209 sans marge | H. 0,269 ; L. 0,364 avec marge.

Provenance

A. Armand puis Pr. Valton | don de Mme Valton à l'Ensba en 1908 | Inv. E.B.A. Est. n° 491.

Bibliographie

Ch. Clément, juin 1866, n° 62 | Ch. Clément, 1868 et 1879, n° 60 | L. Delteil, 1924, n° 59 | Ph. Grunchec, 1978, n° 60 | Fr. Bergot, exp. Rouen, 1981-1982, n° 60 | G. Bazin, 1997, VII, n° 2455.

E.58 Cheval de charrette sorti des limons

Lithographie | 1823 | H. 0,139 ; L. 0,193 sans marge | 2e état | Lithographie sans encadrement | Deux inscriptions sous la composition, en bas à gauche *Géricault* et à droite : *Lith. de G. Engelmann.*

Provenance

A. Armand puis Pr. Valton | don de Mme Valton à l'Ensba en 1908 | Inv. E.B.A. Est. n° 494.

Bibliographie

Ch. Clément, juin 1866, n° 63 | Ch. Clément, 1868 et 1879, n° 61 | L. Delteil, 1924, n° 60 | Ph. Grunchec, 1978, n° 61 | Fr. Bergot, exp. Rouen, Musée des Beaux-Arts, 1981-1982, n° 61 | G. Bazin, 1997, VII, n° 2456.

Expositions

Rome, Villa Médicis, 1979-1980, n° 127 | Montargis, Musée Girodet, 1981, n° 54 | Boulogne-Billancourt, Centre culturel, 1984, n° 43.

Autre épreuve

Lithographie sur Chine | H. 0,139 ; L. 0,193 sans marge | H. 0,270 ; L. 0,358 avec marge | 2e état.

Provenance

A. Armand puis Pr. Valton | don de Mme Valton à l'Ensba en 1908 | Inv. E.B.A. Est. n° 492.

Autre épreuve

Lithographie sur Chine | H. 0,139 ; L. 0,193 sans marge | H. 0,272 ; L. 0,364 avec marge | 2e état.

Provenance

A. Armand puis Pr. Valton | don de Mme Valton à l'Ensba en 1908 | Inv. E.B.A. Est. n° 493.

E.59 Un postillon, dit aussi Les deux chevaux harnachés

Lithographie | 1823 | H. 0,128 ; L. 0,171 sans marge | H. 0,270 ; L. 0,360 avec marge | 2e état | Lithographie sans encadrement | Deux inscriptions sous la composition suivant la ligne arrondie du dessin, en bas à gauche : *Gericault* et à droite : *Lith. de Villain, rue de Sèvres N°11* | Taches brunes sur l'ensemble de la feuille.

Provenance

A. Armand puis Pr. Valton | don de Mme Valton à l'Ensba en 1908 | Inv. E.B.A. Est. n° 496.

Bibliographie

Ch. Clément, juin 1866, n° 67 | Ch. Clément, 1868 et 1879, n° 62 | L. Delteil, 1924, n° 61 | Ph. Grunchec, 1978, n° 62 | Fr. Bergot, exp. Rouen, 1981-1982, n° 62 | G. Bazin, 1997, VII, n° 2457.

Expositions

Rome, Villa Médicis, 1979-1980, n° 128 | Montargis, Musée Girodet, 1981, n° 55 | Boulogne-Billancourt, Centre culturel, 1984, n° 44.

Autre épreuve

H. 0,128 ; L. 0,171 sans marge | H. 0,171 ; L. 0,207 avec marge | Lithographie sur Chine | 2e état.

Provenance

A. Armand puis Pr. Valton | don de Mme Valton à l'Ensba en 1908 | Inv. E.B.A. Est. n° 495.

E.60 Cuirassier chargeant une batterie d'artillerie

Lithographie | 1823 | H. 0,128 ; L. 0,171 sans marge | H. 0,272 ; L.0,356 avec marge | 2e état | Lithographie sans encadrement | Deux inscriptions sous la composition suivant la ligne arrondie du dessin, en bas à gauche : *Géricault* et à droite : *Lith. de Villain* | Papier jauni et taches brunes sur la feuille.

Provenance

A. Armand puis Pr. Valton | don de Mme Valton à l'Ensba en 1908 | Inv. E.B.A. Est. n° 498.

Bibliographie

Ch. Clément, juin 1866, n° 69 | Ch. Clément, 1868 et 1879, n° 63 | Ph. Grunchec, 1978, n° 63 | Fr. Bergot, exp. Rouen, 1981-1982, n° 63 | G. Bazin, 1997, VII, n° 2458.

Expositions

Rome, Villa Médicis, 1979-1980, n° 129 | Montargis, Musée Girodet, 1981, 56 | Boulogne-Billancourt, Centre culturel, 1984, n° 45.

Autre épreuve

Lithographie sur Chine | H. 0,128 ; L. 0,171 sans marge | H. 0,140 ; L. 0,210 avec marge.

Provenance

A. Armand puis Pr. Valton | don de Mme Valton à l'Ensba en 1908 | Inv. E.B.A. Est. n° 497.

E.61 Trompette de hussards debout près de son cheval

Lithographie sur Chine | 1823 | H. 0,133 ; L. 0,180 sans marge | H. 0,139 ; L. 0,192 avec marge | 2e état | Lithographie sans encadrement | Deux inscriptions sous la composition suivant la ligne arrondie du dessin en bas à gauche : *Géricault*, à droite : *Lith. de Villain.*

Provenance

A. Armand puis Pr. Valton | don de Mme Valton à l'Ensba en 1908 | Inv. E.B.A. Est. n° 499.

Bibliographie

Ch. Clément, juin 1866, n° 68 | Ch. Clément, 1868 et 1879, n° 64 | L. Delteil, 1924, n° 63 | Ph. Grunchec, 1978, n° 64 | Fr. Bergot, exp. Rouen, 1981-1982, n° 64 | G. Bazin, 1997, VII, n° 2459.

Expositions

Rome, Villa Médicis, 1979-1980, n° 130 | Montargis, Musée Girodet, 1981, n° 57 | Boulogne-Billancourt, Centre culturel, 1984, n° 46.

Autre épreuve

Lithographie | H. 0,133 ; L. 0,180 sans marge.

Provenance

A. Armand puis Pr. Valton | don de Mme Valton à l'Ensba en 1908 | Inv. E.B.A. Est. n° 500.

E.62 Officier d'artillerie commandant la charge

Lithographie sur Chine | 1823 | H. 0,128 ; L. 0,180 sans marge | H. 0,153 ; L. 0,219 avec marge | 2e état | Lithographie sans encadrement | Deux inscriptions sous la composition suivant la ligne arrondie du dessin, en bas à gauche : *Géricault* et à droite : *Lith. de G. Engelmann* | Taches brunes sur l'ensemble de la feuille.

Provenance

A. Armand puis Pr. Valton | don de Mme Valton à l'Ensba en 1908 | Inv. E.B.A. Est. n° 501.

Bibliographie

Ch. Clément, juin 1866, n° 64 | Ch. Clément, 1868 et 1879, n° 65 | L. Delteil, 1924, n° 64 | Ph. Grunchec, 1978, n° 65 | Fr. Bergot, exp. Rouen, 1981-1982, n° 65 | G. Bazin, 1997, VII, n° 2460.

Expositions

Rome, Villa Médicis, 1979-1980, n° 131 | Montargis, Musée Girodet, 1981, n° 58 | Boulogne-Billancourt, Centre culturel, 1984, n° 47.

Autre épreuve

Lithographie | H. 0,128 ; L. 0,180 sans marge.

Provenance

A. Armand puis Pr. Valton | don de Mme Valton à l'Ensba en 1908 | Inv. E.B.A. Est. n° 502.

* E.63 Trois chevaux conduits à l'écorcheur

Lithographie sur Chine | 1823 | H. 0,111 ; L. 0,200 sans marge | H. 0,143 ; L. 0,227 avec marge | 2e état | Lithographie sans encadrement | Deux inscriptions sous le dessin suivant la lettre arrondie du dessin, en bas à gauche : *Géricault* et à droite : *lith. de Villain, r. de Sèvres n° 11* | Taches brunes sur l'ensemble de la feuille.

Provenance

A. Armand puis Pr. Valton | don de Mme Valton à l'Ensba en 1908 | Inv. E.B.A. Est. n° 506.

Autre épreuve

Lithographie sur Chine | H. 0,111 ; L. 0,200 sans marge | H. 0,145 ; L. 0,227 avec marge | 2e état.

Provenance

A. Armand puis Pr. Valton | don de Mme Valton à l'Ensba en 1908 | Inv. E.B.A. Est. n° 504.

Autre épreuve

Lithographie | H. 0,111 ; L. 0,200 sans marge | H. 0,237 ; L. 0,324 avec marge | 2e état.

Provenance

A. Armand puis Pr. Valton | don de Mme Valton à l'Ensba en 1908 | Inv. E.B.A. Est. n° 503.

Autre épreuve

H. 0,111 ; L. 0,200 sans marge | H. 0,271 ; L. 0,358 avec marge | 2e état.

Provenance

A. Armand puis Pr. Valton | don de Mme Valton à l'Ensba en 1908 | Inv. E.B.A. Est. n° 505.

Bibliographie

Ch. Clément, juin 1866, n° 66 | Ch. Clément, 1868 et 1879, n° 66 | L. Delteil, 1924, n° 65 | Ph. Grunchec, 1978, n° 66 | Fr. Bergot, exp. Rouen, 1981-1982, n° 66 | G. Bazin, 1997, VII, n° 2461.

Expositions

Rome, Villa Médicis, 1979-1980, n° 132 | Montargis, Musée Girodet, 1981, n° 59 | Boulogne-Billancourt, Centre culturel, 1984, n° 47.

Suite de sept lithographies publiées chez les frères Gihaut en 1823 et exécutées par Villain; il s'agit de variations sur le thème du cheval.

E.64 Officier d'artillerie légère de la Garde impériale

Lithographie | 1823 | H. 0, 153 ; L. 0, 185 sans marge | H. 0, 245 ; L. 0, 329 avec marge | 3e état | Lithographie sans encadrement | Trois inscriptions dans la composition, sur la roue : *Gericault* et sous la composition à droite : *Lith. de G. Engelmann.*

Provenance

A. Armand puis Pr. Valton | don de Mme Valton à l'Ensba en 1908 | Inv. E.B.A. Est. n° 508.

Bibliographie

Ch. Clément, juin 1866, n° 60 | Ch. Clément, 1868 et 1879, n° 67 | L. Delteil, 1924, n° 66 | Ph. Grunchec, 1978, n° 67 | Fr. Bergot, exp. Rouen, 1981-1982, n° 67 | G. Bazin, 1997, VII, n° 2463.

Expositions

Rome, Villa Médicis, 1979-1980, n° 133 | Montargis, Musée Girodet, 1981, n° 60 | Boulogne-Billancourt, Centre culturel, 1984, n° 49.

Autre épreuve

Lithographie sans encadrement | H. 0,153 ; L. 0,185 sans marge | H. 0, 260 ; L. 0, 342 avec marge | 1er état | Signature de *Gericault* dans la composition, sur la roue.

Provenance

A. Armand puis Pr. Valton | don de Mme Valton à l'Ensba en 1908 | Inv. E.B.A. Est. n° 507.

Autre épreuve

Lithographie sur Chine | 2e état | H. 0, 153 ; L. 0, 185 sans marge | H. 0, 171 ; L. 0, 206 avec marge.

Provenance

A. Armand puis Pr. Valton | don de Mme Valton à l'Ensba en 1908 | Inv. E.B.A. Est. n° 509.

Autre épreuve

Lithographie sur Chine | H. 0, 153 ; L. 0, 185 sans marge | H. 0, 171 ; L. 0, 206 avec marge | 2e état.

Provenance

A. Armand puis Pr. Valton | don de Mme Valton à l'Ensba en 1908 | Inv. E.B.A. Est. n° 510.

Autre épreuve

Lithographie sur Chine | H. 0, 153 ; L. 0, 185 sans marge | H. 0, 168 ; L. 0, 207 avec marge | 2e état.

Provenance

A. Armand puis Pr. Valton | don de Mme Valton à l'Ensba en 1908 | Inv. E.B.A. Est. n° 511.

E.65 Cheval dévoré par un lion

Lithographie | 1823 | H. 0,195 ; L. 0,240 sans marge | H. 0,261 ; L. 0,342 avec marge | 1er état | Lithographie sans encadrement, avant la lettre.

Provenance

A. Armand puis Pr. Valton | don de Mme Valton à l'Ensba en 1908 | Inv. E.B.A. Est. n° 512.

Bibliographie

Ch. Clément, juin 1866, n° 65 | Ch. Clément, 1868 et 1879, n° 68 | L. Delteil, 1924, n° 67 | Ph. Grunchec, 1978, n° 68 | Fr. Bergot, exp. Rouen, 1981-1982, n° 68 | G. Bazin, 1997, VII, n° 2475.

Expositions

Paris, Galerie Charpentier, 1924, n° 215 | Paris, Ensba, 1934, n° 186 | Rome, Villa Médicis, 1979-1980, n° 134 | Montargis, Musée Girodet, 1981, n° 61 | Boulogne-Billancourt, Centre culturel, 1984.

Autre épreuve

Lithographie sur Chine | H. 0,201 ; L. 0,251 sans marge | H. 0,272 ; L. 0,362 avec marge | 2e état | Lithographie sans encadrement | Trois inscriptions suivant la ligne arrondie du dessin, en bas à gauche : *Géricault del* | au milieu : *Lith. de Villain* et à droite : *chez Gihaut, bard des Italiens n°5* | Taches brunes sur l'ensemble de la feuille.

Provenance

A. Armand puis Pr. Valton | don de Mme Valton à l'Ensba en 1908 | Inv. E.B.A. Est. n° 513.

Autre épreuve

Lithographie sur Chine | 2e état | H. 0,203 ; L. 0,244 sans marge | H. 0,423 ; L. 0,577 avec marge | Taches brunes sur l'ensemble de la feuille.

Provenance

A. Armand puis Pr. Valton | don de Mme Valton à l'Ensba en 1908 | Inv. E.B.A. Est. n° 514.

Autre épreuve

Lithographie sur papier | H. 0,203 ; L. 0,244 sans marge | H. 0,215 ; L. 0,276 avec marge.

Provenance

A. Armand puis Pr. Valton | don de Mme Valton à l'Ensba en 1908 | Inv. E.B.A. Est. n° 515.

Voir **cat. E.41.**

*E.66 Le Giaour

Lithographie sur papier de Chine | 1823 | H. 0,150 ; L. 0,212 sans marge | H. 0,173 ; L. 0,235 avec marge | 2e état légèrement réduit | Inscriptions, à gauche : *Géricault*, au milieu : *Le Giaour* et à droite : *chez Gihaut bard des Italiens n°5*, plus bas : *l. lith. de Villain.*

Provenance

A. Armand puis Pr. Valton | don de Mme Valton à l'Ensba en 1908 | Inv. E.B.A. Est. n° 527.

Bibliographie

Ch. Clément, juin 1866, n° 69 | Ch. Clément, 1869 et 1879, n° 69 | L. Delteil, 1924, n° 71 | Ph. Grunchec, 1978, n° 69 | Fr. Bergot, exp. Rouen, 1981-1982, n° 69 | G. Bazin, 1997, VII, n° 2468.

Autre épreuve

H. 0,174 ; L. 0,240 sans marge | H. 0,258 ; L. 0,346 avec marge | Taches brunes sur la feuille | 1er état lithographié encadré avant toute lettre.

Provenance

A. Armand puis Pr. Valton | don de Mme Valton à l'Ensba en 1908 | Inv. E.B.A. Est. n° 526.

Expositions

Rome, Villa Médicis, 1979-1980, n° 135 | Montargis, Musée Girodet, 1981, n° 62 | Boulogne-Billancourt, Centre culturel, 1984, n° 51 | Paris, Musée Renan-Scheffer, 1988, n° 63.

Cette lithographie publiée par les frères Gihaut en 1820, en même temps que le *Lara* **(cat. E.92)**, est la première composition de Géricault destinée à illustrer les *Contes orientaux* de Byron. Il s'agit du poème *Le Giaour*, paru en anglais en 1813 sous le titre *The Giaour : Fragment of a Turkish Tale* (« fragment de conte turc »). Un chrétien, le Giaour, et un musulman, Hassan, se disputent âprement les faveurs de Leïla, une jeune Grecque du sérail. Cette histoire constitue une allégorie de la situation de la Grèce moderne soumise à la domination turque, qui va déboucher bientôt sur la guerre de l'Indépendance. La lithographie représente le Giaour qui s'éloigne de la ville où sa bien-aimée est maintenue en captivité par le Turc Hassan, et jure de se venger : « Le rocher m'empêcha de le voir plus longtemps. [...] Les lampes de la mosquée ne sont pas encore éteintes. [...] Son front était penché et son regard, vitreux ; il sembla douter un moment s'il devait fuir ou revenir sur ses pas[1]. »

Byron décrit un Giaour dévoré par la passion qui semble l'archétype du héros romantique maudit et qui a également inspiré des tableaux d'Ary Scheffer, Eugène Delacroix et Horace Vernet. N. A.-K.

—

1. Byron, trad. A. Pichot (1830), Paris, éd. Kimé, 1994, pp. 22-23.

E.67 Le Cheval au trot

1823 | Lithographie | H. 0,270 ; L. 0,361 | Un seul état connu | Lithographie sans encadrement et sans lettre, au tampon et au grattoir | Taches brunes sur l'ensemble de la feuille.

Provenance

A. Armand puis Pr. Valton | don de Mme Valton à l'Ensba en 1908 | Inv. E.B.A. Est. n° 516 | Fait partie de sept petites pièces publiées par Gihaut.

Bibliographie

Ch. Clément, juin 1866, n°86 | Ch. Clément, 1866 et 1879, n° 70 | L. Delteil, 1924, n° 68 | Ph. Grunchec, 1978, n° 70 | Fr. Bergot, exp. Rouen, 1981-1982, n° 70.

Expositions

Paris, Ensba, 1934, n° 188 | Rome, Villa Médicis, 1979-1980, n° 48 | Montargis, Musée Girodet, 1981, n° 63 | Boulogne-Billancourt, Centre culturel, 1984, n° 52 | Saint-Lô, Conseil général, maison du département, 1990, n° 21.

Autre épreuve

Lithographie | H. 0,261 ; L. 0,341.

Provenance

A. Armand puis Pr. Valton | don de Mme Valton à l'Ensba en 1908 | Inv. E.B.A. Est. n° 517.

Exposition

Paris, Ensba, 1934, n° 48.

Autre épreuve

H. 0,222 ; L. 0,271 | Taches brunes et papier jauni.

Provenance

A. Armand puis Pr. Valton | don de Mme Valton à l'Ensba en 1908 | Inv. E.B.A. Est. n° 518.

Copie par Courtin

Lithographie | H. 0,242 ; L. 0,358.

Provenance

A. Armand puis Pr. Valton | don de Mme Valton à l'Ensba en 1908 | Inv. E.B.A. Est. n° 519.

E.68 Cheval franchissant une barrière

Copie par Courtin

Lithographie | 1823 | H. 0,160 ; L. 0,205 sans marge. | H. 0,180 ; L. 0,240 avec marge | Lithographie sans encadrement et sans lettre, au tampon et au grattoir.

Provenance

A. Armand puis Pr. Valton | don de Mme Valton à l'Ensba en 1908 | Inv. E.B.A. Est. n° 520.

Bibliographie

Ch. Clément, juin 1866, n° 83 | Ch. Clément, 1868 et 1879, n° 71 | L. Delteil, 1924, n° 69 | Ph. Grunchec, 1978, n° 71 | G. Bazin, 1997, VII, n° 2466 | Fr. Bergot, exp. Rouen, 1981-1982, n° 71 | G. Bazin, 1997, VII, n° 2466.

Expositions

Rome, Villa Médicis, 1979-1980, n° 137 | Montargis, Musée Girodet, 1981, n° 64 | Beaune, Musée Marey, 1991, n° 11.

Copie par Courtin

H. 0,196 ; L. 0,241 avec marge.

Provenance

A. Armand puis Pr. Valton | don de Mme Valton à l'Ensba en 1908. | Inv. E.B.A. Est. n° 521.

* E.69 Cheval anglais monté par un jockey

Lithographie sur Chine | 1823 | H. 0,202 ; L. 0,237 sans marge | H. 0,270 ; L. 0,351 avec marge | 1er état | Lithographie sans encadrement et sans lettre, au tampon et au grattoir |

Provenance

A. Armand puis Pr. Valton | don de Mme Valton à l'Ensba en 1908 | Inv. E.B.A. Est. n° 522.

Bibliographie

Ch. Clément, juin 1866, n° 84 | Ch. Clément | 1868 et 1879, n° 72 | Delteil , 1924, n° 70 | Ph. Grunchec, 1978, n° 72 | Fr. Bergot, exp. Rouen, 1981-1982, n° 72 | G. Bazin, 1997, VII, n° 2467.

Expositions

Rome, Villa Médicis, 1979-1980, n° 138 | Montargis, Musée Girodet, 1981, n° 65 | Boulogne-Billancourt, Centre culturel, 1984, n° 54.

Autre épreuve

H. 0,202 ; L. 0,237 sans marge | H. 0,266 ; L. 0,316 avec marge | 1er état | Croquis en haut de la marge | Légères déchirure en bas à gauche.

Provenance

A. Armand puis Pr. Valton | don de Mme Valton à l'Ensba en 1908 | Inv. E.B.A. Est. n° 525.

Autre épreuve

H. 0,202 ; L. 0,237 sans marge | H. 0,266 ; L. 0,316 avec marge | 2e état | Inscription avant le trait d'encadrement, sous le dessin en bas à droite : *Lith. de G. Engelmann* | Taches brunes sur l'ensemble de la feuille.

Provenance

A. Armand puis Pr. Valton | don de Mme Valton à l'Ensba en 1908 | Inv. E.B.A. Est. n° 524.

Autre épreuve

H. 0,202 ; L. 0,237 sans marge | H. 0,272 ; L. 0,348 avec marge | 2e état | Angle supérieur gauche déchiré.

Provenance

A. Armand puis Pr. Valton | don de Mme Valton à l'Ensba en 1908 | Inv. E.B.A. Est. n° 523.

* E.70 Cheval que l'on ferre

Lithographie | 1823 | H. 0,138 ; L. 0,168 sans marge | H. 0,276 ; L. 0,368 avec marge | 3e état | Lithographie sans encadrement | Trois inscriptions sous le dessin, en bas à gauche : *Géricault del*, au milieu : *chez Gihaut bard des Italiens N°5* et en bas à droite : *Lith. de Villain* | Taches brunes sur l'ensemble de la feuille.

Provenance

A. Armand puis Pr. Valton | don de Mme Valton à l'Ensba en 1908 | Inv. E.B.A. Est. n° 530.

Bibliographie

Ch. Clément, juin 1866, n° 85 | Ch. Clément, 1868 et 1879, n° 73 | L. Delteil, 1924, n° 72 | Ph. Grunchec, 1978, n° 73 | Fr. Bergot, exp. Rouen, 1981-1982, n° 73 | G. Bazin, 1997, VII, n° 2473.

Expositions

Rome, Villa Médicis, 1979-1980, n° 139 | Montargis, Musée Girodet, 1981, n° 66 | Boulogne-Billancourt, Centre culturel, 1984, n° 55 | Saint-Lô, Conseil général, maison du département, 1990, n° 23.

Autre épreuve

H. 0,138 ; L. 0,168 sans marge | H. 0,153 ; L. 0,185 avec marge | 2e état.

Provenance

A. Armand puis Pr. Valton | don de Mme Valton à l'Ensba en 1908 | Inv. E.B.A. Est. n° 529.

Autre épreuve

H. 0,138 ; L. 0,168 sans marge | H. 0,254 ; L. 0,328 avec marge | 3e état | Taches brunes sur l'ensemble de la feuille.

Provenance

A. Armand puis Pr. Valton | don de Mme Valton à l'Ensba en 1908 | Inv. E.B.A. Est. n° 528.

Les frères Gihaut demandèrent à Géricault une nouvelle version de la suite anglaise. Six sujets furent conservés et l'artiste réalisa des aquarelles qui servirent de modèles aux six autres. Léon Cogniet (Paris 1794 - Paris 1880) et Joseph Volmar (Berne 1796 - Berne 1865) furent chargés de l'exécution, que Géricault dirigea, revit et corrigea. Elles ont été exécutées chez Dedreux-Dorcy et publiées en trois cahiers de quatre feuilles chacun.

E.71 L'Abreuvoir

Lithographie | 1822 ou 1823 | H. 0,340; L. 0,285 sans marge | H. 0,610; L. 0,450 avec marge | 2e état | Dans le dessin, sur la pierre de la fontaine: *ETUDES/DE CHEVAUX/PAR/ GERICAULT* et en bas au milieu: *A Paris, chez Gihaut, Editeur, Md d'Estampes, Boulard des Italiens N°5* | En haut de la feuille le n° *381*.

Provenance

His de la Salle, vente, Paris, 10-12 janvier 1881, n° *381* | A. Armand puis Pr. Valton | don de Mme Valton à l'Ensba en 1908 | Inv. E.B.A. Est. n° 540.

Autre épreuve

H. 0,340; L. 0,285 sans marge | H. 0,578; L. 0,422 avec marge | 1er état | Lithographie sans encadrement | Dans le dessin, sur la pierre de la fontaine: *ETUDES/DECHEVAUX/PAR/ GERICAULT*. Au crayon noir: *mai 1823* | Papier jauni, trace de pliure et taches brunes.

Provenance

A. Armand puis Pr. Valton | don de Mme Valton à l'Ensba en 1908 | Inv. E.B.A. n° Est. 539.

Bibliographie

Ch. Clément, juin, 1866, n° 70 | Ch. Clément, 1868 et 1879, n° 74. L. Delteil, 1924, n° 80 | Ph. Grunchec, 1978, n° 74 | Fr. Bergot, exp. Rouen, 1981-1982, n° 74 | G. Bazin, 1997, VII,n° 2384.

Expositions

Rome, Villa Médicis, 1979-1980, n° 140 | Montargis, Musée Girodet, 1981, n° 45 | Boulogne-Billancourt, Centre culturel, 1984, n° 56.

Cette estampe, qui correspond au frontispice des *Études de chevaux*, est la seule lithographie de la série presqu'entièrement dessinée à la plume.
Son exceptionnelle qualité laisse supposer que Géricault l'a peut-être exécutée lui-même, sans l'aide de ses assistants: le trait simple et fluide utilisé par l'artiste pour représenter la silhouette ombrée du palefrenier, les feuillages de la végétation, le mouvement des chevaux comme celui du cours d'eau remplissant le bassin de marbre en témoigne. Un simple jeu de hachures croisées donne de la profondeur et du volume à l'œuvre.
Par ces effets très sobres, Géricault parvient ainsi à créer une atmosphère très convaincante: les lieux ombragés suggèrent avec délicatesse la fraîcheur harmonieuse d'une après-midi par ailleurs très ensoleillée.

Cette planche rappelle le frontispice de la suite anglaise, *Various subjects Drawn from Life and on Stone* **(cat. E.23)**, également seul de la série à être dessiné à la plume. A. M.

E.72 Le Chariot de charbon

Lithographie | 1823 | H. 0,192 ; L. 0,303 sans marge | H. 0,425 ; L. 0,581 avec marge | 1er état | Lithographie encadrée | Deux inscriptions sous le trait, en bas à gauche : *Géricault del* et à droite : *Lith. de Villain* | Taches brunes sur l'ensemble de la feuille.

Provenance

A. Armand puis Pr. Valton | don de Mme Valton à l'Ensba en 1908 | Inv. E.B.A. Est. n° 541.

Bibliographie

Ch. Clément, juin 1866, n° 75 | Ch. Clément 1868 et 1879, n° 75 | L. Delteil, 1924, n° 81 | Ph. Grunchec, 1978, n° 75 | Fr. Bergot, exp. Rouen, Musée des Beaux-Arts, 1981-1982, n° 75 | G. Bazin, 1997, VII, n° 2385.

Expositions

Rome, Villa Médicis, 1979-1980, n° 141 | Boulogne-Billancourt, Centre culturel, 1984, n° 57.

*E.73 Vieux cheval à la porte d'une auberge

Lithographie | 1823 | H. 0,254 ; L. 0,382 sans marge | H. 0,429 ; L. 0,581 avec marge | 1er état | Lithographie encadrée | Deux inscriptions sous le trait, en bas à gauche : *Géricault del* et à droite : *Lith. de Villain* | Légères taches brunes sur l'ensemble de la feuille.

Provenance

A. Armand puis Pr. Valton | don de Mme Valton à l'Ensba en 1908 | Inv. E.B.A. Est. n° 542.

Bibliographie

Ch. Clément, juin 1866, n° 82 | Ch. Clément, 1868 et 1879, n° 76 | L. Delteil, 1924, n° 82 | Ph. Grunchec, 1978, n° 76 | Fr. Bergot, exp. Rouen, Musée des Beaux-Arts, 1981-1982, n° 76 | G. Bazin, 1997, VII, n° 2425.

Expositions

Rome, Villa Médicis, 1979-1980, n° 542 | Montargis, Musée Girodet, 1981, n° 46 | Boulogne-Billancourt, Centre culturel, 1984, n° 58 | Saint-Lô, Conseil général, maison du département, 1990, n° 27.

E.74 Deux chevaux gris-pommelé que l'on promène

Lithographie | 1823 | H. 0,290 ; L. 0,422 sans marge | H. 0,424 ; L. 0,579 avec marge | 1er état | Lithographie encadrée | Deux inscriptions sous le trait, en bas à gauche : *Géricault del* et à droite : *Lith. de Villain* | Quelques taches brunes sur l'ensemble de la feuille.

Provenance

A. Armand puis Pr. Valton | don de Mme Valton à l'Ensba en 1908 | Inv. E.B.A. Est. n° 543.

Bibliographie

Ch. Clément, juin 1866, n° 74 | Ch. Clément, 1868 et 1879, n° 77 | L. Delteil, 1924, n° 83 | Ph. Grunchec, 1978, n° 77 | Fr. Bergot, exp. Rouen, 1981-1982, n° 77 | G. Bazin, 1997, VII, n° 2400.

Expositions

Rome, Villa Médicis, 1979-1980, n° 143 | Boulogne-Billancourt, Centre culturel, 1984, n° 59.

E.75 Cheval noir avec une couverture à carreaux attaché dans une écurie

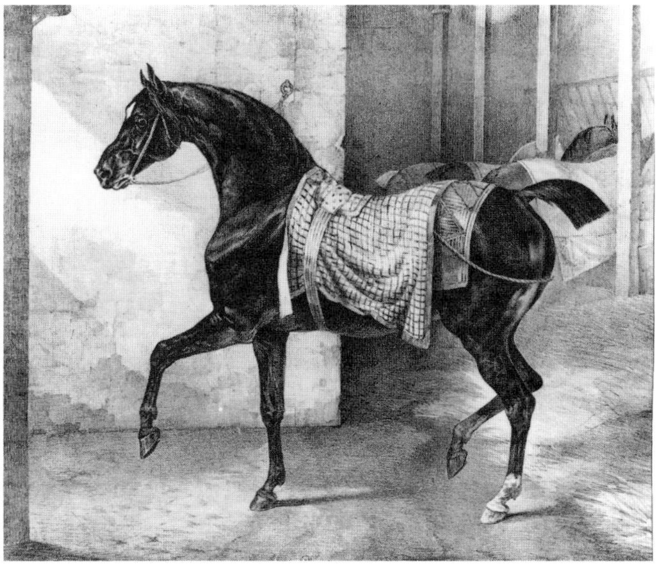

Lithographie | 1823 | H. 0,328; L. 0,402 | 1er état | Lithographie encadrée | Deux inscriptions sous le trait, en bas à gauche: *Géricault del* et à droite: *Lith de Villain.*

Provenance

A. Armand puis Pr. Valton | don de Mme Valton à l'Ensba en 1908 | Inv. E.B.A. Est. n° 552.

Bibliographie

Ch. Clément, juin 1866, n° 78 | Ch. Clément, 1868 et 1879, n° 78 | L. Delteil, 1924, n° 92 | Fr. Bergot, exp. Rouen, 1981-1982, n° 78 | G. Bazin, 1997, VII, n° 2436.

Expositions

Rome, Villa Médicis, 1979-1980, n° 144 | Montargis, Musée Girodet, 1981, n° 47 | Boulogne-Billancourt, Centre culturel, 1984, n° 60.

E.76 Le Maréchal flamand

Lithographie | 1823 | H. 0,244; L. 0,322 sans marge | H. 0,422; L. 0,582 avec marge | 1er état | Lithographie encadrée | Trois inscriptions sous le trait, en bas à gauche: *Géricault del*, au milieu: *chez Gihaut, éditeur, md d'Estampes, Bard des Italiens N°5* et à droite: *Lith. de Villain* | Taches brunes sur l'ensemble de la feuille.

Provenance

A. Armand puis Pr. Valton | don de Mme Valton à l'Ensba en 1908 | Inv. E.B.A. Est. n° 545.

Bibliographie

Ch. Clément, juin 1866, n° 71 | Ch. Clément, 1868 et 1879, n° 79 | L. Delteil, 1924, n° 85 | Ph. Grunchec, 1978, n° 79 | Fr. Bergot, exp. Rouen, Musée des Beaux-Arts, 1981-1982, n° 79 | G. Bazin, 1997 VII, n° 2409.

Expositions

Rome, Villa Médicis, 1979-1980, n° 145 | Boulogne-Billancourt, Centre culturel, 1984, n° 61.

*E.77 Le Cheval du plâtrier

Lithographie | 1823 | H. 0,256 ; L. 0,323 sans marge | H. 0,423 ; L. 0,582 avec marge | 1er état | Lithographie encadrée | Deux inscriptions, en bas à gauche : *Géricault del* et à droite : *Lith. de Villain.*

Provenance

A. Armand puis Pr. Valton | don de Mme Valton à l'Ensba en 1908 | Inv. E.B.A. Est. n° 546.

Bibliographie

Ch. Clément, juin 1866, n° 81 | Ch. Clément, 1868 et 1879, n° 80 | L. Delteil, 1924, n° 86 | Ph. Grunchec, 1978, n° 80 | Fr. Bergot, exp. Rouen, 1981-1982, n° 80 | G. Bazin, 1997, VII, n° 2413.

Expositions

Rome, Villa Médicis, 1979-1980, n° 146 | Montargis, Musée Girodet, 1981, n° 48 | Boulogne-Billancourt, Centre culturel, 1984, n° 62.

E.78 Chevaux conduits à la foire

Lithographie | 1822 | H. 0,249 ; L. 0,351 sans marge | H. 0,417 ; L. 0,577 avec marge | 1er état | Lithographie encadrée | Trois inscriptions sous le trait, en bas à gauche : *Géricault del*, au milieu : *chez Gihaut, boulard des Italiens, N°5* et à droite : *Lith. de Villain* | Taches brunes sur l'ensemble de la feuille.

Provenance

A. Armand puis Pr. Valton | don de Mme Valton à l'Ensba en 1908 | Inv. E.B.A. Est. n° 547.

Bibliographie

Ch. Clément, juin 1866, n° 76 | Ch. Clément 1868 et 1879, n° 81 | L. Delteil, 1924, n° 87 | Ph. Grunchec, 1978, n° 81 | Fr. Bergot, exp. Rouen, 1981-1982, n° 81 | G. Bazin, 1997, VII, n° 2394.

Expositions

Rome, Villa Médicis, 1979-1980, n° 147 | Boulogne-Billancourt, Centre culturel, 1984, n° 63.

*E.79 Deux chevaux à la porte d'une écurie

Lithographie | 1822 ou 1823 | H. 0,343 ; L. 0,433 sans marge | H. 0,424 ; L. 0,584 avec marge | 1er état | Lithographie encadrée | Trois inscriptions sous le trait, en bas à gauche : *Géricault del*, au milieu : *chez Gihaut Editeur, md d'Estampes, bard des Italiens, N°5* et à droite : *Lith. de Villain* | Quelques taches brunes sur l'ensemble de la feuille.

Provenance

A. Armand puis Pr. Valton | don de Mme Valton à l'Ensba en 1908 | Inv. E.B.A. Est. n° 548.

Bibliographie

Ch. Clément, juin 1866, n° 82 | Ch. Clément, 1868 et 1879, n° 82 | L. Delteil, 1924, n° 88 | Ph. Grunchec, 1978, n° 82 | Fr. Bergot, exp. Rouen, 1981-1982, n° 82 | G. Bazin, 1997, VII, n° 2426.

Expositions

Rome, Villa Médicis, 1979-1980, n° 148 | Montargis, Musée Girodet, 1981, n° 49 | Boulogne-Billancourt, Centre culturel, 1984, n° 64.

E.80 Jeune garçon donnant l'avoine dans une musette à un gros cheval dételé

Lithographie | 1823 | H. 0,417 ; L. 0,331 sans marge | H. 0,581 ; L. 0,422 avec marge | 1er état | Lithographie encadrée | Trois inscriptions sous le trait, en bas à gauche : *Géricault del* | au milieu : *Chez Gihaut Editeur, md d'Estampes, bard des Italiens, N° 5* et à droite : *Lith. de Villain* | Taches brunes sur l'ensemble de la feuille | Au verso : *cette pièce qui a été lithographiée par Volmar et retouchée par Géricault a été faite d'après une peinture qui, en 1866, appartenait à madame Sehiekler.*

Provenance

A. Armand puis Pr. Valton | don de Mme Valton à l'Ensba en 1908 | Inv. E.B.A. Est. n° 549.

Bibliographie

Ch. Clément, juin 1866, n° 78 | Ch. Clément, 1868 et 1879, n° 83 | L. Delteil, 1924, n° 89 | Ph. Grunchec, 1978, n° 83 | Fr. Bergot, exp. Rouen, 1981-1982, n° 83 | G. Bazin, 1997, VII, n° 2432.

Expositions

Rome, Villa Médicis, 1979-1980, n° 149 | Montargis, Musée Girodet, 1981, n° 50 | Boulogne-Billancourt, Centre culturel, 1984, n° 65.

E.81 Deux chevaux promenés par un jockey

Lithographie | 1823 | H. 0,323 ; L. 0,384 sans marge | H. 0,423 ; L. 0,576 avec marge | 1er état | Lithographie encadrée | Trois inscriptions sous le trait, en bas à gauche : *Géricault del*, au milieu : *Chez Gihaut éditeur et Md d'Estampes, Bard des Italiens N°5* et à droite : *Lith. de Villain* | Taches brunes sur l'ensemble de la feuille.

Provenance

A. Armand puis Pr. Valton | don de Mme Valton à l'Ensba en 1908 | Inv. E.B.A. Est. n° 550.

Bibliographie

Ch. Clément, juin 1866, n° 80 | Ch. Clément, 1868 et 1879, n° 84 | L. Delteil, 1924, n° 90 | Ph. Grunchec, 1978, n° 84 | Fr. Bergot, exp. Rouen, 1981-1982, n° 84 | G. Bazin, 1997, VII, n° 2400.

Expositions

Rome, Villa Médicis, 1979-1980, n° 150 | Montargis, Musée Girodet, 1981, n° 51 | Boulogne-Bilancourt, Centre culturel, 1984, n° 66.

* E.82 Le Maréchal anglais

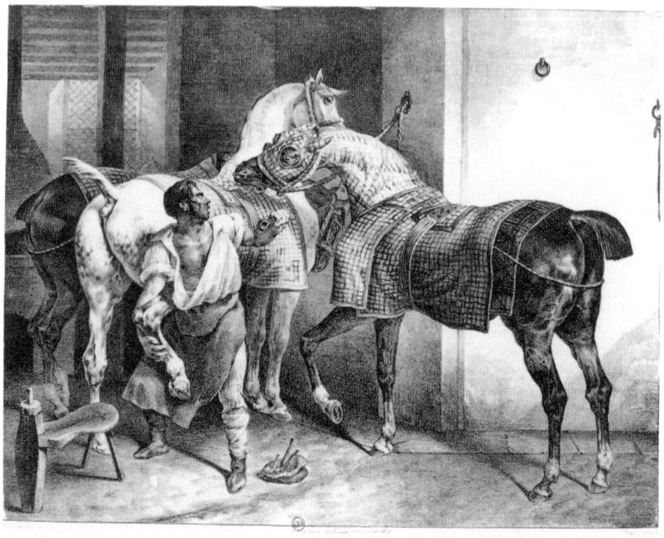

Lithographie | 1823 | H. 0,281 ; L. 0,367 sans marge | H. 0,428 ; L. 0,584 avec marge | 1er état | Lithographie encadrée | Trois inscriptions sous le trait, en bas à gauche : *Géricault del,* au milieu : *chez Gihaut, boulevard des Italiens N°5* et à droite : *Lith. de Villain* | Taches brunes sur l'ensemble de la feuille.

Provenance

A. Armand puis Pr. Valton | don de Mme Valton à l'Ensba en 1908 | Inv. E.B.A. Est. n° 551.

Bibliographie

Ch. Clément, juin 1866, n° 73 | Ch. Clément, 1868 et 1879, n° 85 | L. Delteil, 1924, n° 91 | Ph. Grunchec, 1978, n° 85 | Fr. Bergot, exp. Rouen, 1981-1982, n° 85 | G. Bazin, 1997, VII, n° 2403.

Exposition

Rome, Villa Médicis, 1979-1980, n° 151.

Cette estampe est une version inversée de *The English Farrier* (**cat. E.32**) de la suite anglaise. La planche originale réalisée, avec soin et maîtrise, présentait une scène réaliste : les personnages et les animaux très animés ainsi que l'agencement de leurs attitudes d'une grande variété en faisait une œuvre très expressive.

Dans la lithographie de Cogniet, le forgeron anglais travaille seul dans sa forge, son compagnon ayant été supprimé de la composition : il doit donc affronter les deux chevaux nerveux, tenant d'une main le sabot d'un animal, de l'autre une paire de pinces, tout en fixant de face le cheval noir dont la jambe antérieure gauche est déjà levée.

Géricault avait cherché à rendre dans sa première version (**cat. E.32**) un processus de réactions en chaîne avec logique et réalisme ; cet effet a totalement disparu, donnant à la scène une représentation narrative peu convaincante. Le cadre architectural de la forge a également été modifié : les deux personnages formaient auparavant un angle correspondant à celui des murs du fond de la pièce qui s'ouvrait sur une fenêtre ; la ligne de fuite du sol, rendue dans une perspective très accentuée, menait l'œil du spectateur à ces deux silhouettes principales. Cogniet « corrige » et atténue cette perspective en réduisant le mur, mis en parallèle au plan de l'image, ce qui supprime le point focal principal de la composition et met l'accent sur la croupe sombre de l'animal. La force de conviction de l'original est ainsi perdue et cette nouvelle interprétation n'a plus aucune puissance d'expression. A. M.

* E.83 Le Maréchal français

Lithographie | 1822 | H. 0,270 ; L. 0,360 sans marge | H. 0,427 ; L. 0,576 avec marge | 1er état | Lithographie encadrée | trois inscriptions sous le trait, en bas à gauche : *Géricault del,* au milieu : *chez Gihaut éditeur, Md d'Estampes, Boulevard des Italiens N°5* et à droite : *Lith. de Villain* | Taches brunes sur l'ensemble de la feuille.

Provenance

A. Armand puis Pr. Valton | don de Mme Valton à l'Ensba en 1908 | Inv. E.B.A. Est. n° 544.

Bibliographie

Ch. Clément, juin 1866, n° 72 | Ch. Clément, 1868 et 1879, n° 86 | L. Delteil, 1924, n° 84 | Ph. Grunchec, 1978, n° 86 | Fr. Bergot, exp. Rouen, 1981-1982, n° 86 | G. Bazin, 1997, VII, n° 2407.

Expositions

Rome Villa Médicis, 1979-1980, n° 152 | Boulogne-Billancourt, Centre culturel, 1984, n° 68.

Suite de cinq lithographies qui ne devait à l'origine en comprendre que quatre comme en faisait foi la couverture destinée à les contenir et qui portait l'inscription: «Quatre/sujets divers/par/Gericault/1823/à Paris/chez Mme Hulin rue de la Paix N° 21».

E.84 Chevaux de ferme

Lithographie | 1823 | H. 0,191; L. 0,266 sans marge | 2e état | Lithographie encadrée | dans le dessin en bas à gauche: *Géricault* et trois inscriptions sous le trait, en bas à gauche: *Chez Madme Hulin rue de la Paix n° 21*, au milieu: *Chevaux de ferme* et à droite: *Lith. de G. Engelmann.*

Provenance

A. Armand puis Pr. Valton | don de Mme Valton à l'Ensba en 1908 | Inv. E.B.A. Est. n° 531.

Bibliographie

Ch. Clément, juin 1866, n° 87 | Ch. Clément, 1868 et 1879, n° 87 | L. Delteil, 1924, n° 73 | Ph. Grunchec, 1978, n° 87 | Fr. Bergot, exp. Rouen, 1981-1982, n° 87 | G. Bazin, 1997, VII, n° 2495.

Expositions

Rome, Villa Médicis, 1979-1980, n° 153 | Montargis, Musée Girodet, 1981, n° 69 | Boulogne-Billancourt, Centre culturel, 1984, n° 69.

E.85 Hangar de maréchal-ferrant

Lithographie | 1823 | H. 0,203; L. 0,252 sans marge | 2e état | Lithographie encadrée | trois inscriptions sous le trait: *Chez Mme Hulin, rue de la Paix N° 21*, au milieu: *Lith. de G. Engelmann* et à droite: *Géricault.*

Provenance

A. Armand puis Pr. Valton | don de Mme Valton à l'Ensba en 1908 | Inv. E.B.A. Est. n° 532.

Bibliographie

Ch. Clément, juin 1866, n° 89 | Ch. Clément, 1868 et 1879, n° 88 | L. Delteil, 1924, n° 74 | Ph. Grunchec, 1978, n° 88 | Fr. Bergot, exp. Rouen, 1981-1982, n° 88 | G. Bazin, 1997, VII, n° 2498.

Expositions

Rome, Villa Médicis, 1979-1980, n° 154 | Montargis, Musée Girodet, 1981, n° 70 | Boulogne-Billancourt, Centre culturel, 1984, n° 70.

Cette composition est à mettre en relation avec celle d'une peinture de Géricault, aujourd'hui dans une collection particulière[1].

—

1. Ph. Grunchec, 1978, n° 205; Fr. Bergot, exp. Rouen, 1981-1982, n° 88 bis.

* E.86 Les Boueux

Lithographie | 1823 | H. 0,292 ; L. 0,425 | 2e état | Lithographie encadrée | trois inscriptions sous le trait, en bas à gauche : *Chez Mme Hulin, rue de la Paix N° 21*, au milieu : *Lith. de G. Engelmann* et à droite : *Géricault.*

Provenance

A. Armand puis Pr. Valton | don de Mme Valton à l'Ensba en 1908 | Inv. E.B.A. Est. n°533.

Bibliographie

Ch. Clément, 1866, n° 90 | Ch. Clément, 1868 et 1879, n° 89 | L. Delteil, 1924, n° 75 | Ph. Grunchec, 1978, n° 89 | Fr. Bergot, exp. Rouen, 1981-1982, n° 89 | G. Bazin, 1997, VII, n° 2499.

Expositions

Rome, Villa Médicis, 1979-1980, n° 155 | Montargis, Musée Girodet, 1981, n° 71 | Boulogne-Billancourt, Centre culturel, 1984, n° 71.

Voir **cat. D.96** et l'arrière-plan du **cat. E.25.**

E.87 Roulier montant une côte

Lithographie | 1823 | H. 0,220 ; L. 0,305 sans marge | 2e état | Lithographie encadrée | trois inscriptions sous le trait, en bas à gauche : *Chez Mme Hulin, rue de la paix N° 21*, au milieu : *Lith. de G. Englemann* et à droite : *Géricault.*

Provenance

A. Armand puis Pr. Valton | don de Mme Valton à l'Ensba en 1908 | Inv. E.B.A. Est. n° 534.

Bibliographie

Ch. Clément, juin 1866, n° 91 | Ch. Clément, 1868 et 1879, n° 90 | L. Delteil, 1924, n° 76 | Ph. Grunchec, 1978, n° 90 | Fr. Bergot, exp. Rouen, 1981-1982, n° 90 | G. Bazin, 1997, VII, n° 2500.

Expositions

Rome, Villa Médicis, 1979-1980, n° 156 | Montargis, Musée Girodet, 1981, n° 72 | Boulogne-Billancourt, Centre culturel, 1984, n° 72.

E.88 Le Cheval mort

Lithographie | 1823 | H. 0,183 ; L. 0,226 sans marge | H. 0,290 ; L. 0,416 avec marge | 2e état | Lithographie encadrée | trois inscriptions sous le trait, en bas à gauche : *Chez Mme Hulin, rue de la Paix N° 21*, au milieu : *Lith. de G. Engelmann* et à droite : *Géricault* | Taches brunes sur l'ensemble de la feuille | à droite une étiquette avec le n° *188*.

Provenance
A. Armand puis Pr. Valton | don de Mme Valton à l'Ensba en 1908 | Inv. E.B.A. Est. n° 535.

Bibliographie
Ch. Clément, juin 1866, n° 88 | Ch. Clément, 1868 et 1879, n° 91 | L. Delteil, 1924, n° 77 | Ph. Grunchec, 1978, n° 91 | Fr. Bergot, exp. Rouen, 1981-1982, n° 91 | G. Bazin, 1997, VII, n° 2501.

Expositions
Rome, Villa Médicis, 1979-1980, n° 157 | Montargis, Musée Girodet, 1981, n° 73 | Boullogne-Billancourt, Centre culturel, 1984, n° 73.

Voir **cat. E.41.**

Suite de quatre lithographies, publiées chez Gihaut en 1823 et exécutées par Géricault en collaboration avec Eugène Lami. Deux autres pièces, d'Eugène Lami seul, complétaient cette série destinée à illustrer des poèmes de Lord Byron.

E.89 Mazeppa

Lithographie réalisée en collaboration avec Eugène Louis Lami | 1823 | H. 0,158 ; L. 0,205 sans marge | H. 0,285 ; L. 0,419 avec marge | 2e état | Lithographie encadrée avec cinq inscriptions, en haut *MAZEPPA (Ch. XVII)*, sous le trait : *Géricault et Eug. Lami 1823*, au milieu : *Le Coursier tente de s'élancer sur le rivage qui semble le repousser / ses poils et sa crinière sont luisants et humides... / (lord Byron)*, à droite : *I lith. de Villain* et plus bas : *chez Gihaut, boud des Italiens n° 5*.

Provenance
A. Armand puis Pr. Valton | don de Mme Valton à l'Ensba en 1908 | Inv. E.B.A. Est. n° 554.

Bibliographie
Ch. Clément, juin 1866, n° 92 | Ch. Clément, 1868 et 1879, n° 92 | L. Delteil, 1924, n° 94 | Ph. Grunchec, 1978, n° 92 | Fr. Bergot, exp. Rouen, 1981-1982, n° 92 | G. Bazin, 1997, VII, n° 2533.

Expositions
Nancy, Musée des Beaux-Arts, 1978-1979 | Rome, Villa Médicis, 1979-1980, n° 158 | Montargis, Musée Girodet, 1981, n° 67 | Boulogne-Billancourt, Centre culturel, 1984, n° 74.

Cette lithographie, fruit de la collaboration entre Géricault et Eugène Lami, fait partie d'une suite de quatre sujets byroniens publiée par les frères Gihaut en 1823.
Dans son poème *Mazeppa* (1818), Byron raconte la légende d'un jeune noble ukrainien qui fut attaché nu sur un cheval sauvage pour avoir courtisé une femme mariée. Géricault devait éprouver une attirance particulière pour cette histoire, qui rappelait étrangement sa propre liaison avec Alexandrine Modeste Caruel. De manière plus générale, le supplice infligé à Mazeppa entrait en résonance avec le leitmotiv romantique du génie incompris, exalté par les poètes (Victor Hugo), les musiciens (Franz Liszt) et les peintres (Eugène Delacroix, Alfred de Dreux, Louis Boulanger, Horace Vernet et Théodore Chassériau). Géricault avait déjà réalisé une petite peinture sur ce thème (Paris, coll. part.), qui lui a peut-être fourni un point de départ pour la lithographie.
N. A.-K.

* **E.90** Le Giaour

Lithographie | 1823 | H. 0,150 ; L. 0,210 sans marge |
H. 0,275 ; L. 0,358 avec marge | 2ᵉ état | Lithographie encadrée |
Cinq inscriptions, au dessus du trait : *LE GIAOUR,* en bas
à gauche : *Géricault et Eug. Lami 1823*, au milieu *: ... cet ennemi
est là qui le contemple... son front est aussi sombre que celui
qui est couvert/des ombres du trépas...*, en bas à droite : *I. lith.
de Villain* et plus bas *chez Gihaut frères éditeurs* | Taches
brunes sur la feuille.
 Provenance
A. Armand puis Pr. Valton | don de Mme Valton à l'Ensba en 1908 |
Inv. E.B.A. Est. n° 555.
 Bibliographie
Ch. Clément, juin 1866, n° 93 | Ch. Clément, 1868 et 1879, n° 93 |
L. Delteil, 1924, n° 95 | Ph. Grunchec, 1978, n° 93 | Fr. Bergot,
exp. Rouen, 1981-1982, n° 93 | G. Bazin, 1997, VII, n° 2521.
 Expositions
Rome, Villa Médicis, 1979-1980, n° 159 | Montargis, Musée
Girodet, 1981, n° 68 | Boulogne-Billancourt, Centre culturel, 1984,
n° 75 | Paris, Musée Renan-Scheffer, 1988, n° 64.

LE GIAOUR.

... Cet ennemi est là qui le contemple ... son front est aussi sombre que celui qui est couvert des ombres du trépas ...

Géricault a réalisé cette deuxième lithographie sur le thème
du Giaour byronien en collaboration avec Eugène Lami.
Les frères Gihaut l'ont publiée en 1823 avec trois autres
estampes illustrant des poèmes de Byron. Ici, nous
assistons à la victoire finale du Giaour, dont le rival Hassan
gît sur le sol au terme d'un duel sanglant : « Il est étendu
sur la terre, le visage tourné vers le ciel ; son œil encore
ouvert menace son ennemi, comme si la mort y avait laissé
survivre la haine. Cet ennemi est là qui le contemple ;
son front est aussi sombre que celui qui est couvert des
ombres du trépas[1]. »

 La lithographie a servi de point de départ pour
deux peintures de Delacroix : *La Mort d'Hassan,
officier turc tué dans la montagne* (1825 ; Zurich, coll. part.)
et *Combat du Giaour et du pacha* (1856 ; Cambridge,
Fogg Art Museum). N. A.-K.

———

1. Byron, trad. A. Pichot (1830), Paris, éd. Kimé, 1994, p. 30.

* E.91 La Fiancée d'Abydos

Lithographie | 1823 | H. 0,124 ; L. 0,165 sans marge | H. 0,284 ; L. 0,425 avec marge | 2e état | Lithographie encadrée | cinq inscriptions, au dessus : *LA FIANCEE D'ABYDOS (Ch. X)*, en bas à gauche : *Géricault et Eug. lami 1823*, au milieu : *Je t'ai dit que je n'étais pas ce que tu avais cru jusqu'ici/tu vois maintenant la vérité de mes paroles/(Lord Byron)*, en bas à droite : *I. Lith. Villain* et plus bas : *chez Gihaut Bard des Italiens N° 3* | Taches brunes sur la feuille.

Provenance

A. Armand puis Pr. Valton | don de Mme Valton à l'Ensba en 1908 | Inv. E.B.A. Est. n° 556.

Bibliographie

Ch. Clément, juin, 1866, n° 94 | Ch. Clément, 1868 et 1879, n° 94 | L. Delteil, 1924, n° 96 | Ph. Grunchec, 1978, n° 94 | Fr. Bergot, exp. Rouen, 1981-1982, n° 94 | G. Bazin, 1997, VII, n° 2522.

Expositions

Rome, Villa Médicis, 1979-1980, n° 160 | Paris, Musée Renan-Scheffer, 1988, n° 52.

C'est l'une des quatre lithographies à sujets byroniens que Géricault a exécutées en collaboration avec Eugène Lami et que les frères Gihaut ont publiées en 1823. Elle s'inspire du poème de Byron paru en anglais sous le titre *The Bride of Abydos : A Turkish Tale*, en 1813. Le rebelle Sélim, fils d'une chrétienne, et sa bien-aimée musulmane Zuléika, fille du pacha Giaffir, fuient le courroux paternel et se réfugient dans une grotte au bord de la mer. L'intérêt suscité en Occident par les souffrances du peuple grec sous le joug islamique confère une actualité tragique à ce thème. En 1821, deux ans avant la publication de la lithographie, les Grecs ont entamé une guerre de l'indépendance porteuse d'espoir pour des libéraux comme Géricault, si attachés aux libertés nationales, politiques et individuelles. En dehors des questions d'idéologie, les peintres et graveurs du romantisme français exploitent le filon offert par le conflit gréco-turc et son très fort capital de sympathie. La lithographie de Géricault reprend la composition d'un de ses tableaux, disparu depuis, tandis que Delacroix ne réalisera pas moins de cinq tableaux sur ce sujet entre les années 1840 et 1850. N. A.-K.

E.92 Lara

Lithographie | 1823 | H. 0,136 ; L. 0,243 sans marge | H. 0,271 ; L. 0,352 avec marge | 2e état | Lithographie encadrée | cinq inscriptions, en haut : *LARA*, en bas à gauche : *Géricault et Eug. Lami 1823*, au milieu : *Un des soldats qui l'entouraient découvrit le signe redempteur de la Croix. Lara le fixe/ avec un œil profane qu'il détourne aussitôt...pour Kaled, il éloigna la main qui portait le signe sacré...*, en bas à droite : *lith de Villain* et plus bas : *chez Gihaut frères éditeurs* | Taches brunes sur la feuille.

Provenance

A. Armand puis Pr. Valton | don de Mme Valton à l'Ensba en 1908 | Inv. E.B.A. Est. n° 557.

Bibliographie

Ch. Clément, juin 1866, n° 95 | Ch. Clément, 1868 et 1879, n° 95 | L. Delteil, 1924, n° 97 | Ph. Grunchec, 1978, n° 95 | Fr. Bergot, exp. Rouen, 1981-1982, n° 95 | G. Bazin, 1997, VII, n° 2524.

Expositions

Rome, Villa Médicis, 1979-1980, n° 161 | Paris, Musée Renan-Scheffer, 1988, n° 69.

Cette composition d'après le poème *Lara* (1814) est l'une des quatre lithographies à sujets byroniens réalisées en collaboration avec Eugène Lami et publiées par les frères Gihaut en 1823. En 1820, Géricault avait déjà fait imprimer par Delpech une lithographie sur le même thème (**cat. E.21**).La scène de la mort de Lara, dans les bras de son page Kaled (Gulnare déguisée en homme), se transforme en une confrontation entre le christianisme et l'islam, quand la musulmane Gulnare-Kaled essaie d'écarter la croix qu'un pirate tend à Lara mourant. N. A.-K.

Suite de quatre pièces lithographiées par Volmar, retouchées au crayon et au grattoir par Géricault.

E.93 Cheval arabe à l'écurie

Lithographie | H. 0,188 ; L. 0,235 sans marge | 1er état | Lithographie encadrée | deux inscriptions sous le trait, en bas à gauche : *Volmar d'après Géricault* et à droite : *Lith. de Villain.*

Provenance

A. Armand puis Pr. Valton | don de Mme Valton à l'Ensba en 1908 | Inv. E.B.A. Est. n° 558.

Bibliographie

Ch. Clément, juin 1866, n° 96 | Ch. Clément, 1868 et 1879, n° 96 | L. Delteil, 1924, appendice n° 3 | Ph. Grunchec, 1978, n° 96 | Fr. Bergot, exp. Rouen, 1981-1982, n° 96.

Expositions

Rome, Villa Médicis, 1979-1980, n° 162 | Boulogne-Billancourt, Centre culturel, 1984, n° 76.

Volmar reprend pour cette lithographie une peinture de petit format de Géricault, aujourd'hui conservée au Musée du Louvre[1].

—

1. Inv. n° RF 366 ; Ph. Grunchec, 1978, n° 154.

E.94 Tigre dévorant un cheval

Lithographie | H. 0,158 ; L. 0,218 sans marge | 1er état.

Provenance

A. Armand puis Pr. Valton | don de Mme Valton à l'Ensba en 1908 | Inv. E.B.A. Est. n° 560.

Bibliographie

Ch. Clément, juin 1866, n° 97 | Ch. Clément, 1868 et 1879, n° 97 | L. Delteil, 1924, appendice, n° 4 | Ph. Grunchec, 1978, n° 97 | Fr. Bergot, exp. Rouen, 1981-1982, n° 97 | G. Bazin, 1997, VII, p. 202, sous le n° 2492.

Expositions

Rome, Villa Médicis, 1979-1980, n° 163 | Boulogne-Billancourt, Centre culturel, 1984, n° 77.

Autre épreuve

Lithographie | H. 0,158 ; L. 0,218 sans marge.

Provenance

A. Armand puis Pr. Valton | don de Mme Valton à l'Ensba en 1908 | Inv. E.B.A. Est. n° 559.

Selon Clément[1], cette lithographie fut exécutée d'après une aquarelle de Géricault.

—

1. 1879, p. 407.

E.95 Intérieur d'écurie voûtée

Lithographie | H. 0,202 ; L. 0,274 sans marge | 2e état | Lithographie encadrée | trois inscriptions sous le trait, en bas à gauche : *Volmar d'après Géricault*, au milieu : *chez Gihaut Bard des Italiens N° 5* et à droite : *Lith. de Villain.*

Provenance

A. Armand puis Pr. Valton | don de Mme Valton à l'Ensba en 1908 | Inv. E.B.A. Est. n° 561.

Bibliographie

Ch. Clément, juin 1866, n° 98 | Ch. Clément, 1868 et 1879, n° 98 | L. Delteil, 1924, appendice, n° 5 | Ph. Grunchec, 1978, n° 98 | Fr. Bergot, exp. Rouen, 1981-1982, n° 98 | G. Bazin, 1997, VII, p. 246, sous le n° 2612.

Expositions

Rome, Villa Médicis, 1979-1980, n° 164 | Boulogne-Billancourt, Centre culturel, 1984, n° 78.

Selon Clément[1], cette lithographie fut réalisée d'après une aquarelle.

—

1. 1879, p. 408.

E.96 Cheval arabe

Lithographie | H. 0,204 ; L. 0,253 sans marge | 1er état | Lithographie encadrée | deux inscriptions sous le trait, en bas à gauche : *Volmar d'après Géricault*, à droite : *Lith. de Villain.*

Provenance

A. Armand puis Pr. Valton | don de Mme Valton à l'Ensba en 1908 | Inv. E.B.A. Est. n° 562.

Bibliographie

Ch. Clément, juin 1866, n° 99 | Ch. Clément, 1868 et 1879, n° 99 | L. Delteil, 1924, appendice n° 6 | Ph. Grunchec, 1978, n° 99 | Fr. Bergot, exp. Rouen, 1981-1982, n° 99.

Expositions

Rome, Villa Médicis, 1979-1980, n° 165 | Boulogne-Billancourt, Centre culturel, 1984, n° 79.

D'après Ph. Grunchec, cette lithographie fut exécutée d'après une aquarelle attribuée à Géricault et aujourd'hui conservée au Musée Fabre de Montpellier[1].

—

1. Ph. Grunchec, exp. Rome, 1979-1980, n° 165, fig. A.

* E.97 Cheval attaqué par un lion

Lithographie | H. 0,400 ; L. 0,225 | Un seul état connu | Lithographie encadrée, dessinée à la plume et au grattoir | épreuve d'essai avant toute lettre. Annoté dans la marge, à droite, de la main de Géricault : *plus noir*, paraphé *G.*, en bas au crayon, croquis du jarret du cheval, en bas à droite le n° *154* | Taches brunes à gauche de la feuille.

Provenance

Thayer | A. Moignon, vente, Paris, 6 mars 1891,n° 154 | Pr. Valton | don de Mme Valton à l'Ensba en 1908 | Inv. E.B.A. Est. n° 465.

Bibliographie

Ch. Clément, juin 1866, n° 100 | Ch. Clément, 1868 et 1879, n° 100 et p. 435 | L. Delteil, 1924, n° 42 | Fr. Bergot, exp. Rouen, 1981-1982, n° 100 | G. Bazin, 1997, VII, n° 2476.

Expositions

Paris, Hôtel Jean Charpentier, 1924, n° 214 | Rome, Villa Médicis, 1979-1980, n° 166 | Montargis, Musée Girodet, 1981, n° 29 | Rouen, Musée des Beaux-Arts, 1981-1982, n° 100 | Boulogne-Billancourt, 1984, n° 80 | Kamakura, Musée d'art moderne, Kyoto, Musée national d'art moderne, Fukuoka, Musée des beaux-arts de la ville de Fukuoka, 1987-1988, n° E.100.

Voir **cat. E.41.**

* E.98 Cheval gris-pommelé

Eau-forte | Réalisée après son retour d'Angleterre (1822-1823) | H. 0,154 ; L. 0,105 | Un seul état connu | Trace de pliure | Verso : *DAVID/Commissiener kind of goods buys/and Sells for french and Foreign/Countries Paris.*

Provenance

His de la Salle, vente, Paris, 10-12 janvier 1881, n° 383 | A. Moignon, 6 mars 1891, n° 155 | Pr. Valton | don de Mme Valton à l'Ensba en 1908 | Inv. E.B.A. Est. n° 414.

Bibliographie

Ch. Clément, juin 1866, n° 101 | Ch. Clément, 1869 et 1879, n° 101 | L. Delteil, 1924, n° 1 | Fr. Bergot, exp. Rouen, 1981-1982, n° 101.

Expositions

Rome, Villa Médicis, 1979-1980, n° 414 | Boulogne-Billancourt, Centre culturel, 1984, n° 81.

Seule eau-forte exécutée par Géricault. Clément indique que le petit chapiteau situé en haut de la planche est de la main de M. Dedreux, architecte, grand prix de Rome en 1815[1].

—

1. Clément, 1879, p. 409.

verso

Le catalogue d'Henri de Triqueti : les lithographies de Théodore Géricault

(Conservé à l'École nationale supérieure des Beaux-Arts : Ms. 443, ancien 348 bis)

En 1991, dans le catalogue de l'exposition *Géricault* présentée au Grand Palais, Yveline Cantarel-Besson publiait pour la première fois les fameuses notes manuscrites de Monfort, rédigées à l'intention de Charles Clément. Le but était de mieux comprendre, et faire comprendre, la méthode de travail utilisée par l'historien d'art.

La publication présente du manuscrit inédit de Triqueti répond aux mêmes aspirations. Il existe cependant une différence notoire entre les deux sources : Triqueti, contrairement à Montfort, n'a pas connu Géricault. Son catalogue n'est pas encombré d'anecdotes. C'est, au contraire, un travail très sérieux, austère, qui ne vise qu'une seule chose : recenser l'œuvre gravé de Géricault, récemment acquis – entre 1854 et 1865 – de Jamar, l'ancien rapin du peintre de la *Méduse*. C'était la première fois, sauf erreur, qu'une telle entreprise était tentée. Nous avons donc volontairement respecté l'aridité du document en y adjoignant simplement une troisième colonne faisant office de table de concordance. Nous avons respecté l'orthographe et la ponctuation de Triqueti.

Bruno Chenique

Portraits de Géricault

Fol. 1	**1** **T.**	**Géricault** d'après un portrait fait en 1816 Lith. de Feillet. A. Colin 1824	*Clément, 1868, p. 416, n° 1.* *Clément, 1879, p. 416, n° 1.* *Bergot, 1981-82, p. 18, n° I* *Bazin, I, 1987, p. 207, fig. 148.*
	2 **T.**	**Géricault** Peintre français, mort à Paris en 1824. Lithographié d'après un dessin tracé dans des livres qui lui ont appartenu. Lithé. Par Devéria 1824. Le croquis était d'Eug. Delacroix.	*Clément, 1868, p. 419, n° 7.* *Clément, 1879, p. 419, n° 7.* *Bergot, 1981-82, p. 20, n° V.* *Bazin, I, 1987, p. 216, fig. 156.*
	3 **T.**	**Portrait de Géricault par L. Cogniet** Coiffé d'un bonnet grec	*Clément, 1868, p. 422, sans n°.* *Clément, 1879, p. 422, sans n°.* *Bazin, I, 1987, p. 218, fig. 159.*
	4 **T.**	**Portrait de Géricault par L. Cogniet.** Géricault dans son lit malade	*Clément, 1868, p. 422, sans n°.* *Clément, 1879, p. 422, sans n°.* *Bergot, 1981-82, p. 20, n° VI.* *Bazin, I, 1987, p. 217, fig. 157 et fig. 158*
	5 **T.**	**Géricault.** Lithe. de Chabert rue Cassette n°. 20. en habit.	*Clément, 1868, p. 423, sans n°.* *Clément, 1879, p. 423, sans n°.*
	6 **T.**	**Géricault** Rosselin Edr..... voltaire. Tony Toullion. 1843 (fac simile) Géricault en veste d'atelier avec une calote grecque	*Clément, 1868, p. 422, sans n°.* *Clément, 1879, p. 422, sans n°.* *Bergot, 1981-82, p. 19, n° III.* *Bazin, I, 1987, p. 223, fig. 174.*
	7 **T.**	Sheffer p. **Mort de Géricault.** H. Garnier lith. Chez Gauguin....... janvier 1830 London by Engelman. .... n° 34 .... Soho.	
Fol. 1bis	**1** **J: T.**	**Bouchers de Rome.** Première lithogr. de Géricault à son retour de Rome, R.R <u>Géricault</u> <u>Bouchers de Rome</u> <u>Lithog de C de Last</u>. * au crayon mais un peu de plume au premier plan. Epreuve d'essai collection de La Salle avec impression d'arabe au Verso après le nom de Géricault elle porte la date de 1817. Géricault mort en 1824 à 33 ans avait de 25 a 26 ans lorsqu'il dessina cette première pièce qui comme beauté de dessin, énergie, sureté de main et fermeté de talent dépasse tout ce que ses anciens et ses maîtres étaient capables de faire. (Voir les lithographies de Gros).	*Clément, 1866, p.523, n° 1.* *Clément, 1868, p. 371-372, n° 1.* *Clément, 1879, p. 371-372, n° 1.* *Delteil, 1924, n° 2.* *Grunchec, 1978, p. 150, n° 1.* *Bergot, 1981-82, p. 27, n° 1.* *Bazin, IV, 1990, p. 141-142, n°1214A*
	2 **J.** **T.** 1er. Et. 2e. Et ?	**Mr. Brunet**, portrait à mi corps. entièrement dessiné à la plume n'a point été mis dans le commerce. RRR avant toutes lettres * ce dessin a été rallongé de 2 cmt par le bas. <u>Géricault del</u>. <u>Lith de C. Motte</u>. il serait curieux de voir s'il existe des épreuves avant cet agrandissement ?	*Clément, 1866, p. 524, n° 2.* *Clément, 1868, p. 372, n° 2.* *Clément, 1879, p. 372, n° 2.* *Delteil, 1924, n° 4.* *Grunchec, 1978, p. 150, n° 2.* *Bergot, 1981-82, p. 28, n° 2.* *Bazin, V, 1992, p. 282, n° 1835.*
Fol. 2	**3** **J. T.**	**Le porte drapeau.** éxécutée au crayon et au lavis. n'a pas été livrée au commerce <u>Géricault</u> C'est un de ces essais que Géricault tentait pour élargir l'art de la lithographie.	*Clément, 1866, p. 524, n° 3.* *Clément, 1868, p. 372-373, n° 3.* *Clément, 1879, p. 372-373, n° 3.* *Delteil, 1924, n° 3.* *Grunchec, 1978, p. 150, n° 3.* *Bergot, 1981-82, p. 28-29, n° 3.* *Bazin, II, 1987, p. 432, n° 315.*
	4 **T.**	**Trompette de Lanciers.** Il n'en existe que deux épreuves connues celle ci et celle de la Bibliothèque. Exécutée à la plume, et au crayon. RRR à gauche dans le dessin. Ses initiales à l'envers,  cette épreuve provient de la Coll.n de Constantin. L'épreuve de la Bibliothèque est plus étroite du coté gauche on y a effacé l'apparence du G. On ne voit plus que  La zone mal venue dans cette épreuve est mieux imprimée dans celle de la Bibliothèque.	*Clément, 1866, p. 524, n° 4.* *Clément, 1868, p. 373, n° 4.* *Clément, 1879, p. 373, n° 4.* *Delteil, 1924, n° 6.* *Grunchec, 1978, p. 150, n° 4.* *Bergot, 1981-82, p. 29, n° 4.* *Bazin, V, 1992, p. 157-158, n° 1508.*

Fol. 3	**5** **J.** **T.**	**Portrait de Mr. Delanneau.** RR. au crayon sans trait carré Sans lettres. cette pièce qui semble peu importante est supérieure aux meilleurs portraits lithographiés de cette époque, par la puissance et la science du desin, jointe à la naïveté de l'éxécution et la vérité de l'expression.	*Clément, 1866, p. 524, n° 5.* *Clément, 1868, p. 373, n° 5.* *Clément, 1879, p. 373, n° 5.* *Delteil, 1924, n° 5.* *Grunchec, 1978, p. 150, n° 5.* *Bergot, 1981-82, p. 30, n° 5.* *Bazin, V, 1992, p. 281-282, n° 1834.*
	6 **T.** **J.**	**La laitière et le vétéran.** R vignette de Romance. A la plume sans noms.	*Clément, 1866, p. 524, n° 6.* *Clément, 1868, p. 374, n° 6.* *Clément, 1879, p. 374, n° 6.* *Delteil, 1924, n° 7.* *Grunchec, 1978, p. 150, n° 6.* *Bergot, 1981-82, p. 30, n° 6.* *Bazin, V, 1992, p. 140, n°1460.*
Fol. 4	**7** **T.**	**Je rêve d'elle au bruit des flots.** Romance de Beauplan R. Lith. de G. Engelmann. M^{r}. Bruzard croyant par là donner plus de prix à l'épreuve qu'il possédait, abusa de l'avis que Jamar lui donna de l'endroit où un certain nombre de ces épreuves pouvaient être acquises à un prix trés modéré, pour les acheter en bloc et les détruire, c'est une infamie dont il est bon de garder le souvenir.	*Clément, 1866, p. 524-525, n° 7.* *Clément, 1868, p. 374, n° 7.* *Clément, 1879, p. 374, n° 7.* *Delteil, 1924, n° 8.* *Grunchec, 1978, p. 150, n° 7.* *Bergot, 1981-82, p. 31, n° 7.* *Bazin, VII, 1997, pp. 210-211, n° 2516*
	8 **T.**	**Mameluck de la garde Imp.^{le} défendant un jeune trompette blessé.** R. Sans lettres. R belle composition. le Mameluck est le type du courage calme.	*Clément, 1866, p. 525, n° 8.* *Clément, 1868, p. 374, n° 8.* *Clément, 1879, p. 374, n° 8.* *Delteil, 1924, n° 9.* *Grunchec, 1978, p. 150, n° 8.* *Bergot, 1981-82, p. 32, n° 8.* *Bazin, V, 1992, p. 158-159, n° 1510.*
Fol. 5	**9** **J. T.**	**Les Boxeurs.** R à la plume et au crayon. Sans trait carré. Lithog.^{ie} de C. Motte rue des Marais f.g S^{t}. G^{n}. Boxeurs. admirable pièce, de la plus grande énergie et superbe de largeur d'exécution.	*Clément, 1866, p. 525, n° 9.* *Clément, 1868, p. 374-375, n° 9.* *Clément, 1879, p. 374-375, n° 9; suppl. p. 34.* *Delteil, 1924, n° 10.* *Grunchec, 1978, p. 150-151, n° 9.* *Bergot, 1981-82, p. 34-35, n° 9.* *Bazin, V, 1992, p. 224, n° 1690.*
	10 **J. T.** 1er E. 2.me E	**Le Chariot de blessés.** R avant toutes lettres, RRR. dans la planche : Géricault : (à la plume) au dessous: Lithog.^{ie} de C. Motte belle pièce remplie de sentiment, et comme la précédente de l'éxécution la plus grande et la plus simple.	*Clément, 1866, p. 525, n° 10.* *Clément, 1868, p. 375, n° 10.* *Clément, 1879, p. 375, n° 10; suppl. p. 434.* *Delteil, 1924, n° 11.* *Grunchec, 1978, p. 151, n° 10.* *Bergot, 1981-82, p. 35, n° 10.* *Bazin, V, 1992, p. 143-144, n°1467.*
Fol. 6	**11** **J.** Celle de la Bibl. est sur papier gris. **T.**	**Les deux chevaux se battant dans l'écurie.** Selon Jamar, il n'y a que deux épreuves du tirage: celle de la Bibliothèque, et celle ci : toutes deux sur papier blanc, les autres sont sur papier teinté : et sont des épreuves d'essai dont Géricault a ignoré l'existence. La pierre s'est brisée de suite. Sur papier blanc. Sans lettres. R.R.R. Cette pièce passe à bon droit pour le chef d'œuvre de Géricault. Il est probable que l'Imprimeur Motte, suivant une mode qui régnait alors, jugea convenable d'essayer d'imprimer cette belle pierre à deux teintes, sans en prévenir Géricault, et ne voulut pas ensuite lui parler de cet essai. Géricault persuadé que l'épreuve donnée par lui à son élève Jamar était unique, la regrettait mais eût la générosité de ne pas vouloir la reprendre. Note : Il en existe à notre connaissance cinq épreuves de trois conditions différentes. 2 sur papier blanc : celle ci et celle de la Bibliothèque. Les 3 autres sont ou imprimées à 2 teintes avec deux pierres, ou sur papier jaune. Elles appartiennent 1 à M^{r}. de La Salle, imprimée à deux teintes. elle vient de la Coll.^{n} Pargués 1 à M^{r}. Langlois 1 à M^{r}. [*blanc*] Géricault n'ayant connu que les deux épreuves sur papier blanc qui lui furent remises par Motte, il est probable ce me semble qu'elles furent imprimées les premières, et que la pierre ayant été brisée dans les essais de l'impresion à deux teintes, Motte n'osa point en parler à Géricault et garda les 3 autres épreuves, dont il se défit ensuite en faveur de quelques amateurs. En somme il n'y a qu'un état dans le pierre. Avec différence de tirage.	*Clément, 1866, p. 525-526, n° 11.* *Clément, 1868, p. 375-377, n° 11.* *Clément, 1879, p. 375-377, n° 11; suppl. p. 434.* *Delteil, 1924, n° 12.* *Grunchec, 1978, p. 151, n° 11.* *Bergot, 1981-82, p. 36, n° 11.* *Bazin, V, 1992, p. 215-216, n° 1661.*

Fol.	N° / État	Description	Références
	12 J. T. 1er. E 2e. E.	**Le Retour de Russie.** dans le dessin à droite Géricault Lithog.ie de C. Motte Rue des Marais fg St. Germain. R. ..... id......... Retour de russie au dépot Général de la lithographie Quai Voltaire. IV. Il y a quelques épreuves sur papier blanc, du 1er Etat. Merveilleux exemple d'un sentiment profond, misère et tristesse nobles, sans dégradation, dans les hommes et jusque dans les pauvres animaux.	*Clément, 1866, p. 526, n° 12.* *Clément, 1868, p. 377, n° 12.* *Clément, 1879, p. 377, n° 12.* *Delteil, 1924, n° 13.* *Grunchec, 1978, p. 151, n° 12.* *Bergot, 1981-82, p. 38, n° 12.* *Bazin, V, 1992, p. 140-141, n°1461.*
Fol. 7	13 J. T.	**Le caisson, renversé, un soldat tenant une mèche va y mettre le feu** R.R. Sans aucune lettre. Très belle pièce. L'œuvre de Géricault présente ce singulier bonheur que les œuvres les plus rares y sont généralement les plus précieuses par leur mérite intrinsèque.	*Clément, 1866, p. 526, n° 13.* *Clément, 1868, p. 377-378, n° 13.* *Clément, 1879, p. 377-378, n° 13.* *Delteil, 1924, n° 14.* *Grunchec, 1978, p. 151, n° 13.* *Bergot, 1981-82, p. 39, n° 13.* *Bazin, V, 1992, p. 152, n° 1493.*
	14 T. 1re. E J. 2e E.	**Le factionnaire au Louvre** avant le titre. R.R.R. Géricault 1819 Imp. Lithog de F. Delpech. Id. idem. Le Factionnaire Suisse au Louvre R. Le fonds représentant le pavillon de l'horloge des Tuileries a été dessiné par H. Vernet. Mr. de La Salle à deux croquis de Géricault pour l'exécution de la pierre, mine de plomb. recto et verso de la même feuille avec changements.	*Clément, 1866, p. 526-527, n° 14.* *Clément, 1868, p. 378, n° 14.* *Clément, 1879, p. 378, n° 14.* *Delteil, 1924, n° 15.* *Grunchec, 1978, p. 151, n° 14.* *Bergot, 1981-82, p. 42, n° 14.* *Bazin, V, 1992, p. 204, n° 1631.*
Fol. 8	15 J. T.	**Soldats du Train d'artillerie au Galop.** R.R.R. Signée au grattoir dans le dessin à droite  sans trait carré Géricault après avoir passé la journée à peindre sa toile de la Méduse commença cette admirable lithographie après 5 heures, et à onze heures du soir l'envoya achevée à l'Imprimeur pour en faire tirer. On ignore pourquoi par cette fatalité qui semble s'être attachée à ses plus belles lithographies, il n'en a été tiré que quelques épreuves. 5 épreuves connues Bibliothèque Mr. Moignon Mene de la Salle la mienne.	*Clément, 1866, p. 527, n° 15.* *Clément, 1868, p. 378-380, n° 15.* *Clément, 1879, p. 378-380, n° 15; suppl. p. 434.* *Delteil, 1924, n° 16.* *Grunchec, 1978, p. 151-152, n° 15.* *Bergot, 1981-82, p. 42, n° 15.* *Bazin, V, 1992, p. 167-168, n° 1534.*
	16 J. T.	**Bataille de Chacabuco.** Batalla de Chacabuco.. 1817 .... y Maipu. R.R.R. très peu d'épreuves de cette pierre furent tirées comme essai à Paris. elle fut avec les 3 pierres suivantes envoyée au Chili.	*Clément, 1866, p. 527-528, n° 16.* *Clément, 1868, p. 380, n° 16.* *Clément, 1879, p. 380, n° 16.* *Delteil, 1924, n° 18.* *Grunchec, 1978, p. 152, n° 16.* *Bergot, 1981-82, p. 42-43, n° 16.* *Bazin, V, 1992, p. 208-209, n° 1644.*
Fol. 9	17 J. T.	**Bataille de Maïpu.** Batalla de Maïpu.. 1818 ....y Maïpu. cette pièce est signée dans le dessin à gauche Gericault. R.R.R. Voir la note de la lith. précédente. Il y en a une copie par Raffet.	*Clément, 1866, p. 528, n° 17.* *Clément, 1868, p. 380-381, n° 17.* *Clément, 1879, p. 380-381, n° 17.* *Delteil, 1924, n° 19.* *Grunchec, 1978, p. 152, n° 17.* *Bergot, 1981-82, p. 44, n° 17.* *Bazin, V, 1992, p. 208, n° 1643.*
	18 J. T.	**Don José de San Martin** D.n Jose de S.n Martin. General.. Y Chile. R.R.R. Voir également la note du n°. 16	*Clément, 1866, p. 528, n° 18.* *Clément, 1868, p. 381, n° 18.* *Clément, 1879, p. 381, n° 18.* *Delteil, 1924, n° 20.* *Grunchec, 1978, p. 152 n° 18.* *Bergot, 1981-82, p. 47, n° 18.* *Bazin, V, 1992, p. 212, n° 1653.*

Fol. 10	**19** **J. T.**	**Don Manuel Belgrano.** Dn. Manuel Belgrano. General.. del peru. RRR Voir la note du n°. 16 cette pièce n'existe ni dans la colln. de la Bibl. Imple. Ni dans celle de M. de la Salle. ni dans aucune collection à moi connue. Je n'ai jamais vû que mon épreuve donnée par Géricault à Jamar.	*Clément, 1866, p. 528, n° 19.* *Clément, 1868, p. 381-382, n° 19.* *Clément, 1879, p. 381-382, n° 19.* *Delteil, 1924, n° 21.* *Grunchec, 1978, p. 152, n° 19.* *Bergot, 1981-82, p. 47, n° 19.* *Bazin, V, 1992, p. 212, n° 1654.*
	20 **J. T.**	**A cheval. Bivouac.** a Cheval. Imp. Lithog. de F. Delpech. R. Ceci est certainement une des lithogr.ies les plus parfaite du maître comme dessin et éxécution.	*Clément, 1866, p. 528, n° 20.* *Clément, 1868, p. 382, n° 20.* *Clément, 1879, p. 382, n° 20.* *Delteil, 1924, n° 17.* *Grunchec, 1978, p. 152, n° 20.* *Bergot, 1981-82, p. 47, n° 20.* *Bazin, V, 1992, p. 158, n° 1509.*
Fol. 11	**21** 1er etat **J. T.** 2e. Etat	**Marche dans le désert.** avant le titre. Gericault. Signature dans le dessin Gericault del. Litho. de C. Motte comme ci dessus. .... Marche dans le désert. Mr. de la Salle a deux dessins l'un d'une 1ere et admirable composition. L'autre semblable à la lithographie. Tous deux, mine de plomb. en outre le trait exact pour dessiner la pierre.	*Clément, 1866, p. 528-529, n° 21.* *Clément, 1868, p. 382, n° 21.* *Clément, 1879, p. 382, n° 21.* *Delteil, 1924, n° 43.* *Grunchec, 1978, p. 152, n° 21.* *Bergot, 1981-82, p. 47, n° 21.* *Bazin, VII, 1997, p. 218-219, n° 2539.*
Fol. 12	**22** **J. T.** 1r E. **J. T.** 2e. E 3me	**Passage du St. Bernard.** avant la lettre : avant les montages teintées Géricault del. Litho. de C Motte R. des Marais avant la lettre : Montagnes teintées Ger......... id. Lith................................ Idem. Passage du Mont St. Bernard Géricault del Litho. de C. Motte r. des Marais.	*Clément, 1866, p. 529, n° 22.* *Clément, 1868, p. 382-383, n° 22.* *Clément, 1879, p. 382-383, n° 22.* *Delteil, 1924, n° 44.* *Grunchec, 1978, p. 152, n° 22.* *Bergot, 1981-82, p. 49, n° 22.* *Bazin, VII, 1997, p. 221, n° 2544.*
	23 1er. Etat **J. T.** 2e. Etat **C. T.** 3me. état	**Lara blessé.** avant le titre Géricault................................. I. Lith de Delpech. Lara Blessé. Géricault Lith. de Delpech Lara Blessé Géricault. Lith. de Villain Mr. de La Salle a un desin, trait de la composition de la main de Géricault. On lui a dit la lithogr.ie faite par Cogniet, c'est une erreur : la piece est du maître d'après l'attestation même de Cogniet.	*Clément, 1866, p. 529, n° 23.* *Clément, 1868, p. 383, n° 23.* *Clément, 1879, p. 383, n° 23.* *Delteil, 1924, n° 45.* *Grunchec, 1978, p. 152, n° 23.* *Bergot, 1981-82, p. 50-51, n° 23.* *Bazin, VII, 1997, p. 214, n° 2526.*
	24 1er. Etat 2e. E. **J. T.**	**Le Giaour.** la planche plus haute et plus large, que dans le second état, car elle a été diminué sur chacun des quatre cotés. Géricault. Le Giaour chez Gihaut Bard. des Italiens n° 5 I. Lith. de Villain. avec le bon à imprimer.	*Clément, 1866, p. 529, n° 24.* *Clément, 1868, p. 397-398, n° 69.* *Clément, 1879, p. 397-398, n° 69.* *Delteil, 1924, n° 71.* *Grunchec, 1978, p. 156, n° 69.* *Bergot, 1981-82, p. 86, n° 69.* *Bazin, VII, 1997, p. 193-194, n°2468.*
Fol. 13	**25** **T.**	Shipwreck of the Meduse. R. C. Hullmandel's Lithography. Dessiné à la plume. c'était la carte d'entrée à l'exposition que Géricault fit de la Méduse à Londres. Charlet a travaillé à cette pièrre. mais beaucoup moins que M. de Lacombe ne l'a écrit.	*Clément, 1866, p. 529-530, n° 25.* *Clément, 1868, p. 384, n° 24.* *Clément, 1879, p. 384, n° 24.* *Delteil, 1924, n° 79.* *Grunchec, 1978, p. 152, n° 24.* *Bergot, 1981-82, p. 52, n° 24.*
	26 1er. E. **T.** 2m. E. **T.**	**Titre des 12 pieces publiés à Londres.** **un fourgon attelé.** R. Various Subjects drawn from life, and on Stone by J. Gericault J. Gericault invt. N°. 12. S. London Published................................. 1821 Printed at C. Hullmandel's.................. Marlboro' St. avec les deux adresses grattées. Il ne reste plus que J. Géricault invt. N°. 12. S.	*Clément, 1866, p. 530, n° 26.* *Clément, 1868, p. 384-385, n° 25.* *Clément, 1879, p. 384-385, n° 25.* *Delteil, 1924, n° 29.* *Grunchec, 1978, p. 152, n° 25.* *Bergot, 1981-82, p. 54, n° 25.* *Bazin, VII, 1997, p. 79, n° 2158.*

		(Nota) en outre sur l'écriteau porté par l'homme affiche on lit dans les deux états. Shipwreck of the Meduse.	
ol. 14	27 T.	**the piper.** R. J. Géricault inv^{t}. C. Hullmandel's lithography The Piper. London publ.................. feb. 1 1821. a la [*blanc*]	*Clément, 1866, p. 530, n° 27.* *Clément, 1868, p. 385, n° 26.* *Clément, 1879, p. 385, n° 26; suppl. p. 434.* *Delteil, 1924, n° 30.* *Grunchec, 1978, p. 152, n° 26.* *Bergot, 1981-82, p. 55-56, n° 26.* *Bazin, VII, 1997, p. 96, n° 2205.*
	28 T.	**Pity the Sorrows of a poor Oldman.** R. J. Géricault inv^{t}. C. Hullmandel's lithography "Pity the Sorrows of a poor old man!" Whose trembling limbs have borne him to you door London published by Rodwell et Martin..... feb. 1. 1821. A la Bibl 3 croquis dans la marge droite L'épreuve unique de la bibliothèque porte sur une large marge à droite, 3 beaux croquis, qui furent grattés avant de commencer le tirage.	*Clément, 1866, p. 530, n° 28.* *Clément, 1868, p. 385, n° 27.* *Clément, 1879, p. 385, n° 27; suppl. p. 434.* *Delteil, 1924, n° 31.* *Grunchec, 1978, p. 152-153, n° 27.* *Bergot, 1981-82, p. 56-57, n° 27.* *Bazin, VII, 1997, p. 94, n° 2199.*
ol. 15	29 T.	**the coal Waggon.** R. J. Géricault inv^{t}. C. Hullmandel's Lithography. The Coal Waggon. London publ. .... feb^{y}. 1821.	*Clément, 1866, p. 532, n° 37.* *Clément, 1868, p. 389, n° 36.* *Clément, 1879, p. 389, n° 36.* *Delteil, 1924, n° 36.* *Grunchec, 1978, p. 153, n° 36.* *Bergot, 1981-82, p. 65, n° 36.* *Bazin, VII, 1997, p. 86, n° 2176.*
	30 T.	**A party of life Guards.** R. J. Géricault inv^{t}. C. Hullmandel's lithography. A party of Life Guards, London published........... feb^{y}. 1. 1821	*Clément, 1866, p. 530, n° 29.* *Clément, 1868, p. 386, n° 28.* *Clément, 1879, p. 386, n° 28.* *Delteil, 1924, n° 34.* *Grunchec, 1978, p. 153, n° 28.* *Bergot, 1981-82, p. 57, n° 28.* *Bazin, VII, 1997, p. 107, n° 2237.*
ol. 16	31 1er. état T. 2e. etat.	**Horses exercising.** R. Gericault inv^{t}. C. Hullmandel's Lithography Horses exercising. (sans adresse) id. Idem id. London publ....................feb. 1. 1821	*Clément, 1866, p. 532, n° 36.* *Clément, 1868, p. 389, n° 35.* *Clément, 1879, p. 389, n° 35; suppl. pp. 434-435.* *Delteil, 1924, n° 35.* *Grunchec, 1978, p. 153, n° 35.* *Bergot, 1981-82, p. 65, n° 35.* *Bazin, VII, 1997, p. 116-117, n° 2259.*
	32 T.	**Horses going to a fair.** R. J. Gericault inv^{t}. C. Hullmandel's Lithography Horses going to a fair. London publ....................feb. 1. 1821	*Clément, 1866, p. 532, n° 38.* *Clément, 1868, p. 389, n° 37.* *Clément, 1879, p. 389, n° 37.* *Delteil, 1924, n° 32.* *Grunchec, 1978, p. 153, n° 37.* *Bergot, 1981-82, p. 67, n° 37.* *Bazin, VII, 1997, p. 95, n° 2201.*
ol. 17	33 T.	**The flemish farrier.** R. Géricault inv^{t}. C. Hullmandel's Lithography The Flemish Farrier. London published ....feb^{y}. 1. 1821	*Clément, 1866, p. 531, n° 33.* *Clément, 1868, p. 387-388, n° 32.* *Clément, 1879, p. 387-388, n° 32.* *Delteil, 1924, n° 33.* *Grunchec, 1978, p. 153, n° 32.* *Bergot, 1981-82, p. 61, n° 32.* *Bazin, VII, 1997, p. 89-90, n° 2185.*
	34 T.	**An arabian Horse.** R. J. Géricault inv^{t}. C. Hullmandel's Lithography An Arabian Horse. London pub....................mar. 1821 M^{r}. de La salle possède le calque qui a servi à Géricault pour reporter son dessin sur la pierre. le fonds est différend ce sont 2 arabes au galop.	*Clément, 1866, p. 531, n° 30.* *Clément, 1868, p. 386, n° 29.* *Clément, 1879, p. 386, n° 29.* *Delteil, 1924, n° 37.* *Grunchec, 1978, p. 153, n° 29.* *Bergot, 1981-82, p. 58, n° 29.* *Bazin, VII, 1997, p. 118-119, n° 2265.*
ol. 18	35 T.	**A paralytic woman.** RR. J. Géricault inv^{t}. C. Hullmandel's Lithography A Parleytic Woman. London publ...................ap^{l}.1 1821. cette belle pièce est extrémement rare. Je n'en connais que [*blanc*] épreuves. celle ci, celle de M^{r}. de La salle, celle de la Bibliothèque.	*Clément, 1866, p. 531, n° 31.* *Clément, 1868, p. 386-387, n° 30.* *Clément, 1879, p. 386-387, n° 30; suppl. p. 434.* *Delteil, 1924, n° 38.* *Grunchec, 1978, p. 153, n° 30.* *Bergot, 1981-82, p. 58, n° 30.* *Bazin, VII, 1997, p. 93, n° 2197.*
	36 T.	**Entrance to the Adelphi Wharf.** R. à gauche dans le dessin. Gericault. J. Géricault del. C. Hullmandel's Lithography Entrance to the Adelphi Wharf London publ..................may 1821	*Clément, 1866, p. 531, n° 32.* *Clément, 1868, p. 387, n° 31.* *Clément, 1879, p. 387, n° 31; suppl. p. 434.* *Delteil, 1924, n° 40.* *Grunchec, 1978, p. 153, n° 31.*

		Mr. de la Salle possède une étude superbe, crayon et lavis de la croupe du cheval de droite. Il y a à la Bibliothèque une épreuve d'une lithogr. non terminée, copie de celle ci, commencée par L. Cogniet et qu'il n'a pas achevée.	*Bergot, 1981-82, p. 60-61, n° 31.* *Bazin, VII, 1997, p. 68-69, n° 2131.*
Fol. 19	**37** **T.**	**The English farrier.** R. J. Gericault del. C. Hullm................... graphy The English Farrier. London publ..................may 1821 Mr. de la Salle a le calque de la composition dessiné pour porter sur pierre. plus une belle feuille d'études à la mine de plomb, où les chevaux sont cherchés et répétés nombre de fois.	*Clément, 1866, p. 532, n° 35.* *Clément, 1868, p. 388-389, n° 34.* *Clément, 1879, p. 388-389, n° 34.* *Delteil, 1924, n° 39.* *Grunchec, 1978, p. 153, n° 34.* *Bergot, 1981-82, p. 63, n° 34.* *Bazin, VII, 1997, p. 88, n° 2181.*
	38 **T.**	**A French farrier.** R. J. Gericault invt. C. Hull.......................graphy. A French Farrier. (sans adresse)	*Clément, 1866, p. 531, n° 34.* *Clément, 1868, p. 388, n° 33.* *Clément, 1879, p. 388, n° 33.* *Delteil, 1924, n° 41.* *Grunchec, 1978, p. 153, n° 33.* *Bergot, 1981-82, p. 63, n° 33.* *Bazin, VII, 1997, p. 89, n° 2184.*
Fol. 20	 **39** **T.**	**Suite de 7 pièces dessinées sur Carton préparé.** **Jockey Anglais** R. (dessiné sur carton lithogr.que) Cette pièce n'a aucune inscription. tout y est tracé à la plume	*Clément, 1866, p. 532, n° 39.* *Clément, 1868, p. 390, n° 38.* *Clément, 1879, p. 390, n° 38.* *Delteil, 1924, n° 22.* *Grunchec, 1978, p. 154, n° 38.* *Bergot, 1981-82, p. 67, n° 38.* *Bazin, VII, 1997, p. 138-139, n° 2317.*
	40 **T.**	**Cheval de Carosse monté.** (idem) R. (idem)	*Clément, 1866, p. 533, n° 40.* *Clément, 1868, p. 390, n° 39.* *Clément, 1879, p. 390, n° 39.* *Delteil, 1924, n° 23.* *Grunchec, 1978, p. 154, n° 39.* *Bergot, 1981-82, p. 68, n° 39.* *Bazin, VII, 1997, p. 65, n° 2121 et 2121A.*
Fol. 21	**41** **T.**	**Le Marchand de poisson.** (carton lith.) R.	*Clément, 1866, p. 533, n° 41.* *Clément, 1868, p. 390, n° 40.* *Clément, 1879, p. 390, n° 41.* *Delteil, 1924, n° 24.* *Grunchec, 1978, p. 154, n° 40.* *Bergot, 1981-82, p. 69 n° 40.* *Bazin, VII, 1997, p. 91, n° 2191.*
	42 **T.**	**les enfants et l'âne.** (carton lith.) R. Mr. de la Salle en possède le carton	*Clément, 1866, p. 533, n° 42.* *Clément, 1868, p. 390-391, n° 41.* *Clément, 1879, p. 390-391, n° 41.* *Delteil, 1924, n° 25.* *Grunchec, 1978, p. 154, n° 41.* *Bergot, 1981-82, p. 70, n° 41.* *Bazin, VII, 1997, p. 92-93, n° 2195.*
Fol. 22	**43** **T.**	**Les Scieurs de bois** (Carton lith.) R.R.R. Cette pièce manque à presque toute les collections On peut dire qu'elle manque à toutes. Mr. de la Salle en possède le Carton lithogr. qui semble avoir été abandonné de suite parceque des parties ont été arrachées. C'est d'après ce carton que j'ai fait le calque renversé et copié exactement de ma Collection la Bibliothèque ne l'a point.	*Clément, 1866, p. 533, n° 43.* *Clément, 1868, p. 391, n° 42.* *Clément, 1879, p. 391, n° 42.* *Delteil, 1924, n° 28.* *Grunchec, 1978, p. 154, n° 42.* *Bergot, 1981-82, p. 71, n° 42.* *Bazin, VII, 1997, p. 66, n°2124.*
	44 **T.**	**Portrait de femme** (carton lith.) R.R. ce portrait de la femme d'un bottier chez qui Géricault demeurait, la représente entourée de ses 3 enfants. Mr. de la Salle en possède outre une épreuve, le dessin originale à la mine de plomb. La Bibliothèque en a une épreuve, je n'en connais point d'autre. Drawn on stone paper Printed by St. Marc Gazeau at Géricault 10 Rateliffe row City Road calquée exactement à la plume sur l'épreuve de Mr. de la Salle. Mr. Moignon en possède le carton pierre.	*Clément, 1866, p. 533, n° 44.* *Clément, 1868, p. 391-392, n° 43.* *Clément, 1879, p. 391-392, n° 43; suppl. p. 435.* *Delteil, 1924, n° 27.* *Grunchec, 1978, p. 154, n° 43.* *Bergot, 1981-82, p. 71, n° 43.* *Bazin, V, 1992, p. 277-278, n° 1823.* *Bazin, V, 1992, p. 278, n° 1823A.*
Fol. 23	**45** **T.**	**Lion dévorant un cheval.** (carton lith) R.	*Clément, 1866, p. 533, n° 45.* *Clément, 1868, p. 392, n° 44.* *Clément, 1879, p. 392, n° 44.* *Delteil, 1924, n° 28.* *Grunchec, 1978, p. 154, n° 44.* *Bergot, 1981-82, p. 72, n° 44.* *Bazin, VII, 1997, p. 147-148, n° 2338 et 2338A.*

	46 T.	**Guillaume le conquérant rapporté après sa mort à l'abbaie de Caen.** cette planche provient du Voyage Pittoresque dans l'ancienne france par Taylor et C. Nodier. Sans titre. Géricault. Mr. de la Salle en possède un 1er. état sans la signature c'est probablement une épreuve d'essai. Dans le catalogue Pargués cette pièce est donnée ridiculement comme Charles V faisant célébrer ses funérailles dans le couvent de St. Juste où il s'était retiré.	*Clément, 1866, p. 533-534, n° 46.* *Clément, 1868, p. 392, n° 45.* *Clément, 1879, p. 392, n° 45.* *Delteil, 1924, n° 78.* *Grunchec, 1978, p. 154, n° 45.* *Bergot, 1981-82, p. 72-73, n° 45.* *Bazin, VII, 1997, p. 212, n° 2519.*
Fol. 24	47 T.	**Eglise St. Nicolas.** Egalement du voyage pittoresque dans l'ancienne france. Les figures et chevaux sont de Géricault. l'architecture de Lesaint. Lesaint et Géricault 1823. Lith. de G. Engelmann. Eglise de St. Nicolas.	*Clément, 1866, p. 534, n° 47.* *Clément, 1868, p. 392, n° 46.* *Clément, 1879, p. 392, n° 46.* *Delteil, 1924, n° 93.* *Grunchec, 1978, p. 154, n° 46.* *Bergot, 1981-82, p. 73, n° 46.* *Bazin, VII, 1997, p. 211, n° 2518.*
		Suite de 12 petites pieces publiées par Gihaut. Suite Charmante dont toutes les pièces sont des chefs d'œuvres de dessin. Bien difficile, pour ne pas dire impossible aujourd'hui à trouver belle d'épreuve	
	48 T. 2e. état T.	**Jument et poulain.** Titre. Etudes de chevaux d'après nature. Lith. de G. Engelmann Chez Gihaut boulevard des Italiens n° 5. Etudes de chevaux d'après nature. N° 1. Géricault. adresse grattées.	*Clément, 1866, p. 534, n° 48.* *Clément, 1868, p. 393, n° 47.* *Clément, 1879, p. 393, n° 47; suppl. p. 435.* *Delteil, 1924, n° 46.* *Grunchec, 1978, p. 154, n° 47.* *Bergot, 1981-82, p. 74, n° 47.* *Bazin, VII, 1997, p. 182-183, n° 2439.*
Fol. 25	49 T.	**Chevaux Ardennais** deux chevaux attelés à l'avant train d'un caisson Géricault Lith. de G. Engelmann. Cheveaux Ardennés	*Clément, 1866, p. 534, n° 49.* *Clément, 1868, p. 394, n° 52.* *Clément, 1879, p. 394, n° 52.* *Delteil, 1924, n° 51.* *Grunchec, 1978, p. 155, n° 52.* *Bergot, 1981-82, p. 76, n° 52.* *Bazin, VII, 1997, p. 184-185, n° 2444.*
	50 1er. T. 2e.	**Jument Egyptienne.** Jument Egyptienne. Gericault Lith. de G. Engelmann. Gericault n°. 12. adresse grattee Jument Egyptienne	*Clément, 1866, p. 535, n° 59.* *Clément, 1868, p. 395, n° 58.* *Clément, 1879, p. 395, n° 58.* *Delteil, 1924, n° 57.* *Grunchec, 1978, p. 155, n° 58.* *Bergot, 1981-82, p. 79-80, n° 58.* *Bazin, VII, 1997, p. 187, n° 2451.*
Fol. 26	51 T. T. 2	**Cheval arabe.** avant toutes lettres. cheval arabe. Gericault Lith. de G. Engelmann.	*Clément, 1866, p. 534, n° 51.* *Clément, 1868, p. 395, n° 57.* *Clément, 1879, p. 395, n° 57.* *Delteil, 1924, n° 56.* *Grunchec, 1978, p. 155, n° 57.* *Bergot, 1981-82, p. 79, n° 57.* *Bazin, VII, 1997, p. 187, n° 2450.*
	52 T.	**Cheval Anglais.** Géricault Lith. de G. Engelmann Cheval Anglais	*Clément, 1866, p. 534, n° 52.* *Clément, 1868, p. 395, n° 55.* *Clément, 1879, p. 395, n° 55.* *Delteil, 1924, n° 54.* *Grunchec, 1978, p. 155, n° 55.* *Bergot, 1981-82, p. 78, n° 55.* *Bazin, VII, 1997, p. 185-186, n° 2447.*
Fol. 27	53 T.	**Chevaux flamands.** un cheval blanc et un bai au paturage. Géricault Lith. de G. Engelmann Chevaux flamands.	*Clément, 1866, p. 534, n° 53.* *Clément, 1868, p. 395, n° 56.* *Clément, 1879, p. 395, n° 56.* *Delteil, 1924, n° 55.* *Grunchec, 1978, p. 155, n° 56.* *Bergot, 1981-82, p. 78-79, n° 56.* *Bazin, VII, 1997, p. 186, n° 2448.*
	54 T.	**Cheval Espagnol.** Géricault. Lith. de G. Engelmann Cheval Espagnol.	*Clément, 1866, p. 534, n° 53.* *Clément, 1868, p. 394, n° 51.* *Clément, 1879, p. 394, n° 51.* *Delteil, 1924, n° 50.* *Grunchec, 1978, p. 155, n° 51.* *Bergot, 1981-82, p. 75-76, n° 51.* *Bazin, VII, 1997, p. 184, n° 2443.*

Fol. 28	**55** **T.**	**Cheval d'Hanovre.** Gericault. Lith . de G. Engelmann Cheval d'Hanovre.	*Clément, 1866, p. 535, n° 55.* *Clément, 1868, p. 394, n° 54.* *Clément, 1879, p. 394, n° 54.* *Delteil, 1924, n° 53.* *Grunchec, 1978, p. 155, n° 54.* *Bergot, 1981-82, p. 78, n° 54.* *Bazin, VII, 1997, p. 185, n° 2446.*
	56 **T.**	**Cheval de Mecklenbourg** Géricault Lith. de G. Engelmann Cheval de Mecklenbourg.	*Clément, 1866, p. 535, n° 56.* *Clément, 1868, p. 393, n° 48.* *Clément, 1879, p. 393, n° 48.* *Delteil, 1924, n° 47.* *Grunchec, 1978, p. 154-155, n° 48.* *Bergot, 1981-82, p. 74, n° 48.* *Bazin, VII, 1997, p. 183, n° 2440.*
Fol. 29	**57** **T.** 1er. E. 2e.	**Cheval de la plaine de Caen.** Géricault Lith . de G. Engelmann Cheval de la plaine de Caen. après la pierre brisée	*Clément, 1866, p. 535, n° 57.* *Clément, 1868, p. 394, n° 53.* *Clément, 1879, p. 394, n° 53.* *Delteil, 1924, n° 52.* *Grunchec, 1978, p. 155, n° 53.* *Bergot, 1981-82, p. 76, n° 53.* *Bazin, VII, 1997, p. 185, n° 2445.*
	58 **T.**	**Cheval Cauchois** Géricault. Lith . de G. Engelmann Cheval Cauchois	*Clément, 1866, p. 535, n° 58.* *Clément, 1868, p. 394, n° 50.* *Clément, 1879, p. 394, n° 50.* *Delteil, 1924, n° 49.* *Grunchec, 1978, p. 155, n° 50.* *Bergot, 1981-82, p. 75, n° 50.* *Bazin, VII, 1997, p. 183-184, n°2442.*
Fol. 30	**59** **T.**	**Chevaux d'Auvergne.** Géricault Lith. de G. Engelmann Chevaux d'Auvergne	*Clément, 1866, p. 534, n° 50.* *Clément, 1868, p. 394, n° 49.* *Clément, 1879, p. 394, n° 49.* *Delteil, 1924, n° 48.* *Grunchec, 1978, p. 155, n° 49.* *Bergot, 1981-82, p. 75, n° 49.* *Bazin, VII, 1997, p. 183, n° 2441.*
	   60 **T.** 1er. E. 2e. E.	**Suite de Cinq petites pièces publiées par Gihaut: Engelmann** très belle petite suite **Officier d'Artillerie a cheval.** 1ere. Garde Imp.le vû de dos, au Galop, allant à gauche. Signé Géricault, sur la roue du 1er. plan. Lith . de G. Engelmann. de plus – Chez Gihaut Boulevard des Italiens n° 5 Mr. de la Salle en possède une épreuve d'essai sans l'inscription de l'imp. Engelmann.	*Clément, 1866, p. 535, n° 60.* *Clément, 1868, p. 397, n° 67.* *Clément, 1879, p. 397, n° 67.* *Delteil, 1924, n° 66.* *Grunchec, 1978, p. 156, n° 67.* *Bergot, 1981-82, p. 84, n° 67.* *Bazin, III, 1989, p. 182, n° 814.* *Bazin, VII, 1997, p. 191-192, n° 2463.*
Fol. 31	**61** **T.** 1er. E. 2e. E.	**Cheval de Course promené.** Géricault. Lith. de G. Engelmann avec l'adresse Chez Gihaut Boulevard des Italiens n° 5	*Clément, 1866, p. 535, n° 61.* *Clément, 1868, p. 395-396, n° 59.* *Clément, 1879, p. 395-396, n° 59; suppl. p. 435.* *Delteil, 1924, n° 58.* *Grunchec, 1978, p. 155, n° 59.* *Bergot, 1981-82, p. 80, n° 59.* *Bazin, VII, 1997, p. 188, n° 2454.*
	62 **T.** 1. E. 2e. E.	**La course.** Géricault. Lith. de G. Engelmann avec l'adresse de Gihaut [*la phrase est biffée*]	*Clément, 1866, p. 535, n° 62.* *Clément, 1868, p. 396, n° 60.* *Clément, 1879, p. 396, n° 60.* *Delteil, 1924, n° 59.* *Grunchec, 1978, p. 155, n° 60.* *Bergot, 1981-82, p.80, n° 60.* *Bazin, VII, 1997, p. 188-189, n°2455.*
Fol. 32	**63** **T.** 1er. E. 2e. E.	**Cheval de charette sorti des limons** Géricault Lith. de G. Engelmann avec l'adresse de Gihaut [*la phrase est biffée*]	*Clément, 1866, p. 535, n° 63.* *Clément, 1868, p. 396, n° 61.* *Clément, 1879, p. 396, n° 61.* *Delteil, 1924, n° 60.* *Grunchec, 1978, p. 155, n° 61.* *Bergot, 1981-82, p.80, n° 61.* *Bazin, VII, 1997, p. 189, n° 2456.*
	64	**Officier d'artillerie** } commandant la charge[1] **à cheval. 1ere. Garde Imple.** } une manœuvre [[1] *"la charge", biffé*] Son cheval marche vers la droite. l'officier se retourne à gauche.	*Clément, 1866, p. 535, n° 64.* *Clément, 1868, p. 396-397, n° 65.* *Clément, 1879, p. 396-397, n° 65.* *Delteil, 1924, n° 64.* *Grunchec, 1978, p. 156, n° 65.*

	T. 1er. E. 2e. Et.	Géricault. Lith . de G. Engelmann avec [*biffé*]	*Bergot, 1981-82, p. 83, n° 65.* *Bazin, III, 1989, p. 182, n° 813.* *Bazin, VII, 1997, p. 190-191, n° 2460.*
Fol. 33		**Suite de cinq petites pieces pub. p. Gihaut - Villain**	
	65 **T.**	**Cheval dévoré par un lion.** Géricault del. chez Gihaut. B^{art} des Italiens n° 5 Lith. de Villain. à la Bibl. Imp^{le}. une épreuve avant la lettre.	*Clément, 1866, p. 536, n° 65.* *Clément, 1868, p. 397, n° 68.* *Clément, 1879, p. 397, n° 68.* *Delteil, 1924, n° 67.* *Grunchec, 1978, p. 156, n° 68.* *Bergot, 1981-82, p. 84-85, n° 68.* *Bazin, VII, 1997, p. 196, n° 2475.*
	66 **T.**	**trois chevaux conduits à l'écorcheur.** Géricault Lith. de Villain. r de Sevres n° 11	*Clément, 1866, p. 536, n° 66.* *Clément, 1868, p. 397, n° 66.* *Clément, 1879, p. 397, n° 66.* *Delteil, 1924, n° 65.* *Grunchec, 1978, p. 156, n° 66.* *Bergot, 1981-82, p. 83, n° 66.* *Bazin, VII, 1997, p. 191, n° 2461.*
Fol. 34	**67** **T.**	**un relai de poste. Postillon à cheval** Géricault. Lith. de Villain r. de Sèvres n° 11	*Clément, 1866, p. 536, n° 67.* *Clément, 1868, p. 396, n° 62.* *Clément, 1879, p. 396, n° 62.* *Delteil, 1924, n° 61.* *Grunchec, 1978, p. 155, n° 62.* *Bergot, 1981-82, p. 82, n° 62.* *Bazin, VII, 1997, p. 189, n° 2457.*
	68 **T.**	**Trompette de chasseurs à pied, appuyé contre son cheval.** Géricault. Lith. de Villain.	*Clément, 1866, p. 536, n° 68.* *Clément, 1868, p. 396, n° 64.* *Clément, 1879, p. 396, n° 64.* *Delteil, 1924, n° 63.* *Grunchec, 1978, p. 156, n° 64.* *Bergot, 1981-82, p. 82, n° 64.* *Bazin, III, 1989, p. 179, n° 804A.* *Bazin, VII, 1997, p. 190, n° 2459.*
Fol. 35	**69** **T.**	**Charge de Cuirassiers.** Géricault. I. Lith. de Villain.	*Clément, 1866, p. 536, n° 69.* *Clément, 1868, p. 396, n° 63.* *Clément, 1879, p. 396, n° 63.* *Delteil, 1924, n° 62.* *Grunchec, 1978, p. 156, n° 63.* *Bergot, 1981-82, p. 82, n° 63.* *Bazin, VII, 1997, p. 189-190, n° 2458.*
	70 **T.** 1 E. **T.** 2 3	**Suite des grandes lithogr.^{ies} françaises.** Titre. L'abreuvoir. Etudes de chevaux par Géricault (écrit sur la fontaine) Sans adresse à Paris chez Gihaut, Editeur, M^{d}. d'Estampes Boulevard des Italiens n° 5. (sur chine) idem. Imprimée sur papier jaune, a servi de couverture aux livraisons.	*Clément, 1866, p. 536, n° 70.* *Clément, 1868, p. 401, n° 74.* *Clément, 1879, p. 401, n° 74.* *Delteil, 1924, n° 80.* *Grunchec, 1978, p. 157, n° 74.* *Bergot, 1981-82, p. 88, n° 74.* *Bazin, VII, 1997, p. 164, n° 2384.*
Fol. 36	**71** **T.**	**Le Maréchal flamand** Lith. Par L. Cogniet. Géricault del. Lith. de Villain Chez Gihaut éditeur M^{d}. d'estampes B^{oud}. des Italiens n° 5	*Clément, 1866, p. 537, n° 71.* *Clément, 1868, p. 402, n° 79.* *Clément, 1879, p. 402, n° 79.* *Delteil, 1924, n° 85.* *Grunchec, 1978, p. 157, n° 79.* *Bergot, 1981-82, p. 91, n° 79.* *Bazin, VII, 1997, p. 171-172, n°2409.*
	72 **T.**	**Le Maréchal français** Lith. Par L. Cogniet Géricault del. Même adresse d'impr^{r}. Chez Gihaut.................................. n° 5 2e. etat l'adresse de Villain grattée.	*Clément, 1866, p. 537, n° 72.* *Clément, 1868, p. 404, n° 86.* *Clément, 1879, p. 404, n° 86.* *Delteil, 1924, n° 84.* *Grunchec, 1978, p. 158, n° 86.* *Bergot, 1981-82, p. 97, n° 86.* *Bazin, VII, 1997, p. 171, n° 2407.*
Fol. 37	**73** **T.**	**Le Maréchal anglais.** L. Cogniet Géricault del. Lith de Villain Chez Gihaut.................................. n° 5	*Clément, 1866, p. 537, n° 73.* *Clément, 1868, p. 404, n° 85 .* *Clément, 1879, p. 404, n° 85.* *Delteil, 1924, n° 91.* *Grunchec, 1978, p. 158, n° 85.* *Bergot, 1981-82, p. 97, n° 85.* *Bazin, VII, 1997, p. 170, n° 2403.*

Fol. 38	**74** **T.**	**Deux chevaux anglais que l'on promène** par L. Cogniet Géricault del. Lith de Villain Sans l'adresse de Gihaut. Lith. par Cogniet, retouchée par Géricault	*Clément, 1866, p. 537, n° 74.* *Clément, 1868, p. 401-402, n° 77.* *Clément, 1879, p. 401-402, n° 77.* *Delteil, 1924, n° 83.* *Grunchec, 1978, p. 157, n° 77.* *Bergot, 1981-82, p. 91, n° 77.* *Bazin, VII, 1997, p. 169, n° 2400.*
	75 **T.**	**Le chariot de charbon de terre.** L. Cogniet lith. Géricault del. Lith. de Villain Cogniet et Géricault	*Clément, 1866, p. 537, n° 75.* *Clément, 1868, p. 401, n° 75.* *Clément, 1879, p. 401, n° 75.* *Delteil, 1924, n° 81.* *Grunchec, 1978, p. 157, n° 75.* *Bergot, 1981-82, p. 89, n° 75.* *Bazin, VII, 1997, p. 164-165, n° 2385.*
	76 **T.**	**Les chevaux conduits à la foire** Lith. p. L Cogniet. Géricault del. Lith de Villain Chez Gihaut.............................. n° 5	*Clément, 1866, p. 537, n° 76.* *Clément, 1868, p. 402-403, n° 81.* *Clément, 1879, p. 402-403, n° 81.* *Delteil, 1924, n° 87.* *Grunchec, 1978, p. 157-158, n° 81.* *Bergot, 1981-82, p. 93, n° 81.* *Bazin, VII, 1997, p. 167, n° 2394.*
Fol. 39	**77** **T.**	**Deux chevaux de poste qu'un postillon fait boire.** lith par Volmar. Géricault del Lith. de Villain Chez Gihaut.............................. n° 5 Volmar et Géricault	*Clément, 1866, p. 537, n° 77.* *Clément, 1868, p. 403, n° 82.* *Clément, 1879, p. 403, n° 82.* *Delteil, 1924, n° 88.* *Grunchec, 1978, p. 158, n° 82.* *Bergot, 1981-82, p. 94, n° 82.* *Bazin, VII, 1997, p. 177, n° 2426.*
	78 **T.**	**Jeune garçon donnant l'avoine à un cheval dételé** (Volmar) Géricault del Lith. de Villain Chez Gihaut.............................. n° 5 Volmar et Géricault	*Clément, 1866, p. 537, n° 78.* *Clément, 1868, p. 403, n° 83.* *Clément, 1879, p. 403, n° 83.* *Delteil, 1924, n° 89.* *Grunchec, 1978, p. 158, n° 83.* *Bergot, 1981-82, p. 96, n° 83.* *Bazin, VII, 1997, p. 179, n° 2432.*
Fol. 40		**Pièces au tampon et grattoir** [*la phrase est bifée*]	
	79 **T.**	**Cheval noir dans l'écurie.** Volmar Géricault del Lith. de Villain Volmar et Géricault	*Clément, 1866, p. 538, n° 79.* *Clément, 1868, p. 402, n° 78.* *Clément, 1879, p. 402, n° 78.* *Delteil, 1924, n° 92.* *Grunchec, 1978, p. 157, n° 78.* *Bergot, 1981-82, p. 91, n° 78.* *Bazin, VII, 1997, p. 181, n° 2436.*
	80 **T.**	**Deux chevaux promenés au pas par un Jockey.** Volmar Géricault del Lith. de Villain Chez Gihaut.............................. n° 5 Volmar et Géricault	*Clément, 1866, p. 538, n° 80.* *Clément, 1868, p. 403, n° 84.* *Clément, 1879, p. 403, n° 84.* *Delteil, 1924, n° 90.* *Grunchec, 1978, p. 158, n° 84.* *Bergot, 1981-82, p. 97, n° 84.* *Bazin, VII, 1997, p. 180-181, n° 2435.*
Fol. 41	**81** **T.**	**Cheval hargneux attelé à une voiture de plâtre.** Volmar et Géricault	*Clément, 1866, p. 538, n° 81.* *Clément, 1868, p. 402, n° 80.* *Clément, 1879, p. 402, n° 80.* *Delteil, 1924, n° 86.* *Grunchec, 1978, p. 157, n° 80.* *Bergot, 1981-82, p. 91-92, n° 80.* *Bazin, VII, 1997, p. 173, n°2413.*
	82 **T.**	**Vieux cheval à la porte d'un cabaret le garçon boit une pinte de bierre.** Gériault del Lith. de Villain (sic) Volmar et Géricault	*Clément, 1866, p. 538, n° 82.* *Clément, 1868, p. 401, n° 76.* *Clément, 1879, p. 401, n° 76.* *Delteil, 1924, n° 82.* *Grunchec, 1978, p. 157, n° 76.* *Bergot, 1981-82, p. 89-90, n° 76.* *Bazin, VII, 1997, p. 176-177, n° 2425.*
Fol. 42	**83**	**Cheval franchissant une barriere.** (au tampon et grattoir) La pierre s'étant brisée de suite au tirage Villain la fit copier avec le plus grand soin. Les différences de la copie à l'original sont surtout dans le caractère du dessin et du modelé la courbe inférieure du cou, la forme de l'ombre portée.	*Clément, 1866, p. 538, n° 83.* *Clément, 1868, p. 398-399, n° 71.* *Clément, 1879, p. 398-399, n° 71.* *Delteil, 1924, n° 69.* *Grunchec, 1978, p. 146-157, n° 71.* *Bergot, 1981-82, p. 86-87, n° 71.* *Bazin, VII, 1997, p. 193, n° 2466.*
	T. 1	original : Très rare	

T. 2 — copie: on y remarque au dessous du pilier central de la barriere un point d'encre qui n'existe pas dans l'original.

T. 3 — id. la planche devenue noire

---

84 — **Cheval anglais monté par un Jockey** (au tampon et grattoir)

T. 1r. E. — avant la lettre le trait carré. (Epr. d'essai)

2e. E. T.[*biffé*] — idem sans trait carré, avec l'adresse, lith de G. Engelmann. à Mr. de la Salle

3m E. — avec l'adresse. Lith. de G. Engelmann

T. 4. E. — adresse enlevée

Clément, 1866, p. 538-539, n° 84.
Clément, 1868, p. 399, n° 72.
Clément, 1879, p. 399, n° 72.
Delteil, 1924, n° 70.
Grunchec, 1978, p. 157 n° 72.
Bergot, 1981-82, p. 87, n° 72.
Bazin, VII, 1997, p. 193, n° 2467.

---

ol. 43

85 — **Cheval que l'on ferre.** (Tampon grattoir)

T. — Epr. à 2 teintes. Sur papier jaune, rehausée de blanc au pinceau. (rognée sur le trait. d'après Gihaut les blancs ont été mis par Géricault)

T. — épreuve sur blanc.
Géricault del. Chez Gihaut...........n° 5......... Lith. de Villain

Mr. de la Salle en a 2 épreuves.
la 1ere. avec les 3 inscriptions moins n° 5
la 2e. avec Géricault del. - chez Gihaut Bad. des Italiens. Sans n° 5 ni adresse de Villain.

Clément, 1866, p. 539, n° 85.
Clément, 1868, p. 399, n° 73.
Clément, 1879, p. 399, n° 73.
Delteil, 1924, n° 72.
Grunchec, 1978, p. 157, n° 73.
Bergot, 1981-82, p. 87-88, n° 73.
Bazin, VII, 1997, p. 195, n° 2473.

---

86 — **Cheval au trot :** (tampon grattoir)

T. 1. E. — avant la lettre, le fonds plus étendu

T. 2. E. — Le fonds diminuée. Lith. de Villain.

Clément, 1866, p. 539, n° 86.
Clément, 1868, p. 398, n° 70.
Clément, 1879, p. 398, n° 70.
Delteil, 1924, n° 68.
Grunchec, 1978, p. 156, n° 70.
Bergot, 1981-82, p. 86, n° 70.
Bazin, VII, 1997, p. 192, n° 2465.

---

ol. 44

Cinq pièces publiées par Mme. Hulin
Cette belle suite est fort rare avec l'adresse de Mme. Hulin

87 — **Chevaux de ferme.**

T. 1 — dans le dessin Géricault
chez Madme. Hulin rue de la paix n° 21. Lith. de G. Engelmann
Chevaux de ferme

2 — adresse de Mme. Hulin grattée.

Clément, 1866, p. 539, n° 87.
Clément, 1868, p. 404-405, n° 87.
Clément, 1879, p. 404-405, n° 87.
Delteil, 1924, n° 73.
Grunchec, 1978, p. 158, n° 87.
Bergot, 1981-82, p. 98-99, n° 87.
Bazin, VII, 1997, p. 203, n° 2495.

---

88 — **Cheval mort.**

T. 1 — Chez Mme. Hulin, rue de la Paix n° 21
Lith. de G. Engelmann. Géricault

Clément, 1866, p. 539, n° 88.
Clément, 1868, p. 405-406, n° 91.
Clément, 1879, p. 405-406, n° 91.
Delteil, 1924, n° 77.
Grunchec, 1978, p. 158, n° 91.
Bergot, 1981-82, p. 104, n° 91.
Bazin, VII, 1997, p. 206, n° 2501.

---

ol. 45

89 — **Hangar de Mareschal ferrant.**

T. 1 — Chez Mme. Hulin rue de la paix n° 21.
Lith de G. Engelmann. Géricault

2 — adresse enlevée.

Clément, 1866, p. 539, n° 89.
Clément, 1868, p. 405, n° 88.
Clément, 1879, p. 405, n° 88.
Delteil, 1924, n° 74.
Grunchec, 1978, p. 158, n° 88.
Bergot, 1981-82, p. 99, n° 88.
Bazin, VII, 1997, p. 204, n° 2498.

---

90 — **Les Boueux.**

T. 1er. E — Chez Mme. Hulin rue de la paix n° 21
Lith. de. G. Engelmann. Géricault

2e. E. — adresse grattée.
Colln. de la Salle. Epr. d'essai avant toute lettre.

Clément, 1866, p. 539, n° 90.
Clément, 1868, p. 405, n° 89.
Clément, 1879, p. 405, n° 89.
Delteil, 1924, n° 75.
Grunchec, 1978, p. 158, n° 89.
Bergot, 1981-82, p. 100-101, n° 89.
Bazin, VII, 1997, p. 204-205, n° 2499.

---

ol. 46

91 — **Un roulier montant une côte sur la neige.**

T. — chez Mme. Hulin rue de la paix n° 21
Lith. de G. Engelmann. Géricault

Colln. de Lasalle épreuve d'essai avant toute lettre

Clément, 1866, p. 539-540, n° 91.
Clément, 1868, p. 405, n° 90.
Clément, 1879, p. 405, n° 90.
Delteil, 1924, n° 76.
Grunchec, 1978, p. 158, n° 90.
Bergot, 1981-82, p. 102, n° 90.
Bazin, VII, 1997, p. 205-206, n°2500.

		Quatre pièces par Géricault et Eug. Lamy	
	92 **T.**	**Mazeppa**. ch. XVII. entièrement retouchée par Géricault. Géricault et Eug. Lamy 1825. Imp. lith. de Villain Le coursier tente.......... humides Lord Byron Chez Gihaut B^{ard}. des Italiens n° 5	*Clément, 1866, p. 540, n° 92.* *Clément, 1868, p. 406, n° 92.* *Clément, 1879, p. 406, n° 92.* *Delteil, 1924, n° 94.* *Grunchec, 1978, p. 158, n° 92.* *Bergot, 1981-82, p. 105, n° 92.* *Bazin, VII, 1997, p. 216-217, n° 2533.*
Fol. 47	**93**	**Le Giaour.** Géricault et Eug Lami 1823. I. Lith. de Villain Cet ennemi.................. du trépas. Chez Gihaut frère éditeur	*Clément, 1866, p. 540, n° 93.* *Clément, 1868, p. 406, n° 93.* *Clément, 1879, p. 406, n° 93.* *Delteil, 1924, n° 95.* *Grunchec, 1978, p. 158, n° 93.* *Bergot, 1981-82, p. 107, n° 93.* *Bazin, VII, 1997, p. 212-213, n° 2521.*
	94 **T.**	**La fiancée d'Abydos**. Ch. X. Géricault et Eug Lami. I. Lith. de Villain Je l'ai dit........................paroles (Lord Byron) Chez Gihaut B^{ard}. des Italiens n° 5	*Clément, 1866, p. 540, n° 94.* *Clément, 1868, p. 407, n° 94.* *Clément, 1879, p. 407, n° 94.* *Delteil, 1924, n° 96.* *Grunchec, 1978, p. 158, n° 94.* *Bergot, 1981-82, p. 107, n° 94.* *Bazin, VII, 1997, p. 213, n° 2522.*
Fol. 48	**103**	**Cuirassier enlevant un drapeau à des Russes** [*titre biffé*]	
	95 **T.**	**Lara.** Géricault et Eug Lami 1823 Lith. de Villain Un des soldat....................signe sacré chez Gihaut frères éditeurs avec le bon à imprimer	*Clément, 1866, p. 540, n° 95.* *Clément, 1868, p. 407, n° 95.* *Clément, 1879, p. 407, n° 95.* *Delteil, 1924, n° 97.* *Grunchec, 1978, p. 158, n° 95.* *Bergot, 1981-82, p. 108, n° 95.* *Bazin, VII, 1997, p. 213-214, n° 2524.*
	96	**Eau forte**	
	T.	**Gros cheval pommelé.** Le petit chapiteau est de Dedreux architecte. R R R. On ne connait de cette charmante pièce faite tandis que Géricault était malade, que deux épreuves. Celle-ci ; et celle de la Bibliothèque provenant de M^{r}. Bruzard.	*Clément, 1866, p. 541, n° 101.* *Clément, 1868, p. 409, n° 102.* *Clément, 1879, p. 409, n° 102.* *Delteil, 1924, n° 1.* *Grunchec, 1978, p. 159, n° 102.* *Bergot, 1981-82, p. 111, n° 101.*
Fol. 49		**Quatre pièces Lithographiées par Volmar** mais retouchées entièrement par Géricault.	
	97 **T.**	**Cheval arabe à l'écurie.** Volmar d'après Géricault Lith. de Villain	*Clément, 1866, p. 540, n° 96.* *Clément, 1868, p. 407, n° 96.* *Clément, 1879, p. 407, n° 96.* *Delteil, 1924, n° A3.* *Grunchec, 1978, p. 158, n° 96.* *Bergot, 1981-82, p. 108, n° 96.*
	98 **T.**	**Tigre dévorant un cheval.** idem idem	*Clément, 1866, p. 540, n° 97.* *Clément, 1868, p. 407, n° 97.* *Clément, 1879, p. 407, n° 97.* *Delteil, 1924, n° A4.* *Grunchec, 1978, p. 158, n° 97.* *Bergot, 1981-82, p. 109, n° 97.* *Bazin, VII, 1997, p. 202, n° 2492.*
	99	**Intérieur d'écurie voutée,** Idem idem Chez Gihaut B^{ard}. des Italiens n° 5	*Clément, 1866, p. 541, n° 98.* *Clément, 1868, p. 407-408, n° 98.* *Clément, 1879, p. 407-408, n° 98.* *Delteil, 1924, n° A5.* *Grunchec, 1978, p. 158, n° 98.* *Bergot, 1981-82, p. 109, n° 98.* *Bazin, VII, 1997, p. 245-246, n° 2612.*
	100 **T.**	**Cheval arabe tenu par un Turc.** Volmar d'après Géricault. Lith. de Villain.	*Clément, 1866, p. 541, n° 99.* *Clément, 1868, p. 408, n° 99.* *Clément, 1879, p. 408, n° 99.* *Delteil, 1924, n° A6.* *Grunchec, 1978, p. 158, n° 99.* *Bergot, 1981-82, p. 109, n° 99.*
Fol. 50		**Quatre grandes pièces lith. p. Volmar d'ap. Géricault.**	
	[101] **T.**	Deux chevaux dételés : le charretier abaisse les brancard de la voiture. Volmar d'après Géricault Lith. de Villain. Chez Gihaut frères Editeurs...... n° 5.	*Clément, 1868, p. 411, n° 1.* *Clément, 1879, p. 411, n° 1.*

[102] **T.**	Trois chevaux de poste dans une écurie J. Volmar Lith. de Villain Chez Gihaut frères....... n° 5	*Clément, 1868, p. 411, n° 2.* *Clément, 1879, p. 411, n° 2.* *Bazin, VII, 1997, p. 226, n° 2554A.*
[103] **T.**	Postillon à la porte d'une auberge. Volmar d'après Géricault Lith. de Villain Chez Gihaut....... n° 5.	*Clément, 1868, p. 411, n° 3.* *Clément, 1879, p. 411, n° 3.* *Bazin, VII, 1997, p. 225, n° 2552A.*
[104] **T.**	Cuirassier enlevant un drapeau à des russes. Volmar d'après Géricault Lith. de Villain à Paris chez Gihaut....... n° 5.	*Clément, 1868, p. 411, n° 4.* *Clément, 1879, p. 411, n° 4.* *Bazin, III, 1989, p. 170, n° 785A.*
Fol. 51	**Compositions de Géricault pour la Relation de Correard, du naufrage de la Méduse** [*blanc*] édition	
[105] **T.**	Le Radeau quittant la frégate désemparée. chap II. p. 254 Victimes malheureuses.......... .... notre tombeau. lith de C. Motte...marais	*Clément, 1868, p. 410, n° 1.* *Clément, 1879, p. 410, n° 1.* *Bazin, VI, 1994, p. 81, fig. 47.*
[106] **T.**	Le Radeau chap. VII. Gericault pinx. litho de C Motte... marais la vue de ce batiment................... .... actions de graces.	*Clément, 1868, p. 410, n° 2.* *Clément, 1879, p. 410, n° 2.* *Bazin, VI, 1994, p. 79, fig. 44.*
[107] **T.**	Secours donnés aux naufragés. chap. 12 Géricault pinx. litho................... marais ces deux militaires......................... .... les envoient	*Clément, 1868, p. 410, n° 4.* *Clément, 1879, p. 410, n° 4.* *Bazin, VI, 1994, p. 81, fig. 48.*
[108] **T.**	Le Roi Africain chap. 10 Géricault pinx. litho.................. marais Le Roi ordonne.............................. .... en facilite le récit	*Clément, 1868, p. 410, n° 3.* *Clément, 1879, p. 410, n° 3.* *Bazin, VI, 1994, p. 80, fig. 46.*
  [109] **[110]** **[111]** **T.**	Ces lithographies paraissent être de Champion d'après des compositions de Géricault. Le volume en contient 3 autres composées et lithographiées par Champion et Montfort.	
Fol. 52	**Reproductions diverses, postérieures à la mort de Géricault**	
[112]	Le Radeau de la Méduse. man. noire. Reynolds. Idem trait Normand fils	*Clément, 1868, p. 411, sans n°.* *Clément, 1879, p. 411, sans n°.* *Bazin, VI, 1994, p. 46, fig. 27.*
[113] **T.**	La Pauvre famille Weber del. V.P. Quenot & imp[i] lith de Motte Galerie du Palais royal.	*Clément, 1868, p. 414, sans n°.* *Clément, 1879, p. 414, sans n°.*
[114]	Cuirassier G.[e] du Palais Royal Volmar del. Quénot dir. Lith. de C Motte.	*Clément, 1868, p. 414, sans n°.* *Clément, 1879, p. 414, sans n°.*
[115] **T.**	Postillon monté : 2 chevaux. petite planche gravé en aquatinte. Paul de ... Géricault nom illisible	*Clément, 1868, p. 412, sans n°.* *Clément, 1879, p. 412, sans n°.*
[116] **T.**	Chasseur à cheval. Gal. du P[s]. R[l]. Volmar del. L. de. Motte	*Clément, 1868, p. 414, sans n°.* *Clément, 1879, p. 414, sans n°.*
[117] **T.**	Chasseur Palais Royal V. Adam del.	*Clément, 1868, p. 413, sans n°.* *Clément, 1879, p. 413, sans n°.*
[118] **T.**	Esquisse du chasseur à M. de la Salle Géricault pinx. E. Leroux litho. Imp. *Bertauts* Paris	*Clément, 1868, p. 414, sans n°.* *Clément, 1879, p. 414, sans n°.*
Fol. 53	**Lithographie de Tayler d'après Géricault**	
[119] T. **[120] T.** **[121] T.** **[122] T.** **[123] T.** **[124] T.** **[125] T.** **[126] T.** **[127] T.**	- officier anglais à cheval : petite tenue. - négre montant un cheval qui se cabre. - Carabinier vû de dos. - Turc armé d'une lance et une espingolle. - Persan à cheval. - officier anglais à cheval. fond de paysage - cheval dans les brancards - cheval arabe tenu en main. - Turc retenant un cheval	*Clément, 1868, p. 414, [cinq lithographies] sans n°.* *Clément, 1879, p. 414, [cinq lithographies] sans n°.* *Bazin, VII, 1997, p. 255-256, n°s 2640A, 2641, 2642.*

Fol. 54		**Petit album contenant des lithog. d'après Géricault, Charlet, Deveria. &** **Pièces de Géricault**	
	[128] T. 1	3 chevaux à l'écurie. Palefrenier enfant Lith. par Amé. Faure	*Clément, 1868, p. 418, n° 1.* *Clément, 1879, p. 418, n° 1.*
	[129] T. 2	Fac simile d'une lettre de Géricault à Eugène Delacroix [*la phrase est biffée*] [*sic*: *Eugène Isabey*]	*Clément, 1868, p. 417, n° 10.* *Clément, 1879, p. 417, n° 10.*
	[130] T. 3	Costume Orientaux A. Devéria lith.	*Clément, 1868, p. 419, n° 9.* *Clément, 1879, p. 419, n° 9.*
	[131] T. 4	Un cheval arabe. Tente au fond Géricault Eug. Deveria lith.	*Clément, 1868, p. 419, n° 11.* *Clément, 1879, p. 419, n° 11.* *Bazin, VII, 1997, p. 256, n° 2643.*
	[132] T. 5	Taureau combattant L. B. L. Boulanger	*Clément, 1868, p. 420, n° 13.* *Clément, 1879, p. 420, n° 13.* *Bazin, IV, 1990, p. 147, n° 1222A.*
	[133] T. 6	un Kabyle à cheval. Louis Boulanger lith.	*Clément, 1868, p. 420, n° 14.* *Clément, 1879, p. 420, n° 14.*
	[134] T. 7	Fragment d'un Jugement dernier A. Deveria	*Clément, 1868, p. 420, n° 15.* *Clément, 1879, p. 420, n° 15.* *Bazin, VI, 1994, p. 106, n° 1941A.*
	[135] T. 8	Tête de Carabinier. E. Deveria d'après nature	*Clément, 1868, p. 420, n° 16.* *Clément, 1879, p. 420, n° 16.* *Bazin, V, 1992, p. 147, n° 1476.*
	[136] T. 9	dans une planche dessinée par Charlet un groupe Satyre et Nymphe par Géricault E. Deveria	*Clément, 1868, p. 420-421, n° 19.* *Clément, 1879, p. 420-421, n° 19.* *Bazin, IV, 1990, p. 119, n° 1144.*
	[137] T. 10	Sanglier et chiens. Scène de la barrière du combat. L. Boulanger	*Clément, 1868, p. 420, n° 17.* *Clément, 1879, p. 420, n° 17.* *Bazin, III, 1989, p. 164-165, n° 770.*
Fol. 55		**Fac Similes de Dessins de Géricault, par Colin.**	
	[138] T. 1	Cuirassier au galop, vû de dos Colin d'après Géricault Lith. de Feillet	*Clément, 1868, p. 416, n° 6.* *Clément, 1879, p. 416, n° 6.*
	[139] T. 2	Groupe de course Romaine. Bouchers Romains, assommant un bœuf. Colin d'après Géricault. Lith. de Feillet	*Clément, 1868, p. 417, n° 9.* *Clément, 1879, p. 417, n° 9.* *Bazin, IV, 1990, p. 143, n° 1217A.*
	[140] T. 3	Grande course Romaine. dessin au Louvre Colin...... .... Feillet	*Clément, 1868, p. 416, n° 2.* *Clément, 1879, p. 416, n° 2.*
	[141] T. 4	2 armures d'homme et de cheval. Colin....... .... Feillet	*Clément, 1868, p. 416, n° 3.* *Clément, 1879, p. 416, n° 3.*
	[142] T. 5	Le condamné à mort Colin...... .... Feillet	*Clément, 1868, p. 416-417, n° 7.* *Clément, 1879, p. 416-417, n° 7.* *Bazin, IV, 1990, p. 183, n° 1323B.*
	[143] T. 6	Lion étranglant un cheval. Colin d'après le dessin du Louvre .... Feillet	*Clément, 1868, p. 417, n° 8.* *Clément, 1879, p. 417, n° 8.*
	[144] T. 7	Arabe pleurant son cheval mort. Id. id.	*Clément, 1868, p. 416, n° 4.* *Clément, 1879, p. 416, n° 4.*
	[145] T. 8	Chevaux Romains. Wattier d'après G. .... Feillet M^r^. de la Salle à deux fac similes de plus par Vattier pour la course Romaine, et un fac simile de deux hommes nuds études pour la méduse.	*Clément, 1868, p. 416, n° 5.* *Clément, 1879, p. 416, n° 5.* *Bazin, IV, 1990, p. 216, n° 1392A.* *Bazin, VI, 1994, p. 126, n° 1986.*
Fol. 56	**[146] T.**	Course Romaine. Collection de M^r^. Marcille Géricault pinx. E. Leroux, lith. Imp. Bertauts Paris.	*Clément, 1868, p. 415, sans n°.* *Clément, 1879, p. 415, sans n°.* *Bazin, IV, 1990, p. 203, n° 1368A.*
	[147] T.	Course Romaine une corde tendue arrête les chevaux. Géricault pinx. Eug. Leroux lith Imp. de Bertauts Paris	*Clément, 1868, p. 415, sans n°.* *Clément, 1879, p. 415, sans n°.* *Bazin, IV, 1990, p. 192, n° 1343A.*
	[148] T.	Le Radeau de la Méduse. Trait Gericault pinx^t^. Normand fils sc	*Clément, 1868, p. 412, sans n°.* *Clément, 1879, p. 412, sans n°.*

[149] T.	Idem Scène de naufrage Peint par Géricault Imp. Lith. de Villain	*Clément, 1868, p. 412, sans n°.* *Clément, 1879, p. 412, sans n°.* *Bazin, VI, 1994, p. 47, fig. 28.*
[150] T.	Première pensée du tableau de la Méduse Par Géricault litho. de Chabert Polydore fecit r. Cassette n° 20	*Clément, 1868, p. 412, sans n°.* *Clément, 1879, p. 412, sans n°.*
[151] T.	Course Romaine Héliographie sur acier par Mme. Riffaut A. Riffaut Sculp l'original appartient à M^r^. Marsille	*Bazin, IV, 1990, p. 210, n° 1380B.*
Fol. 57 [152] T. T.	2 fac simile de dessins de Géricault, sans nom, sur une même feuille en haut. Cheval pansé par 2 grooms. en bas. deux chevaux harnachés se cabrant retenus par un cocher à pied, le fouet dans la main gauche	*Clément, 1868, p. 415, sans n°.* *Clément, 1879, p. 415, sans n°.*
[153] T.	Un cheval anglais à l'écurie retenu par deux longes. lithographie au crayon, achevée. A droite écrit à rebours (3 initiales à gauche dans le texte) Gericault del.	*Clément, 1868, p. 412, sans n°.* *Clément, 1879, p. 412, sans n°.*

Filigranes

Filigranes et contremarques relevés par:
Laurence Caylux
Sophie Chavanne
Isabelle Drieu la Rochelle

Cat. D.1

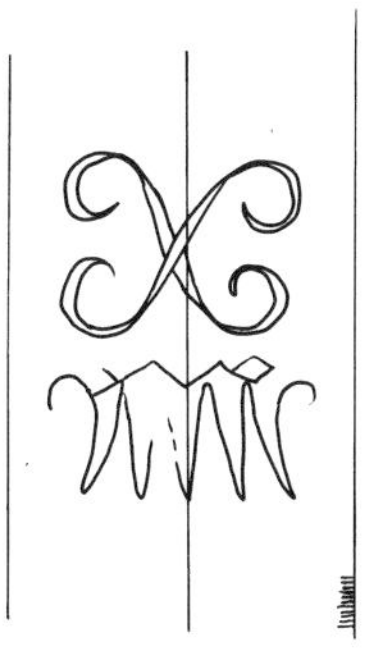

Cat. D.2

Cat. D.5

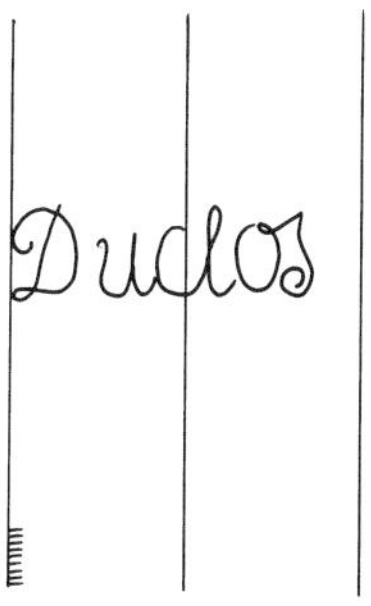

Cat. D.9

Cat. D.10

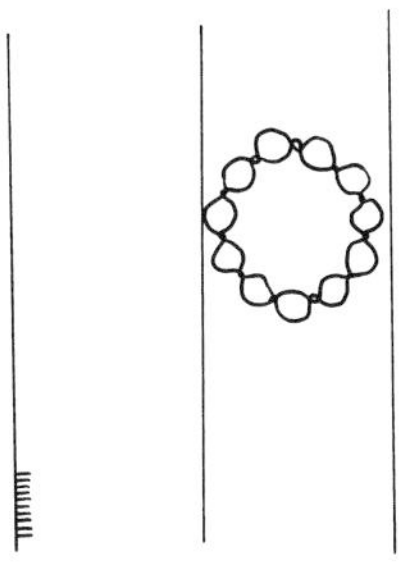

Cat. D.11

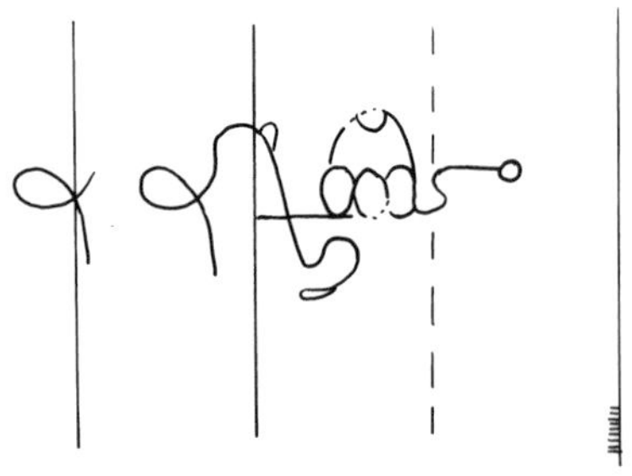

Cat. D.12

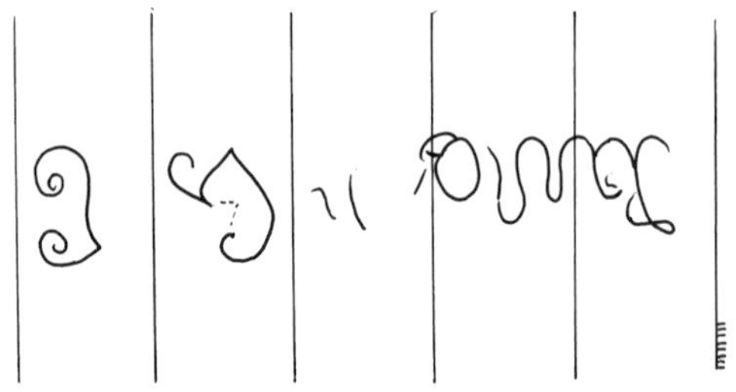

Cat. D.13

Cat. D.15

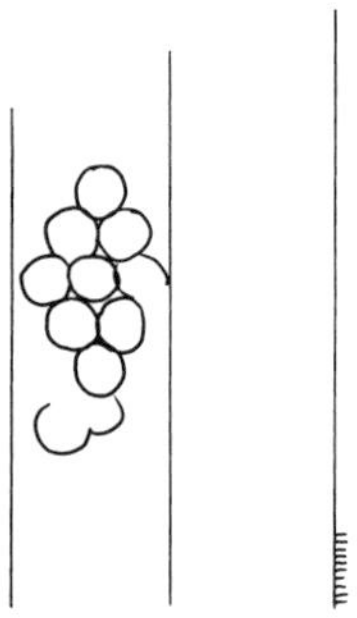

Cat. D.16

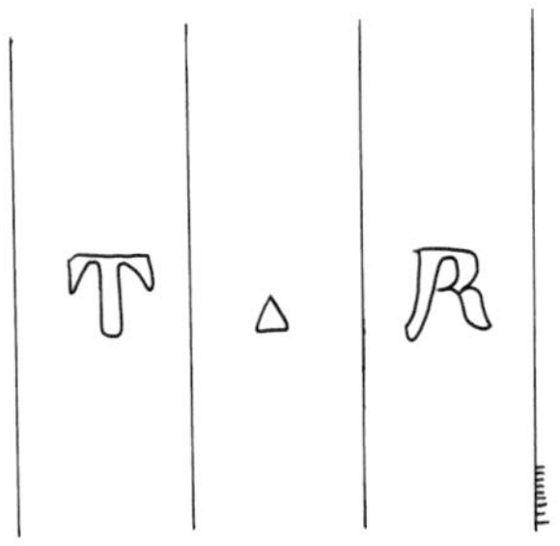

Cat. D.18

Cat. D.19

Cat. D.20

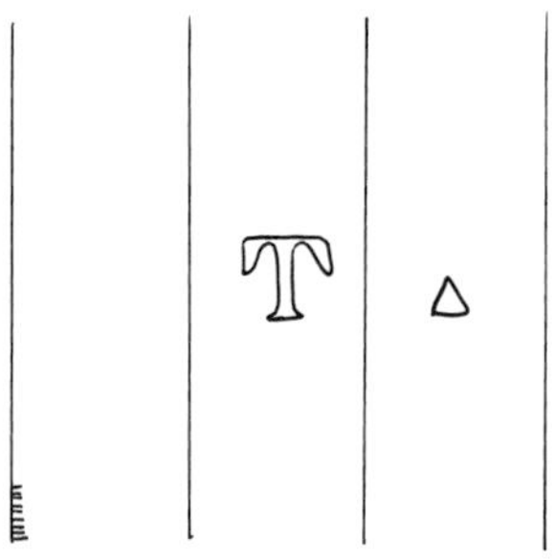

Cat. D.27

Cat. D.28

Cat. D.30

Cat. D.32

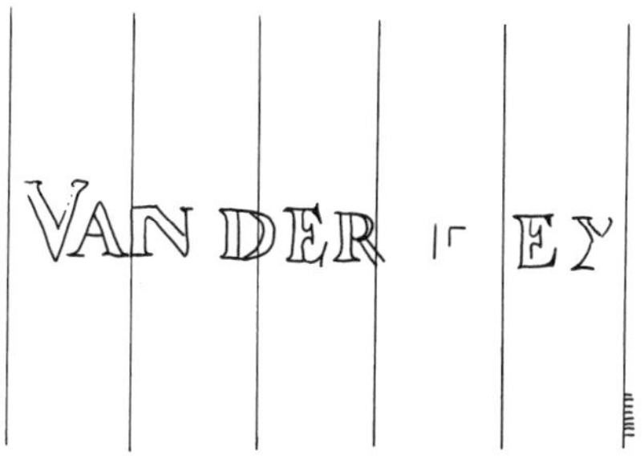

Cat. D.33

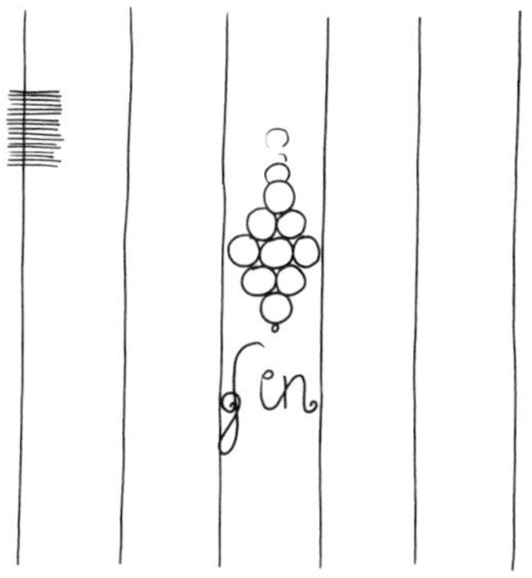

Cat. D.52

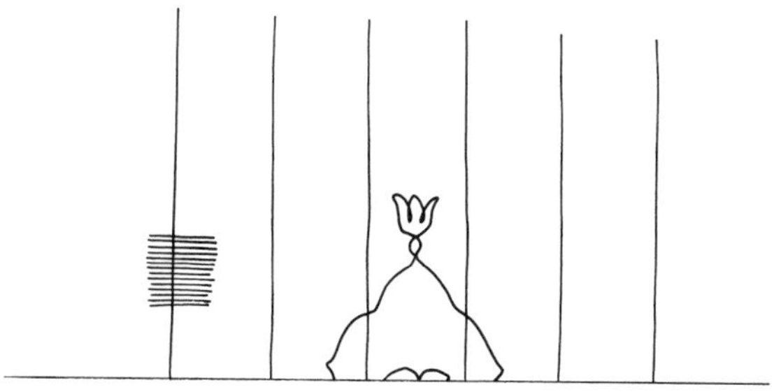

Cat. D.56

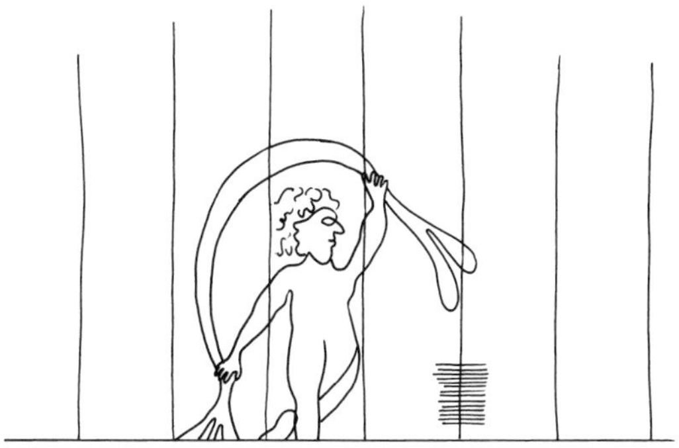

Cat. D.58

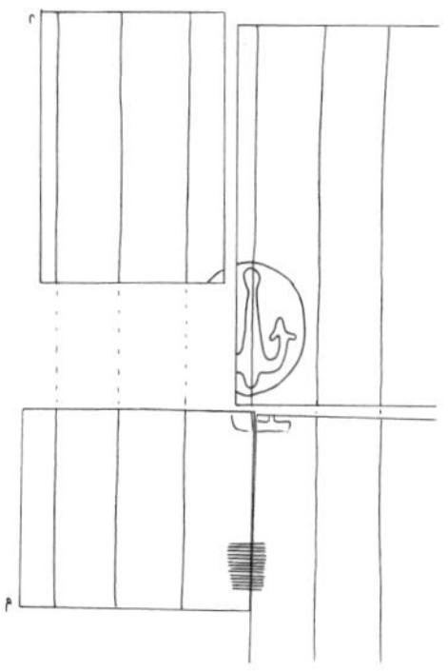

Cat. D.65, D.66, D.67 et D.68

Cat. D.72

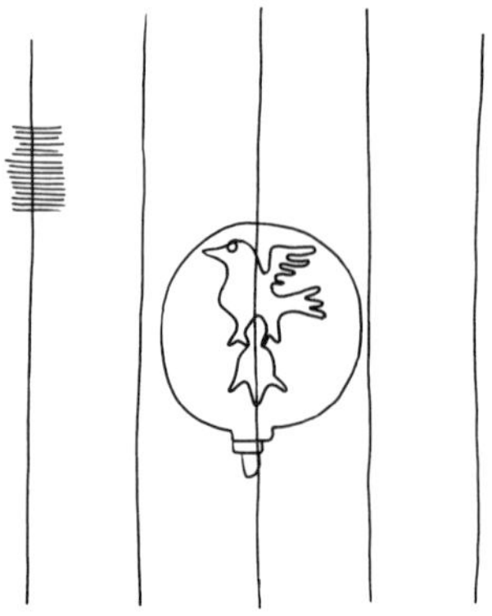

Cat. D.73

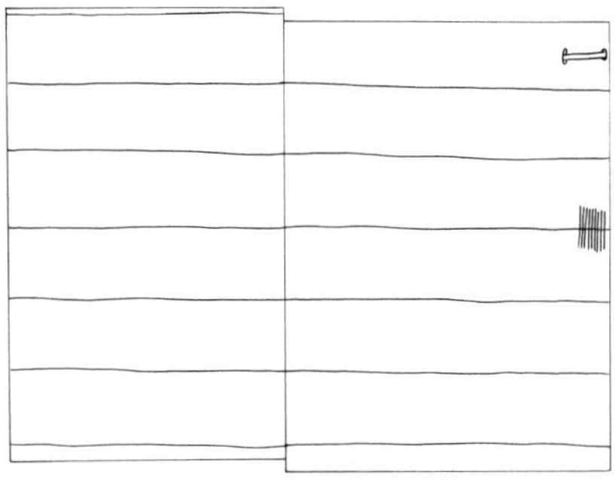

Cat. D.75 et D.76

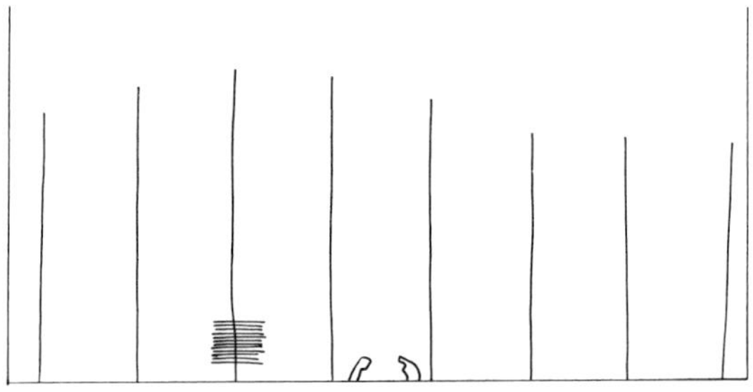

Cat. D.81

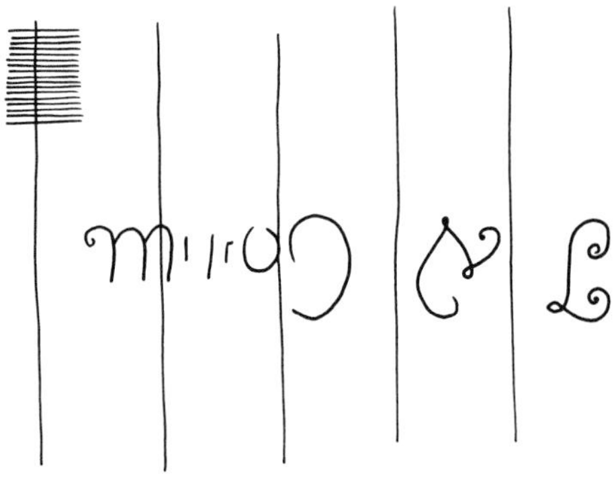

Cat. D.83

Cat. D.87

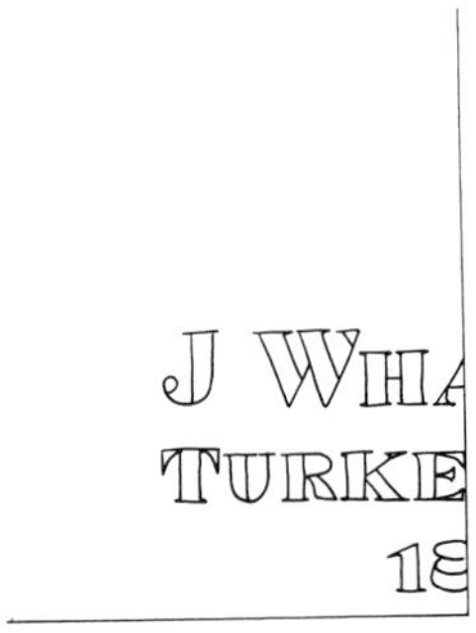

Cat. D.91

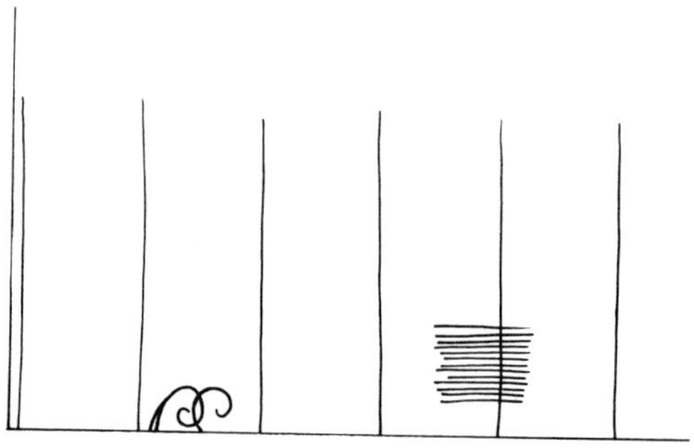

Cat. D.100

Cat. E.23

Cat. E.25

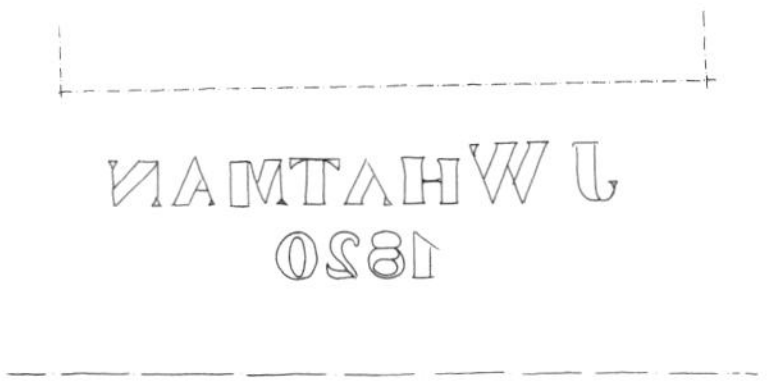

Cat. E.29

Index des musées

Établi par Joëlla de Couëssin.
Les numéros renvoient aux notices du catalogue.

Index des provenances

Établi par Joëlla de Couëssin.
Les numéros renvoient aux notices du catalogue.
Seules figurent les provenances attestées par les marques de collection, les mentions dans les catalogues de ventes et les témoignages des collectionnneurs.
Les noms des collectionneurs qui ont fait donation de tout ou partie de leur collection à l'Ensba figurent en italique gras.

Table de concordance

Établie par Joëlla de Couëssin.
Concordance entre les numéros d'inventaire des œuvres exposées et les numéros des notices du catalogue.

Dessins

953	D.57
954	D.64
955	D.71
956 a	D.65
956 b	D.66
956 c	D.67
956 d	D.68
957	D.69
958	D.54
959	D.70
960	D.74
961	D.73
962	D.75
963	D.76
964	D.72
965	D.77
966	D.113
967	D.114
968	D.111
969	D.80
970	D.78
971	D.79
972	D.112
973	D.82
974	D.106
975	D.86
976	D.51
977	D.98
978	D.99
979	D.85
980	D.100
981 a	D.58
981 b	D.59
981 c	D.60
981 d	D.61
981 e	D.62
982	D.88
983	D.83
984	D.101
985	D.102
986	D.50
987	D.84
988	D.56
989	D.94
990	D.93
991	D.52
Est. 419	D.53
992	D.55
993	D.107
994	D.109
995	D.97
996	D.89
997	D.96
998	D.91
999	D.34 à D.49
1000	D.108
1001	D.92
1002	D.110
1003	D.81
1004	D.87
1005	D.95
1006	D.104
1007	D.90
1008	D.17 à D.33
1009	D.1 à D.16
1010	D.105
1010 bis	D.63
1011	D.103

Estampes

Est. 414	E.98
Est. 415	E.1
Est. 416	E.3
Est. 417	E.3
Est. 418	E.2
Est. 420	E.4
Est. 421	E.5
Est. 422	E.6
Est. 423	E.6
Est. 424	E.7
Est. 425	E.8
Est. 426	E.8
Est. 427	E.9
Est. 428	E.10
Est. 429	E.10
Est. 430	E.10
Est. 431	E.11
Est. 432	E.11
Est. 433	E.12
Est. 434	E.13
Est. 435	E.13
Est. 436	E.18
Est. 437	E.14
Est. 438	E.14
Est. 439	E.14
Est. 440	E.15
Est. 441	E.15
Est. 442	E.15
Est. 443	E.16
Est. 444	E.17
Est. 445	E.36
Est. 446	E.37
Est. 447	E.38
Est. 448	E.39
Est. 449	E.41
Est. 450	E.40
Est. 451	E.23
Est. 452	E.24
Est. 453	E.24
Est. 454	E.25
Est. 455	E.35
Est. 456	E.30
Est. 457	E.26
Est. 458	E.33
Est. 459	E.34
Est. 460	E.27
Est. 461	E.28
Est. 462	E.32
Est. 463	E.29
Est. 464	E.31
Est. 465	E.97
Est. 466	E.19
Est. 467	E.20
Est. 468	E.20
Est. 469	E.21
Est. 470	E.21
Est. 471	E.21
Est. 472	E.44
Est. 473	E.44
Est. 474	E.45
Est. 475	E.46
Est. 476	E.47
Est. 477	E.48
Est. 478	E.49
Est. 479	E.50
Est. 480	E.51
Est. 481	E.52
Est. 482	E.53
Est. 483	E.54
Est. 484	E.55
Est. 485	E.56
Est. 486	E.56
Est. 487	E.56
Est. 488	E.56
Est. 489	E.56
Est. 490	E.57
Est. 491	E.57
Est. 492	E.58
Est. 493	E.58
Est. 494	E.58
Est. 495	E.59
Est. 496	E.59
Est. 497	E.60
Est. 498	E.60
Est. 499	E.61
Est. 500	E.61
Est. 501	E.62
Est. 502	E.62
Est. 503	E.63
Est. 504	E.63
Est. 505	E.63
Est. 506	E.63
Est. 507	E.64
Est. 508	E.64
Est. 509	E.64
Est. 510	E.64
Est. 511	E.64
Est. 512	E.65
Est. 513	E.65
Est. 514	E.65
Est. 515	E.65
Est. 516	E.67
Est. 517	E.67
Est. 518	E.67
Est. 519	E.67
Est. 520	E.68
Est. 521	E.68
Est. 522	E.69
Est. 523	E.69
Est. 524	E.69
Est. 525	E.69
Est. 526	E.66
Est. 527	E.66
Est. 528	E.70
Est. 529	E.70
Est. 530	E.70
Est. 531	E.84
Est. 532	E.85
Est. 533	E.86
Est. 534	E.87
Est. 535	E.88
Est. 536	E.42
Est. 537	E.22
Est. 538	E.22
Est. 539	E.71
Est. 540	E.71
Est. 541	E.72
Est. 542	E.73
Est. 543	E.74
Est. 544	E.83
Est. 545	E.76
Est. 546	E.77
Est. 547	E.78
Est. 548	E.79
Est. 549	E.80
Est. 550	E.81
Est. 551	E.82
Est. 552	E.75
Est. 553	E.43
Est. 554	E.89
Est. 555	E.90
Est. 556	E.91
Est. 557	E.92
Est. 558	E.93
Est. 559	E.94
Est. 560	E.94
Est. 561	E.95
Est. 562	E.96

Expositions

BEAUNE, 1991, *La Passion du mouvement au XXe siècle : hommage à E.J. Marey*, Musée Marey, 1991

BERNE, 1985, *Deutsche Romantik aus Museen der Deutschen Demokratischen Republik*, Musée des Beaux-Arts, 1985 (cat. par Jürgen Glaesemer)

BEYROUTH, 1948, *Le Proche Orient vu par les artistes français*, 1948

BOULOGNE-BILLANCOURT, 1984, *Les Chevaux de Gericault. Estampes de l'Ecole nationale supérieure des Beaux-Arts*, Centre culturel, 1984 (cat. par Philippe Grunchec)

BRUXELLES, ROTTERDAM, PARIS, 1949-1950, *Le Dessin français de Fouquet à Cézanne*, 1949-1950

BUCAREST, 1931, *Desenul Francez un secolele al XIX si al XX*, Muzeul Toma Stelian, 1931

BUDAPEST, 1982, Musée des Beaux-Arts, 1982

BUENOS AIRES, 1939, *La Pintura francese de David a nuestros dias*, Museo Nacional de Bellas Artes, 1939

COLOGNE, ZURICH, LYON, 1987-1988, *Triomphe et mort du héros*, Wallraf-Richartz Museum, Kunsthaus, Musée des Beaux-Arts, 1987-1988

GENEVE, 1951, *De Watteau à Cézanne*, Musée d'Art et d'Histoire, 1951

HAMBOURG, 1980-1981, *Goya, das Zeitalter der Revolutionen (1789-1830)*, Kunsthalle, 1980-1981

KAMAKURA, KYOTO, FUKUOKA, 1987-1988, *Gericault*, Musée d'Art Moderne, Musée National d'Art Moderne, Musée des Beaux-Arts, 1987-1988 (cat. par François Bergot)

KAUNAS, 1937, *Napoléon et la Lituanie 1812-1937*, 1937

LONDRES, 1952, *French drawings from Fouquet to Gauguin*, The Arts Council Gallery, 1952

LONDRES, 1959, *The Romantic movement*, The Tate Gallery and The Arts Council Gallery, 1959

LOS ANGELES, PHILADELPHIE, DETROIT, 1971-1972, *Gericault*, County Museum of Art, Detroit Institute of Arts, Philadelphia Museum of Art, 1971-1972 (cat. par Lorenz Eitner)

MEXICO, 1994, *De David à Matisse*, Centro cultural arte contemporeano, 1994

MONTARGIS, 1981, *Géricault et le cheval à travers la lithographie*, Musée Girodet, 1981 (cat. par Jacqueline Boutet-Loyer)

MUNICH, 1991-1992, *Johann Georg von Dillis. 1759-1841. Landschaft und Menschenbild*, Neue Pinakothek, 1991-1992 (cat. par Christoph Heilmann)

NANCY, 1978-1979, *Delacroix et la bataille de Nancy*, Musée des Beaux-Arts, 1978-1979

NEW HAVEN, 1969, *The Graphic Art of Géricault*, Yale University Art Gallery, 1969 (cat. par Kate Spencer)

NEW YORK, SAN DIEGO, HOUSTON, 1985-1986, *Master Drawings by Gericault*, Pierpont Morgan Library, Museum of Art, Museum of Fine Arts, 1985-1986 (cat. par Philippe Grunchec)

PARIS, 1924, *Exposition d'œuvres de Géricault*, Hôtel Jean Charpentier, 1924 (cat. par Edouard de Trévise, Jean Guiffrey et Pierre Dubaut)

PARIS, 1927, *Le Centenaire de Navarin 1827-1927*, Bibliothèque nationale, 1927

PARIS, 1934, *David, Ingres, Gericault et leur temps*, Ensba, 1934

PARIS, 1935, *Deux siècles de gloire militaire*, Musée des Arts Décoratifs, 1935

PARIS, 1936, *Gros, ses amis, ses élèves*, Petit Palais, 1936 (cat. par Raymond Escholier et Edouard de Trévise)

PARIS, 1948, *La Révolution de 1848*, Bibliothèque nationale, 1948

PARIS, DETROIT, NEW YORK, 1974-1975, *De David à Delacroix. La Peinture de 1774 à 1830*, Grand Palais, 1974-1975

PARIS, 1976-1977, *L'Amérique vu par l'Europe*, Grand Palais, 1976-1977

PARIS, MALIBU, HAMBOURG, 1981-1982, *De Michel-Ange à Géricault. Dessins de la collection Armand-Valton*, Paris, Ensba, Malibu, J. Paul Getty Museum, Hambourg, Kunsthalle, 1981-1982 (cat. par Emmanuelle Brugerolles)

PARIS, 1982, *La Lithographie en France des origines à nos jours*, Fondation nationale des arts graphiques et plastiques, 1982

PARIS, 1988, *Lord Byron, une vie romantique (1788-1824)*, Musée Renan-Scheffer, 1988

PARIS, 1991-1992, *Gericault*, Grand Palais, 1991-1992 (cat. par Sylvain Laveissière et Régis Michel, assistés de Bruno Chenique)

PARIS, 1992, *Accrochage d'été des collections permanentes de l'Ensba*, Ensba, 1992
PARIS, 1993, *L'Ame au corps*, Grand Palais, 1993
PARIS, 1996, *Face à l'Histoire*, Centre Georges Pompidou, 1996
PARIS, 1996, *La Griffe et la dent*, Musée du Louvre, 1996
PRAGUE, 1956, *Francouzské umeni od Delacroix po Soucasnot*, Narodni Galerie, 1956
PROVIDENCE, 1982, *All the Banners Wave : Art and War in the Romantic Era, 1792-1851*, Brown University, 1982
ROME, 1961, *L'Italia vista dai pittori francesi del XVIII e XIX secolo*, Palazzo delle Esposizioni, 1961
ROME, 1979-1980, *Gericault*, Villa Medicis, 1979-1980 (cat. par Philippe Grunchec)
ROME, 1983, *Bartolomeo Pinelli (1781-1836) e il suo tempo*, 1983 (cat. par Mario Apolloni)
ROUEN, 1977, *L'Ecorché*, Musée des Beaux-Arts, 1977
ROUEN, 1981-1982, *Gericault. Toute l'œuvre gravée et pièces en rapport*, Musée des Beaux-Arts, 1981-1982 (cat. par François Bergot)
SAINT-LÔ, 1990, *Autour de Géricault*, Conseil Général, Maison du Département, 1990
VANCOUVER, 1997, *Théodore Gericault*, Morris and Helen Belkin Art Gallery, 1997
VIENNE, 1950, *Meisterwerke aus Frankreichsmuseen. Zeichnungen französischer Künstler von Ausgang des Mittelalters bis Cézanne*, Albertina, 1950
WASHINGTON, CLEVELAND, SAINT-LOUIS, NEW YORK, 1952-1953, *French drawings masterpieces from five centuries*, National Gallery of Art, Museum of Art, City Art Museum, Metropolitan Museum, 1952-1953
WINTERTHUR, 1953, *Théodore Gericault 1791-1824*, Kunstmuseum, 1953 (cat. par Pierre Dubaut)
ZURICH, 1937, *Zeichnungen französicher Meister von David zu Millet*. Zurich, Kunsthaus, 1937.

Liste établie par Joëlla de Couëssin.

Bibliographie

ADHÉMAR, Jean, LETHÈVE, Jacques, *Bibliothèque Nationale, Inventaire du Fonds français après 1800*, Paris, 1955, IX.

AILLAUD, Gilles, « Bataille rangée », dans *Rebelote*, n° 3, 1973.

AIMÉ-AZAM, Denise, *Mazeppa, Géricault et son temps*, Paris, 1956 et 1959.

AIMÉ-AZAM, Denise, *La Passion de Géricault*, Paris, 1970.

AIMÉ-AZAM, Denise, *Géricault*, Paris, 1983 et 1991.

ALBINUS, Bernard Siegfried, *Tabulae sceleti et musculorum corporis humani*, Lugduni Batavorum, 1747.

ALKEN, Henry, *The National Sports of Great Britain, with Descriptions in English and French*, Londres, 1821.

ALTICK, Robert, *The Shows of London*, Londres, 1978.

AMYOT du MESNIL GAILLARD, Gwénaël, *Histoire du Musée de l'École d'Alfort au gré des révolutions et des passions des collectionneurs*, thèse, Alfort, 1995.

ANTAL, Frederick, « Reflections on Classicism and Romantism », dans *The Burlington Magazine*, LXXVII, n° 450, septembre 1940, pp. 72-80 ; n° 453, décembre 1940, pp. 188-192 ; LXXVIII, n° 454, janvier 1941, pp. 14-22.

ANTAL, Frederick, *Classicism and Romantism*, Londres, 1966.

APOLLONI, Mario (éd.), *Bartolomeo Pinelli 1781-1835 e il suo tempo*, Rome, 1983.

ARMAND, Alfred, *Les Médailleurs italiens des quinzième et seizième siècles*, Paris, 1879 et 1883.

ARNAULT, Antoine-Vincent, *Vie Politique et militaire de Napoléon*, Paris, 1822-1826, 2 tomes.

ARPENTIGNY, d', « Une lettre de Géricault », dans *Le Courrier artistique*, n° 42, 3 avril 1864, p. 168.

ATHANASSOGLOU-KALLMYER, Nina, « Sad Cincinnatus : Le Soldat Laboureur as an Image of Napoleonic Veteran after the Empire », dans *Arts Magazine*, mai 1986, pp. 65-75.

ATHANASSOGLOU-KALLMYER, Nina, « Imago Belli : Horace Vernet's L'Atelier as an Image of Radical Militarism under the Restoration », dans *Art Bulletin*, LXVIII, n° 2, juin 1986, pp. 268-280.

ATHANASSOGLOU-KALLMYER, Nina, *French Images from the Greek War of Independence 1821-1830 : Art and Politics under the Restoration*, New Haven-Londres, 1989.

ATHANASSOGLOU-KALLMYER, Nina, « Liberals of the World Unite : Géricault, his Friends, and "La Liberté des peuples" », dans *Gazette des Beaux-Arts*, CXVI, décembre 1990, pp. 227-242.

ATHANASSOGLOU-KALLMYER, Nina, « Géricault's Severed Heads and Limbs : The Politics and Aesthetics of the Scaffold », *Art Bulletin*, LXXIV, n° 4, décembre 1992, pp. 599-618.

ATHANASSOGLOU-KALLMYER, Nina, « Géricault : politique et esthéthique de la mort », dans *Actes du Colloque international sur Géricault* (éd. par R. Michel), Paris-Rouen, novembre 1991, Paris, 1996, I, pp. 121-141.

ATHANASSOGLOU-KALLMYER, Nina, *Géricault's Orient Engagé*, exp. Vancouver, Morris and Helen Belkin Art Gallery, 1997, pp. 136-144.

BARONE, R., *Anatomie comparée des mammifères domestiques. I : Ostéologie*, Paris, 1986.

BARTSCH, The Illustrated Bartsch (éd. par Walter L. Strauss), New York, 1980-1989.

BATISSIER, Louis, « Biographie de Géricault », dans *Revue du XIXe siècle*, s.d.[juillet 1841, selon Br. Chenique, cat. p. 00].

BAUDELAIRE, Charles, *Œuvres complètes* (éd. par Claude Pichois), Paris, éd. 1976, II.

BAZIN, Germain, *Théodore Gericault. Etude critique, documents et catalogue raisonné*, Paris, 1987-1997, 7 tomes (I et II : 1987 ; III : 1989 ; IV : 1990 ; V : 1992 ; VI : 1994 ; VII : 1997).

BÉCLARD, Jules, « Éloge de M. Gerdy dans la séance du 11 décembre 1866 », dans *Mémoires de l'Académie Impériale de Médecine, XXVIII*, Paris, 1867-1868.

BENJAMIN, Walter, « L'Œuvre d'art à l'époque de sa reproductibilité technique », dans *Sur l'art et la photographie*, trad. par Ch. Jouanlanne, Paris, 1997, coll. Arts et esthétique.

BERGER, Klaus, *Géricault. Drawings and Watercolors* ; New York, 1946.

BERGER, Klaus, *Géricault und sein Werk*, Vienne, 1952.

BERGER, Klaus, *Géricault et son œuvre*, Paris, 1953 (trad. anglaise en 1955).

BERGER, Klaus, *Géricault*, Paris, 1968.

BERGER, Klaus, CHALMERS JOHNSON, Diane, « Art and confrontation : the Black Man in the Work of Géricault », dans *The Massachusetts Review*, X, n° 2, Spring 1969, pp. 1-39 (tiré à part).

BERGOT, François, *Gericault. Tout l'œuvre gravé et pièces en rapport*, exp. Rouen, Musée des Beaux-Arts, 1981-1982.

BERGOT, François, « Le Blanc et le noir, ou la vérité romantique de Géricault », dans *L'Œil*, n° 322, mai 1982, pp. 28-35.

BERGOT, François, *Gericault*, exp. Kamakura, Musée d'Art Moderne, Kyoto, Musée National d'Art Moderne, Fukuoka, Musée des Beaux-Arts, 1987-1988.

BERNI, Antonio, « Géricault et l'indépendance de l'Amérique Latine », dans *Les Lettres Françaises*, n° 843, 29 septembre - 5 octobre 1960, p. 10.

BERTIER de SAUVIGNY, Guillaume de, *La Restauration*, Paris, 1955 (reéd. en 1990, coll. Champs).

BICAL, Albert, DUVAL, Mathias, *L'Anatomie des maîtres. Trente planches reproduisant les originaux de Vinci, Michel-Ange, Raphaël, Géricault...*, Paris, 1890.

BLANC, Charles, « Géricault », dans *Le National*, 30 août 1842, p. 3.

BLANC, Charles, « Théodore Géricault », dans *Histoire des peintres de toutes les écoles. Ecole française*, Paris, 1865, III, pp. 1-12.

BLUCHE, Frédéric, *Le Bonapartisme*, Paris, 1980.

BOILLY, Jules, « Lettre de Th. Géricault », dans *Archives de l'Art Français*, II, 15 juillet 1852, pp. 189-192.

BOIME, Albert, *The Academy and French Painting in the Nineteenth Century*, New Haven, 1986.

BOIME, Albert, *The Art of Exclusion*, Washington-Londres, 1990.

BOIME, Albert, « Portraying Monomaniacs to Service the Alienist's Monomia : Géricault et Georget », dans *The Oxford Art Journal*, XIV, n° 1, 1991, pp. 79-91.

BOIME, Albert, « Gericault's African Slave Trade and the Physiognomy of the Oppressed », dans *Actes du Colloque international sur Géricault* (éd. par R. Michel), Paris-Rouen, novembre 1991, Paris, 1996, II, pp. 561-593.

BORBEIN Adolf Heinrich, *Campanareliefs. Typologie und stilkritische Untersuchung*, Heidelberg, 1968 (Römische Mitteilungen 14).

BOUCHARDON, Edme, *L'Anatomie nécessaire pour l'usage du dessein par Edme Bouchardon, Sculpteur du Roi*, gravé et publié par Jacques Huquier, Paris, 1741.

BOUCHER, François, *Histoire du costume*, Paris, 1965.

BOUCHOT, Henri, « La Lithographie en France sous la Restauration, 1818-1830 », dans *La Lithographie*, Paris, 1895.

BOURGELAT, Claude, *De la conformation extérieure du Cheval*, Paris, 1768.

BOUTET-LOYER, Jacqueline, *Géricault et le cheval à travers la lithographie*, exp. Montargis, Musée Girodet, 1981.

BOUYER, Raymond, « Des maîtres de David aux élèves d'Ingres », dans *Le Bulletin de l'Art ancien et moderne*, n° 806, mai 1934, pp. 196-200.

BRIQUET, Charles, *Les Filigranes. Dictionnaire des marques du papier*, Hildesheim - New York, 1977, 4 tomes.

BRUEL, André, *Dessins anatomiques de David d'Angers*, Paris, 1959.

BRUGEROLLES, Emmanuelle, *De Michel-Ange à Gericault. Dessins de la donation Armand-Valton*, exp. Paris, Ensba, Malibu, J. Paul Getty, Hambourg, Kunsthalle, 1981-1982.

BRUGEROLLES, Emmanuelle, *Les Dessins de la collection Armand-Valton. La donation d'un grand collectionneur du XIXe siècle à l'Ecole des Beaux-Arts*, Paris, 1984.

BRUNET, Claire, « Le Silence de Baudelaire », dans *Actes du Colloque international sur Géricault* (éd. par R. Michel), Paris-Rouen, novembre 1991, Paris, 1996, II, pp. 841-870.

BRUNOT, Jacques, Nicolas, *Études anatomiques du cheval, utiles à sa connaissance intérieure et extérieure, à son emploi et à sa représentation relativement aux arts*, [Paris], 1820.

BRYSON, Norman, « Géricault and Masculinity », dans *Visual Culture*, Wesleyan, 1994.

BURTY, Philippe, « Mouvement des arts et de la curiosité. Vente d'estampes », dans *Gazette des Beaux-Arts*, IX, 15 février 1861, pp. 240-242.

BURTY, Philippe, « Mouvement des arts et de la curiosité. Vente de lithographies.-Collection Parguez », dans *Gazette des Beaux-Arts*, X, 15 mai 1861, pp. 246-249.

BYRON, George Gordon, *Contes orientaux* (trad. par Amédée Pichot en 1830), Paris, éd. 1994.

CANTAREL-BESSON, Yveline, *Le Manuscrit de Montfort*, exp. Paris, Grand Palais, 1991-1992, pp. 309-316.

CASO, Jacques de, « Géricault, David d'Angers, Le Monument à l'Émancipation et autres objets ou figures du racisme romantique », dans *Actes du Colloque international sur Géricault* (éd. par R. Michel), Paris-Rouen, novembre 1991, Paris, 1996, II, pp. 531-560.

CÉLINE, Louis-Ferdinand, *Romans* (éd. par Henri Godard), Paris, éd. 1981, I.

CERTEAU, Michel de, *L'Écriture de l'histoire*, Paris, 1975.

CERTEAU, Michel de, *L'Invention du quotidien*, I. *Arts de faire* (éd.par Luce Giard), Paris, 1990.

CÉZANNE, Paul, *Correspondance*, Paris, éd. 1978.

CHALMERS JOHNSON, Diane, BERGER, Klaus, « Art and confrontation : the Black Man in the Work of Géricault », dans *The Massachusetts Review*, X, n° 2, Spring 1969, pp. 1-39 (tiré à part).

CHAMBERS, R., *Chamber's Encyclopedia. A Dictionary of Universal Knowledge for the People*, Philadelphie-Edimbourgh, III et V.

CHAPPEY, Frédéric, « Note sur un rapin de Géricault à l'Isle-Adam : Louis-Alexis Jamar (1800-1875) », dans *La Méduse, feuille d'information de l'Association des amis de Géricault*, n° 1, janvier 1996, p. 4.

CHAPPEY, Frédéric, « Louis-Alexis Jamar (1800-1875). Un élève de Géricault à l'Isle-Adam », dans *Vivre en Val-d'Oise*, n° 38, juin-août 1996, pp. 33-37.

CHENIQUE, Bruno, *Gericault, une vie* et *Lettres et documents*, exp. Paris, Grand Palais, 1991-1992, pp. 261-308 et 317-324.

CHENIQUE, Bruno, *Un malade, dit aussi Géricault mourant*, exp. Calais, Musée des Beaux-Arts et de la Dentelle, Dunkerque, Musée des Beaux-Arts, Douai, Musée de la Chartreuse, 1993, I, pp. 168-170.

CHENIQUE, Bruno, « Pour une étude de milieu : le cercle amical de Géricault », dans *Actes du Colloque international sur Géricault* (éd. par R. Michel), Paris-Rouen, novembre 1991, Paris, 1996, I, pp. 337-360.

CHENIQUE, Bruno, « Géricault : une correspondance décapitée » dans *Nouvelles approches de l'épistolaire. Lettres d'artistes, archives et correspondance.* Actes du Colloque international (éd. par M. Ambrière et Loïc Chotard), Paris, décembre 1993, Paris, 1996, pp. 17-50.

CHENIQUE, Bruno, PESSIOT, Marie, « Géricault, La mort du duc de Berry », dans *La Méduse, feuille d'information de l'Association des amis de Géricault*, n° 2, octobre 1996, pp. 3-4.

CHENIQUE, Bruno, *On the far left of Géricault*, exp. Vancouver, Morris and Helen Belkin Art Gallery, 1997, pp. 52-93.

CHENNEVIÈRES, Henry de, « Silhouettes de collectionneurs. M. Eudoxe Marcille », dans *Gazette des Beaux-Arts*, IV, septembre 1890, pp. 217-235, et octobre 1890, pp. 296-310.

CHENNEVIÈRES, Philippe de, « Souvenirs d'un directeur des Beaux-Arts. M. Reiset (post-scriptum) », dans *L'Artiste*, I, mai 1886, pp. 337-340.

CHENNEVIÈRES, Philippe de, « Souvenirs d'un directeur des Beaux-Arts. Collectionneurs. M. His de la Salle », dans *L'Artiste*, I, janvier 1888, pp. 8-23.

CLARÉTIE, Jules, *Peintres et sculpteurs contemporains*, Paris, 1882, I.

CLARK, Kenneth, *The Romantic Rebellion*, Londres, 1973.

CLÉMENT, Charles, « Catalogue de l'œuvre de Géricault » dans *Gazette des Beaux-Arts*, XX, juin 1866, pp. 521-541 ; juillet 1866, pp. 72-78.

CLÉMENT, Charles, « Géricault » dans *Gazette des Beaux*-Arts, XXI, mars 1867, pp. 209-250 ; avril 1867, pp. 321-349 ; mai 1867, pp. 449-483.

CLÉMENT, Charles, « Catalogue de l'œuvre de Géricault », dans *Gazette des Beaux-Arts*, septembre 1867, pp. 272-293 ; octobre 1867, pp. 351-372.

CLÉMENT, Charles, *Gericault, Etude biographique*

et critique avec le catalogue raisonné de l'œuvre du maître, Paris, 1868.

CLÉMENT, Charles, *Anatomie de l'homme, dessins de Géricault, photographiés, en fac-simile, d'après les originaux appartenant à M. de Varennes*, Paris, 1870.

CLÉMENT, Charles, *Gericault, Etude biographique et critique avec le catalogue raisonné de l'œuvre du maître*, 3e éd. augmentée d'un supplément, Paris, 1879.

COLIN, Alexandre, *Fac-simile d'après les croquis et compositions inédites de feu Géricault, lithographiés par Colin et Wattier. 1re livraison.* Paris, [1824].

COLIN, Alexandre, *Dessins de Géricault, lithographiés en fac-simile par A. Colin. 1re livraison*. Paris, 1866.

COMITI, Vincent Pierre, « Histoire des gants et de leur usage en pratique médico-chirurgicale », dans *Le Généraliste*, n° 175, 25 mars 1979, p. 36.

CORRÉARD, Alexandre, SAVIGNY, Jean-Baptiste Henri, *Naufrage de la frégate La Méduse, faisant partie de l'expédition du Sénégal en 1816*, Paris, 1817 et 1818 (reéd. en 1969).

COURGAUD, Gaspard, *Campagne de dix-huit cent quinze*, Paris, 1818.

COURTHION, Pierre, *Gericault raconté par lui-même et par ses amis*, Genève, 1947.

CRAUK, Gustave-Adolphe, *Soixante ans dans les ateliers des artistes. Charles Dubosc modèle*, Paris, 1900.

CROW, Thomas, *Emulation : Making Artists for Revolutionary France*, New Haven-Londres, 1995.

CUYER, Édouard, DUVAL, Mathias, *Histoire de l'anatomie plastique. Les maîtres, les livres et les écorchés*, Paris, 1898.

CUYER, Édouard, « Notes sur quelques dessins anatomiques de Géricault », dans *Chronique des Arts et de la Curiosité*, n° 26, 23 juillet 1898, pp. 236-238.

DARCEL, Alfred, « L'Œuvre de Géricault », dans *Journal de Rouen*, n° 94, 3 avril 1876, p. 3.

DAULTE, François, *Le Desssin français de David à Courbet*, Lausanne, 1953.

DEBORD, Jean-François, *De l'anatomie artistique à la morphologie*, exp. Paris, Grand Palais, 1993-1994, pp. 102-117.

DELACROIX, Eugène, *Correspondance générale* (éd. par A. Joubin), Paris, éd. 1935.

DELACROIX, Eugène, *Journal* (éd. par A. Joubin), Paris, éd. 1981.

DEL CARRIL, Bonifacio, *Iconografia del General San Martin*, Buenos Aires, 1971.

DELESTRE, J.B., *Gros, sa vie et ses ouvrages*, Paris, 1867.

DEL GUERCIO, Antonio, *Géricault*, Milan, 1963.

DEL GUERCIO, Antonio, *Géricault*, Milan, 1964 (I Maestri del Colore, n° 46).

DEL MEDICO, Giuseppe, *Anatomia per uso dei pittori e scultori*, Rome, 1811 et Paris, 1813.

DELTEIL, Loys, *Théodore Géricault*, Paris, 1924, (Le Peintre-graveur illustré. XVIII).

DIDI-HUBERMAN, Georges, *Devant l'image*, Paris, 1990.

DIMIER, Louis, « Le Rôle de Géricault dans notre école », dans *Beaux-Arts*, nos 36-37, 19-26, septembre 1941, p. 9.

DUBAUT, Pierre, TRÉVISE, Édouard de, GUIFFREY, Jean, *Exposition d'œuvres de Géricault*, exp. Paris, Hôtel Jean Charpentier, 1924.

DUBAUT, Pierre, *Théodore Gericault 1791-1824*, exp. Winterthur, Kunstmuseum, 1953.

DUBE, Wolf-Dieter, STEINGRÄBER, Erich, HEILMANN, Christoph, *Neue Pinakothek München. Erläuterungen zu den ausgestellten Werken*, Munich, 1989.

DUHOUSSET, E., « Le Cheval dans l'Art », dans *Gazette des Beaux-Arts*, XXVIII, novembre 1883, pp. 407-423 ; XXIX, janvier 1884, pp. 46-54 ; mars 1884, pp. 242-256 ; mai 1884, pp. 437-450.

DUMETT, Mari, *Works in the Exhibition*, exp. Vancouver, Morris and Helen Belkin Art Gallery, 1997.

DUPLESSIS, Georges, *Notice sur Alfred Armand*, Paris, 1888.

DUPUIGRENET-DESROUSSILLES, Guy, « Stendhal et Sismondi ou face à l'industrialisme, une économie romantique », dans *Stendhal, le saint-simonisme et les industriels. Stendhal et la Belgique.* Actes du XIIe congrès international stendhalien (éd. par O. Schellenkens), Bruxelles, 1979.

DURAND-GRÉVILLE, Émile, *Entretien de J.J. Henner. Notes prises par Emile Durand-Gréville après ses conversations avec J.J. Henner(1878-1888)*, Paris, 1925.

DUVAL, Mathias, BICAL, Albert, *L'Anatomie des maîtres. Trente planches reproduisant les originaux de Vinci, Michel-Ange, Raphaël, Géricault...*, Paris, 1890.

DUVAL, Mathias, CUYER, Édouard, *Histoire de l'anatomie plastique. Les maîtres, les livres et les écorchés*, Paris, 1898.

EITNER, Lorenz, « Géricault at Winterthur », dans *The Burlington Magazine*, XCVI, n° 617, août 1954, pp. 254-259.

EITNER, Lorenz, « Two rediscovered landscapes by Gericault », dans *The Art Bulletin*, juin 1954, pp. 131-142.

EITNER, Lorenz, *Géricault. An album of Drawings in the Art Institute of Chicago*, Chicago, 1960.

EITNER, Lorenz, « Géricault's « Dying Paris » and the meaning of his romantic classicism », dans *Master Drawings*, Spring 1963, pp. 21-34.

EITNER, Lorenz, *Géricault*, exp. Los Angeles, County Museum of Art, Detroit, Institute of Art, Philadelphie, Museum of Art, 1971-1972.

EITNER, Lorenz, *Géricault's Raft of the Medusa*, Londres, 1972.

EITNER, Lorenz, *Reprint of Clément : Gericault : Etude biographique et critique* (3e éd., Paris, 1879). Paris, 1973 ; New York, 1974.

EITNER, Lorenz, « Géricault Exhibition at the French Academy in Rome », dans *The Burlington Magazine*, CXXII, n° 924, mars 1980, pp. 222, 225.

EITNER, Lorenz, *Gericault, His Life and Work*, Londres, 1983.

EITNER, Lorenz, « Exhibition reviews : New York, San Diego and Houston. Master Drawings by Gericault », dans *The Burlington Magazine*, CXXVIII, n° 994, janvier 1986, pp. 55-59.

EITNER, Lorenz, « Master Drawings by Gericault », dans *Master Drawings*, XXIII-XXIV, n° 4, Winter 1986, pp. 563-567.

EITNER, Lorenz, *Gericault in America*, exp. Kamakura, Musée d'Art Moderne, Kyoto, Musée National d'Art Moderne, Fukuoka, Musée des Beaux-Arts, 1987-1988, pp. 290-295.

EITNER, Lorenz, *Géricault, sa vie, son œuvre*, Paris, 1991.

EITNER, Lorenz, « Paris, Grand Palais. The Gericault Bicentenary », dans *The Burlington Magazine*, CXXXIV, janvier 1992, pp. 49-51.

EITNER, Lorenz, « Gericault », dans *The Dictionnary of Art* (éd. par Jane Turner), Londres-New York, 1996, XII, pp. 348-354.

EITNER, Lorenz, « Erotic Drawings by Gericault », dans *Master Drawings*, XXXIV, n° 4, Winter 1996, pp. 375-389.

ÉLUARD, Paul, *Léda*, Lausanne, 1949.

ENGELMANN, Godefroy, *Album exécuté par le nouveau procédé du lavis lithographié, inventé par Engelmann*, Paris, 1821, cité dans la *Bibliographie de la France, ou Journal général de l'imprimerie et de la librairie*, « Gravures », 12 janvier 1821, p. 29, n° 27.

ENGELMANN, Godefroy, *Manuel du dessinateur lithographique*, Paris, 1822.

ENGELMANN, Godefroy, *Traité théorique et pratique de lithographie*, Mulhouse, 1840.

EPHRUSSI, Charles, « Les Dessins de la Collection His de la Salle », dans *Gazette des Beaux-Arts*, XXV, mars 1882, pp. 225-245, et avril 1882, pp. 297-309.

ESCHOLIER, Raymond, TRÉVISE, Édouard de, *Gros, ses amis, ses élèves*, exp. Paris, Petit Palais, 1936.

ESTÈVE, Raymond, *Byron et le romantisme français, essai sur la fortune et l'influence de l'œuvre de Byron en France de 1812 à 1850*, Paris, 1928.

FAGGIOLI, Maurizio, MARINI, Maurizio, *Bartolomeo Pinelli (1781-1836) e il suo tempo*, exp. Rome, 1983.

FAHMY, Scandar, *La France en 1814*, Paris, 1934.

FAIN, Agathon-Jean-François, *Manuscrit de mil huit cent quatorze trouvé dans les voitures impériales prises à Waterloo*, Paris, 1823.

FANON, Frantz, *Peau noire, masques blancs*, Paris, 1995.

FEHLMANN, Marc, « Gericault's Zurich Sketchbook. Its Contents and some Observations », dans *Georges-Bloch-Jahrbuch des Kunstgeschichtlichen Seminars der Universität Zürich*, Zurich, 1995, II, pp. 86-107.

FOHR, Robert, « Géricault abolitionniste », dans *L'Estampille. L'Objet d'art*, n° 251, octobre 1991, pp. 66-71.

FOSSARD, Jacques, *Les Suë*, [conférence], Paris, Faculté de Médecine, s.d.

FOUCART, Bruno, « Trois siècles de dessins français », dans *L'Œil*, n° 279, octobre 1978, pp. 40-47.

FOX, Celina, « Géricault's Lithographs of the London Poor », dans *Print Quarterly*, V, n° 1, mars 1988, pp. 62-66.

FREUD, Sigmund, « Actuelles sur la guerre et la mort » (1915), dans *Œuvres complètes. Psychanalyse* (trad. sous la dir. de Jean Laplanche), Paris, éd. 1988, XIII.

FRIED, Michael, *Le Réalisme de Courbet. Esthétique et origines de la peinture moderne*, Paris, 1993.

FRIED, Michael, « Géricault's Romanticism », dans *Actes du Colloque international sur Géricault* (éd. par R. Michel), Paris-Rouen, novembre 1991, Paris, 1996, II, pp. 641-659.

GARNAUD, F. « La Douleur dans l'art », dans *Æsculape*, décembre 1961, pp. 47-48.

GASSIER, Pierre, *Léopold Robert*, Neuchâtel, 1983.

GAUDIBERT, P., « *Gericault* », dans *Europe*, n° 106, octobre 1954, pp. 74-101.

GAUTHIER, Maximilien, *Géricault*, Paris, 1935, coll. Les Maîtres.

GAUTIER, Théophile, *Préface à Mademoiselle de Maupin (mai 1834)*, Paris, éd. 1995, coll. Bouquins.

GEORGE, Dorothy M., *London Life in the Eighteenth Century*, Londres, 1976.

GEORGE, Waldémar, *Le Dessin français de David à Cézanne*, Paris, 1929.

GÉRARD, Henry, « Pierre-Narcisse Guérin. Lettre à François Gérard », dans *Archives de l'Art français*, II, 1852-1853, pp. 177-184.

GERDY, Pierre-Nicolas, *Anatomie des Formes Extérieures du Corps Humain appliquée à la Peinture, la Sculpture et à la Chirurgie*, Paris, 1829.

GERMER, Stefan, « "Je commence une femme, et ça devient un lion" : On the Origin of Géricault's fantasy of Origins », dans *Actes du Colloque international sur Géricault* (éd. par R. Michel), Paris-Rouen, novembre 1991, Paris, 1996, I, pp. 423-447.

GERMER, Stefan (éd.), ZIMMERMANN, Michael F. (éd.), *Bilder der Macht. Macht der Bilder. Zeitgeschichte in Darstellungen des 19. Jahrhunderts*, Munich-Berlin, 1997.

GLAESEMER, Jürgen, *Deutsche Romantik aus Museen der Deutschen Demokratischen Republik*, exp. Berne, Musée des Beaux-Arts, 1985.

GODFREY, Richard T., *Printmaking in Britain, a General History from its begining to the present day*, Oxford, 1978, p. 9.

GOETHE, Johann Wolfgang von, *Romans*, trad. par Blaise Briod, Paris, éd. 1954, coll. La Pléiade.

GOETHE, Johann Wolfgang von, *La Métamorphose des plantes et autres écrits botaniques* (1817), trad. par H. Bideau, éd. par R. Steiner, Paris, éd. 1992.

GOLZIO, V., « Gericault e Roma » dans *L'Urbe*, septembre-octobre 1963.

GRUNCHEC, Philippe, « L'Inventaire posthume de Théodore Gericault », dans *Bulletin de la Société de l'Histoire de l'Art Français*, 1976 [1978] pp. 395-420.

GRUNCHEC, Philippe, « Géricault : problèmes de méthode », dans *Revue de l'Art*, n° 43, 1979, pp. 37-58.

GRUNCHEC, Philippe (Préface de J. THUILLIER), *L'opera completa di Gericault*, Milan, 1978.

GRUNCHEC, Philippe (Préface de J. THUILLIER), *Tout l'œuvre peint de Gericault*, Paris, 1978 et 1991.

GRUNCHEC, Philippe, *Gericault*, exp. Rome, Villa Médicis, 1979-1980.

GRUNCHEC, Philippe, *Gericault, desssins et aquarelles de chevaux*, Lausanne, Paris, 1982.

GRUNCHEC, Philippe, *Les Chevaux de Gericault. Estampes de l'École nationale des Beaux-Arts*, exp. Boulogne-Billancourt, Centre culturel, 1984.

GRUNCHEC, Philippe, *Master Drawings by Gericault*, exp. New York, Pierpont Morgan Library, San Diego, Museum of Art, Houston, Museum of Fine Arts, 1985-1986.

GRUNCHEC, Philippe, *La Vie et l'œuvre de Théodore Gericault*, exp. Kamakura, Musée d'Art Moderne, Kyoto, Musée National d'Art Moderne, Fukuoka, Musée des Beaux-Arts, 1987-1988, pp. 45-51.

GRUYER, A., « M. His de la Salle », [discours] lu dans la séance publique annuelle des cinq Académies du 25 octobre 1881, Paris, 1881.

GUÉDRON, Martial, *La Plaie et le couteau. La sensibilité anatomique de Théodore Géricault*. Paris, 1997, coll. Le Sens de l'Histoire.

GUÉNOT, Georges, « Ecole Impériale des Beaux-Arts. Cours de David d'Angers et de E. Emery », dans *Revue des Beaux-Arts*, VII, 1856, pp. 121-123.

GUIFFREY, Jean, MARCEL, Pierre, *Inventaire général des Dessins du Musée du Louvre et du Musée de Versailles. École française*, Paris, 1907-1911, 6 tomes.

GUIFFREY, Jean, TRÉVISE, Edouard de, DUBAUT, Pierre, *Exposition d'œuvres de Géricault*, exp. Paris, Hôtel Jean Charpentier, 1924.

GUILBAUT, Serge, *Théodore Géricault : The Hoarse Voice of History*, exp. Vancouver, Morris and Helen Belkin Art Gallery, 1997, pp. 4-17.

HANSON, Michael, *2000 Years of London, an Illustrated Survey*, Londres, 1967.

HASHI, Hidebumi, *Géricault lithographe, ses recherches et son originalité*, exp. Kamakura, Musée d'Art Moderne, Kyoto, Musée National d'Art Moderne, Fukuoka, Musée des Beaux-Arts, 1987-1988, pp. 179-181.

HASKELL, Francis, « An Eye for Heroic », dans *Times Literary Supplement*, 15 juillet 1983, pp. 743-744.

HASKELL, Francis, PENNY, Nicholas, *Taste and the Antique. The Lure of Classical Sculpture 1500-1900*, New Haven, 1988.

HAVERKAMP-BEGEMANN, Egbert, LOGAN, Carolyn, *Creative Copies. Interpretative Drawings from Michelangelo to Picasso*, New York-Londres, 1988.

HEALY, F.G., *The Literary Culture of Napoleon*, Genève, 1959.

HEILMANN, Christoph, STEINGRÄBER, Erich, DUBE, Wolf-Dieter, *Neue Pinakothek München. Erläuterungen zu den ausgestellten Werken*, Munich, 1989.

HEILMANN, Christoph, *Johann Georg von Dillis. 1759-1841. Landschaft und Menschenbild*, exp. Munich, Neue Pinakothek, 1991-1992.

HEILMANN, Christoph, KALINOWSKI, Kontanti, *Sammlung Graf Raczynski. Malerei der Spätromantik aus der Nationalgalerie Poznan*, Munich, 1992.

HEVESY, André de, « Léda et le cygne », dans *L'Amour de l'art*, décembre 1931, pp. 469-480.

HIBBERT, Christopher, *London, a Biography of a City*, Londres, 1979.

HOBBHOUSE, Hermione, *Lost London, a Century of Demolition and Decay*, Londres, 1971.

HOLSTEN, Siegmar, *Freiheit oder Tod*, exp. Hambourg, Kunsthalle, 1980-1981, pp. 349-358.

HONOUR, Hugh, « Curiosities of the Egyptian Hall », dans *Country Life*, 7 janvier 1954, pp. 38-39.

HONOUR, Hugh, *L'Image du Noir dans l'art occidental*, Paris, 1989, I.

HOPP, Gisela, « Le Train d'artillerie de Géricault », dans *Gazette des Beaux-Arts*, LXXXII, novembre 1973, pp. 311-320.

HOUSSAYE, Henry, « Un maître de l'école française : Géricault », dans *Revue des Deux-Mondes*, XXXVI, 15 novembre 1879, pp. 374-391.

HUGO, Victor, *Les Orientales* (1829), Paris, éd. 1968, I.

HULLMANDEL, Charles, PINELLI, Bartolomeo, *Roman Costumes Drawn from Nature*, Londres, 1820.

HULLMANDEL, Charles, *A Reply to Some Statements in an Article Entitled « The History of Lithography », Published in the Foreign Review, n° VII for July 1829*, Londres, 1829.

HUQUIER, Jacques (éd.), *L'Anatomie nécessaire pour l'usage du dessein, par Edme Bouchardon, Sculpteur du Roi*, Paris, 1741.

HUYGHE, René, *La Relève de l'imaginaire*, Paris, 1976.

JACQUES, Annie, « Bibliothèque de l'École nationale supérieure des Beaux-Arts », dans *Patrimoine des bibliothèques de France. Un guide des régions. Ile-de- France*, Paris, 1995, pp. 132-141.

JAL, Auguste, *L'Artiste et le philosophe, entretiens critiques sur le salon de 1824*, Paris, 1824.

JAL, Gustave, « Variétés », dans *Le Fanal des théâtres, de la littérature, des sciences et des arts*, I, n° 19, 23 octobre 1819, [p.3].

JAN, Patrick, RICHIR, Hervé, *Les Papiers huilés ou vernis. Applications graphiques et picturales au XIXe siècle*, maîtrise de l'École du Louvre, Paris, 1989.

JARDIN, André, TUDESQ, André-Jean, *La France des notables. La Vie de la nation, 1815-1848*, Paris, 1978.

JAY, Antoine, JOUY, Antoine de, *Salon d'Horace Vernet*, Paris, 1822.

JEUNE, Marie, *Gericault*, exp. Kamakura, Musée d'Art Moderne, Kyoto, Musée National d'Art Moderne, Fukuoka, Musée des Beaux-Arts, 1987-1988.

JOANNIDES, Paul, « Towards the Dating of Géricault's Lithographs », dans *The Burlington Magazine*, CXV, n° 847, octobre 1973, pp. 666-671.

JOHNSON, Lee, « The Raft of the Medusa in Great Britain », dans *The Burlington Magazine*, XCVI, août 1954, pp. 249-254.

JOHNSON, Lee, « Some Unknown Sketches for the " Wounded Cuirassier" and a Subject Identified », dans *The Burlington Magazine*, XCVII, n° 624, mars 1955, pp. 78-81.

JOHNSON, Lee, « The formal sources of Delacroix's Barque de Dante », dans *The Burlington Magazine*, C, n° 644, juillet 1958, pp. 228-233.

JOHNSON, Lee, «A copy after Van Dyck by Géricault», dans *The Burlington Magazine*, CXII, n° 813, décembre 1970, pp. 793-797.

JOUY, Antoine de, JAY, Antoine, *Salon d'Horace Vernet*, Paris, 1822.

JULLIAN, René, « Gericault et l'Italie », dans *Arte in Europa. Scritti di Storia dell'Arte in onore di Edoardo Arslan*, [Milano, 1966], I, pp. 897-905.

JUNG, C.G., *Essai d'exploration de l'inconscient* (trad. par Laure Deutschmeister), Paris, éd. 1988.

KALINOWSKI, Kontanti, HEILMANN, Christoph, *Sammlung Graf Raczynski. Malerei der Spätromantik aus der Nationalgalerie Poznan*, Munich, 1992.

KELLER, H., Géricault : « Der Verwundete Soldat », dans *Wallraf-Richartz-Jahrbuch*, Cologne, 1966, XXVIII, pp. 129-144.

KLIGENDER, Francis, *Art and the Industrial Revolution*, 1968.

KNOCH, Inken D., « Une peinture sans sujet ? Étude sur les Fragments anatomiques », dans *Actes du Colloque international sur Géricault* (éd. par R. Michel), Paris-Rouen, novembre 1991, Paris, 1996, I, pp. 143-160.

KOCH, Guntram, SICHTERMANN, Helmut, *Römische Sarkophage*, Munich, 1982.

LA COMBE, Joseph-Félix de, « Biographie. Charlet, sa vie, ses lettres », dans *Revue Contemporaine*, XI, 31 janvier 1854, pp. 489-512.

LA COMBE, Joseph-Félix de, *Charlet, sa vie, ses lettres, suivi d'une description raisonnée de son œuvre lithographique*, Paris, 1856.

LAFOSSE, M., *Cours d'hippiatrique ou traité complet de la médecine des chevaux*, Paris, 1772.

LAGARDE, L. de, *Diptyques du Collège Stanislas renfermant la liste des anciens élèves*, Paris, 1880.

[LA GARENNE, M. de], « Géricault », dans *Biographie universelle, Ancienne et Moderne, Supplément*, Paris, 1838, suppl. LXV, pp. 296-299.

LAMBERTSON, John Paul, *The Genesis of French Romanticism : P. N. Guérin's Studio and the Public Sphere*, thèse de doctorat en Histoire de l'art, Urbana-Champaign (Chicago), University of Illinois, 1994.

LAROUSSE, Pierre, *Grand dictionnaire universel du XXe siècle*, Paris, 1866-1890, XV.

LAS CASES, Emmanuel de, *Le Mémorial de Sainte-Hélène*, Paris, 1823, 8 tomes.

LATOUCHE, Henri de [A.F.], *Lettres à David sur le Salon de 1819. Par quelques élèves de son école*, Paris, 1819.

LAVALLÉE, Pierre, « La Collection de dessins de l'École des Beaux-Arts », dans *Gazette des Beaux-Arts*, XIII, octobre-décembre 1917, pp. 417-432.

LAVALLÉE, Pierre, « Le Dessin romantique », dans *La Revue de l'Art ancien et moderne*, LVIII, décembre 1930, pp. 219-234.

LAVEISSIÈRE, Sylvain, *Gericault*, exp. Paris, Grand Palais, 1991-1992.

LEBENSZTEJN, Jean-Claude, *L'Art de la tache. Introduction à la nouvelle méthode d'Alexander Cozens*, Paris, 1990.

LEGRAND, Catherine, *Autour de David et Delacroix. Dessins français du XIXe siècle*, exp. Besançon, Musée des Beaux-Arts et d'Archéologie, 1982-1983.

LEM, F.H., « Le Thème du nègre dans l'œuvre de Géricault », dans *L'Arte*, janvier-juin 1962, pp. 19-44.

LEM, F.H., « Le Séjour de Géricault en Italie », dans *L'Arte*, juillet-décembre 1962, pp. 189-198.

LEM, F.H., « À propos de Géricault », dans *Le Peintre*, décembre 1962, pp. 6-8.

LEM, F.H., « Comment j'ai rendu un Géricault au Louvre », dans *Connaissance des Arts*, n° 131, janvier 1963, pp. 66-71.

LEM, F.H., « Géricault portraitiste », dans *L'Arte*, janvier-juin 1963, pp. 59-118.

LEMIRE, Michel, *Artistes et mortels*, Paris, 1990.

LE PESANT, Michel, « Documents inédits sur Géricault » dans *Revue de l'Art*, n° 31, 1976, pp. 73-81.

LESLIE, Steven (éd.), *The Dictionary of National Biography*, Oxford, 1937.

LETHÈVE, Jacques, ADHÉMAR, Jean, *Bibliothèque Nationale, Inventaire du Fonds français après 1800*, Paris, 1955, IX.

LEVESQUE, P.C., WATELET, C.H., *Dictionnaire des Arts de Peinture, Sculpture et Gravure*, Paris, 1792, II.

LEYMARIE, Camille, « Michelet et Géricault », dans *L'Artiste*, juin 1897, pp. 433-445.

LIEURE, J., *La Lithograhie artistique et ses diverses techniques. Les techniques. Leur évolution*, Paris, 1939.

LODGE, Suzanne, « Gericault in England », dans *The Burlington Magazine*, CVII, n° 753, décembre 1965, pp. 616-627.

LOGAN, Carolyn, HAVERKAMP-BEGEMANN, Egbert, *Creative Copies. Interpretative Drawings from Michelangelo to Picasso*, New York-London, 1988.

LOIRE, Stéphane, « François Tortebat », dans *Actes du colloque sur Simon Vouet*, Paris, 1992.

LUCAS-DUBRETON, Jean, *Le Culte de Napoléon, 1815-1848*, Paris, 1959.

LUCIE-SMITH, Edward, *Eroticism in Western Art*, Londres, 1972 : éd. rev. dans *Sexuality in Western Art*, Londres, 1991.

LUGT, Frits, *Les Marques de collections de dessins et d'estampes*, Amsterdam, 1921.

LÜTHY, Hans A., « Reviews : Master Drawings by Gericault », dans *Master Drawings*, XXIII-XXIV, n° 4, Winter 1986, pp. 563-567.

MADELIN, Louis, *La Catastrophe de Russie*, Paris, 1949.

MAHUL, A., *Annuaire Nécrologique, année 1824*, Paris, 1825.

MAISON, K., *Themes et variations*, Londres, 1960.

MAN, Felix H., *Artist's Lithographs, a World History from Senefelder to the Present Day*, Londres, 1970.

MANSEL, Philip, *The Court of France : 1789-1830*, Cambridge, 1988.

MARCEL, Pierre, GUIFFREY, Jean, *Inventaire général des Dessins du Musée du Louvre et du Musée de Versailles. École française*, Paris, 1907-1911, 6 tomes.

MARMOTTAN, Paul, « Deux lettres de Denon (1812) », dans *Bulletin de la Société de l'Histoire de l'Art Français*, 1918-1919, pp. 18-24.

MARINI, Maurizio, FAGGIOLI, Maurizio, *Bartolomeo Pinelli (1781-1836) e il suo tempo*, exp. Rome, 1983.

MARRINAN, Michael, « Narrative Space and Heroic Form : Géricault and the Painting of History », dans *Actes du Colloque international sur Géricault* (éd. par R. Michel), Paris-Rouen, novembre 1991, Paris, 1996, II, pp. 59-87.

MARTINE, Charles, *Théodore Géricault*, Paris, 1928, (Dessins de maîtres français. VIII).

MATHIAS-DUVAL, voir : DUVAL, Mathias

MATTESON, Lynn R., « Géricault and English "Streets Cries" », dans *Apollo*, CVI, octobre 1977, pp. 304-306.

MATTESON, Lynn R., « Observations on Géricault and Pinelli », dans *Pantheon*, XXXVIII, janvier-mars 1980, pp. 74-78.

MATZ, Friedrich, *Die dionysischen Sarkophage*, Berlin, 1968-1969, 4 tomes.

MERCEY, F. B. de, *Souvenirs et récits de voyages. Les Alpes françaises et la haute Italie*, Paris, 1857.

MICHEL, André, *Les Chefs-d'œuvre de l'Art au XIXe siècle. L'École française de David à Delacroix*, Paris, s.d., pp. 52-58.

MICHEL, André, « Exposition des dessins du siècle », dans *Gazette des Beaux-Arts*, XXIX, mars 1884, pp. 220-239, avril 1884, pp. 314-326.

MICHEL, Régis, « Géricault libéral : le dess(e)in de l'Inquisition », dans *Revue du Louvre*, nos 5-6, décembre 1991, pp. 8-11.

MICHEL, Régis, *Gericault*, exp. Paris, Grand Palais, 1991-1992.

MICHEL, Régis, *Géricault l'invention du réel*, Paris, 1992, coll. Découvertes Gallimard.

MICHEL, Régis (éd.), *Actes du Colloque international*

sur Géricault, Paris-Rouen, novembre 1991, Paris, 1996, 2 t.

MICHEL, Régis, « Le Nom de Géricault ou l'art n'a pas de sexe mais ne parle que de ça », dans *Actes du Colloque international sur Géricault*, Paris-Rouen, novembre 1991, Paris, 1996, I, pp. 1-37.

MICHEL, Régis, « "Géricault wird geschlagen" Nachgeschichtliche Meditationen über den Trug des Subjektes », dans *Bilder der Macht. Macht der Bilder. Zeitgeschichte in Darstellungen des 19. Jahrhunderts* (éd. par Stefan Germer et Michael F. Zimmermann), Munich-Berlin, 1997, pp. 208-228.

MICHELET, Jules, *Correspondance générale. 1839-1842* (éd. par Louis Le Guillou), Paris, éd. 1995, III.

MILLER, Dwight, *Street Criers and Itinerant Tradesmen in European Prints*, Stanford, 1970.

MONGEZ, [Antoine], WICAR, Jean-Baptiste, *Tableaux, statues, bas-reliefs et camées de la Galerie de Florence et du Palais Pitti*, Paris, 1789, I.

MONNET, Charles, *Études d'anatomie à l'usage des peintres*, s.d., 42 planches gravées par Demarteau, graveur du Roi, rue de la Pelleterie à la Cloche.

MONTHOLON, Charles-Tristan de, *Mémoires pour servir à l'Histoire de France sous Napoléon, écrites sous Napoléon*, Paris, 1823-1825, 6 tomes.

MOSBY, D. F., *Alexandre-Gabriel Decamps*, New York-Londres, 1977, 2 tomes.

MÜNTZ, Eugène, *Guide de l'École nationale des Beaux-Arts*, Paris, s.d.[1889].

MÜNTZ, Eugène, « Le Musée de l'École des Beaux-Arts. IV : les dessins de maîtres », dans *Gazette des Beaux-Arts*, V, janvier 1891, pp. 41-56.

NOCHLIN, Linda, « Géricault, or the Absence of Women », dans *October 68*, Spring 1994, pp. 45-59.

NOCHLIN, Linda, « Géricault or the Absence of Women », dans *Actes du Colloque international sur Géricault* (éd. par R. Michel), Paris-Rouen, novembre 1991, Paris, 1996, I, pp. 403-421.

OPRESCU, Georges, *Gericault*, Paris, s.d.[1927], coll. La Renaissance du Livre.

OTA, Y., *Gericault*, exp. Kamakura, Musée d'Art Moderne, Kyoto, Musée National d'Art Moderne, Fukuoka, Musée des Beaux-Arts, 1987-1988.

PENNY, Nicholas, HASKELL, Francis, *Taste and the Antique. The Lure of Classical Sculpture 1500-1900*, New Haven, 1988.

PESSIOT, Marie, CHENIQUE, Bruno, « Géricault, La mort du duc de Berry », dans *La Méduse, feuille d'information de l'Association des amis de Géricault*, n° 2, octobre 1996, pp. 3-4.

PINELLI, Bartolomeo, *Nuova raccolta di cinquanta mottivi pittoreschi e costumi di Roma*, Rome, 1810.

PINELLI, Bartolomeo, HULLMANDEL, C., *Roman Costumes Drawn from Nature* , Londres, 1820.

PIROLI, Tommaso, *Le Antichita di Ercolaneo*, Rome, 1789, III et IV.

PIRON, Achille, *Eugène Delacroix, sa vie et ses œuvres*, Paris, 1865.

PIZON, P., « Les Dessins d'anatomie de Géricault (1791-1824) », dans *La Presse médicale*, n° 86, 25 décembre 1954, pp. 1855-1858.

POSNER, Donald, *Annibale Carracci, a study in the Reform of Italian Painting around 1590*, Londres, 1971, II.

POZZI, Enrica, *Le Collezioni del Museo Nazionale di Napoli I*, Milan, 1989, II.

PRAT, Louis-Antoine, *Dessins du Musée d'Alençon du XVIe au XIXe siècles*, exp. Alençon, Musée des Beaux-Arts et de la Dentelle, 1981.

PROKOFIEV, N.V., *Géricault*, Moscou, 1963.

QUENNEL, Peter (éd.), *Mayhew's London, Being Selections from « London Labour and the London Poor » by Henry Mayhew* (1851), Londres, éd. 1969.

RAVE, Paul Ortwin, *Karl Blechen. Leben und Werk*, Berlin, 1940.

RÉGAMEY, Raymond, *Géricault*, Paris, 1926, coll. Maîtres de l'art moderne.

REY, E., « Gericault », dans *L'Art et les Artistes*, n° 46, avril 1924, pp. 257-264.

RICHIR, Hervé, JAN, Patrick, *Les Papiers huilés ou vernis. Applications graphiques et picturales au XIXe siècle*, maîtrise de l'École du Louvre, Paris, 1989.

ROBERTSON, Emily (éd.), *The Letters and Papers of Andrew Robertson*, Londres, 1895.

RONOT, H., «Le Traité d'anatomie d'Edme Bouchardon», dans *Bulletin de la Société de l'Histoire de l'Art Français*, 1968 [1970], pp. 93-100.

ROSENTHAL, D.A., «Ingres, Géricault and "Monsieur Auguste"», dans *The Burlington Magazine*, CXXIV, n° 951, juin 1982, pp. 9-14.

ROSENTHAL, Léon, *La Peinture romantique*, Paris, 1900.

ROSENTHAL, Léon, *Gericault*, Paris, s.d. [1905], coll. Les Maîtres de l'Art.

ROSENTHAL, Léon, «L'Esthétique de Géricault», dans *Revue de l'Art ancien et moderne*, XVIII, octobre 1905, pp. 291-300, et novembre 1905, pp. 355-370.

ROSENTHAL, Léon, «Géricault et notre temps», dans *L'Amour de l'art*, janvier 1924, pp. 13-14.

ROSENTHAL, Léon, «À propos du centenaire de Théodore Géricault. L'art et l'influence de Géricault», dans *La Revue de l'Art ancien et moderne*, XLV, avril 1924, pp. 225-235.

ROSENTHAL, Léon, «À propos d'un centenaire et d'une exposition. La place de Géricault dans la peinture française», dans *La Revue de l'Art ancien et moderne*, XLVI, juin 1924, pp. 53-62.

ROSENTHAL, Léon, «Géricault et la médecine», dans *Le Progrès médical*, suppl. ill., n° 4, 1924, pp. 25-26.

ROSSETTI, Bartolomeo, *La Roma di Bartolomeo Pinelli, una città e il suo popolo attraverso feste, mestieri, ambianti e personaggi caratteristici nelle piu belle incisioni del «pitor de Trastevere»*, Rome, 1981.

RUSCHEINSKY, Lynn, *Works in the exhibition*, exp. Vancouver, Morris and Helen Belkin Art Gallery, 1997.

RUSCHWEYH, Ferdinando, WAGNER, Gio Maria, *Bassorilievi Antichi della Grecia o sia Fregio del Templo di Apollo Epicurio in Arcadia designato dagli originale de G.M. Wagner, ed inciso de F. Ruschweyth*, Rome, 1814.

RYAN, Maureen, *Liberal Ironies, Colonial Narratives and the Rhetoric of Art : Reconsidering Géricault's Radeau de la Méduse and the Traite des Nègres*, exp. Vancouver, Morris and Helen Belkin Art Gallery, 1997, pp. 18-51.

SAGNE, Jean, *Géricault*, Paris, 1991.

SAGNE, Jean, «Géricault et l'opinion libérale», dans *Actes du Colloque international sur Géricault* (éd. par R. Michel), Paris-Rouen, novembre 1991, Paris, 1996, II, pp. 595-616.

SAUNIER, Charles, *Les Conquêtes artistiques de la Révolution et de l'Empire*, Paris, 1902.

SAVIGNY, Jean-Baptiste Henri, CORRÉARD, Alexandre, *Naufrage de la frégate La Méduse, faisant partie de l'expédition du Sénégal en 1816*, Paris, 1817 et 1818 (reéd. en 1969).

SAVIGNY, Jean-Baptiste Henri, *Observations sur les effets de faim et de la soif éprouvés après le naufrage de la Frégate du Roi, La Méduse, en 1816*, Paris, 1818, thèse de la Faculté de médecine.

SCHEFFER, Arnold, «Salon de 1827», dans *Revue Française*, I, n° 1, janvier 1828.

SCHINDLER, Richard, «Raffet and the Role of the Military Print», dans *All the Banners Wave : Art and War in the Romantic Era, 1792-1851*, exp. Providence, Brown University, 1982.

SELIGMAN, G., «Book Reviews», dans *The Art Bulletin*, décembre 1953.

SELLS, Christopher, «Géricault, Dedreux-Dorcy et la pierre artificielle», dans *Bulletin de la Société de l'Histoire de l'Art Français*, 1985, [1987], pp. 207-215.

SELLS, Christopher, «New Light on Gericault, his Travels and his Friends, 1816-1823», dans *Apollo*, juin 1986, pp. 390-395.

SELLS, Christopher, «After the "Raft of the Medusa": Gericault's later projects», dans *The Burlington Magazine*, CXXVIII, août 1986, pp. 563-571.

SELLS, Christopher, «A Revised Dating for Part of Géricault's Chicago Album», dans *Master Drawings*, XXVII, n° 4, 1989, pp. 341-357.

SENEFELDER, Aloys, *L'Art de la lithographie*, Munich, 1819.

SÉRULLAZ, Maurice, *Dessins français de Prud'hon à Daumier*, Fribourg, 1966.

SÉRULLAZ, Maurice, *Inventaire général des dessins. École Française. Dessins d'Eugène Delacroix 1798-1863*, Paris, 1984, II.

SICHTERMANN, Helmut, KOCH, Guntram, *Römische Sarkophage*, Munich, 1982.

SICHTERMANN, Helmut, « Leda und Ganymed », dans *Karlsruher Winckelmann Programm*, 1984.

SIMON, Robert, « Géricault and "l'affaire Fualdès" », dans *Actes du Colloque international sur Géricault* (éd. par R. Michel), Paris-Rouen, novembre 1991, Paris, 1996, I, pp. 161-178.

SIMON, Robert, « Géricault and the "fait divers" », dans *Actes du Colloque international sur Géricault* (éd. par R. Michel), Paris-Rouen, novembre 1991, Paris, 1996, I, pp. 255-272.

SPENCER, Kate, *The Graphic Art of Géricault*, exp. New Haven (Connecticut), Yale University Art Gallery, 1969.

STEINGRÄBER, Erich, DUBE, Wolf-Dieter, HEILMANN, Christoph H., *Neue Pinakothek München. Erläuterungen zu den ausgestellten Werken*, Munich, 1989.

STENDHAL, *Journal*, Paris, éd. 1937, IV et V.

STEPHEN, Leslie (éd.), *The Dictionary of National Biography*, Oxford, 1937, XIII, pp. 1080-1081 («Thomas Moos»).

SUË, Jean-Joseph, *Eléments d'anatomie à l'usage des peintres...*, Paris, 1788.

SUË, Jean-Joseph, *L'Opinion du citoyen Suë sur le supplice de la guillotine*, Paris, 1795.

SUË, Jean-Joseph, *Essai sur la physiognomie des corps vivants considérés depuis l'homme jusqu'à la plante*, Paris, 1797.

SUË, Jean-Joseph, *Recherches physiologiques et expériences sur la vitalité et le galvanisme*, Paris, 1803.

SVETOZAR-PETRIC, Daniel, *Le Groupe littéraire de la Minerve française (1818-1820)*, Paris, 1927.

SYMMONS, Sarah, « Géricault, Flaxman and "Ugolino" », dans *The Burlington Magazine*, CXV, n° 847, octobre 1973, pp. 671-672.

SZCZEPINSKA-TRAMER, Joanna, « *Recherches sur les paysages de Géricault* », dans *Bulletin de la Société de l'Histoire de l'Art Français*, 1973, [1974], pp. 299-317.

SZCZEPINSKA-TRAMER, Joanna, « Géricault et l'École des Beaux-Arts », dans *Milanges Bialostocki Ars Auro Prior*, Varsovie, 1981, pp. 631-637.

SZCZEPINSKA-TRAMER, Joanna, « Notes on Gericault's Early Chronology », dans *Master Drawings*, XX, n° 2, 1982, pp. 135-148.

TESTORI, G., « Un designo di Géricault per la *Traite des Nègres* », dans *Paragone*, XIV, n° 157, janvier 1963, pp. 57-59.

THIEME, Ulrich et BECKER, Felix, *Allgemeines Lexikon der bildenden Künstler*, Leipzig, 1920, XIII, pp. 458-461.

THOMÉ, J.R., « Les Dessins de Géricault », dans *Le Dessin*, 1947, pp. 63-71.

THOMPSON, E.P., *The Making of the English Working Class*, Londres, 1963.

THORÉ, Théophile, « Géricault », dans *Les Beaux-Arts*, I, 1843, pp. 329-332 et 345-347.

THUILLIER, Jacques, Préface de *L'Opera completa di Gericault*, par Philippe Grunchec, Milan, 1978.

THUILLIER, Jacques, Préface de *Tout l'œuvre peint de Gericault*, par Philippe Grunchec, Paris, 1978 et 1991.

THUILLIER, Jacques, *Réflexions sur Gericault*, exp. Kamakura, Musée d'Art Moderne, Kyoto, Musée National d'Art Moderne, Fukuoka, Musée des Beaux-Arts, 1987-1988, pp. 28-35.

TINTEROW, Gary, « Gericault's Heroic Landscapes. The Times of Day », dans *The Metropolitan Museum of Art Bulletin*, Winter 1990-1991, pp. 1-76 (tiré à part).

TONDO, Luigi, VANNI, Franca Maria, *Le Gemme dei Medici e dei Lorena nel Museo Archeologico di Firenze*, Florence, 1990.

TORTEBAT, François, *Abrégé d'anatomie accomodé aux arts de peinture et de sculpture*, Paris, 1668.

TRÉAL, L., « Les Dessins anatomiques de Géricault à la Bibliothèque de l'École des Beaux-Arts », dans *Chronique des Arts et de la Curiosité*, n°s 6, 11 février 1893, pp. 44-45.

TRÉVISE, Édouard de, « À propos du centenaire de Théodore Géricault : Géricault, peintre d'actualités », dans *La Revue de l'art ancien et moderne*, XLV, mai 1924, pp. 297-308.

TRÉVISE, Édouard de, GUIFFREY, Jean, DUBAUT, Pierre, *Exposition d'œuvres de Géricault*, exp. Paris, Hôtel Jean Charpentier, 1924.

TRÉVISE, Édouard de, ESCHOLIER, Raymond, exp. *Gros ses amis, ses élèves*, Paris, Petit Palais, 1936.

TUDESQ, André-Jean, JARDIN, André, *La France des notables. La Vie de la nation, 1815-1848*, Paris, 1978.

TWYMAN, Michael, « Charles Joseph Hullmandel », dans *Lasting Impressions* (éd. par P. Gilmour), Londres, 1988.

VALLERY-RADOT, Pierre, « L'Anatomie et la psychiatrie dans la vie et l'œuvre de Géricault (1791-1824) », dans *La Presse médicale*, 66, n° 27, 5 avril 1958, pp. 613-614.

VANNI, Franca Maria, TONDO, Luigi, *Le Gemme dei Medici e dei Lorena nel Museo Archeologico di Firenze*, Florence, 1990.

VÉSALE, André, *L'Epitomé*, Bâle, 1543.

VÉSALE, André, *De Humani Corporis Fabrica*, Bâle, 1543, 7 tomes.

VIDALENC, Jean, *Le Demi-solde, étude d'une catégorie sociale*, Paris, 1955.

VIEILH DE BOISJOSLIN, Claude, « Gericault », dans *Biographie universelle et portative des contemporains*, Paris, 1830, pp. 1861-1863.

WAGNER, Gio Maria, RUSCHWEYH, Ferdinando, *Bassorilievi Antichi della Grecia o sia Fregio del Templo di Apollo Epicurio in Arcadia designato dagli originale de G.M. Wagner, ed inciso de F. Ruschweyth*, Rome, 1814.

WATELET, C.H., LEVESQUE, P.C., *Dictionnaire des Arts de Peinture, Sculpture et Gravure*, Paris, 1792, II.

WESCHER, P., *Kunstraub unter Napoleon*, Berlin, 1978.

WHITE, Hayden, « The Value of Narrativity in the Representation of Reality », dans *On Narrative* (éd. par W.J.T. Mitchell), Chicago, 1981.

WHITNEY, Wheelock, *Gericault in Italy*, New Haven, 1997.

WICAR, Jean-Baptiste, MONGEZ, [Antoine], *Tableaux, statues, bas-reliefs et camées de la Galerie de Florence et du Palais Pitti*,Paris, 1789, I.

WIERCINSKA, Janina, « Théodore Géricault et le "Lancier Polonais" du Musée national de Varsovie », dans *Bulletin du Musée national de Varsovie*, VIII, n° 3, 1967, pp. 81-91, et dans *Biuletyn historii i sztuki*, n° 1, 1968, pp. 98-102.

WILDER, F. L., *English Sporting Prints*, Londres, 1947.

WOOD, Henry Trueman, *History of the Royal Society of Arts*, Londres, 1913.

ZERNER, Henri, « Le Portrait, plus ou moins », dans *Actes du Colloque international sur Géricault* (éd. par R. Michel), Paris-Rouen, novembre 1991, Paris, 1996, I, pp. 321-336.

ZERNER, Henri, *Géricault. Arts et Esthétique*, Poitiers, 1997.

ZIMMERMANN, Michael F. (éd.), GERMER, Stefan (éd.), *Bilder der Macht. Macht der Bilder. Zeitgeschichte in Darstellungen des 19. Jahrhunderts*, Munich-Berlin, 1997.

Bibliographie établie par Joëlla de Couëssin.

Crédits photographiques

Angers, Musée des Beaux-Arts : ill. 33, 34, 37, 47, 48
Bayonne, Musée Bonnat : ill. 22, 68
Besançon, Musée des Beaux-Arts : ill. 40, 42
Boston, Museum of Fine Arts : ill. 67
Chicago, Institute of Art : ill. 32, 64
Londres, Wallace Collection : ill. 61
Malibu, J. Paul Getty Museum : ill. 9, 21
Montpellier, Musée des Beaux-Arts : ill. 43
Paris, ancienne collection Robert Lebel : ill. 44
Paris, Bibliothèque nationale de France : ill. 51, 52, 53, 54, 55, 56, 57, 58, 63, 66
Paris, collection particulière : ill. 23, 24
Paris, Ensba : ill. 4, 5, 6, 7, 8, 65
Paris, Ensba, département de Morphologie : ill. 35, 36, 38, 41
Paris, Faculté de Médecine : ill. 10, 11, 12, 13, 14, 17, 18, 19, 20
Paris, Musée du Louvre : ill. 1, 2, 3, 15, 16, 26, 27, 28, 29, 30, 31, 49, 59, 60
Rouen, Musée des Beaux-Arts : ill. 45
Washington, National Gallery of Art : ill. 62
Wildenstein Institute : ill. 23, 39
Zurich, Kunsthaus : ill. 25

Les autres dessins et gravures figurant dans ce catalogue, appartiennent aux collections de l'École nationale supérieure des Beaux-Arts.

Photogravure : GEGM, Paris.
Achevé d'imprimer en novembre 1997
par l'imprimerie Le Govic à Saint Herblain (44).
Relié par la SMRF à Muzillac (56).
Dépôt légal : novembre 1997.